D0755040

Château Ella

Château Ella

Hilary Norman

Traduit de l'anglais par Evelyne Stauffer

Données de catalogage avant publication (Canada)

Norman, Hilary
   Château Ella
   2e éd. canadienne.
   (Bis)
   Traduction de: Château Ella
   ISBN: 2-89077-071-0
   I. Titre.
PR6064.O73C4414 1991   823'.914   C91-096420-3

ISBN: 2-89077-071-0

Photographie de la couverture: Réflexion

Dépôt légal: 1er trimestre 1991

PINE ORCHARD, NEW YORK

11 juin 1986

Ella Bogarde, dans un suprême effort, repoussa les lourds vantaux du portail en fer forgé. lls étaient restés ouverts dix années durant, jour et nuit, printemps, été, automne et hiver, saluant majestueusement tous les arrivants. Et maintenant, ils grinçaient et se bloquaient sur le gravier de l'allée qu'ils râclaient. En dépit de la peine que se donnait Ella, ils refusaient de se refermer complètement avec une obstination qui faisait enrager la jeune femme.

Elle recula, les mains sur les hanches, épuisée, au bord des larmes. Elle leva les yeux sur le nom formé de jolies lettres dorées et se frotta violemment les yeux, écrasant son mascara.

« *Château Bogarde* »

« Tu es fermé, bon sang, marmonna-t-elle les dents serrées, que cela te plaise ou non ! »

Elle se retourna et vit les quatre chiens assis en ligne sur le côté de la route en pente raide qui menait à l'hôtel. Quatre paires d'yeux la regardaient avec adoration.

« Vous, arrêtez de me regarder ainsi, leur dit-elle sur un ton maussade. Toutes les bonnes choses ont une fin. C'est un fait bien connu. »

Les chiens-loups irlandais – deux adultes et deux chiots de six mois déjà aussi grands que des bergers allemands –

la regardaient toujours. Le plus petit des adultes, une femelle bringée aux sourcils touffus et aux yeux cannelle, se leva, trotta vers Ella et poussa son coude droit d'un coup de museau en gémissant doucement.

« Je comprends, Aphrodite, dit Ella d'une voix plus douce. Elle te manque ? » Elle se pencha pour embrasser l'animal. « Crois-moi, ma douce, je sais bien ce que tu ressens. »

Trois nuits plus tôt, ils étaient encore cinq. Il avait fallu cet épisode sanglant pour mettre fin à tout, détruisant le passé et ruinant l'avenir.

Ella frissonna malgré le chaud soleil et se redressa. Aphrodite s'appuya lourdement contre elle, recouvrant de sa fourrure le vieux jean acheté six ans avant chez Calvin Klein et dans lequel elle se fourrait de préférence dès qu'elle avait besoin de courage et de réconfort.

« D'accord, dit-elle aux chiens, s'efforçant de prendre une mine décidée, que faisons-nous d'habitude en cas de crise aiguë ? »

« Vous avez raison, mes braves bêtes, approuva-t-elle. Nous marchons ! « Ses lèvres tremblèrent. » Mais cette fois, mes amis, je crois que nous devrons parcourir cette région de fond en comble avant de trouver la solution de notre problème. »

Avec une apathie normalement étrangère à son caractère, Ella descendit d'un pas lourd la route abrupte tandis que les bêtes flairaient çà et là autour d'elle. D'ordinaire, elle se promenait dans les limites du domaine Bogarde ; mais ce matin-là, rongée par le désespoir, elle éprouvait le besoin impérieux de s'en éloigner le plus possible.

Des sentiments contradictoires l'assaillaient. D'un côté elle se languissait de ceux qu'elle aimait et qui l'aimaient, alors que de l'autre, elle était horriblement et misérablement consciente que personne ne pouvait l'aider aujourd'hui hormis elle-même peut-être.

Tandis qu'elle descendait la côte à pas traînants, Ella tourna la tête vers les murs et les haies qui bordaient leur domaine et protégeaient des hôtes qui payaient si volontiers et avec tant d'empressement les jours et les nuits d'une demi-retraite choyée sur un domaine de deux cents arpents. Pourtant, la liberté avait toujours été l'un des attraits de l'hôtel, liberté de flâner à volonté partout, dans les jardins impeccables et les bois touffus, sur les souples pelouses et parmi les planches de légumes qu'elle-même, Harry et Krisztina avaient créées avec tant d'amour au bord de cette montagne puissante qui s'élevait à presque trois mille pieds au-dessus de la rivière Hudson.

Amère, Ella réfléchissait. Ils se croyaient tellement à l'abri, protégés par les services de sécurité et les systèmes d'alarme électroniques propres au vingtième siècle, confiants dans la stabilité fondamentale de la montagne. Comme ils avaient eu tort, épouvantablement tort.

Elle entendit un bruit – un bruit isolé et neuf, incompatible avec les joyeux chants d'oiseaux qui lui brisaient le cœur, un son familier qui n'était pas déplaisant mais qui, ce matin-là, la fit se dresser, inquiète.

Une voiture.

— Merde, dit-elle. Elle rappela les chiens. « Pourquoi ne nous fichent-ils pas la paix ? » Encore des policiers, ou pire encore, une autre équipe de télévision cherchant à s'immiscer dans un humiliant fiasco commercial. Elle serra les dents et ferma les poings.

La voiture apparut, d'une blancheur étincelante, ses vitres teintées de sombre. Une Rolls-Royce décapotable.

Ella eut un sourire en coin. Ni la police d'État, ni les chaînes de télévision, ni même le *New York Times* ne mettraient un tel véhicule à la disposition de leurs employés.

La voiture la dépassa en ralentissant afin de l'éviter, ainsi que ses chiens, puis elle accéléra de nouveau en direction de l'hôtel.

Ella hésita. Quelqu'un avait donc pu se glisser par les mailles du filet dressé par Louis Dettlinger ?

— Un coriace, dit-elle avec une rudesse inhabituelle tout en poursuivant sa route.

Moins de dix minutes plus tard, la voiture réapparut et s'arrêta à sa droite. La vitre du chauffeur s'abaissa sans bruit et l'homme en uniforme gris la regarda, le visage impassible.

— Excusez-moi, madame, dit-il, nous cherchons l'entrée de l'hôtel.

— Ah oui ?

— Château Bogarde. Au portail, là-bas, tout est fermé.

— Peut-être faudrait-il pousser fort pour l'ouvrir ?

— Bougerait pas – on dirait qu'il est fermé depuis des années.

— Ah oui ? Ella retint un pâle sourire.

La vitre arrière descendit avec un ronronnement gracieux et une femme au teint de porcelaine, et qui devait avoir environ soixante-dix ans, pencha la tête au dehors.

— Sans doute le connaissez-vous par son autre nom, ma chérie, dit-elle aimablement. On l'appelle aussi Château Ella.

— En effet, dit Ella.

— Oh ! c'est parfait alors, vous connaissez. Elle se tut quelques instants. « Sauriez-vous par hasard où se trouve l'entrée principale ? »

— Il n'y en a pas, rétorqua Ella.

— En êtes-vous certaine ?

— Absolument.

La femme examina Ella avec curiosité. Comment une fille de meute au sommet d'une montagne – une fille de meute ayant d'ailleurs une chevelure de feu des plus étranges, de remarquables yeux violets et un visage d'une beauté enviable, sans la moindre trace de maquillage – en était-elle arrivée à porter un jean de bonne facture valant quelques centaines de dollars et une blouse original de chez Dior ? Même si le jean n'était plus tout à fait neuf et si l'ensemble était parsemé de poils de ces chiens fort occupés à présent à flairer les dix-sept couches de peinture de la Rolls-Royce !

— Nous avons suivi toutes les indications, dit la femme sur un ton plaintif. Nous étions certains d'être sur la bonne route.

— Vous l'êtes en effet.

— Vraiment ? s'étonna-t-elle. Mais alors, pourquoi tout est-il fermé ? Peut-être n'avons-nous pas remarqué la cloche ?

— Non, dit Ella, il n'y a pas de cloche. L'hôtel est fermé.

— Fermé ! Le troisième passager de la voiture, un homme en costume sombre, à l'épaisse chevelure blanche et au visage rouge, se pencha devant la femme. Cet hôtel ne *peut* pas être fermé !

— Je crains bien que si, rétorqua doucement Ella. Où étaient donc ces gens durant ces cinq derniers jours ?

— Mais nous avions réservé !

— Allons, mon cher, dit la femme sur un ton apaisant. Rien à faire avec cette jeune femme.

Ella s'éloigna de la voiture et appela les chiens. Son sang commençait à battre dans sa tête, et elle souhaitait que ces gens disparaissent et la laissent en paix. C'était dans ce seul but qu'elle avait pris la décision terrible et sans précédent de fermer son hôtel tant aimé. Elle se sentait tout simplement incapable de faire face et n'envisageait même pas de pouvoir faire face un jour.

— Si elle sait qu'il est fermé, elle doit savoir *pourquoi*. Pose-lui donc la question, bon Dieu !

— Excusez-moi, reprit la femme s'adressant à Ella, mais nous sommes tous deux terriblement déçus. C'est la première fois que nous avons l'occasion de prendre un congé d'un an. Mon mari est tellement occupé.

— Oui, bien sûr, répondit vaguement Ella, qui tentait de s'esquiver et commençait à se sentir mal à l'aise.

— Normalement, poursuivait la femme, nous serions allés en Europe, mais de nombreux amis nous ont recommandé Château Bogarde, tous nous ont assuré que c'était le meilleur hôtel en Amérique...

— Oh ! pour l'amour du ciel, interrompit l'homme rageusement. Si elle ne sait rien, O.K. quittons au moins cette montagne perdue et allons dans quelque endroit civilisé où il y aura du scotch et un téléphone !

— D'accord, chéri, dit la femme paisiblement, l'œil toujours rivé sur Ella. Peut-être connaissez-vous un hôtel convenable dans les environs ?

Ella réfléchit un moment.

— Je pencherais pour le Beekman Arms, à Rhinebeck, dit-elle en rougissant fortement.

Ce fut bien vingt secondes après qu'eût résonné dans son oreille la dernière note vrombissante du moteur qu'Ella ressentit le choc de ce qui venait de se passer. Ses bras se mirent à trembler, son estomac se brouilla, ses genoux devinrent mous, et elle s'affala sur l'herbe, oubliant la vaporeuse rosée matinale qui traversait son jean et la glaçait.

Elle avait géré Château Bogarde pendant dix ans, elle l'avait nourri, dirigé, aimé avec passion. Avec les années, elle était devenue une hôtelière accomplie et son établissement comptait parmi les plus importants; c'était un hôtel de grand standing amréricain bien que ses racines se fussent alimentées dans les sols fertiles de l'Europe. Les fils riches et colorés de Hongrie, de France et d'Angleterre étaient tissés dans le lourd tissu du domaine, mais c'était tout de même le souffle américain qui avait donné sa vitalité et son âme à l'hôtel. L'Europe avait été la mère; mais l'Amérique avait été le père qui avait imprégné les briques et le mortier européens de l'esprit chaleureux, du sens de l'hospitalité et du courage propres à l'Amérique. Le résultat avait été plus qu'un simple hôtel luxueux niché au cœur de l'état de New York. C'était un joyau sublime et magique, unique en son genre, et qui commençait à enfoncer son nez élégant dans les vallonnements de la légende hôtelière américaine sous le nom réputé de Château Ella.

Et à présent, c'était fini. Elle avait l'impression d'avoir vu le ventre tendre d'une aimable créature mythique cruellement lacéré par quelque monstre furieux crachant le feu. Elle comprit soudain qu'elle ne saurait plus supporter de regarder en face sa création. Elle n'imaginait pas que ses blessures profondes pussent guérir un jour. Et, comme si cette tragique affaire avait encore besoin d'une conclusion ironique, Ella venait d'être confrontée avec ce qui était le plus précieux pour un hôtelier, ce type de personnes qu'elle s'était entraînée à chérir de toute son énergie et de toutes ses forces: des clients; des hôtes qu'elle avait repoussés d'un dernier moulinet de son épée tranchante.

Elle enfouit son visage dans ses mains et presque instantanément, elle sentit un museau froid contre sa joue et un halètement dans son oreille gauche. C'était Aphrodite. Mais cette affection tendre et palpitante dépassait presque ce qu'elle était capable de supporter.

Elle entendit un gémissement, et réalisa qu'il venait d'elle-même. Elle pleurait rarement; il était difficile de céder à l'émotion quand on était une mère, quand il y avait toujours quelqu'un alentour pour s'en apercevoir, quand on vivait sous les yeux d'un public. Même au cœur de l'horreur, elle avait été trop engourdie, trop furieuse, trop apeurée aussi pour s'abandonner. Mais ce matin, recroquevillée sous le soleil de juin, le grand chien pressé contre elle comme pour la réconforter, une puissante vague de chagrin et de faiblesse la submergeait. Lentement, péniblement, les larmes lui montèrent aux yeux, sa bouche trembla, et un énorme soupir s'échappa d'elle. Ella pleurait enfin.

HONGRIE

13 octobre 1919

La mère trébuchait sur la route déserte, le grand chien blanc sur ses talons, le petit paquet endormi solidement enfermé dans ses bras. Épuisée par la marche, fatiguée de se cacher sans cesse, elle luttait pour faire taire son désespoir qui s'exprimait cependant en gémissements angoissés qui déchiraient l'air froid de la nuit. C'était la douleur la plus féroce, la plus hideuse de toutes; elle sapait ses forces, la vidait de son âme, la pénétrait comme une vague de fond ravageuse et destructrice. Même la mort, cette mort qui viendrait bientôt, aussi sûrement que le prochain sabbat, serait plus supportable.

Une aube tendre et lumineuse se levait sur la petite ville lorsqu'elle atteignit les marches de l'église. Bientôt, les gens seraient dans les rues, se hâtant vers leur travail, faisant leurs achats, tentant de survivre. Mais heureusement, il n'y avait encore personne pour la voir ou lui poser des questions à ce moment.

Heureusement.

Elle déposa le bébé emmailloté sur la vaste marche supérieure après l'avoir soigneusement enveloppé dans son châle taché de sang.

— Janka, assise, dit-elle au chien.

Ses yeux étaient secs et brûlants, et son corps tremblait, mais son esprit était vide lorsqu'elle ôta de son cou l'Étoile de David en or pour l'enrouler deux fois autour du cou de sa fille. Puis elle s'agenouilla sur la pierre froide et, impassible, elle posa sa tête sur les petites mains potelées du bébé, priant pour la dernière fois.

« Que le Seigneur te bénisse et te garde. Que le Seigneur fasse briller sa Face sur toi et te soit bénéfique. »

Janka gémit doucement et lécha la jambe nue de la femme.

« Amen. »

La mère embrassa l'enfant deux fois – deux frôlements brefs et chauds sur le petit front blanc et sur la bouche tranquille en forme de bouton de rose. Puis elle se leva et parla de nouveau à la bête d'une voix douce mais autoritaire :

« Janka, garde-la. »

La chienne dressa les oreilles et gémit encore, mais elle s'approcha du bébé au plus près.

Le soleil montait plus haut dans le ciel. La mère ferma les yeux un moment et se souvint des bonnes choses: le sourire de son mari, ses bras forts, les nombreuses nuits dans le lit qu'il avait sculpté de ses propres mains; leur petite maison avec les jardinières de géraniums aux fenêtres et le grand noisetier devant; les blés dorés et les coquelicots écarlates dans la campagne, et surtout, la grande *puszta*.

Quand elle ouvrit les yeux, ils étaient humides mais son cœur s'était dèjà désséché en elle. La mère tourna le dos à sa fille et s'éloigna, elle descendit les marches et prit la route en direction des bruits de chevaux, vers les hommes, vers la mort. Janka, le chien, était un grand pyrénéen, massif et puissant, recouvert de la tête aux pieds d'une fourrure longue et épaisse à présent tachée du sang du massacre humain. Janka avait été gardienne de troupeaux dans les prairies avant d'être introduite dans la maison cinq ans auparavant.

« Garde-la, avait ordonné la femme. » Et Janka avait bien compris.

La ville commença à s'agiter.

Des *étrangers*.

Janka s'efforça de pincer fermement les bouts du châle dans ses fortes mâchoires, souleva le paquet, descendit rapidement les marches et préféra chercher la sécurité de la forêt.

Pendant deux jours et deux nuits les arbres murmurèrent, les branches craquèrent, les herbes et les feuilles bruissèrent, les créatures forestières chuchotèrent, mugirent, rampèrent et se terrèrent ; et pendant tout ce temps, Janka réchauffa l'enfant de son corps, lava à coups de langue le doux visage rose et lança des avertissements à tout ce qui tentait de s'approcher. L'enfant reniflait, pleurait, se lamentait et commençait à s'affaiblir. Janka, qui avait essayé en vain de l'allaiter, tua deux lapins dodus et une hermine qu'elle déchira en morceaux, mais le bébé ne bougeait pas ni ne mangeait.

Le troisième soir, le désespoir poussa Janka à retourner devant l'église avec le bébé. *La femme est peut-être revenue,* rêvait Janka, et elle attendit.

— Jésus-Marie regardez!

Cette voix féminine et stridente réveilla Janka. Deux femmes se tenaient sur la première marche de l'église, leurs sacs à provisions sur les bras.

— Il y a un enfant !

Janka se dressa, l'odeur de salami qui émanait des sacs la rendait presque folle tant elle était affamée, mais elle n'osa pas bouger, à moins que les inconnues n'approchent.

— Seigneur, il y a du sang sur eux !

Elles posèrent leurs sacs, et la plus grande des deux femmes avança son pied sur la première marche. Janka gronda. La femme recula et redressa son chapeau.

— Allez chercher le *pandur*.

— Ils doivent être en train de manger.

— Le chien est peut-être fou ; allez prévenir la police.

La femme la plus petite partit, et celles qui restaient attendirent, tendues, tels des sujets d'un tableau étrange :

l'enfant blême et immobile, Janka dont les muscles et les nerfs étaient frémissants et prêts à la détente, la femme mal à l'aise qui s'appuyait d'une jambe sur l'autre, les yeux rivés sur le bébé.

Un policier arriva, maigre, l'air ennuyé et irascible, son pistolet à la hanche.

— Regardez ! dirent les femmes. Le sang.

— Je vois, dit le policier en portant la main à son arme.

La porte de l'église s'ouvrit et le prêtre, jeune et brun, sortit.

— Père Jozsef, faites attention ! cria la première femme. Le chien est dangereux.

Jozsef Szabo baissa les yeux. Le bébé s'agita légèrement. Janka le surveillait.

— Dis donc, dit le prêtre doucement. Tu prends soin du petit ?

Janka dressa les oreilles.

— Je ne pense pas qu'elle soit dangereuse, dit le prêtre au policier. Elle a simplement besoin de manger et de se reposer, expliqua-t-il calmement.

— Possible, dit le policier avec aigreur en songeant à son propre dîner, mais la loi s'occupe d'affaires plus importantes. Je vais abattre la bête et on verra ensuite.

— Bien sûr, mon ami, dit le père Jozsef d'une voix unie bien que son visage devint rouge. Il y a pourtant eu suffisamment d'exécutions dans cette ville. Il recula d'un pas vers la porte. « Laissez-moi aller chercher un peu de lait et... »

— Jésus ! Le policier s'impatienta et fit un mouvement brusque vers les marches. Janka, en alerte, pencha la tête, ramassa le paquet et se tint tranquille. Le policier sortit son pistolet.

— Non, Je vous en prie ! plaida le prêtre.

L'atmosphère se tendait de plus en plus, des voix s'élevaient toujours, Janka entra alors en action. Elle serra le châle plus fortement et dévala les marches, évitant agilement la petite foule qui s'était rassemblée pour regarder la scène. Le policier leva son pistolet et visa, mais des gens barraient sa cible. Il abaissa son arme et cracha.

— Rajta, cria-t-il. Venez Père Jozsef ! Le chien ne peut pas aller bien loin en portant ce poids.

La chasse commença. D'abord le policier suivi de près par le prêtre essoufflé, poussif, sa soutane volant au vent. Puis les deux femmes qui s'efforçaient de maintenir l'allure, mais que leurs sacs embarrassaient. Des passants ébahis les suivirent des yeux tandis que la traque longeait la rue Rakoczi, puis la place Matyas, en direction de la rivière et du pont de bois. À mi-chemin pourtant, gênée par l'enfant, Janka s'arrêta. Elle déposa le paquet et, haletante, fit face à ses poursuivants sans cesser de protéger l'enfant.

— Nous les tenons ! Le policier brandit de nouveau son pistolet.

— Au nom du ciel, attendez ! hurla le Père Jozsef hors d'haleine en arrivant près de l'homme. « Laissez-moi essayer encore, juste une fois ! »

Le policier cracha encore.

— Non, Père, regardez donc cette brute, c'est une menace pour chacun dans cette ville. Il visa avec soin, louchant dans la faible clarté du jour.

— Vigyas ! hurla l'une des femmes qui arrivait à ce moment. Pensez au bébé !

La gentille Janka, babines retroussées, se tassa sur son arrière-train, l'air féroce, grognant vers les inconnus. Elle entendit soudain le cri aigu de l'enfant, vit l'homme en long vêtement noir lever les mains, surveilla les deux femmes aux voix stridentes qui s'accrochaient l'une à l'autre, entendit le ruissellement de la rivière un peu plus bas, sentit la fraîcheur de l'herbe et des fleurs. Elle s'affaissa encore et sentit la chaleur du petit corps sous le sien...

« *Garde-la.* »

Le coup fut assourdissant. Janka, proprement frappée entre ses beaux yeux noirs, tomba mollement sur le sol, sa grosse tête ensanglantée recouvrant presque entièrement le petit d'homme qu'elle avait protégé de sa propre vie.

Et l'enfant pleura.

PREMIÈRE PARTIE

KRISZTINA: Hongrie 1919 - 1938

I

« Je suis dans l'embarras », nota le Père Joseph dans le journal intime relié en cuir marron qui fut si souvent son confident en période difficile. « Pour la première fois de ma vie, ma foi et mon courage se sont trouvés remis en question pendant ces quelques jours, et cela me tourmente. »

Il s'adossa et s'étira car son dos était douloureux, il pensa à son lit bien qu'il ne fût que neuf heures du soir. Il avait fortement envie d'une tasse de thé, mais par principe – sans parler de la loi – il refusait de payer les prix du marché noir. Il lui fallait donc tolérer une autre tasse d'un ersatz de café sans goût.

Comme la majorité de la population, le Père Joseph aspirait à la paix et à un retour à la normalité pour la Hongrie. Depuis la guerre, c'était devenu pratiquement impossible de suivre les remous de la politique.

Il regarda autour de lui, contemplant cette partie favorite de son petit domaine derrière l'église : son bureau, le lieu où nul n'avait accès à l'exception de sa gouvernante. Il venait s'asseoir ici dès qu'il le pouvait, étudiant ou relisant les romans de Jokai et les traductions de Twain et Dickens. La pièce était toute simple ; sur les murs blanchis n'étaient accrochés que deux tableaux : une peinture originale de la Madone à l'Enfant exécutée par son défunt père, et une reproduction encadrée de quelques études sur le vif du Lac Balaton par Meszoly. Tel était son foyer, l'endroit où il pouvait retirer sa soutane noire, poser son crucifix et être enfin lui-même, Joseph Szabo uniquement, envoyé onze ans plus tôt dans cette petite ville au bord de la Tisza pour accomplir tant bien que mal le service de Dieu.

« Quoi encore ? » écrivit-il dans son journal. À ce point, il reposa bruyamment sa plume, son visage défiguré par le chagrin. N'y aura-t-il donc pas de fin à la misère de la Hongrie ? D'abord la « terreur » rouge, et maintenant la « blanche ». Des bandes d'anciens officiers austro-hongrois parcourent comme des sauvages le sud du pays et prennent leur revanche sur les communistes exécutant quiconque est suspecté d'avoir des relations avec eux même de loin : les radicaux, les libéraux, les Juifs. Toujours les Juifs, pensa-t-il tristement. Toujours les boucs émissaires. Et voilà que la folie s'étendait à sa propre ville.

Il a suffi d'un seul après-midi et d'une seule soirée, pensa-t-il. Quelques heures monstrueuses, et tout change à jamais. Sa physionomie s'assombrit. Pas pour toujours, bien sûr que non, ce serait naïf de croire cela. Dans quelques mois, lorsque les carcasses calcinées des maisons seraient aplanies, les souvenirs seraient enterrés définitivement.

Pas les siens.

Quatre jours plus tôt, lui, un prêtre, un homme de Dieu, s'était tenu sur la touche tant il s'était senti désemparé lorsque les membres du Réveil Magyar avaient envahi la ville écrasant les victimes comme des insectes sans défense, rançonnant, violant et assassinant au nom de la pure moralité chrétienne. Lui, il n'avait rien fait pour les arrêter, pensant qu'il n'y avait rien à faire. Mais il avait eu tort. Il avait manqué de courage, c'était son péché inexpiable. On pouvait toujours faire quelque chose contre le mal.

Ce prêtre ne ressemblait guère à un catholique avec ses cheveux noirs, ses yeux sombres, sa face ronde et chaleureuse, son nez courbe et charnu et sa bouche sensuelle. Il réalisait qu'il offrait plutôt l'apparence d'un Juif, et qui saurait dire si lui aussi, sans sa soutane, n'aurait pas pu être assassiné en ce soir fatal.

Quant à l'enfant, c'était une toute autre affaire, avec ses cheveux dorés et ses yeux d'un bleu-violet vif extraordinaire. À peine l'avait-il ramassée sur le pont qu'il avait vu l'Étoile de David luire à son cou. Il avait aussitôt compris qu'elle était une victime des pogromes. Son instinct l'avait averti de dissimuler au gendarme et aux autres la présence de cet objet. Il l'avait promptement ôté du cou du bébé et glissé dans sa poche car il était amèrement conscient dans le climat de folie qui régnait, alors que des innocents payaient pour les quelques rares partisans importants du mouvement bolchevique, un bébé juif abandonné serait sacrifié sans un brin de compassion.

Que faire d'elle à présent ? C'était la question qui le tourmentait dès qu'il se réveillait et qui s'insinuait dans son sommeil; elle le tourmentait dans son service depuis qu'il avait porté l'enfant au docteur Regos en compagnie du policier dès le premier soir.

— Il faut lui trouver un foyer, Père, avait dit le *pandur*. Si nous passons par la filière officielle, vous savez qu'elle finira dans quelque misérable institution.

— Et ses parents ?

Le policier avait secoué la tête.

— Morts. Ou à des kilomètres d'ici. Croyez-moi, ils ne reviendront pas.

— Je pense que nous devrions attendre l'avis du médecin, avait dit le Père Joseph.

— Vous croyez qu'elle pourrait mourir ?

— J'espère que non, pauvre petite innocente.

Le *pandur* avait haussé les épaules, la mine maussade à l'idée des rames de papiers administratifs que nécessiterait l'enterrement de l'enfant.

— Nous en reparlerons, Père, avait-il dit en partant. Si elle survit.

Le Père Joseph avait hoché la tête.

— Si elle survit.

Elle survécut.

Le médecin fut affirmatif. Sans la protection du chien, le bébé serait certainement mort, mais grâce à la chaleur de son corps, le bébé avait peu souffert sinon de déshydratation et d'un manque de nourriture, ce que le lait réparerait bientôt. Quelques jours après, la petite fille était chez le père Joseph, chaudement calée dans un berceau de fortune fait d'un tiroir en bois garni d'un drap et d'une couverture.

Elle semblait heureuse, un bon bébé qui ne pleurait que lorsqu'il avait faim ou était mouillé, et qui semblait prendre plaisir à regarder dans les yeux noirs du prêtre et à jouer avec les perles du chapelet qu'il lui donna en guise de hochet.

Une enfant juive veillée par un prêtre et jouant avec un chapelet. Les ironies de la vie, méditait le Père Joseph en regardant le berceau; il se demandait pour la centième fois si ce qu'il projetait maintenant était inique ou moralement justifiable étant donné les circonstances.

Une idée l'avait frappé la veille, mais il ne savait trop s'il avait été gratifié d'une inspiration bénie ou affligé d'une abomination. Il avait un foyer potentiel pour le bébé, il connaissait en effet une jeune femme qui se serait fait volontiers couper le bras droit pour connaître enfin les joies de la maternité et qui considérerait cette belle enfant comme une bénédiction directe de Dieu. Sa cousine, Ilona Florian, habitait à Budapest et désirait en vain des enfants depuis de nombreuses années. Toutefois, Ilona et Gabor, son mari, étaient catholiques, et Ilona était particulièrement pieuse. Comment pouvait-il en conscience leur offrir une enfant juive ?

Il resta assis des heures durant dans son fauteuil à bascule, se balançant d'avant en arrière, se triturant l'esprit à peser les bons et les mauvais côtés de l'affaire. Finalement, selon son habitude, il alla s'agenouiller devant l'autel de l'église, en quête d'un conseil de Dieu.

Il n'aurait su dire si ce fut la main de Dieu, la simple logique ou l'enfant elle-même qui l'assista dans sa décision, à moins que ce ne fût la combinaison des trois possibilités. Le matin du huitième jour, le bébé était assis sur les genoux du prêtre, gazouillant joyeusement tandis qu'il rebondissait doucement sous l'impulsion des mains qui le tenaient. La petite fille considéra gravement le père Joseph qui lui expliquait sa position délicate. Puis il en vint à la question fondamentale :

— Dis-moi, *baba,* que faire ? Que dis-tu d'une institution ?

L'enfant riva ses yeux sur lui, ses boucles blondes encadraient son visage comme un halo; elle serra ses lèvres.

— Ou bien est-ce Budapest, dans un foyer chaud et accueillant ?

Un sourire éclatant creusa de jolies fossettes dans les joues du bébé et fit monter une étincelle dans ses yeux extraordinaires. Le cœur du père Joseph s'enflamma et fondit. La décision était prise, pour le meilleur et pour le pire.

— Sainte Mère, murmura Ilona Florian en se signant rapidement, son teint naturellement pâle se colorant de rouge. Je savais... je crois que je le savais dès la nuit passée ! J'ai eu une étrange prémonition ! Ses yeux étaient pleins de larmes. Vous m'offrez vraiment cette enfant, Joseph ? Son expression était toujours incrédule. Personne d'autre ne la réclame ?

Joseph toucha doucement l'épaule de sa cousine.

— La possibilité existe que sa mère puisse revenir la chercher, Ilona. Il va sans dire que je dois prier pour qu'il en soit ainsi. Il secoua la tête. « Mais en vérité, c'est peu probable. »

— Sainte Mère de Dieu, s'étonna Ilona.

Le prêtre était bouleversé. Jamais il n'avait constaté un bonheur aussi absolu sur le visage de quiconque, pas même sur les traits des jeunes mères qu'il avait visitées dans sa paroisse. Ilona Florian n'était nullement jolie mais à présent elle rayonnait comme une jeune fille. Sa taille était moyenne et bien proportionnée, ses cheveux châtain clair n'étaient pas bouclés mais ils étaient brillants et ses doux yeux noisette aux sourcils finement arqués donnaient à son visage une expression tendre et intelligente. Malgré ses vieux vêtements démodés, Ilona possédait une simplicité et une grâce particulières qui transformaient en style une médiocrité potentielle. Dix ans de mariage avec Gabor Florian, un fabricant d'articles de maroquinerie, combatif mais maussade, surtout ces derniers temps, avaient creusé un réseau de fines ridules de lassitude sur le visage d'Ilona. Ses trois fausses couches et le désir inassouvi de procréation y étaient aussi pour quelque chose. Mais, en dépit du caractère intolérant de Gabor, elle demeurait loyale envers son mari, et sa foi inébranlable en Dieu et en ses œuvres l'avait soutenue à travers toutes les tempêtes, grandes ou petites.

— Ilona, dit doucement Joseph, as-tu songé à Gabor ?

La rougeur d'Ilona s'accentua, et elle serra les poings inconsciemment.

— Gabor pensera comme moi, Joseph, je vous l'assure. Elle reconnaissait à peine sa propre voix qui semblait empreinte d'une nouvelle confiance. « Quand je lui aurai tout expliqué, quand il réalisera que l'enfant est un don de Dieu, il comprendra que nous ne pouvons que l'accepter et l'aimer. »

— Tout de même, souligna Joseph, il faut qu'il donne son accord à la décision définitive.

Ilona hochait la tête mais elle écoutait à peine. Elle savait depuis longtemps qu'elle ne pourrait jamais porter d'enfant dans son propre ventre. Or, un miracle subi venu de nulle part se produisait et tout ce qu'elle désirait, c'était de courir dans sa chambre pour s'agenouiller devant les saints et les remercier.

Après le départ de Joseph, Ilona attendit avec impatience le retour de Gabor, priant pour que la tâche du jour ait été plus facile que d'ordinaire. Ce n'était pas un mauvais mari et son humeur se manifestait généralement sous forme de morosité plutôt qu'en éclats rageurs. Mais il se montrait souvent irascible sans raison apparente, trouvant sans cesse à redire à tout ce que faisait ou disait Ilona. Ou bien elle questionnait trop, ou pas assez, trop de paprika dans la *gulvas,* ou trop peu d'ail dans le *tokany.*

Les prières d'Ilona furent entendues. Gabor rentra d'excellente humeur car il avait reçu une commande d'un marchand possédant le plus important magasin d'articles en cuir de la Vaci Utca, deux cents portefeuilles en peau de porc cousus main. C'était le premier marché important qu'il obtenait depuis des mois.

— Et l'acheteur a dit qu'il aurait bientôt besoin de serviettes ! ajouta-t-il en se frottant les mains.

Ilona lui sourit chaudement et l'embrassa sur la joue.

— Si cela continue, dit Gabor, affable, je pourrai peut-être réembaucher. Il se laissa tomber dans l'un des fauteuils de leur salon, modeste par ses dimensions, mais méticuleusement tenu, et dans lequel le piano Blüthner et le buffet en acajou apportés en dot par Ilona étincelaient à côté du vieux canapé, des chaises et de la table. « Et voici d'autres bonnes nouvelles, poursuivit-il en coupant le bout d'un cigare avant de l'allumer. Le bruit court qu'un *nouveau gouvernement* est en formation à Szeged. »

— Un autre gouvernement, murmura Ilona.

— Il semble que celui-ci ait l'approbation des Français et des Anglais. Beaucoup de gens pensent que ce chaos prendra fin bientôt.

— Il y a eu tant de rumeurs.

Gabor tira sur son cigare.

— Crois-moi, *edesem,* les choses bougent. Je suis un homme d'affaires. J'ai un certain flair pour ce genre de choses. Budapest s'agite.

Ilona lui caressa la main.

— Je suis heureuse pour toi, Gabor.

— Sois heureuse pour toi aussi, dit-il avec une générosité rare chez lui. La vie devrait devenir un peu plus facile d'ici peu.

Gabor Florian avait trente-deux ans. Il n'avait que trois ans de plus que sa femme, mais il en paraissait dix de plus. Lorsqu'ils s'étaient rencontrés, dans la première décade du siècle nouveau, Gabor était un bel officier de hussards à la silhouette mince, aux cheveux blonds et souples, à la moustache soyeuse et aux yeux gris et tendres. Le temps ne l'avait pas arrangé : onze ans plus tard, il avait tendance à se voûter, son crâne couvert d'une belle chevelure devenait sérieusement chauve et ses yeux à demi dissimulés derrière ses lunettes avaient perdu leur éclat et leur douceur.

Mais c'était surtout le caractère de Florian plus que son aspect physique qui créait cette impression de vieillissement. Il avait grandi dans les couches inférieures de la classe moyenne, et il avait toujours été jaloux de la haute bourgeoisie. Il ne s'agissait pas là de quelque ressentiment justifié d'un rejeton du paysannat mais de l'ambition déçue d'un arriviste. Ce que Gabor désirait avant tout dans la vie, c'était gagner de l'argent, et ainsi s'approprier un pouvoir qu'il n'avait aucun autre moyen d'obtenir. Son projet avait bien démarré : il avait fait un bon mariage, Ilona lui avait apporté une dot substantielle qui lui avait permis de créer sa propre affaire. Mais s'il avait pu employer naguère soixante-dix femmes dans son atelier de Pest, il n'en faisait plus travailler à présent que huit; et encore râclait-il à grand-peine le volume de commandes nécessaire pour payer les salaires et les frais généraux, sans parler de l'entretien de leur maison de la rue Kalvaria à Buda.

Quand Ilona lui apprit la nouvelle, la bonne humeur de Gabor s'évanouit dans une volute de fumée de son cigare.

— Es-tu folle ? lança-t-il. Quel besoin avons-nous d'une bâtarde orpheline ? Crois-tu que notre but est de recueillir les égarés ?

Pourtant, deux heures plus tard, après un excellent dîner de *porkolt,* le plat favori de Gabor et qui fut mangé dans un silence presque total, Florian examina sa femme plus attentivement que d'ordinaire et constata un changement en elle. Sous l'apparence abattue et presque obséquieuse se devinait une joie étrange qui donnait à ses yeux un éclat qu'il n'avait encore jamais vu. Gabor alluma un autre cigare et se versa un verre de *barackpalinka*. Trois pensées lui vinrent subitement.

D'abord, bien qu'ils ne débattaient plus depuis longtemps sur ce genre de problème, Gabor savait qu'Ilona désirait toujours ardemment un enfant, et lui-même regrettait la jeune femme satisfaite et oh ! combien sensuelle qu'il avait épousée avant la suite des fausses-couches. Ensuite, il lui fallait bien admettre que bien qu'il eût sans doute préféré un fils, une fille, surtout si elle était jolie, était une perspective fort agréable. Et enfin, s'il acceptait cette enfant, cela serait considéré comme un acte de bienfaisance par tous leurs amis, et il grandirait certainement dans l'estime de l'Église; en effet, de nombreux magasins importants avec lesquels il aspirait à faire des affaires appartenaient à des catholiques. Le prix d'une nouvelle bouche à nourrir n'était peut-être pas si élevé par rapport au retournement possible de sa fortune.

Deux jours plus tard, dans la ville de Joseph Szabo, le corps sauvagement frappé et violé d'une jeune femme aux cheveux très blonds et aux yeux bleu-violet fut retiré de la rivière.

Le père Joseph visita le petit quartier juif dévasté où il apprit les pires horreurs. Pratiquement tous les hommes et les garçons avaient été fusillés, frappés à coups de massue ou poignardés à mort. La plupart des femmes et de nombreuses jeunes filles avaient été emmenées au bord de la forêt et y avaient été violées; celles qui avaient résisté trop violemment avaient été tuées. Les survivants étaient hagards, ils avaient le regard hanté des désespérés. Ils reconstruisaient en silence leurs foyers et leurs vies brisées, ils ne parlaient pas volontiers aux inconnus, et surtout pas à un homme portant soutane. Joseph en fut réduit à imaginer ce qui était arrivé à la famille du bébé, toutes les scènes qu'il se représentait étant plus épouvantables les unes que les autres. Une seule chose était certaine : cette femme avait déposé son précieux enfant dans le seul endroit sûr qu'elle connût, devant l'église. Joseph Szabo avait l'impression qu'un dépôt sacré lui avait été remis en garde. Il ne trahirait pas.

Lorsqu'Ilona apprit l'arrivée imminente de Joseph et de l'enfant, elle se plongea dans une activité frénétique. Elle tint à ce que la chambre d'enfant fût prête en temps voulu. La maison comportait déjà une pièce prévue à cet effet. Cette chambre n'avait pas changé depuis cinq ans, c'était comme un monument triste et solitaire en mémoire de la troisième et dernière grossesse d'Ilona qui avait pris fin au cours du sixième mois. Et voici que subitement, le petit berceau vide en bois blanc et toute la pièce rayonnèrent bientôt de propreté tandis que les rideaux de coton aux dessins gracieux voletèrent dans la brise automnale dès l'ouverture des fenêtres. La vie et l'espoir envahissaient de nouveau l'espace.

Des draps pour le berceau, des biberons et du lait, elle avait besoin de cela immédiatement. Et de la mousseline, et de la toile pour les serviettes, et des vêtements. À Buda, Ilona vola de boutique en boutique, ses joues toutes roses d'une jubilation à peine maîtrisée tandis qu'elle dépensait le budget spécial que Gabor lui avait accordé en cette occasion.

Dès l'instant où elle posa les yeux sur l'enfant, Ilona crut que son cœur allait exploser d'amour et de joie, à tel point qu'elle craignit de ne pas vivre assez pour la tenir dans ses bras.

Même laide ou disgracieuse, Ilona savait qu'elle l'aurait aimée tout autant et aurait été reconnaissante pour ce don; mais cette petite créature exquise avec cette peau douce et translucide, ces cheveux dorés semblables à des fils de la Vierge... c'était presque trop à supporter.

Puis Ilona la toucha, d'abord du bout des doigts, nerveuse et hésitante, et enfin l'étreignit. Alors, elle se rendit compte que ce n'était pas un être éthéré mais un être de chair et de sang, chaud et solide, un être palpitant, indéniablement humain.

Avant que Joseph ne partît, ils s'assirent ensemble autour de la table en bois de pin de la cuisine. Sans un mot, le prêtre sortit de sa poche la bourse en cuir et la posa entre eux sur la table. Ilona baissa la tête.

— Qu'est ce que c'est ?

Il ouvrit la bourse et la fit basculer. L'Étoile de David jaillit sur le plateau en bois. Ilona la toucha et regarda son cousin.

— Joseph ?

— C'était au cou du bébé quand je l'ai trouvé.

Ilona fronça les sourcils.

— C'est l'Étoile juive.

— Oui.

— Qu'est-ce que cela signifie ?

— Ilona, qu'est-ce que cela peut signifier ?

Ilona respirait à peine.

— Mais cette enfant ne peut pas... dit-elle calmement. Ces cheveux, et ces yeux-là...

— Tous les Juifs n'ont pas les cheveux et les yeux noirs, sourit Joseph. Moi, par exemple... je ressemble plus à un rabbin qu'à un prêtre.

Ils se turent.

— Pourquoi ne m'avez-vous pas dit cela plus tôt, Joseph ?

Il regarda Ilona sans ciller.

— Parce qu'un bébé juif abandonné a peu de chances de survie de nos jours. Parce que je savais que tu l'aimerais au premier regard. Il rougit violemment. « Parce que je suis un poltron. »

Ilona considéra l'étoile. Son cœur battait très lentement.

— Avez-vous... tout envisagé ?

— Je crois.

— Alors, vous vous êtes demandé s'il serait juste aux yeux de Dieu d'élever un enfant juif dans notre foi ?

Joseph leva les mains en signe de désarroi.

— Je n'ai cessé d'y réfléchir mais je n'ai pas trouvé de réponse nette. Simplement, je n'ai pas trouvé d'autre alternative. Il secoua la tête. « J'ai pensé jeter l'étoile dans la rivière pour briser le dernier lien avec la véritable identité de l'enfant, mais je suis certain que j'aurais eu tort de faire cela. J'ai donc décidé que tu devais savoir puisque tu devenais sa mère; mais je crains de n'avoir réussi qu'à transférer le fardeau de mes épaules sur les tiennes. »

— Vous avez eu raison, dit Ilona d'un air absent; ses pensées tourbillonnaient dans sa tête.

— Un jour peut-être, reprit Joseph en hésitant, quand la Hongrie sera guérie, tu sentiras que le temps sera venu de lui expliquer. C'est surtout pour cela que je t'ai apporté l'étoile.

Ilona caressait du doigt l'objet en or.

— Gabor ne doit pas apprendre cela, dit-elle brusquement.

— Cela est-il juste ?

— Sans doute pas vis-à-vis de lui, rétorqua-t-elle d'un ton ferme, mais ça l'est en ce qui concerne l'enfant. Gabor n'est pas méchant, mais il parle souvent contre les Juifs, il les tient pour responsables de nos ennuis.

Le regard de Joseph fut peiné.

— Je suis désolé, Ilona.

— De quoi ? dit-elle avec un sourire. De m'avoir apporté le don le plus glorieux de ma vie ?

— J'aurais dû te dire toute la vérité.

— C'est ce que vous avez fait.

— J'ai attendu, je t'ai trompée.

— Vous aviez peur pour le bébé.

— J'aurais dû te donner une chance de le refuser avant de te le présenter.

— Je ne l'aurais pas refusé.

— Tu en aurais eu la possibilité.

— Jamais. Elle était très calme à présent. Jamais je ne pourrais rejeter un enfant, quel qu'il soit.

Ils restèrent encore assis quelques instants en silence, et peu à peu l'atmosphère troublée s'échappa par la fenêtre ouverte sur le petit jardin, laissant place à la paix.

Joseph prit l'étoile, la remit dans la bourse et la donna à sa cousine.

— Pour le meilleur et pour le pire, dit-il.

— Merci. Elle prit la bourse qu'elle garda dans sa main.

Il recula sa chaise et se leva.

— Tu es décidée à ne pas la montrer à Gabor ?

— Oui.

— Dans quel état d'esprit es-tu vraiment, Ilona ?

Une ombre passa sur le visage de la jeune femme.

— Il est normal qu'il y ait un prix à payer pour un tel don. Le mien sera de trahir sciemment la confiance de mon mari.

— Ce n'est pas un petit prix, dit-il tout bas, conscient de ce que coûtait ce péché à sa cousine.

Elle sourit de nouveau.

— L'enjeu en vaut la peine, cher Joseph, il en vaut largement la peine.

Ils montèrent à la chambre naguère encore vide et désolée et qui était devenue une véritable chambre d'enfant. Ils se penchèrent sur le berceau.

— Elle dort, souffla Ilona.

— C'est une bonne et douce enfant. Joseph avait les yeux humides. « Il va falloir lui donner un nom. »

— Gabor et moi, nous en parlerons plus tard.

— Bien sûr. Joseph s'accroupit et frôla doucement de sa grande main les boucles du bébé.

— Il lui faut aussi une date anniversaire, dit Ilona songeuse. Le médecin suppose qu'elle doit avoir environ cinq mois, mais il lui faut un jour pour le souvenir et la célébration.

— À des titres différents, c'est aujourd'hui le jour de sa renaissance.

Ilona sourit légèrement.

— Alors, ce sera le 28 octobre 1919. Elle ferma subitement ses poings et s'en frappa les flancs avec impatience. « Oh ! je voudrais que Gabor ne tarde pas à rentrer, j'ai hâte de commencer ! »

— Quoi donc, Ilona ?
— Notre état de parents.
Joseph sourit doucement.
— Cela a déjà commencé.

II

On la nomma Krisztina.

Elle était comme un feu follet sous le clair de lune. Pour ses nouveaux parents, accoutumés à l'espace pratiquement unidimensionnel d'une maison d'adultes, sa présence était cependant bien réelle, traduite dans une mêlée permanente de serviettes, de biberons, de bavettes arrachées, de jouets malmenés, de larmes et de rires. Pour Ilona et Gabor, la petite Krisztina était une énigme. Contrairement aux autres pères et mères qui disposaient d'un certain cadre de références, d'un arbre généalogique, quand ils observaient Krisztina en train de gazouiller ou de plisser le front, ou bien d'expérimenter de nouveaux mots, ils ne pouvaient pas s'écrier : « Elle a le sourire de ta mère ! » ou bien « Vois comme elle ressemble à tante Maria ! » Aucune prévision ni attente manifeste n'étaient possibles pour Krisztina, mais elle suscitait une foule d'espoirs et d'aspirations dont la plupart furent comblés dès les premiers mois, puis les premières années qu'elle passa dans la maison de six pièces de la rue Kalvaria.

S'il lui arriva de manquer parfois de compagnons sympathiques, sa relation avec Miksa, le gentil bâtard qu'Ilona avait sauvé de la faim quelques années auparavant, fut une compensation. Dès son premier jour à Buda, Krisztina établit un rapport extraordinaire avec la bête à poil dur et aux yeux fauves. Dès qu'elle put ramper, les Florian la trouvaient chaque matin blottie sur la couche de

Miksa, dans l'arrière-cuisine. Lorsqu'ils fermèrent la porte de la nurserie afin de décourager ces visites nocturnes et peu hygiéniques, Miksa se mit tout simplement en faction devant la porte de la chambre, refusant de quitter son poste.

— Elle doit se souvenir du chien qui l'a protégée quand elle était bébé, remarqua Ilona un soir.

— Ridicule ! nia Gabor, irrité par le chien, comme si souvent. Les bébés n'ont pas de mémoire.

Ilona se contenta de sourire.

Les rapports d'affection avec les chiens et autres animaux persistèrent pendant l'enfance de Krisztina. Elle ne cessa de les sauver de toutes sortes de désastres, qu'il s'agisse d'un poulet qui avait échoué dans un arbre, d'un oisillon tombé de son nid ou d'une vulgaire mouche piégée dans une toile d'araignée. Elle venait d'avoir sept ans quand Gabor et Ilona, lors d'une visite à la campagne, commirent l'erreur de l'emmener dans une *tantya* où les oies étaient élevées en vue de la production de *liba maj*. La jeune Krisztina vit la manière dont ces oies étaient gavées; elle en fut tellement affolée et scandalisée qu'elle sanglota tout le long du chemin du retour et durant la nuit suivante. Elle continua ensuite par une grève de la faim. Il fallut qu'Ilona la ramène à la raison, d'abord en lui proposant des légumes, et enfin de la viande, à condition toutefois de rassurer la fillette au début de chaque repas. Cela dura de nombreux mois.

— Maman, qu'est-ce que c'est que cette viande ?

— Du porc, *kis szivem*.

— C'est un cochon, non ?

— Oui, *kis szivem*.

— Qui a tué le cochon ?

— Un fermier.

— Pourquoi ?

— Pour que les gens aient à manger, répondit patiemment Ilona. Krisztina examina son assiette de *szekelygulyas*. La faim la rongeait.

— Autrement, les gens mourraient, maman ?

— Si tous les fermiers cessaient de tuer les animaux, alors oui, ma chérie, les gens ne tarderaient pas à avoir faim.

— Et après, ils mourraient.

Ilona sourit.

— Probablement.

Krisztina prit sa fourchette.

— Le cochon n'a pas eu mal, hein ? Ses yeux violets fusillaient littéralement sa mère. « Pas comme les oies ? »

— Non, *sziven,* pas comme les oies.

Deux jours apres son onzième « anniversaire », Krisztina se réveilla à six heures et demie, comme à son habitude, et attendit que Miksa pose ses pattes de devant sur le lit et lui lèche le visage comme elle le faisait chaque matin.

— Miksa ? La fillette se leva d'un bond, prise d'un pressentiment. Elle vit alors le chien étendu au pied du lit à sa place habituelle.

Maman l'avait avertie, elle lui avait expliqué que Miksa était vieux et que le jour viendrait où...

— Miksa ? répéta-t-elle d'une voix étrange et aiguë.

Mais Miksa ne bougea pas.

— Elle a le cœur brisé, dit Ilona à son mari trois jours après, mais elle est inflexible, elle ne veut pas d'autre chien.

— C'est idiot. Gabor secoua la tête. « Un nouveau chien la consolera vite. »

— Je pense que nous devons respecter son souhait pour le moment, chéri, répliqua Ilona. Tu aurais peut-être raison s'agissant d'un autre enfant, mais Kriszti et Miksa étaient plus frère et sœur que fillette et chien. Nous devrions attendre qu'elle soit prête.

— Mais moi, je ne peux pas supporter de la voir ainsi, dit Gabor sous le coup de l'émotion. Les yeux rougis de sa fille bien-aimée et son expression chagrinée le rongeaient.

Durant la petite enfance de Krisztina, Gabor avait montré une indifférence marquée à l'égard de la fille qu'il n'avait pas voulue. Certes, elle n'avait guère été gênante, et elle avait apporté le honheur à son épouse, ce qui en contrepartie lui avait facilité sa propre existence. Toutefois, elle n'avait rien ajouté à sa vie. Et puis vers sa dixième année, il se surprit à s'attacher de plus en plus à elle. Elle lui était subitement apparue comme une petite femme, comme un être humain avec un potentiel de camaraderie et d'intelligence. Il devint alors fier d'elle, l'appelant sa princesse; elle le mit virtuellement en esclavage. Pour Krisztina, le nouveau trésor de son cœur, il perdit toute trace de parcimonie, il devint généreux, lui apportant régulièrement des cadeaux. Son adoration sans réserve coïncida heureusement avec l'accroissement de sa prospérité. Il avait récemment transféré son personnel plus nombreux dans un atelier plus vaste des faubourgs de Pest. Si, dans le passé, Gabor avait regimbé lorsqu'Ilona suggérait l'achat de chaussures ou d'une robe pour leur fille qui grandissait, à présent, il les accompagnait dans les magasins, les aidant à choisir les plus beaux effets pour la prunelle de ses yeux. Si Krisztina était triste pour quelque motif, Gabor en était malade. Quand elle était joyeuse et contente, ce qui arrivait le plus souvent, la vie de Gabor s'en trouvait facilitée.

Ilona remerciait Dieu tous les jours pour la chaleur qui entourait maintenant sa petite famille. Elle n'aurait jamais cru Gabor capable d'un tel amour; et bien que son amour pour leur enfant signifiât une tendance accrue à ignorer son épouse, Ilona était prête à supporter cela pour le pur bonheur de le voir ainsi avec Krisztina.

Six mois après la mort de Miksa, Ilona et Krisztina flânaient parmi les magasins de la rue Kigyo, cherchant des vêtements pour la nouvelle saison. Tout à coup, un grand chien noir surgit d'on ne savait où; sa fourrure était trempée, crottée et parsemée de ce qui semblait être des brins de paille. L'animal dévala la rue à leur rencontre et se lança sur Krisztina, faisant tomber son béret et faisant de grosses taches sur sa veste.

— Va-t'en ! hurla Ilona, brandissant son sac comme une matraque de fortune pour protéger sa fille. « Bas les pattes ! »

— Mais non, maman ! protesta Krisztina. Il est seulement amical, regarde.

Ilona baissa son sac. L'animal ne montrait aucun signe d'agressivité, bien au contraire; ses pattes sur les épaules de la fillette, il lui léchait activement les joues avec ce qui semblait être une passion sauvage.

— Kriszti, dis-lui d'ôter ses pattes immédiatement, insista Ilona sur un ton adouci. C'est sale. Tu ne sais pas d'où ça vient.

— Maman, je ne crois pas qu'il ait des microbes, il est juste mouillé. Tendrement, elle repoussa le chien sur le pavé et retira un ou deux brins de paille de sa fourrure noire qui en était pleine. « Il est sans doute allé à la rivière. » Elle le caressa. « N'est-il pas beau ? »

— Il est très gentil, acquiesça Ilona, mais à qui appartient-il ?

Elles regardèrent autour d'elles, examinant la foule de midi, en quête d'un propriétaire éventuel.

— Pas de collier, dit Krisztina en l'examinant de plus près. Il est peut-être égaré. Elle regarda l'animal dans ses yeux bruns. « Es-tu perdu, mon ami ? »

Il remua violemment la queue et lécha la jambe d'Ilona.

— Qu'allons-nous faire de lui, maman ?

— Faire ? Rien.

— Nous ne pouvons pas le laisser tout seul.

— Il s'en sortira très bien. Ilona consulta sa montre. « Kriszti, il est plus d'une heure et nous devons manger avant la réouverture des magasins. »

— Mais maman...

— Krisztina, tu ne peux pas toujours ramasser les chiens errants. Celui-ci est couvert de boue, il est peut-être malade, et de toute manière, je suis sûre qu'il a un propriétaire Elle mit son bras sous celui de sa fille. « Viens. »

Ilona entraîna fermement Krisztina et la fit entrer au Café Molnar. Elles s'assirent près de la vitrine et commandèrent. Cinq minutes plus tard, Krisztina poussa un cri perçant.

— Regarde, maman !

Le chien était assis sur le trottoir, devant le café.

— Il nous attend !

— Il ne fait sans doute que se reposer.

— Tu sais très bien qu'il attend.

Ilona soupira.

— Il se lassera vite.

Quand elles sortirent une heure après, le chien était toujours là, remuant follement la queue. Avec détermination, Ilona traîna Krisztina de magasin en magasin, mais aussitôt qu'elles reparaissaient, le chien était là, tel une statue maculée de boue.

— Prenons un taxi, dit Ilona, découragée. Je ne peux plus faire un pas.

Krisztina regarda par terre.

— Qu'allons-nous faire de lui, maman ?

Ilona tritura nerveusement son chapeau.

— Je pense que nous devrions chercher un policier.

— Oh ! non, il va être enfermé !

— Il est manifestement perdu, Kriszti. Quelqu'un le cherche probablement quelque part.

— Ce n'est sans doute pas un bon maître pour le laisser partir sans même un collier, dit Krisztina sur un ton fortement désapprobateur.

— C'est vrai, admit Ilona.

— Alors, pouvons-nous ?

— Pouvons-nous quoi ?

— L'emmener à la maison.

— Non, nous ne pouvons pas.

— Mais toi et papa, vous dites toujours que je devrais avoir un nouveau chien.

— Et toi, tu dis toujours qu'aucun chien ne remplacera Miksa.

— C'était avant que je rencontre Moïse.

— Qui ?

Krisztina s'accroupit, prit le chien dans ses bras et tira un brin de paille de sa fourrure.

— Regarde ! C'est du roseau.

— Elle veut l'appeler comment ?

— Moïse, dit Ilona d'une pauvre petite voix.

— C'est un nom juif !

— Le chien n'est pas juif, Gabor, seulement le nom.

— C'est un sacrilège !

— Oh ! je ne crois pas, dit doucement Ilona. Après tout, elle n'est qu'une enfant, et le chien était couvert de brins de roseau.

— Il est tombé dans le Danube, pas dans le Nil.

— Tu connais l'imagination de Kriszti.

Gabor se calma.

— Elle veut vraiment cette créature ?

— Tu vois son expression... elle en est folle.

Comme toujours dès qu'il se trouvait confronté aux désirs de sa fille, la résistance de Gabor s'effondra.

— Parfait, gronda-t-il. Si le vétérinaire le juge en bonne santé, qu'elle le garde, mais elle ferait bien de ne pas le laisser sur mon chemin.

Plus que tout au monde, Gabor aimait câliner Krisztina, la serrer de près, caresser ses magnifiques cheveux soyeux. Jamais il n'avait connu un être aussi charmant avec ses traits presque scandinaves, son nez droit comme une flèche, sa bouche douce et sensuelle, ses yeux d'une surprenante nuance violette, ses jambes de pouliche joliment brunies par le soleil estival et ses seins en bourgeons menus et fascinants. La pureté absolue de l'enfant nouait la gorge de Gabor, il étouffait de fierté et d'amour, mais aussi d'un autre sentiment moins définissable et moins digne. Parfois, lorsqu'il l'embrassait, il se surprenait à se laisser aller malgré lui à des fantasmes autour des jeunes filles qu'il avait vues

45

au cours de sa journée de travail, des filles aux visages mutins et rieurs, aux seins dressés, aux tailles fines et agréables. Se sentant coupable, il se souvenait alors d'Ilona que tant d'années avaient éloignée de cette fraîcheur charmeuse que commençait à exhaler leur petite Krisztina.

Krisztina aussi adorait son père, elle aimait se pelotonner contre lui et respirer son odeur masculine si différente du parfum de sa mère.

Toutefois, Moïse devint une épreuve permanente pour Gabor. Dès que le père posait un bras autour de sa fille, le chien approchait. Dès qu'il la taquinait, Moïse grondait. Dès qu'il la balançait sur ses genoux, l'animal grognait. Krisztina riait alors et gourmandait gentiment Moïse, embrassant Gabor encore plus fougueusement, simplement pour le faire enrager.

Un après-midi, alors que Krisztina avait treize ans, en revenant de l'école et trouvant son père rentré plus tôt de son travail, elle se précipita dans son bureau et le couvrit de baisers joyeux. Gabor, tout content, l'attira dans ses bras et subitement, la chaleur et la pression de ce corps doux et ferme ainsi que l'odeur délicate qui émanait de l'adolescente le submergèrent. Les fantasmes auxquels il s'abandonnait souvent, ces tendres images coupables et choquantes de jeunes filles surgirent spontanément sous la forme d'un tableau de Krisztina dans sa nudité interdite mais séductrice. Et la pensée que Gabor avait repoussée depuis plus de douze ans se présenta à son esprit.

Elle n'est pas mon enfant.

Il n'avait pas remarqué Moïse qui entrait dans la pièce, il avait à peine entendu le grondement grave et menaçant. Soudain, le chien fonça et planta ses dents aiguës dans la cheville de Gabor, la perçant jusqu'au sang. Gabor hurla de peur et Krisztina tendit ses bras en criant :

— Papa, qu'y a-t-il ?

Gabor saisit sa jambe blessée entre ses mains et se baissa, le visage cramoisi de rage et de douleur.

— Cette brute m'a mordu ! haleta-t-il. Il releva délicatement sa jambe de pantalon et examina la peau déchirée qui commençait déjà à bleuir. Puis, sa colère attisée, il se redressa tant bien que mal et saisit un tisonnier dans le seau en cuivre qui contenait la garniture du foyer.

— Papa, non ! hurla Krisztina. Ne le brûle pas !

Gabor se tourna vers elle, il était furieux.

— Ne le brûle pas ? Il brandissait le tisonnier avec rage tandis que Moïse, dressé sur ses ergots, se mettait à aboyer.

— Moïse, arrête ! ordonna Krisztina au chien; sa voix tremblait de frayeur. Papa, je t'en prie !

— Que se passe-t-il donc ici ? Ilona parut à la porte en s'essuyant les mains à son tablier. « Gabor qu'est-ce que tu fais ? Pose ce tisonnier tout de suite. »

— Cette brute m'a presque arraché la cheville ! cria Gabor brandissant toujours son arme. Donne-moi une bonne raison qui m'empêcherait de lui administrer une bonne correction.

Sa fille se planta fermement entre lui et Moïse. Des larmes étaient montées à ses yeux et commençaient à ruisseler sur son visage; elle avança cependant ses lèvres tremblantes en signe de rébellion.

— Parce que je l'aime, dit-elle passionnément. »

— Cette créature est folle ! rugit Gabor. On devrait l'abattre ! Regarde ma jambe !

— Jésus-Marie ! souffla Ilona effrayée. Gabor, il faut appeler le médecin.

— Bien sûr, il faut appeler le médecin, lança-t-il sur un ton sarcastique. Et aussi le vétérinaire, pour nous débarrasser de la bête.

— Non ! dit Krisztina en pleurant à chaudes larmes. Il ne le refera plus. Il n'avait jamais fait cela jusqu'à maintenant ! Elle se précipita sur Moïse qui remua promptement la queue. « Oh ! maman, je t'en supplie, ne le laisse pas faire du mal à Moïse ! Je t'en supplie ! » Elle se mit à sangloter désespérément, son visage enfoui dans la fourrure noire de son chien.

— Je pourrais mourir du tétanos, gémit Gabor.

— Je suis sûre que tu ne mourras pas de ce genre de chose, le rassura Ilona en lui prenant le bras. « Allons, monte t'allonger pendant que je téléphone au médecin. »

Krisztina cessa de sangloter.

— Maman, tu ne laisseras pas papa tuer Moïse, dis-moi ?

— Si j'étais toi, dit doucement Ilona, je ferais en sorte que papa ne voie pas le chien pendant quelque temps.

Gabor, dont le visage d'abord cramoisi de colère prenait une pâleur accablée, riva son regard sur Krisztina.

— Si jamais il s'approche de moi, ce sera un coup de pied, annonça-t-il avec moins de véhémence. Et si jamais il me chope de nouveau, j'irai acheter un fusil et le tuerai moi-même.

Le médecin désinfecta et banda la cheville de Gabor, il lui fit une piqûre et assura que tout irait bien. Ilona prodiguait ses soins à son mari contrarié avec une gentillesse toute diplomatique, lui apportant ses plats favoris sur un plateau, endurant ses accès de mauvaise humeur et le flattant pour le ramener à plus de raison. Krisztina s'assura que Moïse restait hors de la maison quand elle était à l'école et ne la quittait pas quand elle rentrait. Elle rapporta à son père des fleurs qu'elle cueillait dans leur petit jardin. Gabor commença à pardonner à sa fille chérie, d'abord de mauvaise grâce, puis il se laissa fléchir.

Quant à Moïse, il était à l'épreuve. Krisztina, d'un naturel détendu, s'habitua difficilement à maintenir son cher animal hors du chemin de son père. Elle ne manquait pas de percevoir la tension de Gabor dès qu'il posait les yeux sur son meilleur ami.

Quoi qu'ils fissent pour surmonter cette situation, une première ombre s'était dressée entre le père et la fille.

III

À cinq ans, Gabor et Ilona avaient fait entrer leur fille dans le ballet de l'école. À dix ans, Krisztina passait des heures innombrables chaque semaine devant le grand miroir de la chambre de ses parents, s'exerçant au grand écart, aux pirouettes et aux arabesques tandis que Miksa, puis Moïse, attendaient patiemment, assis sur le tapis. Elle y mettait le même entrain que dans tout ce qu'elle faisait dans la vie.

Toutefois, à douze ans, elle s'était mise à grandir subitement, devenant une « teenager » longue et mince. La plupart des filles auraient considéré comme une bénédiction ces jambes fines et allongées, elles en auraient été ravies. Mais pour Krisztina, ce fut un mauvais coup. En effet, en danse classique, une haute stature abrégeait inévitablement la carrière d'une future ballerine.

Elle aurait pu facilement demeurer une élève, mais, sans l'avenir auquel elle avait déjà commencé à rêver, elle choisit une autre voie. À treize ans, elle s'adonna à la danse en salle, moins exigeante que le ballet, beaucoup plus libre et tout aussi plaisante. De plus, ce type de danse nécessitait un partenaire — un partenaire masculin. Un autre attrait.

Jusque là, comme la majorité de ses amies, Krisztina avait jugé les garçons moins intéressants et moins intelligents que les filles. Ils étaient plutôt des trouble-fête. Mais tout à coup, ces mêmes garçons s'allongèrent, leurs épaules s'élargirent, leurs mentons forts réclamèrent un rasage quotidien, leurs mains devinrent habiles et excitantes. L'amie intime de Krisztina, Suzanna Kerpel, avait déjà eu deux rendez-vous avec Georg Molnar, un cousin éloigné. Suzanna lui avait raconté qu'ils étaient restés assis ensemble pendant une heure et demie chez Gerbeaud, buvant un *eszpresso* et dégustant de délicieuses tranches de *Rigo Jancsi*; et elle ne s'était pas ennuyée une seule minute ! Krisztina n'avait pas encore croisé le chemin d'un garçon qui l'excitât autant que Georg enthousiasmait Suzanna, mais elle vivait dans cette attente permanente; d'autant que l'école de danse qu'elle fréquentait maintenant lui en offrait la possibilité. Les cours qu'elle suivait chaque semaine n'étaient composés que de filles, chacune dirigeant le couple tour à tour. Mais à la fin de chaque mois, un bal avait lieu à l'Hôtel Hungaria auquel étaient invités de vrais garçons soigneusement sélectionnés par la directrice de l'école.

Krisztina ne tarda pas à maîtriser les pas de base de la valse, du paso doble, du fox-trot, de la polka et, naturellement, de la danse de cour de son propre pays, la *csardas*.

À mesure qu'elle prenait de l'assurance, ses pieds, libérés des chaussons de danse qui les emprisonnaient, foulèrent avec légèreté et sans hésiter le parquet ciré, tandis que son corps s'enroulait, tournoyait et jaillissait dans un rythme parfait.

Dans les bals, elle était la partenaire favorite de chacun. À la maison, dès que ses parents n'étaient pas près d'elle, elle passait des disques sur le tourne-disques du salon. Moïse était alors attentif, concentré sur les danses qui donnaient le plus de plaisir à sa maîtresse : le charleston et le black bottom. Krisztina lut dans les revues qu'elle empruntait à Suzanna que ces danses lancées en 1923, précédées par autre chose appelé le shimmy, étaient déjà anciennes à Vienne, Berlin et Paris. Mais en 1932 à Budapest, elles paraissaient délicieusement scandaleuses à Krisztina et à ses camarades, et leurs professeurs les considéraient avec un froncement de sourcils.

Le 28 octobre 1933, Gabor et Ilona emmenèrent Krisztina à l'Hôtel Gellert pour fêter son quatorzième anniversaire. Ils mangèrent du chou farci avec de la crème aigre, des *fogas* du lac Balaton et des *palacsintas* au chocolat. Ils burent du champagne. Krisztina dansa joyeusement avec son père et deux garçons qui vinrent l'inviter à sa table.

Il était presque dix heures quand un arrivant se présenta à Gabor.

« *Vegtelenul orvendek, uram.* » Il avait une voix suave et s'exprimait avec élégance.

— David Kaufmann, de Berlin. Je crois que vous connaissez mon père, Nathan Kaufmann.

Gabor se leva aussitôt, la main tendue, la physionomie cordiale.

— Mais bien sûr. C'est un grand plaisir, Herr Kaufmann. Puis-je vous présenter ma femme et ma fille.

Krisztina s'efforça de ne pas le regarder fixement. C'eut été vulgaire et maladroit. Mais se trouver inopinément face à face avec le jeune homme le plus attirant, le plus beau qu'elle ait jamais vu...

— Enchanté, dit David Kaufmann avec un sourire.

Grand, mince, les cheveux brun foncé impeccablement coiffés, les yeux d'un bleu étincelant.

— Voulez-vous vous joindre à nous pour une coupe de champagne, Herr Kaufmann ? Gabor était toujours debout. Krisztina se demandait qui était exactement ce jeune homme pour susciter une telle courtoisie.

— Oui, je vous remercie.

Un serveur qui faisait les cent pas à proximité approcha une chaise, et les deux hommes s'assirent.

Il était maintenant plus commode de regarder David à la dérobée. Krisztina étudia les sourcils bruns et arqués, le nez pas tout à fait droit et la bouche ferme et régulière. Sans vraiment s'en rendre compte, elle rejeta ses épaules en arrière et tapota ses cheveux que sa mère avait ondulés au fer à friser pour l'occasion.

— Krisztina, le père de Herr Kaufmann est l'un de mes meilleurs clients, expliqua Gabor à sa fille.

Gabor parlait allemand par déférence pour son hôte.

— Tu connais le magasin Kaufmann, Kriszti, ajouta Ilona. Dans la Vaci Utca.

— Mais oui, maman. « Oh ! Suzanna va être jalouse quand je vais lui raconter cela, pensa Krisztina. »

— Un jour, reprit Gabor avec pétulance, je vous emmènerai à Berlin, *dragam*. Il existe une filiale beaucoup plus importante sur le Kurfürsstendamm.

— Comment va votre père ? s'enquit Ilona. Je ne l'ai pas revu depuis l'été dernier.

— En bonne santé, merci.

Gabor fit signe à un serveur d'apporter une autre bouteille de champagne.

— Vous travaillez avec lui maintenant, Herr Kaufmann ?

Le jeune homme acquiesça de la tête.

— Je l'ai rejoint à notre siège en novembre dernier. Je vous en prie, *uram,* pourquoi ne m'appelez-vous pas David ?

— Ainsi, c'est un voyage d'affaires pour vous, David ?

— Pour ainsi dire. Kaufmann jeta un coup d'œil rapide à Krisztina, et elle crut discerner un certain courant derrière son sourire. Décidément, il était aussi intrigant que beau ! Plus que tout, elle eut subitement envie de valser avec lui. Il lui fut presque impossible de rester assise, ses mains posées sur ses genoux en un maintien modeste.

David Kaufmann lut dans ses pensées.

Il se leva.

— Me permettez-vous de faire cctte danse avec votre fille, *uram* ?

— Bien sûr, répliqua Gabor en tapotant affectueusement le bras de Krisztina.

L'orchestre jouait un paso doble sur une musique de Gershwin. David Kaufmann et Krisztina avancèrent jusqu'à la piste. Dès qu'il posa sa main sur la chute de ses reins pour l'attirer vers lui, elle comprit avec un ravissement qui lui coupa le souffle qu'elle se trouvait dans les mains d'un expert.

Pour la première fois de sa vie, elle était dirigée par un véritable partenaire. La plupart des garçons avec lesquels elle avait dansé, et même son père – surtout son père – se contentaient de faire le tour de la piste, trop concentrés sur les pas et trop appliqués à éviter ses pieds pour s'abandonner à la musique et au rythme. Il était clair que David Kaufmann était un danseur né. Son corps semblait se mouler sur la mélodie, ses pieds s'adaptaient sans difficulté au tempo. Ensemble ils s'élevaient et plongeaient subtilement, leurs corps restant dans une symétrie presque parfaite. Ils effleuraient le sol sans effort. À la fin de la danse, les applaudissements allèrent vers eux, beaucoup plus nourris que ceux destinés à l'orchestre.

Pendant les brefs moments de silence précédant la reprise de la musique, ils demeurèrent immobiles, se regardant intensément. Kaufmann ne la quittait pas des yeux, et il souriait.

— Pas mal, dit-il doucement.

Krisztina se sentit tellement comblée qu'elle pouvait à peine parler.

— Vous êtes... Elle hésita. Vous êtes très bon, dit-elle d'une voix faible.

— Merci.

Puis ce fut un tango qui partagea les danseurs en deux catégories : ceux qui dansaient avec une certaine timidité, et ceux qui pratiquaient les pas avec des enjolivures, parfois aux dépens de l'adresse. Krisztina fut de nouveau transportée tandis que son partenaire évoluait selon un style sud-américain modéré et subtil. La danse parut déjà achevée alors qu'elle venait de commencer.

— Nous avons besoin de pratiquer, dit David Kaufmann, qui ne montrait aucun signe de lassitude.

— Oui, c'est vrai, souffla Krisztina, qui ne savait trop comment interpréter ces paroles, mais décidée à approuver tout ce qu'il disait.

— Je suis à Budapest pour une semaine encore. Nous pourrions faire au moins trois séances avant mon départ. Je dois revenir deux semaines plus tard.

— Des séances.

— Des séances de pratique. Des répétitions.

Krisztina leva la tête, confuse.

— Pourquoi devrions-nous répéter ?

L'orchestre entama une valse lente, et Krisztina se détendit dans les bras de David. Elle sentit de nouveau sur son dos cette main merveilleuse qui la guidait, elle sentit son pied, puis son corps entier lui répondre, tous deux en accord avec la musique tandis qu'ils glissaient sur le parquet.

— Il y a une compétition internationale à Vienne dans un mois, expliqua Kaufmann. En travaillant, nous pourrions être prêts.

Krisztina faillit trébucher, puis elle éclata de rire.

— J'ai bien cru que vous parliez sérieusement !

Il s'arrêta. Ses yeux brillants plongèrent dans les siens.

— Mais je suis absolument sérieux. Brusquement, il la prit par le bras et la tira loin de la piste, mais au lieu de retourner à la table des Florian, il la conduisit du côté opposé.

— Où allons-nous ?

— Sur la terrasse.

Il faisait froid debors, mais Kaufmann semblait insensible.

— Eh bien, dit-il. Qu'avez-vous à me demander ?

Les pensées tourbillonnaient dans la tête de Krisztina.

— Je ne sais pas trop, murmura-t-elle. Tout.

— Krisztina, vous dansez bien. Son parler hongrois était doux et il prononçait son nom à la perfection.

— Merci.

— Mais vous avez besoin d'entraînement.

Elle restait figée et tout étourdie.

— Êtes-vous prête à travailler dur, Krisztina ?

Elle cligna des yeux.

— Êtes-vous prête ?

— Oui ! dit-elle.

— Parfait.

— Avez-vous déjà... fait des compétitions ? risqua-t-elle.

— Quelques-unes.

— En avez-vous gagné ?

Il sourit.

— J'avais de mauvaises partenaires.

— Et maintenant... Krisztina se tut, trop intimidée pour en dire davantage.

— Maintenant, je vous demande de devenir ma partenaire.

Les joues de Krisztina devinrent cramoisies. Elle se mit à trembler.

— Alors ? insista-t-il.

Elle était incapable de parler, son cerveau était dans la confusion la plus totale.

— Krisztina, poursuivit David plus doucement, je crois qu'avec de l'exercice, nous ferions merveille tous les deux... peut-être pourrions-nous même devenir champions.

Champions ! Les pensées de Krisztina se bousculaient. Il était fou ! Mais quel rêve fantastique ! Comme ses parents seraient fiers, surtout son papa ! Pouvoir danser tout le temps... enfin, presque tout le temps, car il faudrait qu'elle continue à aller à l'école. Et voyager ! Avec David Kaufmann !

Un autre couple sortit sur la terrasse. Les sons de l'orchestre leur arrivèrent par la porte ouverte : « Lady, Be Good ». Le rythme du fox-trot s'infiltra dans la nuit.

Sans un mot de plus, David Kaufmann prit Krisztina dans ses bras et la fit tournoyer doucement sous le ciel étoilé. Le cœur de la jeune fille se mit à battre plus vite, ses pulsations faisant écho à la musique sous la pression de la main qui la guidait et la conscience vive du corps chaud qui l'effleurait à peine...

Gabor était éperdu.

Dès que Krisztina fut revenue à la table de ses parents pour annoncer la nouvelle avec une joie radieuse, Gabor s'empressa de mettre fin à la fête. Refusant de se laisser entraîner dans une discussion sur la possibilité d'un partenariat, il souhaita à Kaufmann un bonsoir poli, mais d'une froideur appuyée.

Et à minuit, il affronta sa femme dans leur chambre. Son visage était rouge de colère.

— Pour qui se prend-il ? Demander à notre fille d'aller faire des cabrioles à travers toute l'Europe comme une vulgaire danseuse de music-hall !

— Je suis sûre que c'était un compliment dans son esprit, dit Ilona sur le ton de l'apaisement.

— Qu'il le garde son compliment ! Foutu jeune Juif ! Comment ose-t-il insulter notre fille ?

Ilona eut peur.

— Gabor, son intention n'était pas de nous insulter. Elle s'efforça de sourire. « D'ailleurs, c'est un jeune homme tout à fait plaisant, et tu dois admettre qu'ils dansaient joliment tous les deux. On les regardait beaucoup. »

— On les regardait ! éclata Gabor. Suggérerais-tu qu'elle devienne actrice ?

— C'est tout à fait différent. La danse en salle est un passe-temps gracieux et élégant.

— Ilona, ce garçon veut l'entraîner dans des compétitions, il ne s'agit pas d'aller à des thés dansants.

— Parce qu'il se rend compte qu'elle a du talent. Tu sais bien que Kriszti adore danser. Elle se tut un moment avant de poursuivre : « La crème de la société européenne participe à ces championnats, Gabor. »

Il fronça les sourcils.

— Comment sais-tu cela ?

— Kriszti m'a montré un jour un numéro d'une revue allemande.

— Elle lit ces feuilles scandaleuses ?

— Rien de scandaleux. C'était une revue très correcte. *La Danse*. Les candidats viennent de toutes les couches de la société, des médecins, des hommes de loi, et même des aristocrates, acheva-t-elle tranquillement.

Gabor marcha à la fenêtre à grands pas. Il n'avait pas encore quitté sa jaquette et triturait rageusement sa cravate noire. Il était en plein désarroi; il n'aimait pas refuser quoi que ce soit à sa fille, mais là, c'en était trop.

— Il veut qu'elle voyage avec lui. C'est indécent !

Ilona, assise sur le lit, passa la main sur sa jupe en crêpe de chine froissée.

— Il faudrait les accompagner, évidemment.

— Qui le ferait ?

— Moi, je suppose. Elle attendit un moment. « Je pense que c'est un jeune homme bien éduqué, il est le fils de l'un de tes meilleurs clients. »

— Jésus-Marie ! Ne me rappelle pas cela. Gabor lança sa jaquette sur une chaise. « N'est-ce pas assez que je doive faire semblant de respecter ces gens à cause de mon travail ? Il faut encore que je leur donne ma fille ? »

— Il n'est pas question de la donner, rétorqua Ilona, conciliante. Si tu acceptes cette proposition, c'est à elle que tu donnes une chance de faire ce qu'elle préfère par-dessus tout. Kriszti m'a dit qu'elle n'avait jamais dansé avec un partenaire aussi accompli.

Le sentiment de frustration de Gabor emplissait l'atmosphère de la chambre.

— Adolf Hitler a raison, marmonna-t-il en nouant la ceinture de sa robe de chambre autour de sa taille. « Les Juifs sont bien la cause de tous les troubles qui agitent le monde. »

Ilona suspendit soigneusement sa robe dans la penderie. Sa chair frissonnait comme à chaque fois que son mari exprimait ses idées antisémites. Et comme toujours dans ce cas, ses pensées tournaient autour de la petite Étoile de David blottie en secret dans la bourse en cuir. Elle l'avait enfouie parmi ses effets les plus personnels, dans le tiroir inférieur de sa commode.

Une fois couché, Gabor demeura silencieux et rageur, conscient de la vulnérabilité de son caractère sur deux points : plaire à Krisztina et satisfaire ses ambitions. En effet, il tentait depuis des années de rattraper le niveau social de Nathan Kaufmann afin d'améliorer la communication entre eux, mais le propriétaire de grands magasins gardait obstinément ses distances. À présent, une chance indéniable s'offrait à lui, il pourrait lancer une invitation plausible aux Kaufmann, peut-être même proposer un rendez-vous à Vienne pour assister à ce concours idiot.

Son estomac se nouait. N'y avait-il donc pas de justice en ce monde ? Le chancelier Hitler avait fait quelques progrès significatifs dans sa lutte contre les Juifs allemands. À grands coups de gueule, il avait ordonné à ses troupes d'assaut de foncer sur eux, il avait même organisé le boycott de leurs commerces. Mais malgré cela, malgré les récentes lois aryennes, un Gabor Florian était encore contraint de plier le genou devant un Kaufmann.

Il gémit et se tourna sur le côté.

— Gabor ? La douce voix d'Ilona s'interposa parmi ses mauvaises pensées.

— Qu'y a-t-il encore ?

— Qu'allons-nous répondre à Kriszti ?

Gabor se frotta la poitrine.

— Pouvons-nous lui refuser ?

— Je ne le pense pas. Elle en a fortement envie, je l'ai vu dans ses yeux.

Il grogna. « Damné Kaufmann ! » Ilona toucha son bras.

— Gabor, il faut lui dire quelque chose.

— Dis-lui que c'est oui, dit-il enfin.

IV

Pour Krisztina, la fin de l'année 1933 et les premiers mois de 1934 furent un joyeux kaléidoscope éclatant de couleurs. Elle n'avait pas encore vingt ans et pourtant, tandis que ses amis étaient astreints au morne régime du travail scolaire et à la vie mondaine traditionnelle hongroise, Krisztina Florian passait la plupart de ses week-ends à danser avec un jeune homme qu'elle idolâtrait de plus en plus, parcourant une Europe qui lui semblait briller d'un enthousiasme fébrile.

Lorsque David lui avait parlé des nouvelles lois allemandes qui, pour un motif purement racial, l'écartaient de toute participation aux activités se déroulant dans son propre pays, Krisztina s'en était montrée horrifiée. David, optimiste et chaleureux, avait alors tenté de la rassurer : ce ne serait qu'une mise à l'écart temporaire.

— C'est en tout cas l'opinion de mon père, dit-il avec une légère grimace.

— Vous n'êtes pas de son avis ?

David secoua la tête.

— Pas vraiment. Il dit que nous sommes assimilés et que le peuple allemand est une nation trop cultivée pour tolérer une attaque persistante sur la race qui a tellement contribué au développement de la science, des arts et de l'industrie du pays.

— Il a sans doute raison.

David haussa les épaules.

— Peut-être. Mais en attendant, nos acteurs et nos musiciens sont interdits, nos professeurs sont bannis de l'enseignement et l'on ne souhaite plus me voir sur les pistes de danse, même si aucune loi ne m'empêche de représenter l'Allemagne à l'étranger.

Krisztina réfléchit.

— Peut-être reconsidéreraient-ils la question si vous-même refusiez de représenter votre pays ?

David eut un ricanement en coin.

— Ils s'en ficheraient éperdument, Kriszti, et d'un autre côté, je veux danser.

Elle rageait.

— Si mon pays me traitait de cette manière, lança-t-elle avec une véhémence enfantine, je ne me laisserais pas faire !

— L'Allemagne est toujours mon pays, en dépit d'Hitler, répliqua David. Si j'abandonnais ce pays, ce serait en quelque sorte une victoire nazie. Il lui prit doucement le menton. « Quant à ne pas se laisser faire, ma chérie, croyez-moi, il n'y a pas le moindre choix. »

David avait sans doute changé la vie de Krisztina, mais la jeune fille était aussi consciente de la transformation qu'il avait opérée en elle. Folle de joie, elle déversait ses impressions sur Suzanna, expliquant qu'elle se sentait comme un papillon enchanté voletant d'un décor prestigieux à l'autre. Bien sûr, tout n'était pas qu'éclat et scintillement; le travail était pénible et contraignant. À l'entraînement, David poussait Krisztina à tel point que la sueur suintait par tous les pores de son corps et que ses muscles demandaient grâce. Mais si parfois elle se rebellait contre ce châtiment physique, les compétitions elles-mêmes étaient sa récompense : des matinées et des soirées resplendissantes lorsque, entourés d'esprits de même nature, ils s'enroulaient et glissaient sur les parquets cirés d'une bonne douzaine de villes sur des musiques qui accéléraient les pulsations de Krisztina et sous les milliers de regards qui semblaient suivre chacun de leurs mouvements.

Chaque vendredi après-midi précédant un week-end de compétition, Ilona aidait Krisztina à faire ses valises.

Elle contrôlait toutes les coutures de ses trois robes de danse, puis elle disposait méticuleusement chaque pan de tulle et de crêpe de chine, sachant qu'elle devrait recommencer l'opération en sens inverse dès qu'elles arriveraient à destination.

Ah ! ces destinations ! Entre novembre 1933 et mars 1934, Krisztina et David, chaperonnés par Ilona, qui n'avait jamais éprouvé un tel plaisir, tournoyèrent à travers toute l'Europe. Vienne, Prague, Gratz, Marienbad, St-Moritz, Davos, et puis Karlsbad, Évian pour le championnat international, et de nouveau la Suisse, Adelboden. Le point culminant fut le championnat du monde qui eut lieu à Paris au début de mars.

Ils furent inscrits dans la catégorie « B » – la classe intermédiaire. Aucun titre officiel ne pouvait être remporté dans cette catégorie, mais David et Krisztina dansèrent avec enthousiasme et espoir. Ils assistèrent ensuite en compagnie d'Ilona aux prestations de la *Classe spéciale,* étudiant attentivement chaque pas, examinant chaque ligne, chaque torsion, chaque pivot de ces danseurs admis dans la catégorie Championnat et qui tous avaient adopté ce que l'on appelait le « style anglais ».

— La prochaine saison, jura David après qu'ils eurent gagné le premier prix dans leur catégorie à Paris, nous danserons dans la classe « A ».

Les yeux de Krisztina brillèrent.

— Et l'année suivante, *Classe spéciale* !

Toutefois, leurs rêves et leurs aspirations reçurent un coup fatal lors des championnats suisses organisés à l'Hôtel du Lac à Zürich. David et Krisztina venaient de terminer leur premier tour – valse anglaise, slow et paso doble – et réintégraient leur table, encore hors d'haleine, lorsqu'ils furent abordés par le président de l'Association de la danse allemande, Otto Kranzler.

— Quelques mots, je vous prie, Herr Kaufmann, dit Kranzler après avoir salué courtoisement Ilona et Krisztina.

David se leva et présenta une chaise libre.

— Voudriez-vous vous joindre à nous, Herr Kranzler ? Une coupe de champagne ? dit-il en désignant les verres d'un mouvement de tête. « Quant à nous nous préférons l'eau minérale pendant les compétitions. »

Kranzler secoua la tête.

— Rien du tout, je vous remercie. Il s'assit. « Accordez-moi seulement quelques instants. »

— Je vous en prie. David reprit sa place, intrigué.

Kranzler, taille souple et cheveux blancs, lui-même ancien danseur, avait l'air embarrassé.

— Cette affaire n'est pas agréable pour moi, Herr Kaufmann. Il fit une pause.

— Poursuivez.

Kranzler s'éclaircit la gorge.

— L'attention de l'association a été attirée sur le fait que vous n'êtes pas un Aryen.

David, Krisztina et Ilona se raidirent.

— C'est juste, dit David.

— Malheureusement, poursuivit Kranzler, nous ne pouvons pas vous permettre de vous produire pour le compte de l'Allemagne en tant que non-Aryen.

Il y eut un silence pétrifié.

— Herr Kranzler, dit David lentement, êtes-vous en train de me dire que je ne peux pas danser pour mon pays parce que je suis Juif ?

Les yeux pâles de Kranzler étaient impassibles.

— C'est très regrettable, Herr Kaufmann, mais c'est en effet le cas.

— Mais nous avons déjà commencé ! intervint Krisztina, désolée. Pourquoi ne nous avoir rien dit plus tôt ?

— Un manque d'attention, madame, un oubli malheureux, j'en conviens.

— Et si nous poursuivions malgré tout, dit David d'une voix brisée, que se passerait-il ?

— C'est une chose que je vous déconseillerais fortement, répliqua Kranzler doucement, les autorités n'auraient pas d'autre choix que de vous arrêter dès votre retour en Allemagne. Il fit un petit geste conciliant de la main. « Je vous le répète, je trouve cela bien regrettable, mais les faits sont là. » Il regarda Krisztina et son expression s'adoucit. « Me permettez-vous une suggestion, Herr Kaufmann ? »

— Certainement, dit David sur un ton net.

— Le docteur Gœbbels est tout autant que vous attaché à la bonne tenue des arts dans le Reich. Il se tut un instant. « Or, je suis autorisé à vous aviser que si vous pouviez apporter la preuve de l'existence d'un parent de sang non juif – peut-être un aïeul aryen – nous pourrions fermer les yeux sur la situation présente.

Le visage de David était pâle, mais sa voix était dure et nette.

— Herr Kranzler, mes grands-parents et arrière-grands-parents sont de pur sang juif des deux côtés.

L'atmosphère devint glacée entre les deux hommes.

— Quel dommage, s'exclama Herr Kanzler en regardant Krisztina. La seule possibilité est alors que vous dansiez pour le compte du pays de votre charmante partenaire.

Krisztina agrippa les bras de son fauteuil, ses yeux étaient rivés sur David. Elle eut l'envie folle de nouer ses bras autour de David et de le garder ainsi jusqu'à ce que s'efface l'expression glacée et blessée de son visage. À cet instant précis, elle comprit que ce qu'elle éprouvait pour David était beaucoup plus puissant qu'une simple amitié, ou même qu'une toquade d'adolescente. C'était un sentiment entièrement nouveau et inconnu, appartenant plus à l'état d'adulte qu'à celui de l'enfance.

Ses joues étaient brûlantes. Elle arracha ses yeux de David et regarda sa mère, se demandant si ses émotions transparaissaient avec autant d'acuité qu'elle les ressentait. Mais Ilona ne la regardait pas. Elle était immobile, la face couleur de cendre, et semblait presque aussi ébranlée que David; ses yeux avaient une expression figée d'horreur que sa fille ne leur avait jamais vue. Krisztina frissonna et se tourna de nouveau vers David.

— Eh bien, Herr Kaufmann, insista Kranzler, que décidez-vous ? Il paraissait à présent impatient.

— Il me faut quelques minutes pour consulter ma partenaire, répondit David d'un air pincé.

— Vous avez dix minutes, dit Kranzler. La seconde phase va bientôt débuter et je dois avoir une réponse. Il se leva, fit un signe de tête rapide en direction des deux femmes et s'éloigna, s'inclinant et saluant d'autres couples en passant.

David était très calme.

— Eh bien, dit-il d'une voix rauque.

— Peuvent-ils vraiment nous faire cela ? interrogea Krisztina.

Il lui prit la main.

— À moi, oui, ma chère, il semble qu'ils le peuvent.

— Maman, qu'en penses-tu ? Ont-ils le droit de nous traiter aussi honteusement ?

Ilona était tendue comme un arc.

— Il semble qu'ils se sentent en droit de traiter David comme ils veulent.

— N'es-tu pas scandalisée ?

— Si, *dragam,* dit Ilona d'un trait. Je suis scandalisée.

David retira sa main.

— Je crois que votre mère est aussi consciente des événements que je le suis moi-même, Kriszti.

Krisztina écarquilla les yeux.

— Vous ne voulez pas dire que vous vous attendiez à cela ?

— Bien sûr que non. David était encore pâle. C'est la dernière chose que j'aurais imaginée... du moins pour le moment... Il s'interrompit, le regard perdu dans l'espace.

— David ? Krisztina le regarda anxieusement.

— Laisse-le, ma chérie, dit Ilona doucement.

— Mais nous n'avons que cinq minutes. Qu'allons-nous dire ?

David demeurait silencieux et lointain. L'orchestre commençait à jouer un paso doble populaire et les spectateurs cernaient la piste.

Ilona se revit presque quinze ans en arrière, en ce jour où, assise dans la cuisine en face de son cousin Joseph, ils avaient parlé du bébé. Le monde était fou à l'époque, se disait-elle; et il lui apparut qu'une autre dégringolade terrible se préparait à grande vitesse. Elle frissonna. Elle attendit que David prenne la parole.

— Kriszti, qu'en pensez-vous ? demanda-t-il enfin.

Krisztina sursauta.

— Moi ?

— Vous avez sans doute une opinion sur la proposition de Kranzler.

— À propos de votre représentation de la Hongrie ?

— Par exemple.

Elle le dévisagea. Elle était dans une totale confusion. Elle ne s'était jamais sentie aussi déchirée entre sa loyauté envers lui et son ardent désir de danser. Elle remarqua sa fureur bouillonnante, elle perçut son chagrin, sachant que s'ils se faisaient réenregistrer pour la Hongrie, David considérerait cela comme une victoire des Nazis. Et pourtant, une importante part d'elle-même, malade de culpabilité, désirait danser.

— Je ne sais pas trop, dit-elle, l'air misérable. Elle avala une grande goulée d'air. « Je ferai ce que vous déciderez. »

David redressa le menton avec détermination.

— Si on ne me permet pas de danser pour l'Allemagne, alors je ne danserai pas du tout.

Krisztina baissa les yeux sur ses mains.

— D'accord, murmura-t-elle.

Sachant le coup qu'il venait de lui porter, il se pencha vers elle avec sollicitude.

— Vous comprenez, n'est-ce pas, Kriszti ? demanda-t-il.

— Évidemment, répliqua-t-elle en essayant de ne pas pleurer. Si vous dansiez pour la Hongrie, ce serait comme si l'on vous expulsait de votre propre pays.

— Je ne peux pas être un jouet entre leurs mains.

— Je sais.

Il se leva.

— Je vais voir Kranzler. Il se perdit dans la foule.

Ilona ne souffla mot tandis que Krisztina se mordait les lèvres, honteuse de l'amère déception qui la bouleversait profondément. *Ne plus pouvoir danser !* C'était comme si on l'amputait de son bras droit ! C'était trop pénible à supporter ! Et le pire de tout, si David n'avait plus le droit de danser avec elle, elle ne le reverrait plus jamais !

David revint, le visage encore plus blanc que précédemment. Ilona se leva et poussa un fauteuil vers lui.

— David, mon ami, dit-elle d'une voix ferme, si vous le permettez, j'aimerais commander une bouteille de champagne.

— Bonne idée. David s'assit.

Krisztina les fixa du regard.

— Étaient-ils fous ?

— Je ne vois pas ce que nous avons à célébrer, s'étonna-t-elle.

Ilona lui tapota le bras par-dessus la table.

— Quelque chose de très important, Kriszti. Elle regarda David avec chaleur. « Le respect de soi. »

Les jambes tremblantes, les lèvres frémissantes, Krisztina prit son réticule et se hissa péniblement sur ses pieds.

— Kriszti ? Vous n'êtes pas bien ? demanda David.

Elle lui adressa un rire forcé mouillé de larmes. « Si. » Évitant le regard de sa mère, elle s'esquiva loin de la table, de la foule et de la musique. À l'extérieur de la salle, elle s'appuya un moment contre un mur, tout étourdie d'énervement. Les toilettes pour dames étaient situées de l'autre côté du hall principal, à la suite d'une galerie de vitrines scintillantes, de boutiques chargées de montres, de réveils, d'antiquités et de toutes sortes d'accessoires de *haute couture* plus attrayants les uns que les autres. Reprenant son souffle, Krisztina allait se diriger vers le vestiaire, mais elle se ravisa brusquement. L'air frais lui ferait plus de bien que les miroirs révélateurs. Elle fit un rapide détour jusqu'à la porte d'entrée, ses jupes amples froufroutèrent en passant devant le portier.

La chaleur avait été inhabituelle pour un mois d'avril, mais en cette fin d'après-midi, l'air était frais et bienfaisant, et le cœur douloureux de Krisztina trouvait même quelque agrément au jardin de l'hôtel avec son beau gazon, ses arbres en fleurs et ses bordures de tulipes formant des touffes pourpres, jaunes et blanches.

Krisztina traversa la chaussée d'un pas précautionneux, soucieuse de ne pas abîmer ses escarpins de soie pâle. L'intensité des chants d'oiseaux et la rumeur lointaine et insistante des voitures et des trams l'aideraient peut-être à retrouver son calme, mais pour le moment, un nœud serré l'étouffait inexorablement.

Elle observa un merle solitaire qui picorait un ver; elle caressa les pétales d'une tulipe parfaite; une larme roula sur sa joue droite.

— *Florian kisasszonyt* ?

Stupéfaite, elle se retourna.

— *Igen* ?

Un jeune homme, cravate et smoking blancs, œillet blanc à sa boutonnière, se tenait à quelques pas, souriant.

— C'est à peu près tout ce que je connais de votre langue, dit-il dans un allemand marqué d'un accent. « Mais tous les Hongrois parlent allemand, n'est-ce pas ? »

Malgré ses préoccupations, quelque chose s'agita en Krisztina. Elle recula de deux pas en effaçant la larme sur sa joue, consciente qu'ils étaient seuls.

— Nous sommes-nous déjà rencontrés ? demanda-t-elle. Il avait en effet un air vaguement familier.

— Jamais, dit-il avec charme.

— Alors, vous avez l'avantage sur moi. Elle l'examina avec curiosité. Il donnait l'impression étrange d'un être solidement lové sur lui-même, un peu comme un serpent prêt à frapper. et paradoxalement, son maintien était distant, presque désinvolte, sa tête drôlement penchée sur le côté.

Il la taquinait visiblement. Il pivota soudain sur un talon de sorte qu'elle vit le numéro 32 épinglé sur sa jaquette.

— Vous êtes un compétiteur, demanda-t-elle sottement.

— Exact.

Elle s'acharnait à l'identifier. Il lui semblait tellement le connaître, et il était si absurdement beau. Des yeux en amande d'un brun doré lui donnaient une expression plutôt cynique, dans un visage qui, hormis une longue et fine cicatrice sur la joue droite, était parfaitement régulier : pommettes hautes, nez long et droit aux narines sensibles. Sans omettre une épaisse chevelure blonde et ondulée.

— Qui êtes-vous ? interrogea-t-elle, exaspérée.

Il fit claquer sèchement ses talons l'un contre l'autre.

— Laurent de Trouvère, à votre service, madame.

Krisztina cilla alors en signe de reconnaissance. Évidemment ! *Classe spéciale* ! De Trouvère, l'un des meilleurs danseurs de la catégorie Championnat, l'un de ceux qu'elle avait observés avec admiration et attention. Elle ne pouvait pas réaliser immédiatement qui il était car elle avait passé des heures à l'étudier des épaules aux pieds ! Mais à présent, son esprit remettait les choses en place. De Trouvère, un aristocrate français, deux fois second en championnat européen, ayant pour partenaire Alice Gébhard.

— J'aurais dû réaliser plus tôt, dit-elle en levant sur lui un regard plus respectueux cette fois.

— Aucune raison pour cela, dit-il aimablement.

— Je vous ai tellement observé, monsieur.

— Et moi aussi, je vous ai observée, dit-il. Vous dansez bien.

— Vous nous avez donc vus ?

— Souvent.

Elle rougit et souhaita que David fût près d'elle.

De Trouvère sembla l'examiner avec plus d'attention.

— Je sais, dit-il lentement, je sais que vous avez des ennuis.

— Des ennuis ? reprit Krisztina en écho, stupéfaite.

— J'ai appris aujourd'hui les mesures concernant votre partenaire.

Elle ouvrit de grands yeux.

— Comment ?

Un muscle fin bougea sous son œil gauche.

— Herr Kaufmann n'est pas le premier compétiteur allemand à être touché, et je soupçonne qu'il ne sera pas le dernier. Le ton était impersonnel.

La colère de Krisztina refit surface.

— C'est monstrueux, ne trouvez-vous pas ?

— C'est très malheureux, je vous l'accorde.

— C'est le moins qu'on puisse dire, lança-t-elle aigrement.

— J'ai su aussi qu'on vous avait fait une proposition.

Krisztina releva le menton.

— Qui était inacceptable.

— Quel dommage, dit de Trouvère d'un ton badin. Mais la catastrophe n'est peut-être pas aussi terrible pour vous, madame Florian.

— Que voulez-vous dire ? demanda-t-elle, ébahie. Je dois vous dire que je considère cela comme un désastre pour nous deux.

— En ce qui concerne votre association, c'est évident, rétorqua le Français. Quant à vous personnellement, vous avez la liberté de choisir un autre partenaire.

— Je ne veux pas d'un autre partenaire !

— Avez-vous le choix ?

— Bien sûr !

Il fit une moue.

— Pas si vous tenez à danser encore.

Le désarroi de Krisztina resurgit. Comment cet homme, cet étranger, osait-il lui rappeler son malheur affreux qui la brisait ! Elle saisit rageusement le bas de sa jupe en tulle et se prépara à tourner les talons.

— Je vous en prie, madame, ne vous mettez pas en colère, dit de Trouvère plus gentiment. Je ne fais que souligner ce que vous savez déjà. Le couple Kaufmann et Florian, *catégorie « B »,* n'existe plus, aussi regrettable que cela soit. Il sourit : « En revanche, le couple de Trouvère et Florian, *Classe spéciale* pourrait tout à fait prendre son envol.

— Pardon ? Elle en croyait à peine ses oreilles.

— Je pense que vous avez bien entendu.

— Mais... Elle hésita, puis elle se reprit. « Abstraction faite de tout le reste, monsieur, vous avez déjà une partenaire !

— Oui.

— Vous ne pouvez pas avoir deux partenaires.

— Non.

— Alors, qu'est-ce que vous me racontez ? s'impatienta-t-elle.

— Je veux simplement dire que moi aussi, je suis libre de changer de partenaire.

Krisztina était scandalisée.

— Ne soyez pas absurde ! Elle se demanda où était Alice Gébhard en ce moment, et ce qu'elle dirait si elle pouvait entendre cette conversation grotesque.

Sans avertissement, Laurent de Trouvère lui saisit la main, ce qui lui coupa le souffle de surprise.

— Si vous devenez ma partenaire, Krisztina Florian, dit-il avec intensité, je vous promets de faire de vous une championne.

Elle réprima une envie d'éclater de rire. Quelle terrible ironie de la vie ! Elle se souvenait des paroles de David sur la terrasse du Gellert comme si elles avaient été dites la veille. Il y avait eu alors le charme de David; David qui était devenu son ami le plus cher et plus encore. Tandis que ce qu'offrait cet homme en des termes presque identiques avait des relents de séduction dangereuse.

Elle retira brutalement sa main.

— Eh bien ? dit de Trouvère.

— Eh bien quoi ? dit-elle sur le ton du défi.

— Que pensez-vous de ma suggestion ? Elle se dressa de toute sa taille.

— Je pense que vous devriez d'abord songer à mademoiselle Gébhard.

Il ne broncha pas.

— Et ensuite ?

Elle secoua la tête.

— Je ne crois pas que vous soyez sérieux.

— Soyez assurée que je le suis.

Krisztina était perturbée. Trop de choses à assimiler tout à coup. Voir d'abord tous ses espoirs brisés dans cette maudite salle illuminée, et quelques minutes après, parler dans ce jardin parfumé avec ce bel aristocrate arrogant qui lui offrait un succès presque certain aussi simplement qu'un bouquet de fleurs.

— Qu'avez-vous à répondre, madame, insista de Trouvère.

— Votre idée est irréalisable, dit-elle tout bas.

— C'est plus qu'une simple idée. C'est une proposition ferme, et je pense que vous vous devez d'y réfléchir davantage avant de la rejeter.

— Je vous ai dit... j'ai déjà un partenaire.

— Moi aussi, sourit-il.

Elle n'avait jamais rencontré quelqu'un d'aussi obstiné.

— Je ne peux vraiment pas croire que vous êtes sérieux, répéta-t-elle.

— Je ne peux que vous assurer que je le suis. Il la regarda, un sourcil levé. « Ne vous sentez-vous pas un tout petit peu flattée ? Après tout, vous n'êtes qu'en *catégorie "B"*, et vous êtes à peine plus qu'une enfant. » Il vit l'expression coléreuse de la jeune fille, mais il ne lui laissa pas le temps de répliquer.

— Je dois vous quitter maintenant, dit il en consultant sa montre. Je le regrette beaucoup, croyez-moi. Alice va se demander où je suis, et votre maman et Herr Kaufmann vont commencer à s'inquiéter de vous.

Krisztina fronça les sourcils.

— Vous semblez savoir beaucoup de choses sur moi, monsieur.

— En effet.

— Comment cela se fait-il, si je puis me permettre de vous poser la question.

— Comme je vous l'ai dit tout à l'heure, je vous ai observée. Puis il recula d'un pas et s'inclina légèrement. « Et à présent, il faut que je parte, mais je voudrais encore vous soumettre les quelques bribes de hongrois dont je dispose. » D'un geste vif, il saisit de nouveau la main droite de Krisztina et la porta à ses lèvres. « *Kezeit Csokolom* », dit-il, puis il la baisa.

Une violente sensation traversa Krisztina depuis le bout de ses doigts qu'il tenait encore jusqu'aux racines de ses cheveux. Elle se maudit elle-même pour cette évidente faiblesse.

Sans la quitter des yeux, il lâcha sa main.

— Avec la permission de votre père, dit-il d'une voix douce, je vous rendrai visite.

— Ne vous donnez pas cette peine, je vous en prie, dit-elle, de plus en plus déconcertée. Il n'oserait tout de même pas venir à Budapest !

— Au contraire, mademoiselle. Il fit de nouveau claquer ses talons. Ce sera avec le plus grand plaisir.

V

Laurent de Trouvère, fils d'Armand, vingt-cinquième baron du nom, vivait avec sa famille dans un ravissant château de moyenne importance dans les luxuriants vallonnements des Vosges, en Alsace. Il suivait en cela la tradition établie depuis cinq générations.

La famille de Trouvère était fort ancienne et fière de son histoire qui avait débuté dans la Loire, lorsque le premier baron, poète officiel et très prisé de la cour de Philippe-Auguste, avait reçu son titre et son domaine par la volonté du roi, au début du treizième siècle. Après la destruction du premier château de Trouvère qui fut incendié sous la révolution, le vingtième baron, au caractère indomptable, décida de transporter sa famille et ses gens, son bétail et ses tonneaux de vin en Alsace, une région de sa chère France qu'il avait souvent visitée et admirée pour la beauté de ses paysages, ses chasses de premier ordre et ses vins particuliers. Le château dans lequel ils s'installèrent, à l'origine un pavillon de chasse qui fut complètement reconstruit à la fin du dix-buitième siècle par un successeur de Guêpière, était situé entre Ribeauvillé et Riquewihr, dans le département du Haut-Rhin. En 1817, après de luxueux embellissements apportés à l'édifice, le baron le baptisa de Trouvère; le château fut alors l'un des rares de la région à porter un nom français, l'Alsace n'ayant été absorbée par la France qu'à la fin du dix-septième siècle. Quelque cinquante ans plus tard, il advint toutefois que la région fut annexée au second Reich des Hohenzollern. Elle ne revint à la France qu'après la Première Guerre mondiale. Le grand-père de Laurent, le vingt-troisième baron, fut tellement choqué par les événements de 1870 qu'il mourut d'une attaque d'apoplexie, le cœur brisé, laissant à son héritier un domaine devenu allemand depuis peu.

Laurent était le seul héritier du baron Armand. Il avait grandi avec la ferme conviction que sa vie suivrait l'exemple que lui avaient montré ses ancêtres depuis sept siècles. Le pays, le titre et la famille étaient sacrés, il fallait les préserver à tout prix. Mais Laurent n'était pas pressé d'hériter. Il aimait son père autant que sa mère, Geneviève. Il ne doutait nullement que le domaine de Trouvère serait un jour le sien; et alors, sans frère avec qui partager les avantages et les charges, Laurent se rendait compte que toutes les responsabilités pèseraient sur lui.

D'ici là, il disposait de quelques années de liberté pour jeter sa gourme. Bien des jeunes gens dans sa position passaient leur temps à voyager, attentifs à se trouver au bon endroit au bon moment : Saint-Moritz ou Gstaad en février, la Côte d'Azur en avril, Londres en juin, Deauville en août. Ces jeunes nobles montaient à cheval, jouaient ou possédaient des chevaux de course ou des poneys de polo, s'adonnaient au tennis et conduisaient des voitures rapides. Le soir, ils jouaient au baccarat ou à la roulette et séduisaient autant de jeunes filles qu'ils le pouvaient. Laurent aimait assez monter à cheval – les chevaux de Trouvère sur le domaine de Trouvère; il se plaisait à conduire sa Mercedes et sa Rolls-Royce Phantom, il caressait aussi le vague rêve de posséder une Dusenberg. En revanche, il trouvait le jeu ennuyeux, c'eut été perdre son temps que de s'y laisser aller, et bien qu'il eût trouvé dans le sexe une détente agréable dès l'âge de quatorze ans, cette activité ne dirigeait pas sa vie.

Sa mère, dont il avait toujours beaucoup admiré l'élégance et la joie de vivre, lui avait appris à danser lors de son dixième anniversaire mais avait fait plus que lui enseigner les pas rudimentaires; plus tard, elle révéla à ce bel adolescent agile que la danse pouvait être beaucoup plus qu'un simple agrément mondain et un passeport pour le plaisir : ce pouvait être aussi un art. Lorsqu'il eut treize ans, les dames qui assistaient aux bals et aux réceptions au château ne se jugeaient nullement pénalisées de valser sous la conduite du futur baron aux cheveux dorés, déjà de haute taille et maître de soi.

Laurent n'était pas spécialement féru de compétition, mais il admirait la perfection chez les autres et aimait à exceller lui-même : de sorte que lorsqu'Alice Gébhard, une jeune et jolie Alsacienne de Colmar, l'invita à être son partenaire dans un concours de gala à Baden-Baden, de l'autre côté de la frontière, il trouva l'idée séduisante et amusante. Ils remportèrent le premier prix et continuèrent à danser ensuite, mais malgré plusieurs succès, jamais Laurent n'avait vu dans la danse autre chose qu'un divertissement charmant. Puis vint cet après-midi de 1933 à Marienbad, lorsqu'il vit danser pour la première fois Krisztina Florian dans un charleston endiablé lors d'un thé dansant à l'Esplanade. Elle lançait pieds, jambes, bras, mains et chevelure à toute volée et secouait sa jolie tête avec une énergie si folle que le jeune homme avait craint qu'elle ne se déboîte ses gracieuses épaules. Quand la musique s'arrêta il entendit son rire haletant et la regarda retourner à sa table au bras de son partenaire. Laurent resta figé, momentanément désarçonné sous l'effet de la jalousie et de l'exaltation mêlées, car il venait de reconnaître que le seul élément manquant à son avenir organisé lui tombait tout à coup du ciel. Il avait tout simplement été frappé par la foudre : il était absurdement et irrémédiablement tombé amoureux au premier regard.

Chez les Trouvère, tous les hommes possédaient la caractéristique fondamentale de poursuivre sans trêve ce qu'ils considéraient comme cher à leur cœur; à vingt ans, Laurent n'échappa pas à la règle. Comme il l'avait souligné lors de leur rencontre à Zürich, Krisztina était à peine plus qu'une enfant, mais elle montrait déjà les prémices d'une grande beauté avec son teint exquis, sa chevelure d'or pâle et ses remarquables yeux d'un violet bleuté. Laurent se demanda de qui elle avait hérité cette beauté – pas de sa mère, certes agréable mais du genre souris, et certainement pas de son commerçant de papa sans attrait qu'il avait déjà vu deux fois lors de compétitions à Vienne et Budapest. En ces deux occasions, Laurent avait attentivement observé de loin l'objet de son désir, le cœur captivé, enregistrant mentalement chaque mouvement, chaque qualité et chaque défaut – sans toutefois insister sur les quelques imperfections qui étaient à mettre sur le compte de son origine petite-bourgeoise et de son partenaire, Kaufmann, dont il était clair qu'elle était entichée.

Il était certain d'avoir trouvé la femme de sa vie. Il avait constaté à Zürich que c'était une forte tête, mais elle était encore suffisamment jeune et sans artifice pour se laisser inculquer les manières du monde où il évoluait. Elle n'était pas de sang noble, mais elle faisait partie des créatures aptes à l'absorber, comme les plantes absorbent la lumière. La seule véritable question jusqu'à Zürich avait été : comment l'amener à s'écarter de Kaufmann. Mais maintenant, les nazis avaient œuvré dans son sens. Elle n'en était peut-être pas encore consciente, mais Krisztina avait besoin de lui. La danse était vitale pour elle. Sans elle, elle dépérirait. En outre, il était certain qu'elle lui insufflerait une nouvelle vitalité s'il l'avait comme partenaire. Alice était si terne comparée à Krisztina; à cause d'elle, il avait sous-estimé son propre talent. Avec Krisztina dans ses bras, il était presque sûr de remporter un titre, et cela lui ouvrirait sans aucun doute le chemin de son cœur.

— Pourquoi ne pas te contenter de danser avec elle ? lui demanda sa mère, la baronne, après lui avoir fait part de ses sentiments. Je n'ai jamais eu à douter de ton bon goût, mon chéri, et je suis certaine que cette jeune fille est douée et très jolie, mais tu ne la connais pas et déjà tu la désignes comme une épouse possible. C'est de la folie !

— Attendez de la voir, maman, et vous comprendrez.

— Mais c'est une enfant, Laurent, tu le dis toi-même; et d'une tout autre origine que toi. Geneviève de Trouvère n'était pas snob, mais elle aimait son mari et son fils et souhaitait protéger leurs valeurs traditionnelles.

— Elle est parfaite, maman, répliqua-t-il avec désarroi. Vous parlez de mon bon goût, et vous savez que le nom que je porte signifie tout pour moi et que je ne ferai jamais rien qui pût le salir ou compromettre notre domaine. Promettez-moi seulement que vous persuaderez papa de la rencontrer lorsque le moment sera venu.

— Laurent, je ne fais jamais de promesse que je ne peux pas tenir.

Son fils lui saisit la main fébrilement.

— Vous ai-je souvent demandé quelque chose, maman? Quand vous ai-je demandé une chose semblable dans le passé?

Geneviève eut un petit sourire.

— Mon fils, c'est peut-être que tu as toujours eu ce que tu voulais.

Laurent avait compté sans la maturité précoce et le penchant très net à l'indépendance que les voyages et l'adversité croissante avaient développé en Krisztina. Il n'avait pas non plus tenu compte des sentiments de la jeune fille à l'égard de David, lesquels se renforçaient à mesure que l'antisémitisme s'intensifiait en Allemagne.

Laurent décida de baser sa campagne – car c'était ainsi qu'il considérait la chose désormais – sur ce qu'il s'imaginait être un moyen infaillible pour faire sa cour. Il fit montre d'une prodigalité stupéfiante – un énorme bouquet de roses, d'orchidées et de lys arrivait presque chaque semaine rue Kalvaria, et presque toujours, les fleurs étaient accompagnées d'un cadeau différent, depuis le flacon de parfum géant de Channel No 5 jusqu'à la paire de fines boucles d'oreilles en perles et en diamant.

Gabor et Ilona étaient impressionnés par cette preuve d'admiration aussi tangible à l'adresse de leur fille, mais la personne que Laurent désirait le plus émouvoir restait pratiquement insensible à cette cour à distance. Ce que Laurent ne saisissait pas, c'était que l'intensité du premier amour de Krisztina était au moins aussi puissante que la sienne. En dépit de la pluie de cadeaux qui tombait sur Krisztina, le moindre œillet ou les quelques lignes affectueuses de son David bien-aimé étaient bien plus importants pour elle.

— Il faut lui écrire immédiatement pour le remercier, disait Gabor rayonnant, après que Krisztina eût défait un nouveau cadeau, un superbe bijou de chez Fabergé soustrait à la collection de la famille de Trouvère.

Krisztina toucha de ses doigts le bel objet.

— Je crois que je devrais le lui retourner, dit-elle pensivement.

— Pourquoi ?

Elle rougit.

— C'est un cadeau trop précieux pour une simple démonstration d'amitié.

Ilona, qui était en train de coudre dans un coin de la pièce, éleva doucement la voix.

— Kriszti, Monsieur de Trouvère ne songe manifestement pas à une simple amitié.

— Je ne lui ai pourtant donné aucun encouragement.

— Alors, il est grand temps que tu le fasses, lança Gabor avec force tout en allumant son cigare.

— Ce soir, c'est à David que je dois écrire, ajouta Krisztina avec obstination. J'écrirai à Laurent demain.

Gabor soupira. Sa précieuse fille le décevait bien. Il avait espéré que les relations entre Krisztina et Kaufmann se distendraient puisqu'ils ne pouvaient plus danser ensemble. Or, cette enfant têtue ne semblait plus exister que pour la correspondance qu'ils échangeaient. Gabor était terriblement déchiré. Il ne désirait nullement voir sa fille malheureuse, mais la seule idée de la voir entichée de ce Juif lui déplaisait, à plus forte raison si elle courait ainsi le risque de perdre un parti aussi prestigieux que le jeune futur baron.

— Ce que je n'arrive pas à comprendre, insista-t-il avec autant de patience qu'il en était capable, c'est pourquoi tu refuses de danser avec lui. Il est pourtant évident qu'il est bien meilleur que Kaufmann.

— Si je ne peux pas danser avec David, répliqua Krisztina, je ne veux danser avec personne d'autre.

— Dans ce cas, tu vas tout manquer, *dragam,* non ? dit Ilona pour soutenir son mari. Je suis sûre que David t'encouragerait à trouver un autre partenaire s'il savait cela.

— Il le sait.

— Et que dit-il ?

Le regard de Krisztina s'embruma.

— Il est d'accord avec toi.

— Eh bien alors ! s'exclama Gabor.

— Il ne pense pas ce qu'il dit, expliqua Krisztina, accablée. Il dit cela uniquement pour me faire plaisir. Je sais qu'il serait terriblement blessé si je dansais avec Laurent. Elle se força à sourire. « De toute manière, ce n'est qu'une question de temps, David sera de nouveau autorisé à faire des compétitions. »

— J'en doute, dit Gabor.

Gabor multiplia ses prières nocturnes, suppliant Dieu de faire en sorte qu'Hitler renforçât son emprise sur l'Allemagne. Depuis l'interdiction qui avait frappé Kaufmann, l'admiration de Gabor pour le Reich s'accroissait encore et il suivait les événements qui se déroulaient en Allemagne avec de plus en plus d'intérêt. Ilona aussi s'agenouillait chaque jour devant Dieu, mais ses prières étaient différentes. Elle éprouvait une grande pitié pour David, qu'elle avait pris en affection et respectait. Mais pour l'amour de Krisztina, elle souhaitait voir cette relation prendre fin avant que la jeune fille ne se trouvât impliquée plus avant dans les problèmes qui assaillaient régulièrement ce malheureux peuple juif. Quant à Laurent de Trouvère, elle devait bien admettre que Gabor avait raison en disant à Krisztina qu'une pareille chance ne se présentait qu'une fois dans la vie.

Depuis les championnats de Suisse, Laurent avait entrepris à deux reprises le long voyage de Budapest pour rendre visite à Krisztina. Il avait d'abord cru qu'il lui serait facile de se faire accepter d'elle. Mais il n'avait pas tardé à comprendre qu'il ne fallait pas la brusquer. Son arrivée en grand style à bord de sa Mercedes Kompressor dans la rue Kalvaria en imposa assez facilement à Gabor et Ilona. Sa position sociale, son charme français et la force évidente de son attachement à leur fille rendirent toute résistance pratiquement impossible de la part des Florian. Ilona servit le thé dans son plus beau service en porcelaine de Herend. Quant à Krisztina, assise à côté de Laurent sur le canapé, elle montra une retenue affectée, répondant poliment quand on lui parlait, mais demeurant réticente le reste du temps.

À la mi-septembre 1935, les lois de Nuremberg entrèrent en vigueur en Allemagne : les Juifs furent dépouillés de leurs droits civils, il leur fut interdit d'épouser des Aryens ou des Aryennes, ils furent l'objet d'une ségrégation légale dans tous les domaines. Un mois plus tard, le magasin de Nathan Kaufmann sur le Kurfürstendamm fut aryanisé, ce qui le laissa perplexe concernant l'avenir de sa filiale de Budapest. En d'autres circonstances, la logique eut voulu qu'il rassemblât famille et possessions pour s'installer en Hongrie et retrouver au moins un semblant de normalité. Mais l'antisémitisme y étant aussi de mise, il était inutile de quitter une poêle à frire pour tomber dans le feu. En outre, la Hongrie ne pourrait jamais devenir son pays. Nathan se dit que c'était encore en restant sur le sol natal et en essayant de tirer le meilleur parti possible des choses qu'il pourrait le plus facilement rattraper ses pertes. Il évalua sa situation financière et envoya David à Budapest en mission de reconnaissance afin de voir s'ils pouvaient vendre avantageusement le magasin de la Vaci Utca.

David en profita pour rendre visite à Krisztina. Il trouva Gabor Florian plus aimable que d'ordinaire. Il ignorait évidemment que Gabor avait reçu un mois plus tôt un coup de téléphone de Laurent de Trouvère.

« Pardonnez cette présomption, monsieur, avait commencé Laurent respectueusement, mais l'idée m'est venue que la vente imminente de la filiale Kaufmann de Pest pourrait être intéressante pour vous. »

« Comment cela ? »

« Il me semble que ce serait un coup de maître si vous étiez prêt à ajouter ce magasin à vos autres avantages. Laurent avait laissé passer quelques instants. Je sais que Kaufmann cherche avant tout une rentrée d'argent rapide. Savez-vous que son magasin de Berlin a été aryanisé ? »

« Oui. » Gabor avait appris la nouvelle avec des sentiments mêlés; en effet, rien ne garantissait que les nouveaux propriétaires continueraient à faire leurs achats auprès des anciens fournisseurs. C'était souvent ainsi, avait-il ricané : principes et bon sens commercial étaient parfois aux prises. À présent, il était tout excité en écoutant Laurent. Avec un effort, il aurait une chance de vaincre Nathan Kaufmann !

Il risqua prudemment :

« Cela m'intéresserait évidemment de connaître le prix demandé par Kaufmann. »

« Mon père est en rapport avec un cabinet d'avoués à Vienne, répondit Laurent obligeamment. Je leur demanderai d'enquêter pour notre compte. »

L'entretien terminé, Gabor avait lissé ses moustaches d'un air suffisant. *« Pour notre compte. »* C'était sans doute la preuve que de Trouvère était vraiment décidé à gagner sa fille. Gabor s'était frotté les mains avec joie. La vie prenait décidément un bon tournant ! Avec l'aide de Laurent et la coopération de sa banque, la possession de l'un des plus élégants magasins de Budapest était à sa portée et il n'aurait plus jamais à ramper devant Nathan Kaufmann ni devant son fils. Et qui pouvait dire – à condition que Krisztina fasse preuve de bon sens – si la famille Florian ne serait pas un jour liée par alliance à l'aristocratie française.

Lorsque David arriva à Budapest, Gabor avait une offre acceptable à soumettre. La banque s'était d'abord montrée intraitable car depuis la panique financière de 1931, la vie était devenue précaire pour les hommes d'affaires de moindre importance désireux de s'étendre. Mais les nouvelles relations de Gabor avec Laurent, ajoutées au fait que les affaires juives perdaient de leur valeur, lui avaient permis d'obtenir la promesse des fonds nécessaires.

David arriva rue Kalvaria un dimanche soir, ayant l'intention de sortir avec Krisztina. Mais Ilona avait préparé le dîner.

— Kriszti, ma chérie, lui murmura-t-il dans le vestibule après un baiser rapide, il faut que je vous voie seule.

Elle lui sourit de ses yeux voilés par l'attente.

— Plus tard, j'espère. Papa insiste pour que nous dînions tous ensemble d'abord.

Il l'étreignit brièvement.

— Vous me manquez.

— Vraiment ? dit-elle, toute contente.

— Bien sûr. Il lui ébouriffa les cheveux.

— Ce n'est pas seulement la danse qui vous manque ?

— Non, ce n'est pas seulement cela. Vous n'avez donc pas lu mes lettres ?

— Lues et relues, souffla-t-elle joyeusement. C'était un miracle cet amour qui s'était développé à travers leur correspondance. Ils n'avaient pas pu se rencontrer depuis plusieurs mois, et bien qu'elle n'eût encore que seize ans, elle avait l'impression d'avoir commencé à grandir pendant leur séparation. Et même David, qui, avant, semblait la juger trop jeune pour une idylle, avait commencé à reconnaître la force de ses sentiments pour elle.

— Votre père semble extraordinairement heureux de me voir, dit-il.

— Je sais, répliqua Krisztina joyeusement. Il était tout excité quand je lui ai annoncé votre arrivée. Je pense qu'il souhaite vous parler.

— À quel sujet ?

— Je ne sais pas très bien. Peut-être à notre sujet, dit-elle en rougissant.

David se tut. Il n'oubliait pas que Gabor Florian l'avait seulement toléré en tant que partenaire de Krisztina, par pure courtoisie entre relations d'affaires.

— Qu'y a-t-il ? demanda Krisztina.

— Rien, ma chérie. Il l'embrassa sur le front.

— Vous avez l'air troublé.

— J'ai faim.

L'affaire fut conclue en trois semaines. Deux autres acheteurs se mirent sur les rangs puis se retirèrent. Jamais de sa vie Gabor ne s'était senti aussi sûr de lui et résolu. La métamorphose qui s'opérait en son mari tandis que les négociations progressaient stupéfiait Ilona.

Le 11 février 1936, le magasin de Vaci Utca changeait de mains. La raison sociale Kaufmann demeura en place sur tous les documents, factures, sacs et cartons car Gabor avait conscience d'acheter une clientèle considérable en même temps que le magasin. Mais le personnel ne fut pas laissé dans le doute quant à l'identité du nouveau patron. En effet, Gabor jubilait et son visage exhibait son pouvoir tout neuf.

Ce soir-là, Gabor donna une réception à l'Hôtel Gellert.

À une heure du matin, il appela Krisztina et David dans le hall, un petit sourire de regret sur les lèvres.

— À partir de ce soir, leur dit-il d'une voix unie, vous ne vous reverrez plus.

Krisztina fixa son père du regard pendant un long moment sans comprendre.

— Papa, tu ne peux pas vouloir cela !

Gabor souffrait, sincèrement, car il savait le chagrin qu'il lui causait, mais il était certain qu'un jour elle le remercierait, lorsqu'elle aurait épousé le baron.

— Je le veux absolument, dit-il tranquillement. Je suis persuadé qu'il faut qu'il en soit ainsi.

— Mais nous nous aimons !

— Tu es trop jeune pour savoir ce qu'est l'amour, Krisztina, tu feras donc comme je te dis. Gabor n'était pas grand, mais à présent, il semblait dominer largement sa fille.

Elle s'agrippa sauvagement au bras de David.

— Dites-lui ! Dites-lui que ce qu'il veut est impossible !

David était secoué, mais son visage était impassible. Il répondit lentement, sans la regarder.

— Étant donné que vous n'avez que seize ans, Kriszti, je suppose que je n'ai rien à répliquer à votre père. Sa décision est ferme.

Gabor s'inclina légèrement.

— C'est tout à fait bien raisonné.

Krisztina aurait voulu se débattre, hurler et pleurer à la face de son père et de David, pour leur rappeler qu'elle existait, qu'elle avait également droit au bonheur et qu'ils ne pouvaient pas le lui voler. Au lieu de cela, elle resta muette, haïssant son père plus que tout autre individu au monde.

— Où est maman ? dit-elle enfin.

— Ta mère ne changera rien. Gabor s'adressa à David. « Il est tard, Kaufmann, dit-il. La réception est terminée. »

David, amer, lui répondit ironiquement :

— Étant donné que je passe la nuit à l'Hôtel Gellert, il me semble que c'est à vous de partir le premier. Il détourna son regard de Florian pour le porter sur Krisztina; il frôla sa joue d'une main qui tremblait légèrement. Soyez brave, ma belle Kriszti, dit-il doucement. Je vous écrirai.

— Je vous l'interdis, dit Gabor, rageur.

David rencontra de nouveau les yeux de l'homme qui était son aîné.

— Je ne vous ai pas demandé votre permission ! Il baisa rapidement le front de Krisztina. N'abandonnez pas, lança-t-il avec audace. Moi, je n'abandonnerai jamais.

— Ne partez pas ! supplia-t-elle frénétiquement, prise d'une terreur malade à l'idée de ne plus jamais le revoir. Ne me quittez pas, David !

Gabor s'empara de son bras.

— Krisztina, ce n'est ni le temps ni le lieu de faire une scène.

— Comment peux-tu être aussi cruel ? gémit-elle.

— J'espère que tu ne me trouveras pas cruel pendant longtemps, dit calmement Gabor en tenant son bras d'une poigne solide. Il regarda David. « Au revoir, Kaufmann. » Il se tut un instant. « Bon vent ! »

David était blême.

— Florian, je regrette profondément d'avoir conseillé à mon père de vous vendre notre affaire, dit-il, la voix tremblante. C'est la pire erreur que j'aie jamais faite !

Les deux hommes restèrent silencieux pendant un long moment tels des ennemis prêts à en découdre. Puis Gabor serra jusqu'à lui faire mal le poignet de Krisztina pour la contraindre à s'éloigner de David.

— Où m'emmènes-tu ? sanglota-t-elle en se tordant le cou pour voir encore David.

Gabor se mit en route, traînant sa fille à sa suite.

— Je t'emmène aux toilettes pour dames, où tu net-toieras ton visage afin d'être plus présentable. Et ensuite, poursuivit-il inexorablement, nous irons boire une coupe de champagne avec Laurent de Trouvère qui nous attend au bar.

— Je ne veux pas le voir !

— Tu le verras, répliqua Gabor, la mine farouche, et tu seras charmante et courtoise avec lui.

Ils approchaient de l'angle où se trouvaient les toi-lettes et Krisztina tendit le cou pour voir David une der-nière fois. Comme il disparaissait de sa vue, elle s'adossa contre le mur, physiquement épuisée.

— Père, jamais je ne te pardonnerai cela, dit-elle d'une voix subitement éteinte. Jamais.

Il la poussa plus doucement pour lui faire parcourir les derniers mètres. Il posa une main sur la poignée de la porte et la poussa à l'intérieur de la pièce.

— Tu me pardonneras, ma fille, quand le temps sera venu.

Krisztina s'écarta de lui en s'efforçant de recouvrer sa dignité. Elle le regarda durement.

— Même pas dans mille ans.

Durant les trois semaines qui suivirent, trois lettres arrivèrent de Berlin, adressées à Krisztina. Gabor les confisqua toutes, les lut et les brûla dans la cheminée. Krisztina supplia sa mère de l'aider, mais Ilona était désemparée. Elle appartenait à une génération de femmes qui se considéraient moralement tenues de soutenir leur mari; en outre, en son for intérieur, elle était soulagée de voir Krisztina soustraite à la position fâcheuse des Juifs, même si son cœur de mère souffrait devant la douleur de sa fille.

Laurent de Trouvère séjourna encore deux semaines à Budapest après la réception. Sachant que Krisztina s'aventurait volontiers hors de la ville, il l'emmena faire de longues excursions dans sa Mercedes, sillonnant les routes jusqu'à Balaton et même au-delà, jusqu'à Hortobagy, cherchant la *Falta Morgan* sans jamais trouver ce mirage légendaire de la Grande Plaine où, disait-on, des images lointaines apparaissaient, flottant sens dessus dessous. Ils dînèrent ensuite, à la Nagy Csarda, mais en dépit des efforts de Laurent, Krisztina demeurait insensible aux charmes du jeune homme; elle observait le code des bonnes manières, sans plus.

La veille de son départ pour l'Alsace, Laurent se présenta chez les Florian pour parler à Gabor.

— Il est trop tôt, dit-il, installé devant un verre de *Barack* dans le bureau de Gabor. Il faut lui laisser du temps.

— Elle est folle, avança Gabor sur un ton circonspect.

— Elle est seulement très jeune encore, dit Laurent pour le consoler, tout en ravalant lui-même sa déception et canalisant toute son énergie vers sa détermination. Quant à moi, je suis d'une patience infinie.

— Vous en aurez bien besoin.

Laurent sourit.

— Je dispose d'une stratégie de rechange pour le cas où tout le reste échouerait.

Gabor se redressa.

— Quel genre de stratégie ?

Laurent eut un haussement d'épaules énigmatique.

— Laissons-lui d'abord du temps. Si cela s'avère insuffisant, nous en reparlerons.

Quatre mois passèrent. À la mi-juillet, les deux hommes se retrouvèrent assis dans la même pièce, sirotant cette fois une bouteille de prunelle, cette eau-de-vie faite à partir de petites prunes sauvages. Laurent avait apporté en cadeau cette spécialité alsacienne ainsi que deux caisses d'excellent Riesling de Trouvère.

— Pas de changement, dit Gabor avec morosité en allumant un cigare.

— Non, malheureusement, admit Laurent.

— Si seulement elle vous donnait une chance. Elle gâche sa vie à se ronger pour ce garçon.

— Elle ne comprend pas ce que je peux lui offrir.

Gabor se gratta la tête.

— Même pas pour le plaisir de danser, c'est ce que j'ai du mal à comprendre. Elle a si longtemps donné l'impression qu'elle ne pourrait pas vivre sans cela !

— Je pense que j'ai beaucoup plus que la danse à lui offrir, dit Laurent avec fermeté.

— Évidemment, vous avez beaucoup plus, rectifia hâtivement Gabor. Ne croyez pas que je ne réalise pas cela. Cette fille est idiote, et j'ai honte d'elle.

De plus en plus, la fusion éventuelle de la famille de Trouvère et des Florian figurait dans l'imagination de Gabor. Gabor Florian était engagé dans la formation d'un empire commercial et personne, pas même sa fille, ne saurait lui barrer la route.

— Peut-être, énonça Laurent lentement, le premier pas à faire serait qu'elle en arrive à me considérer comme un ami, et non comme un envahisseur, un intrus qui vient s'immiscer dans son intimité.

Gabor soupira et fit rouler le bout de son cigare autour du cendrier de son bureau.

— Comment changer son cœur ? À présent, je le confesse, elle semble regarder son propre père comme un ennemi.

— Cela lui passera, *uram,* il faut du temps, dit Laurent avec une note apaisante empreinte de respect, puis il poursuivit : «Le moment est venu de suivre une autre voie.»

— Stratégie de rechange ? questionna Gabor, complice.

— Exactement, répliqua Laurent. Mais j'aurais besoin de votre coopération.

— Tout ce que vous voudrez, dit Gabor avec cordialité.

— Laurent leva une main modératrice. Écoutez d'abord ma proposition... Peut-être ne vous plaira-t-elle pas.

Le lendemain, à cinq heures, Laurent et Krisztina étaient assis à une table d'angle du Gerbeaud. Laurent commanda du café et des pâtisseries pour eux deux et un cognac pour lui.

— C'est aimable à vous d'être venue.

Krisztina inclina la tête.

— C'était gentil de votre part de m'inviter.

Laurent sourit.

— Echange de courtoisie.

Krisztina, la mine renfrognée, fixait sa serviette.

— Je suis tout à fait conscient, continua-t-il sèchement, que vous me trouvez détestable.

Krisztina fut stupéfaite.

— C'est faux.

Laurent exprima son scepticisme.

— Je serais heureux d'y croire, ma chère Krisztina, mais je crois pourtant que j'ai raison; malgré votre politesse scrupuleuse, vous préféreriez ne pas être ici avcc moi cet après-midi.

Krisztina se réfugia dans le silence. Elle avait horreur de mentir, fût-ce par gentillesse. Il était faux de dire qu'elle détestait vraiment Laurent de Trouvère, bien qu'elle le trouvât toujours arrogant et prétentieux; mais ce n'était pas la faute de Laurent si son père s'était retourné contre David.

— Pourquoi m'avez-vous invitée aujourd'hui ? demanda-t-elle finalement.

— Vous savez certainement que j'apprécie votre compagnie.

Elle baissa les yeux.

— Ma compagnie n'est pas très agréable.

— Parce que vous êtes malheureuse.

— Oui.

— Je vous ai invitée aujourd'hui parce que je désire vous parler.

— À quel sujet ?

— Au sujet de la source de votre malheur.

Dehors, sur le Vorosmarty Ter, la circulation bourdonnait et les gens s'activaient. Le café leur fut apporté dans un pot en argent accompagné d'une grosse portion de crème fouettée. Laurent et Krisztina plantèrent leur fourchette dans leur pâtisserie sans beaucoup d'enthousiasme.

— Que voulez-vous dire au sujet de mon malheur ? demanda Krisztina après quelques minutes.

Laurent reposa sa fourchette.

— Vous êtes triste à cause de l'ami que vous ne pouvez plus revoir.

Krisztina se tapota les lèvres avec sa serviette sans souffler mot. La plus légère allusion à David la mettait toujours au bord des larmes; et elle refusait de pleurer devant Laurent.

— Vous manque-t-il tant que cela ?

— Oui, répondit-elle à voix basse.

— Et votre père refuse toute visite de sa part. L'intonation était douce.

Krisztina se laissa aller à s'apitoyer sur elle-même.

— Il est inflexible, dit-elle, la voix coupée par l'émotion.

— Je me demande...

Elle lui lança un regard supris.

— Que voulez-vous dire ?

— Je me demande si l'on ne pourrait pas amener votre papa à relâcher sa pression, au moins un peu.

La surprise se transforma en stupeur.

— Je ne comprends pas, Laurent. Si moi je suis incapable de le persuader, qui d'autre sur terre le pourrait ?

— Je veux bien essayer, dit Laurent après une pause.

— Vous ? s'exclama-t-elle, au comble de l'étonnement.

— Pourquoi pas ?

— Parce que vous m'avez clairement montré que vous souhaitiez me voir devenir votre partenaire, expliqua-t-elle.

— C'est exact.

— Et que vous n'avez pas cessé de m'envoyer des cadeaux et des fleurs. Elle s'interrompit, trop gênée pour continuer.

— Je n'ai en effet rien épargné pour vous faire ma cour. Les yeux dorés étaient chaleureux et tendres.

— Et alors ? La chaleur montait de son cou à ses joues.

— Cela n'exclut pas la sympathie et la camaraderie, dit-il pudiquement.

— Je ne comprends toujours pas. Elle se pencha vers lui, essayant de saisir ses véritables motifs. « Vous dites que vous seriez prêt à intercéder auprès de mon père en notre faveur. »

— C'est vrai.

— *Pourquoi* ?

Laurent eut un autre sourire un peu triste.

— Parce que, chère Krisztina, bien que mon désir le plus fort soit de vous obtenir pour moi-même, je préfère encore votre amitié plutôt que d'être privé de toute relation entre nous.

Ébahie par sa franchise, elle s'enfonça dans son fauteuil en le regardant fiévreusement.

— Pensez-vous qu'il vous écouterait ?

Il haussa les épaules.

— Évidemment, on ne peut en être assuré, mais... – il eut un sourire désarmant – il s'est établi un certain respect mutuel ces derniers temps.

Un léger soupçon se fit jour.

— Vous espérez peut-être davantage ma gratitude – ma reconnaissance obligée – plutôt que mon amitié.

Laurent leva son verre de cognac en marque de salutation.

— Votre amitié, je vous l'assure, ma chère et suspicieuse Krisztina. Et votre bonheur.

— Eh bien ? L'inquiétude plissait le front de Gabor.

Laurent sourit.

— Selon le plan.

— Sa réaction ?

— L'étonnement, naturellement. Un peu de suspicion. Mais aussi les premiers rayons de chaleur.

— Qu'attend-elle maintenant ?

— Que je tente de vous fléchir.

— Ce que, bien sûr, vous ne pouvez pas faire.

— Non, bien sûr. Seulement en ce qui concerne les lettres.

— Ah ! oui, les lettres. Un sillon se creusa entre les sourcils de Gabor. Je dois avouer que cette idée est loin de me satisfaire, Laurent. Je crains qu'au lieu d'obtenir quelque chose, nous ne favorisions ainsi son obsession à l'égard de Kaufmann.

— Quelques lettres, *uram,* rien de plus.

— Ils commenceront par les lettres, je vous en donne ma parole, puis ils réclameront beaucoup plus.

— Ne désespérez pas, monsieur. Ce n'est que le premier pas de mon plan. Il y en aura d'autres ultérieurement.

— Combien en prévoyez-vous ?

— Faites-moi confiance, et nous réussirons.

— Je vous fais confiance, mon garçon. Gabor ôta ses lunettes et passa une main lasse sur ses yeux. Il n'empêche que tout cela m'inquiète. Elle est ma fille unique – j'ai tant d'espérances pour elle.

— Je suis honoré de penser que j'en fais partie, *uram.*

Gabor considéra le jeune homme avec plaisir.

— Il serait temps que nous mettions fin au forma-lisme entre nous, Laurent. Pourquoi ne m'appelleriez-vous pas Gabor maintenant ?

Laurent s'inclina légèrement en marque d'approba-tion et ses yeux étincelèrent.

— Que dois-je dire à Krisztina. au sujet des lettres ?

— Vous pensez vraiment que c'est le bon moyen ? insista Gabor avec anxiété.

Laurent posa la main droite sur son cœur.

— Le seul moyen. dit-il, hésitant une seconde avant d'ajouter : Gabor.

L'aîné des hommes sourit.

— Dites-lui qu'ils peuvent échanger des lettres.

VI

Le lendemain soir, l'air était chaud et étouffant; Laurent accompagna Krisztina au Vigado pour un concert Strauss. Le vénérable bâtiment de style romantique construit à la fin des années 1860 se dressait sur la Promenade du Danube et comprenait de nombreuses salles. Ce soir-là, lorsque Laurent et Krisztina arrivèrent, des assistants étaient déjà massés dans le hall principal; certains attendaient pour écouter un récital Liszt, d'autres pour regarder une représentation du Lac des Cygnes, et le reste jouissait à l'avance du concert Strauss. La plupart des gens étaient en habits de cérémonie, certains portaient des robes de soirée dernier cri et des costumes de dîner à la mode. Un nuage odorant de parfum et de fumée de cigare s'élevait en volutes au-dessus des têtes.

Pendant tout le temps que dura le concert, Krisztina fut à peine capable d'écouter la musique. Elle était malade d'attente. En effet, elle avait accepté de venir à ce concert pour une seule raison : Laurent lui avait dit avoir des nouvelles pour elle ! Une délicieuse envolée de valses flottait joyeusement dans la salle et Krisztina percevait le balancement rythmique de Laurent. Mais pour elle, cet événement se transformait de plus en plus en un désir farouche de voir David.

Le concert terminé, les applaudissements résonnaient encore dans leurs oreilles quand Laurent l'entraîna vivement vers un petit restaurant élégant d'une rue secondaire de Buda.

— La nourriture y est excellente, dit-il tandis qu'ils s'asseyaient. Et surtout, bon appétit pour ce que j'ai à vous dire.

— De quoi s'agit-il ?

— Commandons d'abord.

Elle se laissa retomber contre le dossier de sa chaise.

— Je ne peux pas ! Je suis trop énervée pour songer à manger. Il fit une concession.

— Prenons au moins du champagne.

Krisztina brûlait d'impatience. La nouvelle devait être de première importance s'il insistait pour commander du champagne ! Son imagination se mit à travailler... David en route pour Budapest?... Peut-être déjà là ?

Le champagne fut versé et la mousse retomba. Laurent leva alors sa coupe.

— À vous, *ma belle* Krisztina.

Elle but une gorgée. Ce fut à peine si elle la goûta.

— J'ai parlé à votre père, commença-t-il.

— Oui, souffla-t-elle.

— Il n'est pas aussi inflexible que vous le pensiez, Krisztina.

— Non ? Une légère rudesse transparut sous son ardeur.

Laurent parla lentement, appuyant sur chaque mot tout en souriant.

— Il a donné son consentement à un échange de lettres entre vous et David.

Une chaleur merveilleuse envahit la jeune fille.

— Et puis ?

— Et puis quoi ?

— Il y a certainement autre chose ?

Il secoua la tête.

— Non, rien. Il se tut un moment. N'est-ce pas assez ?

— Comment cela pourrait-il suffire ? s'exclama-t-elle misérablement, vidée de sa joie. J'aime David et il m'aime ! Nous voulons être ensemble, pas seulement correspondre !

— Je vous comprends, dit Laurent sur un ton apaisant, mais c'est un début, vous pouvez constater que c'est une première victoire.

Krisztina avala sa salive péniblement, elle essayait de ne pas pleurer, elle s'efforçait de se souvenir du mal que Laurent avait dû se donner pour en arriver là.

— Je devrais vous remercier, dit-elle enfin avec difficulté.

— Je pensais que vous seriez submergée de joie.

Krisztina se mordit les lèvres.

— Je vous suis très reconnaissante, dit-elle. Seulement, j'espérais... davantage.

Laurent se pencha vers elle, prit son verre et le lui tendit.

— Buvez un peu, dit-il gentiment. Et considérez cela. comme un prélude, mais c'est tout de même un triomphe.

Elle but encore quelques gorgées et réussit un pauvre sourire.

— Vous avez raison, évidemment. Elle se sentait honteuse. Vous avez fait preuve d'une telle amitié envers moi, Laurent, je voudrais trouver un moyen de vous remercier.

— Contentez-vous d'accepter mon amitié, dit-il tranquillement. Et je vous promets de faire tout mon possible pour tenter de fléchir votre père.

— Pensez-vous qu'il y a une chance ? murmura-t-elle.

— Il y a toujours une chance, affirma-t-il avec force. Souvenez-vous de ce que je vais vous dire, ma chère : quand un de Trouvère a décidé d'obtenir quelque chose, il n'accepte jamais la défaite.

Deux mois plus tard, Laurent revint à Budapest et invita Krisztina à dîner chez Gundel, à Ligetten. Devant un *szekellygulyas* et un poulet au paprika, il lui expliqua que s'il n'avait pas fait de progrès auprès de son père, en revanche, il avait pris contact avec David.

— Je sais, dit-elle en rougissant. Il m'a écrit.

— Au sujet de notre association ?

— Oui.

— Alors, vous savez qu'il n'a aucune objection ?

— Oui, répéta-t-elle à voix basse.

Laurent se tut un moment.

— Je n'ai pas perdu David de vue, Krisztina.

— Comment cela ?

— Je veux dire que la vie à Berlin est de plus en plus dangereuse pour des gens comme David, et il est toujours bon pour un homme d'avoir des amis.

La peur s'empara d'elle.

— Qu'est-il arrivé ?

Il lui tapota la main d'une manière apaisante.

— Pas de panique, chère Krisztina, il ne lui est rien arrivé. Du moins, pas encore.

Elle écarquilla les yeux.

— Est-il en danger ?

Laurent jeta un coup d'œil rapide autour d'eux et répondit à mi-voix.

— Tous les Juifs sont en danger en Allemagne. Des milliers d'entre eux sont déjà partis. des milliers d'autres sont en instance de départ.

Krisztina tritura sa serviette.

— David ne partira jamais sans ses parents, et eux ne voudront pas partir.

— Dans ce cas, incitez-le au moins à la prudence et à ne rien faire qui puisse attirer sur lui l'attention de la Gestapo. Pendant ce temps... Il hésita.

— Oui ? lança-t-elle, anxieuse.

— Pendant ce temps, je vais parler avec mon père. Il a des relations utiles en Allemagne, spécialement un cousin en poste à l'ambassade de France à Berlin. Nous pourrions peut-être glisser quelques mots au sujet de la famille Kaufmann.

— Oh ! Laurent, je vous en prie ! Elle lui prit la main, l'air implorant. Si votre père peut faire quelque chose, je vous en prie, je vous en supplie, demandez-lui d'essayer !

Il secoua doucement les doigts de Krisztina.

— Bien sûr, je vais le faire, ne craignez rien.

Les yeux de Krisztina se remplirent de larmes.

— Comment vous remercier pour votre gentillesse, Laurent ? Vous êtes si bon pour moi, tellement meilleur que je ne le mérite.

Laurent s'adossa, sa physionomie était impénétrable.

— Vous pouvez faire une chose qui me rendrait le plus heureux des hommes.

— Dites ! cria-t-elle impulsivement.

— Danser avec moi.

L'enthousiasme de la jeune fille s'écroula.

— Oh ! Laurent, comment pourrais-je seulement penser à la danse en ce moment ?

— Comment ne pourriez-vous pas y penser ?

— Je ne comprends pas.

Laurent haussa les épaules.

— C'est simple. Vous vous êtes privée vous-même de danse depuis trop longtemps, Krisztina. Sans la danse, vous n'êtes que la moitié de vous-même, exactement comme un marin privé d'eau salée. Ses yeux étincelèrent. Si vous dansiez de nouveau – quand vous danserez de nouveau – la vie vous paraîtra mille fois plus brillante qu'aujourd'hui, croyez-moi.

— Mais David...

— David approuve, lui rappela-t-il doucement. Vous l'avez dit vous-même.

— Il pense que vous pourriez faire de moi une championne, dit Krisztina après un silence.

— Il a raison. Avec beaucoup de travail.

Ils se turent un long moment. Elle observait le jeune homme pensivement.

— Laurent, voulez-vous sincèrement aider les Kaufmann ?

— Je le jure. Son regard était grave.

Krisztina croyait être devenue adulte dans l'épreuve de la séparation, elle croyait que l'amour et la souffrance avaient rabattu les angles vifs et pointus de l'enfance et avaient fait d'elle une femme. Mais soudain, elle perçut dans son âme une douleur aiguë, comme si quelque chose s'anéantissait pour toujours au plus profond d'elle-même. Etait-ce la mort de sa jeunesse ? Elle n'avait pourtant pas l'impression d'être en deuil; c'était simplement la tranquille acceptation de ce qui suivrait.

Ses lèvres s'incurvèrent, traduisant un vague regret.

— Dans ce cas, comment refuser ? conclut-elle.

Ils commencèrent à danser.

Krisztina avait presque oublié la joie de la danse, elle avait presque oublié cette sensation pure de voler qui la submergeait dès qu'elle prenait contact avec une piste. Le frisson d'amour qui avait accompagné cette sensation lorsqu'elle dansait avec David avait disparu, peut-être pour toujours; mais à présent, elle entrevoyait des conceptions nouvelles et presque aussi excitantes. Car tandis que David était un danseur merveilleux par nature, Laurent de Trouvère était un magicien de la danse. Même parmi les élégants à demi « naturalisés » de la *« Catégorie spéciale »,* son style était incomparable; à chacune de ses apparitions, Laurent accomplissait une performance d'une telle perfection que tous les hommes et les femmes – surtout celles-ci – de l'assistance, et même les juges les plus sévères, étaient fascinés. De plus, bien que Laurent fît pression sur elle pour qu'elle travaillât davantage qu'elle ne l'avait fait avec David, pourtant consciencieux à l'entraînement, quelques semaines seulement après avoir pris la place d'Alice Gébhard, Krisztina se sentait plus forte, plus heureuse et plus comblée que durant les mois précédents.

Si seulement elle pouvait être sûre que David fût hors de danger, tout serait parfait dans son petit monde, pensait-elle. Comme Laurent le lui avait suggéré, elle avait écrit à David, et en réponse, elle avait reçu des pages affectueuses et rassurantes, soulignant qu'il ne ferait rien qui mît en danger lui-même ou sa famille. Malgré cela, elle avait peur pour lui. Elle laissait libre cours à son imagination : même s'ils ne devaient plus jamais danser ensemble, si seulement il quittait l'Allemagne pour la Hongrie, peut-être Laurent userait-il de sa force de persuasion pour ramener son père à de meilleures dispositions... ils pourraient alors se marier...? En attendant, ses lettres avaient de plus en plus de valeur.

Durant l'hiver 1936-37, représentant la France, le nouveau couple de Trouvère et Florian ne tarda pas à capter l'attention du public et des juges. Toujours protégés sous l'aile de la fière Ilona, Krisztina et Laurent allèrent à Paris, à Genève et à Marienbad, remportant les trois championnats. Durant le printemps 1937, ils s'entraînèrent comme des diables pour le second championnat européen de l'année, qui devait avoir lieu à Berlin.

Tout était bien différent désormais, réfléchissait avec joie Ilona tandis qu'elle aidait Krisztina à faire ses valises pour ce voyage. Même les robes de la jeune fille traduisaient sa transformation – des robes lumineusement vaporeuses de Nils Prien et Hobe, des créations ondulantes, scintillantes, expressives. Enfin, grâce à Laurent, Krisztina s'intégrait dans les rangs supérieurs de la *Catégorie spéciale* – enfin les projecteurs des salles la suivaient – et surtout, elle ne risquait plus d'être exposée aux rigueurs horribles de l'antisémitisme. Ne serait-ce que pour cela, Ilona serait toujours reconnaissante envers Laurent. Une seule ombre planait sur ce bonheur. Gabor avait ordonné impérativement de ne pas laisser David rencontrer Krisztina, ni même lui parler pendant leur séjour berlinois. Il avait expressément chargé Ilona de les tenir éloignés l'un de l'autre. C'était presque plus que son tendre cœur ne pouvait en supporter.

C'était certainement plus que ce que Krisztina était prête à accepter. Elle voulait voir David, et il fallait que son père fût fou pour croire qu'elle ne le duperait pas. Elle était convaincue que sa mère fermerait les yeux – elle ne lui demanderait d'ailleurs pas ouvertement de mentir à son mari; quant à Laurent, eh bien... sans doute l'aiderait-il comme il l'avait déjà fait si souvent.

À Berlin, ils descendirent à l'Hôtel Adlon. Ils disposaient de deux jours entiers de liberté avant le début des compétitions. Tous trois passèrent le premier après-midi à regarder les vitrines Unter den Linden jusqu'au moment où Ilona décréta qu'il serait bon de faire une petite sieste avant le dîner.

Krisztina attendit que la respiration d'Ilona soit régulière. Elle repoussa sans bruit sa couverture, elle enfila sa robe de soie bleue et s'esquiva de la chambre sur la pointe des pieds.

La chambre de Laurent était au bout du couloir, du côté opposé. Krisztina tapa à la porte et attendit impatiemment.

Il était habillé, mais il avait ôté sa cravate et déboutonné le haut de sa chemise, laissant ainsi voir quelques centimètres de poitrine bronzée et sans poils.

— Bonsoir, dit-il sans se montrer particulièrement surpris de la trouver à sa porte dans cette tenue.

— Laurent, dit-elle sans préambule, me permettez-vous d'utiliser votre téléphone ?

— Pour appeler David. C'était une constatation, pas une question, et son visage demeurait imperturbable.

— Oui. Elle fit une pause. Je vous en prie.

— Vous feriez bien d'entrer. Il recula pour la laisser passer, referma la porte et désigna le téléphone sur le secrétaire en châtaignier. « Vous avez son numéro ? »

— Bien sûr. Il était gravé dans son cœur.

— Alors, je vous en prie.

Elle hésitait.

Il eut un petit sourire.

— Vous préféreriez que je sorte ?

Krisztina rougit.

— Je suis désolée. Mais il y a si longtemps que nous n'avons pas parlé ensemble. Elle était vraiment gênée.

Laurent s'inclina légèrement avec raideur.

— Bien sûr. Il marcha vers la porte. Dix minutes vous suffiront ?

Elle courut l'embrasser sur la joue.

— Formidable, merci.

Il eut un petit ricanement en coin.

— Et ensuite, je suppose que vous aurez besoin d'un coup de main pour organiser une rencontre ?

Ses bras volèrent autour du cou du jeune homme.

— Oh ! Laurent, s'écria-t-elle. Vous êtes vraiment l'ami le plus délicat du monde !

Il revint douze minutes plus tard. Elle était encore assise devant l'appareil, les joues brûlantes.

— Vous l'avez eu au bout du fil, d'après ce que je vois.

Elle fit un signe de la tête.

— Comment se présentent les choses de son côté ?

— Affreusement, je crois, dit-elle, incertaine. Il semble hésiter à tout m'expliquer, mais tout cela sonne bizarrement. À la fois normal et terriblement anormal. Elle secoua la tête. Et dire que pour nous, tout paraît ordinaire – hormis les sigles et les swastikas – pour nous, les gens se montrent courtois et complaisants alors que pour eux... Elle s'interrompit, trop agitée pour en dire davantage.

— Peut-être n'aurions-nous pas dû venir à Berlin.

— Oh ! ce n'est pas cela ! protesta-t-elle.

— Avez-vous parlé d'une rencontre ?

Des larmes lui piquèrent les yeux.

— D'abord, il n'a pas paru désirer me voir, et puis j'ai compris qu'il ne faisait que me protéger. Il n'est guère conseillé à un Gentil de s'associer à un Juif, m'a-t-il expliqué, dit-elle amèrement.

— Ce qui est la pure vérité, dit Laurent d'une voix unie.

Krisztina leva vers lui un visage suppliant.

— Voulez-vous nous aider, Laurent ? S'il vous plaît ?

Il se détourna et regarda un long moment par la fenêtre. Il se retourna enfin.

— Je vous aiderai à une condition.

— Tout ce que vous voudrez.

— Cette... rencontre ne doit pas interférer avec la compétition. Nous disputons le *Championnat d'Europe,*

101

Krisztina. Nous avons travaillé dur pour en arriver là. Si je sens que votre performance s'en trouve affectée, alors je ne vous aiderai plus jamais, ni vous ni Kaufmann.

Soulagée, Krisztina se leva et mit ses bras autour du cou de Laurent.

— Je ne vous ferai rien rater, je vous le jure.

— Alors, je suggère que votre rencontre ait lieu dans cette chambre. Sa voix était impersonnelle. C'est l'endroit le plus sûr et le plus retiré que vous puissiez trouver.

Krisztina rougit de nouveau. C'était plus, beaucoup plus, qu'elle n'aurait jamais osé espérer : une occasion unique d'être seule, vraiment seule avec David. Elle avait imaginé une promenade en tête à tête, main dans la main, dans la forêt de Grunewald, quelques moments volés, un baiser peut-être sous le couvert des arbres. La perspective d'un vrai rendez-vous lui coupait le souffle.

— Il faudra choisir un moment où il me sera possible d'occuper votre mère en toute sécurité pendant une heure ou deux.

Krisztina eut l'air inquiet.

— Comment faire ? Je suis certaine que papa lui a bien recommandé de ne jamais me laisser seule.

— J'avais l'intention de vous acheter un cadeau demain après-midi, dit-il. Un porte-bonheur pour la compétition. Je vais tout simplement lui demander de m'accompagner afin qu'elle me donne son avis éclairé. Elle ne refusera pas.

L'impatience commença à bouillonner en elle. Elle battit des mains de contentement.

— Vous pensez toujours à tout.

Le visage de Laurent était sans expression, le regard lointain.

— Je vous ai donné ma parole que je vous aiderais, Krisztina, dit-il. Je veux vous aider.

VII

Le lendemain, à trois heures de l'après-midi, Krisztina vola jusqu'à la porte de la chambre de Laurent et l'ouvrit toute grande. David était debout dans le vestibule, la lumière venant de la fenêtre lui caressait le visage. Il était remarquable, plus beau que jamais, légèrement tanné par le soleil car il avait fait beau à Berlin ces derniers temps, mais il semblait plus mince que dans son souvenir. Elle vit encore la lueur scintillante dans les yeux qui l'examinaient, mais la tension des mois passés était nettement visible.

Elle tendit les bras, et il entra dans la pièce, fermant doucement la porte derrière lui. Son corps était flexible et ferme contre le corps de Krisztina, son visage était doux et frais. Elle se remémorait encore son odeur, cette eau de cologne à la légère senteur de pin dont il faisait usage ; en la respirant maintenant, les souvenirs affluaient, attisant d'abord ses sens, puis presque instantanément elle oublia tout tandis qu'il l'attirait dans ses bras pour l'embrasser. Sa bouche était étonnamment chaude et vivante, sa langue douce et ferme dessinait timidement l'intérieur de ses lèvres, puis se tendit légèrement pour toucher la sienne.

Krisztina ferma les yeux, ses cils palpitèrent tandis qu'il baisait son oreille gauche et en mordillait le lobe avant de poser sa bouche sur son cou et d'enfouir son visage dans ses cheveux. Joyeuse et craintive, elle pensa que s'il la lâchait maintenant, elle tomberait sûrement. Son cœur battait si rapidement qu'elle avait peine à respirer.

— Oh ! Kriszti, murmura-t-il.

Elle s'accrochait à lui sauvagement, des larmes de passion, d'amour et de confusion se mirent à rouler sur ses joues.

— Oh ! non, Kriszti, l'implora-t-il en effleurant son visage humide avec ses doigts. Je déteste vous voir pleurer.

— Je ne peux pas m'en empêcher, sanglota-t-elle tout bas, saisissant violemment les épaules de David. J'ai attendu si longtemps.

— Je sais, chérie, je sais ce que vous ressentez, dit-il pour la réconforter. J'éprouve la même chose.

Ils s'écartèrent l'un de l'autre, tous deux réalisant que le désir et l'émotion ne suffisaient pas à combler la distance qui s'était inévitablement créée entre eux ; leurs pensées devaient d'abord se traduire en paroles avant que leur tendresse ne s'exprime. La blessure provoquée par leur séparation forcée ne pouvait pas être effacée par quelques baisers seulement.

Ils marchèrent bras dessus, bras dessous vers le canapé et s'assirent ; subitement, ils étaient presque guindés.

— Nous n'avons que deux heures devant nous, dit Krisztina d'une voix étouffée.

— Au maximum, acquiesça David. Il prit la main de la jeune fille et la tint fermement.

Elle le regarda dans les yeux.

— Quelle a été votre situation, *edesem* ?

— Pas si mauvaise. Je vous l'ai dit au téléphone.

— Je ne vous crois pas. Dites-moi la vérité maintenant.

Il sourit, mais avec une pointe de remords.

— C'est la vérité. J'ai eu de la chance. Beaucoup plus que certains de mes amis.

— Que leur est-il arrivé ?

— Des escarmouches avec la Gestapo. Certains ont disparu. Il eut un haussement d'épaules. Les gens disparaissent, de nos jours.

— Où vont-ils ? demanda Krisztina, effrayée. Que leur arrive-t-il ?

— Prison, peut-être, dit-il, délibérément vague. Je n'en sais rien. Personne ne sait vraiment.

Elle frissonna.

— David, je tourne et retourne ce problème dans ma tête. Je suis sûre que vous devriez quitter l'Allemagne. Pourquoi ne pas venir à Budapest ? Vous pourriez demeurer avec nous.

— Votre père serait sans aucun doute ravi, dit-il avec ironie.

— Maman serait de notre côté.

— Je suppose que oui, dit David à voix basse, mais c'est tout à fait impossible.

Elle se mordit les lèvres.

— Et la France ?

— Quoi de particulier concernant la France ?

— Laurent dit que son père a un cousin en poste à l'ambassade de France à Berlin. Il pourrait vous aider. Laurent parle d'une chaîne invisible qui unit tous les aristocrates du monde.

— Laurent raconte bien des choses, dit David d'un ton sec.

— C'est vrai, acquiesça Krisztina sans remarquer l'ironie dans la réplique de David. Si vous alliez en France, je pourrais vous rejoindre. Laurent nous aiderait.

David sourit, touché de cette naïveté.

— Même si une telle possibilité existait – ce dont je doute – vous oubliez mes parents. Mon père a très mal pris son revers de fortune, et ma mère est loin d'être forte.

— Eux aussi devraient partir, bien sûr !

— Ils ne veulent pas quitter leur pays, ma douce. C'est tout ce qui leur reste.

Krisztina poussa un soupir lourd d'angoisse et nicha sa tête contre David. Du couloir leur parvenaient des bruits de chariots roulants et de vaisselle. David se leva d'un bond.

— Je vais fermer la porte à clef. Il alla tourner la clef dans la serrure.

— Revenez vite, dit Krisztina très tendrement. J'ai besoin de vous avoir près de moi.

Il revint s'asseoir et l'entoura de son bras.

— Parlez-moi de la danse. Comment est-ce avec Laurent? demanda-t-il, les traits indéchiffrables.

Elle le fixa du regard.

— C'est... très bien, répliqua-t-elle, trop brièvement.

— J'ai lu des reportages, bien sûr. Je sais que vous réussissez brillamment.

— Ce n'est pas la même chose qu'avec vous, dit-elle d'une voix intense.

— Les résultats sont meilleurs.

— Vous et moi aurions fait de même si l'on nous en avait donné le temps, assura-t-elle, les joues brûlantes de culpabilité.

— Je sais. Il l'examina. « Dites-moi vos impressions, Kriszti, partagez-les avec moi, au moins en paroles. »

Elle se mordit les lèvres.

— C'est différent, commença-t-elle timidement. Plus... professionnel. Moins magique. Elle rencontra son regard. « Avec vous, c'était la chose la plus naturelle du monde... comme si nous dansions pour nous-mêmes. »

— Les premières expériences sont souvent les plus mémorables, dit-il simplement. En tout, ajouta-t-il après un silence. La pression de son bras se fit plus ferme autour de la taille de Krisztina qui sentit monter en elle une vague d'excitation.

— Embrassez-moi encore, je vous en prie, murmurat-elle en tendant vers lui un visage ardent aux yeux clos. Le baiser vint, d'abord tendre, suivi d'autres baiser légers et vifs qui couvrirent son visage, ses paupières, son front, ses cheveux et ses joues avant de revenir à ses lèvres. Soudain, il appuya sa bouche sur la sienne avec une passion renouvelée qui fit haleter Krisztina, envoyant à travers tout son corps des frémissements qui se concentrèrent en une petite boule de chaleur palpitante et tremblante entre ses cuisses, propageant ses rayons jusqu'au bout de ses orteils.

Elle se retira, cherchant son souffle, tandis que son regard glissait du visage de David vers le grand lit qui devint subitement le centre de la pièce. Déchirée entre une gêne consternante et une attente désespérée, ses yeux restèrent un moment rivés sur le lit puis se reportèrent sur David.

— David ?

Il suivit son regard et une nouvelle expression passa dans ses yeux.

— Certainement pas, dit-il.

— Pourquoi ?

— Ce n'est pas la chose à faire en ce qui nous concerne.

— Nous pourrions nous contenter de nous allonger côte à côte, chuchota-t-elle, stupéfaite de sa propre impudeur.

— Impossible, sourit-il, et il frôla de ses lèvres la peau tendre de sa nuque.

— Je vous en prie, chéri, supplia-t-elle, à demi suffocante de larmes, moi, je veux. Elle le regarda fixement. Plus que tout au monde.

Il se redressa.

— Kriszti, nous ne savons pas si nous nous reverrons, dit-il avec rudesse. Je ne tiens pas du tout à vous causer encore davantage de chagrin.

— Cela ne risque rien.

— Vous n'en savez rien, chérie.

— Je jure que cela n'ajouterait rien à ma peine. En tout cas, si nous devions ne plus nous revoir, ce serait une raison de plus pour utiliser le peu de temps qui nous reste. Délibérément, avec une volonté sauvage dont elle n'aurait jamais osé rêver, elle planta de petits baisers passionnés sur ses lèvres et ses yeux, puis dans son cou. Elle relâcha le nœud de sa cravate et défit les deux premiers boutons de sa chemise du bout de ses doigts tremblants ; penchant ensuite sa tête, elle baisa les poils sombres en haut de sa poitrine.

— Kriszti, je vous en prie, protesta David faiblement, si vous faites cela, comment vous résister ?

— Je n'attends pas de vous que vous résistiez, dit-elle en retrouvant ses forces instantanément, baisant son oreille de la même manière qu'il l'avait fait lui-même. Je ne veux pas arrêter, jamais...

David réussit à se lever avec un gémissement étouffé, il saisit les poignets de Krisztina et la tira du canapé. Il la considéra avec une expression où se mêlaient amour et colère.

— Êtes-vous sûre, Kriszti ?

— Oui, oh oui !

— Absolument ? Son regard légèrement accusateur ne vacillait pas. Moi, je vous aime plus que tout mais je tiens à ce que vous compreniez combien tout cela est important, dit-il d'une voix vibrante.

La gravité qu'elle perçut dans le ton de sa voix amena un sourire sur ses lèvres. *Important ?* Davantage encore. C'était sans doute l'événement capital qui se produisait, le seul peut-être qui se produirait jamais, pour elle ! Quelque chose comme un tremblement de terre. Elle leva son menton et regarda David au fond des yeux. Seul un léger tremblement de sa bouche trahissait sa nervosité.

— Je n'ai jamais été aussi sûre de quoi que ce soit, énonça-t-elle nettement. David, je veux que vous m'aimiez, et je veux vous aimer.

Lentement, sans un mot de plus, ils avancèrent vers le lit, d'un pas glissant, tels des somnambules. Ne sachant pas très bien que faire ensuite, mais sentant qu'elle devait faire un autre geste pour convaincre David, Krisztina se débarrassa d'un élan de ses chaussures. Elle sentit sous ses pieds toute l'épaisseur du tapis de l'hôtel. Dans un silence gêné, leurs cerveaux fonctionnaient activement pour trouver le geste suivant. David aurait eu envie de faire glisser de ses épaules les bretelles de sa robe en coton et de baiser sa peau nue, mais il craignait de l'effaroucher en allant trop vite. Il regarda la fenêtre – trop de lumière dans cette chambre. « Je devrais tirer les rideaux », pensa-t-il, mais il resta immobile, il avait peur de détruire l'ambiance en s'éloignant d'elle.

Maintenant que le moment était venu, Krisztina éprouva soudain le besoin urgent de fuir dans la salle de bains. Elle sentait cependant que si elle donnait le moindre signe d'alarme, David pourrait refuser d'aller plus avant. Aussi demeura-t-elle rivée au sol, attendant que David fît le pas suivant.

Au bout d'une minute – qui leur parut durer une heure – David trouva un compromis. Il embrassa Krisztina de nouveau, mais cette fois avec une telle intensité que leurs corps semblèrent se liquéfier ; puis il lui fit faire volte-face, il défit la fermeture éclair de sa robe et laissa Krisztina faire le reste tandis que lui-même se déshabillait rapidement et se glissait dans le lit.

Krisztina entendit le bruissement des draps et le grincement des ressorts. Elle ferma les yeux, comme si l'obscurité qu'elle se procurait ainsi lui garantissait sa propre invisibilité. Puis, rassemblant tout son courage, elle laissa sa robe tomber sur le sol et tendit ses mains derrière elle pour ouvrir son soutien-gorge. Elle rouvrit les yeux et jeta un coup d'œil rapide sur ses seins, renonça à ôter sa culotte, se retourna et plongea sous les couvertures.

Elle avait rêvé qu'un jour, elle tiendrait David contre elle, mais dans ses rêves éveillés, leur amour. était drapé, en sécurité, dans un voile d'innocence ; ils faisaient l'amour dans une verte prairie, sur une plage, ou même à l'abri des blés mûrs et des coquelicots pourpres. Ce qu'elle n'avait jamais pu totalement imaginer, c'était cette impression particulière d'une chair contre une autre chair. Il lui était arrivé de s'allonger dans la baignoire et de se caresser, d'éprouver sa propre peau ; or, la différence de texture de la peau de David la surprit beaucoup : elle était plus rugueuse, mais aussi plus forte et d'une souplesse étonnante ; les muscles et autres sinuosités semblaient battre sous la surface de l'épiderme, prêts à la retenir, à l'envelopper, peut-être à la crucifier.

David vint plus près, toujours timidement, et l'entoura doucement de ses bras, de sorte que leurs corps se touchèrent des épaules aux pieds. D'un mouvement lent et patient, il allongea le bras et tira sur sa culotte, avec un petit sourire de gamin tandis que Krisztina l'aidait en rougissant. Il sentit monter en lui son désir puissant; il remarqua le frémissement de Krisztina dès qu'il la touchait et se réjouit qu'elle ne reculât pas. Au contraire, elle se glissa encore plus près, comme si cette proximité physique lui infusait vitalité et plaisir.

Lentement, il commença à la caresser, d'abord son dos par petites touches tendres et égales du plat de sa main; il traça du bout des doigts la ligne de sa colonne vertébrale jusqu'au creux de ses reins. Il la sentit frémir d'une sensation entièrement nouvelle pour elle, insupportable et délectable à la fois. Il laissa ensuite un faible espace entre eux. Krisztina reposait très calmement sur le dos, les yeux ouverts, attentive et confiante, attendant qu'il lui montre comment poursuivre, encore trop peu sûre d'elle-même pour suivre son instinct.

Pour la première fois, David prit ses seins entre ses mains, d'abord le sein droit, puis le gauche, avec douceur, il les caressa et baisa les petites aréoles dures. Krisztina en était toute frémissante. Il fit descendre ses doigts jusqu'au nombril, sur le ventre plat et plus bas la fourrure dorée et emmêlée. Krisztina laissa échapper un petit miaulement de chaton, demi-gémissement et demi-soupir, et ses cuisses jusque-là serrées s'ouvrirent légèrement pour permettre aux doigts tendres de toucher, de flatter et d'explorer. Elle haleta et ferma les yeux, surprise et en même temps heureuse de l'intensité du plaisir physique que ces mains-là savaient lui donner.

— Tiens-moi, lui dit David d'une voix enrouée. Enferme-moi dans tes bras.

Les yeux toujours clos, elle obéit. Elle se tourna sur le flanc pour lui faire face et fut terriblement déçue lorsque ses doigts disparurent d'entre ses cuisses pour se plaquer sur son dos. Elle sentit alors son pénis érigé pour la première fois, et vint l'expérience de la peur et de l'excitation mêlées quand elle comprit ce qui se passait.

— Kriszti, dit David avec passion, sa bouche contre son oreille, es-tu certaine? Vraiment certaine?

Pendant une seule seconde, elle eut envie de se sauver, de se cacher dans la salle de bains et de s'abriter de nouveau sous le couvert de l'enfance. Mais elle ouvrit vite les yeux et regarda le visage tout près du sien. Elle y vit tant d'amour, de chaleur et d'anxiété que son seul désir fut de le garder pour toujours.

— Je le jure, dit-elle. Puis elle toucha ses lèvres de son index.

— Je vais essayer de ne pas te faire mal, dit-il, terrifié à l'idée que cela pourrait arriver, inquiet de la décevoir peut-être, mais entraîné malgré lui par sa beauté, sa douceur et son parfum.

— Ça ne fait rien, murmura-t-elle, le cœur gonflé d'amour.

Il la mit tendrement sur le dos, l'embrassa longuement sur la bouche et écarta ses cuisses de sa main droite. Il chercha de nouveau la toison blonde et bouclée, il l'entendit gémir du plaisir bienfaisant ; puis, avec une impatience qui fit trembler ses doigts, il cajola sa vulve déjà humide et ouverte. Très vite, il glissa sur le lit et enfouit son visage entre ses cuisses. D'abord figée de surprise, elle se détendit à mesure que sa langue s'insinuait en elle. Puis ses hanches commencèrent à bouger en un balancement spontané. Elle murmura tout bas, sauvagement, en hongrois. Il sut alors que l'instant était venu et pria pour ne pas faire d'erreur.

Krisztina n'avait pas cru à une pareille douleur. Ce fut comme une épée brandie en elle. Elle poussa involontairement un cri étouffé, et David se retira instantanément, la face déformée de désir et d'inquiétude.

— Non ! cria-t-elle. N'arrête pas !

— Je te fais mal.

— Cela ne fait rien. Elle l'enferma dans ses bras et l'attira de nouveau vers elle. « Je t'aime tant ! »

Aussi doucement qu'il pût, il pénétra en elle et cette fois, ce fut plus facile ; l'attente devint à peine plus qu'un souvenir ; avec le mouvement rythmique d'avance et de recul, ce qui avait été de la douleur se transforma en désir sexuel brûlant, puis en une explosion fantastique de pure émotion. Ils se mouvaient en parfait accord, Krisztina étant pourtant à peine consciente de ce qu'elle faisait et exhalant de tendres mots d'amour et de passion. Puis soudain, David quitta son corps, la laissant désolée, vide et insupportablement frustrée. Ce fut une déception si grande qu'elle supplia David de revenir en elle. Mais David émit un immense râle, et Krisztina sentit une humidité se répandre sur son ventre. Confuse pendant un moment, elle comprit bientôt, et sa frustration se mua en un amour encore plus grand.

— Excuse-moi, ma Kriszti chérie, haleta-t-il. Mais je devais te protéger.

— Je sais, *edesem,* dit-elle doucement, et elle réalisa alors que sa propre voix était remplie de fierté.

Ils reposèrent ensemble sur le flanc, face à face, et elle respira une nouvelle odeur de musc, d'abord avec la joie la plus pure, puis avec un terrible accès de chagrin à mesure que la réalité resurgissait.

David regarda sa montre tout en haïssant la vérité qui l'obligeait à le faire.

— Nous n'avons plus beaucoup de temps, dit-il sur un ton calme tout en tenant Krisztina contre lui. Il posa sa tête sur son épaule, plus conscient que jamais de sa vulnérabilité, de sa jeunesse et de sa beauté. Et soudain, il sut avec certitude qu'elle serait bientôt perdue pour lui, et cette révélation le blessa si monstrueusement qu'il eut envie de pleurer.

Krisztina sentit trembler son corps ferme et chaud et l'entendit soupirer. Un sanglot montait dans sa propre gorge, qu'elle s'efforça de refouler au point d'être transpercée de douleur. Elle resta immobile, le tenant contre elle, fermement résolue à retenir ses larmes. Elle les verserait plus tard, quand elle serait seule, car une fois qu'elle aurait commencé, elle ne pourrait peut-être plus jamais s'arrêter.

Laurent rentra dans sa chambre peu avant six heures et la trouva vide, le lit aussi impeccable qu'il l'avait laissé, la fenêtre ouverte ; mais une nouvelle odeur faite de parfum, d'eau de cologne et de sexe planait dans l'air. Il posa sèchement sur la table l'écrin du joaillier contenant le bijou, saisit le téléphone et commanda du café et une bouteille de Johnnie Walker. On les lui apporta neuf minutes plus tard. Laurent donna un pourboire au garçon, ferma sa porte à clef, remplit sa tasse de café et déversa le liquide noir sur les draps, ses lèvres serrées de dégoût. Puis il sonna la femme de chambre.

— Refaites le lit, je vous prie.

Quand elle fut repartie, il se versa une grande rasade de whisky qu'il but en une gorgée, s'allongea sur le lit et ferma les yeux. Les draps propres étaient frais, mais l'odeur forte et âcre persistait dans ses narines. Leur image, nus et accouplés, fractura son cerveau. Il ouvrit alors les yeux et fixa le plafond blanc. *Tout,* pensa-t-il rageusement. *Tout pour l'avoir, quoi qu'il en coûte.* Il continua à fixer le plafond sans ciller, les yeux brûlants de larmes non versées.

Demain, pensa-t-il avec désespoir, *nous danserons et nous gagnerons, et elle oubliera Kaufman.* Il referma les yeux et tenta de se représenter la salle, la musique et les applaudissements, mais il ne lui vint que des images de Krisztina en compagnie de David. Il s'assit, la face tordue de douleur et considéra avec envie la bouteille de whisky. Une folie en cette veille de compétition, mais sans cela, il ne trouverait pas le sommeil.

Au diable Kaufman, pensa-t-il avec violence, puis la conscience de ce qui suivrait bientôt suscita un mince sourire sur ses lèvres amères. Pauvre consolation momentanée.

Il se leva et se versa un autre verre qu'il leva dans le vide.

« Qu'il aille au diable et plus loin encore, » dit-il. Après l'avoir bu, il lança le verre contre le mur où il se brisa en mille éclats qui luirent comme autant de diamants sur le tapis.

Krisztina s'était attendue à se réveiller le cœur lourd le lendemain matin. En fait, elle se trouva plutôt dans un état presque euphorique, son corps et son esprit encore tout chauds du souvenir de l'après-midi précédent. Elle éprouvait en elle une vitalité étonnante ; curieusement, tandis que sa mère terminait sa toilette, elle fit silencieusement le vœu de revoir David car leur première rencontre extatique ne pouvait pas être la dernière, quels que fussent les contretemps et les obstacles décourageants.

Ilona émergea de la salle de bains enveloppée dans une grande serviette blanche.

— Ton eau coule. Elle sourit à sa fille. Comment te sens-tu ? Anxieuse ?

— Plus excitée qu'anxieuse, maman, répliqua Krisztina avec franchise.

Elle se promit de récompenser un peu Laurent pour sa générosité en dansant mieux que jamais. Elle était certaine qu'ils pouvaient gagner, et qu'ils gagneraient. À onze heures du soir, Laurent et Krisztina étaient les nouveaux champions d'Europe. Pendant les deux heures et demie jubilatoires qui suivirent, ils se portèrent mutuellement des toasts et célébrèrent leur victoire au champagne ; ils dansèrent avec exubérance des tangos et des charlestons, firent des confidences aux journalistes de la presse et de la radio, furent photographiés pour les journaux locaux, nationaux et internationaux et furent filmés pour les actualités cinématographiques.

Lorsque Krisztina se mit enfin au lit, son âme semblait gonflée de plaisir. La vie était si belle tout à coup – Dieu était généreux – la chance lui souriait enfin – ses pensées tourbillonnaient dans sa tête, planaient sur le monde. Surtout, avec l'aide du cher Laurent, David et elle réussiraient à conquérir Gabor et s'uniraient enfin !

À neuf heures le matin suivant, alors qu'Ilona et Krisztina pensaient dormir jusqu'à onze heures afin de retrouver leurs forces pour le déjeuner offert aux gagnants et la représentation de gala, la sonnerie tonitruante du téléphone les réveilla.

Krisztina décrocha.

Laurent ne fit pas de préambule.

— Krisztina, soyez courageuse. Il se tut quelques instants. « David a été arrêté. »

La chambre se mit à tourner, la nausée monta à la gorge de Krisztina.

— Krisztina, vous m'entendez ?

Elle était incapable de dire un seul mot. Dans l'autre lit, Ilona, alarmée de la pâleur subite de sa fille, se redressa avec inquiétude.

— Krisztina, la voix de Laurent était gutturale, écoutez-moi. Vous êtes bel et bien impliquée dans cette sale affaire, et vous feriez bien de faire attention.

— Quoi ? Krisztina reconnaissait à peine sa propre voix tant ce simple petit mot était écorché. « Qu'est-il donc arrivé ? Pour l'amour du ciel, qu'est-il arrivé ? »

— Venez me retrouver en bas, dans la salle des marbres.

— Laurent, qu'est-il arrivé ?

— Pas maintenant, dit-il, inflexible. Venez aussi vite que possible.

En bas, dans un coin tranquille du grand salon de marbre, Laurent prit la main de Krisztina.

— Avez-vous parlé à votre mère ?

Elle hocha la tête. Son visage était blême.

— Ils sont venus dans ma chambre hier soir, très tard, dit-il ; son visage était sans expression. Il semble que vous et David ayez été... – il fit une pause – observés avant-hier.

Krisztina haleta.

— Par qui ?

— Je n'en sais rien. Probablement un membre du parti. Quand ils sont venus me voir, il était trop tard – ils avaient déjà arrêté David.

— Mais, pour quel motif ?

La bouche de Laurent était dure.

— Ils ont parlé de *race honteuse*. Il tenait toujours fermement sa main. Ils m'ont dit qu'ils venaient me voir discrètement par considération pour ma famille. En effet, de passage en Allemagne, je pourrais être raisonnablement suspecté de conspirer avec un Juif...

— Laurent, taisez-vous ! Elle fut saisie d'horreur, son teint prit la couleur de la cendre.

— Je ne fais que vous rapporter leur point de vue.

— On dirait que vous êtes d'accord avec eux !

— Vous savez bien que non, dit-il, mais je voulais seulement dire qu'en d'autres circonstances, ils pourraient montrer beaucoup moins de considération.

— De la considération ! Alors qu'ils ont arrêté David !

Laurent posa un doigt sur ses lèvres en manière d'avertissement.

— Je vous en prie, Krisztina, ne parlez pas si fort. Ils se sont montrés tout à fait généreux, du moins en ce qui me concerne. Ils ont dit qu'ils étaient certains de mon innocence dans cette affaire.

— Et qu'avez-vous dit ? demanda-t-elle anxieusement. Ils doivent bien comprendre que si nous étions ensemble dans votre chambre, c'est que vous-même nous avez aidés.

— Il existe d'autres possibilités. Après tout, je n'étais pas dans les murs de l'hôtel, et ma chambre était libre. Il y a des moyens de disposer des clefs.

— Mais alors, cela impliquerait que David ait soudoyé quelqu'un, dit Krisztina en tirant sur ses cheveux.

Laurent lui prit le bras et la poussa doucement mais fermement dans un fauteuil. Lui-même prit place en face d'elle.

— Krisztina, la première chose à faire pour vous est d'oublier votre colère et de m'écouter.

— Mais je...

— Non ! dit-il rudement.

Elle se mordit les lèvres.

— D'accord. Allez-y.

— J'ai préféré ne rien dire quant à ma contribution personnelle dans cette histoire. Autrement, vous et David risquiez d'être privés de l'un de vos rares alliés. Il l'observait attentivement. Ce qu'ils voulaient, bien sûr, c'était en apprendre plus sur vous.

— Sur moi ? Elle maîtrisait mieux sa voix que ses nerfs.

Laurent se pencha vers elle, avec douceur.

— Chère Krisztina, vous devez réaliser que si ce scandale faisait surface, c'en serait fini de vous, de notre carrière et de la bonne renommée de votre famille.

— Je me fiche de tout cela ! s'écria-t-elle avec passion. Je ne me soucie que de David... que de l'aider !

— Vous ne pouvez pas l'aider.

— Bien sûr que si, je le peux ! Si je vais leur dire que tout cela est parti d'une idée à moi, que c'est moi qui l'ai entraîné – qu'il était contre – car il y était opposé, Laurent, je le jure ! Ses yeux étaient mouillés de larmes rageuses. Si je leur raconte tout cela, il faudra bien qu'ils le relâchent.

— Ils n'ont aucune intention de le laisser partir, dit-il avec calme. Il est évident que vous n'avez pas une vue très claire de la situation qui règne ici concernant les Juifs. Au moindre faux pas, ils sont arrêtés et mis à l'écart. Croyez-moi, Krisztina, pour les nazis, appartenir à la *race juive* est le crime le plus grave de tous.

— Mais c'est monstrueux !

Laurent lança un coup d'œil embarrassé autour du salon. Ils étaient presque seuls, mais à l'autre bout de la salle, deux autres couples buvaient leur café.

— Je vous en prie, soyez discrète, gronda-t-il. Ce n'est pas le moment d'attirer l'attention sur vous. Vous êtes une petite célébrité à Berlin. Songez à ce que les journalistes pourraient faire d'une pareille histoire. Songez à l'effet que cela produirait sur vos parents.

Krisztina rongea les articulations de son poing fermé.

— Le premier pas à faire, poursuivit Laurent, c'est pour vous de partir d'ici aussi vite que possible.

Elle le regarda, étonnée.

— Le premier pas à faire est plutôt de secourir David. Admettons que je ne puisse pas le faire relâcher moi-même, il y a tout de même bien quelque action que nous puissions entreprendre pour le sauver, non ? Un avocat, au moins.

— Je vous promets de faire tout ce que je pourrai dans ce sens. J'ai déjà fait le maximum pour les persuader de le remettre en liberté, mais il n'y a rien eu à faire. Mon premier devoir est de vous protéger.

— Je ne quitterai pas Berlin tant que David sera en prison, s'obstina-t-elle. Personne ne pourra m'y forcer.

La pointe de reproche reparut dans la voix de Laurent.

— Bien sûr que si, ils peuvent vous contraindre. Vous êtes encore une enfant, au moins légalement, et si votre père apprenait quoi que ce soit, vous pouvez être certaine qu'il vous rappellerait à Budapest.

— Est-il indispensable que papa soit mis au courant ?

— Et voilà que vous vous conduisez comme une enfant. Tantôt vous êtes prête à livrer bataille contre le régime nazi au grand complet, tantôt vous cherchez à esquiver les conséquences de votre état d'adulte en vous cachant de votre père.

Comme pour souligner la nature menaçante de leur situation, quatre officiers SS traversèrent le hall à grands pas. Krisztina et Laurent les virent parler au portier, terribles et sinistres. Krisztina pensa à David, seul quelque part, Dieu seul savait où.

— Krisztina ? La voix de Laurent la fit sursauter.

— Oui ?

— Me faites-vous confiance, oui ou non ?

— Oh, oui ! dit-elle avec ferveur. Après tout ce que vous avez fait pour moi. Évidemment, je vous fais confiance, vous êtes mon meilleur ami !

Laurent retrouva son sourire.

— Très bien. Alors, je vous en prie, faites ce que je vous dis.

Elle tendit ses mains, désemparée.

— Je ne vois vraiment pas comment faire autrement.

— Bien. Alors, vous allez remonter dans votre chambre. Vous et votre *maman,* faites immédiatement vos valises, ne laissez sortis que vos vêtements pour le déjeuner et votre robe de gala, sans oublier votre costume de voyage.

— Vous croyez que j'ai envie de manger ? demanda-t-elle avec incrédulité. Bavarder avec les gens comme si rien ne se passait ? Danser ?

— Certainement, répliqua-t-il sur un ton décidé. Vous oubliez que nous sommes les nouveaux champions d'Europe.

— Je ne pourrai jamais.

— Vous le pourrez et vous le devez ! Nous pouvons même nous estimer heureux qu'ils nous donnent leur consentement. J'ai cru un moment qu'ils vous interdiraient peut-être de paraître en public, mais ils m'ont assuré que votre nom ne serait pas mentionné dans l'affaire à condition que vous rentriez chez vous tout de suite après le gala pour y réfléchir sur vos folies.

Krisztina avait envie de pleurer, elle dit cependant durement :

— J'ai plutôt l'impression que David a besoin que je reste à Berlin.

— Ne soyez donc pas aussi naïve, Krisztina, dit Laurent avec emportement. Je vous répète pour la dernière fois que vous ne pouvez rien faire pour lui, absolument rien. Il ajouta après un temps de silence : « Pendant que vous ferez vos valises, je m'occupe de l'organisation du voyage. »

Elle se calma un peu.

— Et pour David, qu'allez-vous faire puisqu'il semble que moi, je ne peux servir à rien ?

— Pour ce qui est de David, je vais attendre que vous soyez rentrée à Budapest et veiller à la préservation de votre bonne réputation jusque-là sans tache. Dans un soudain élan de chaleur et de réconfort il se pencha et prit sa main froide dans la sienne. Ensuite, je rentrerai chez moi et je parlerai à mon père. Nous verrons comment utiliser l'influence de notre famille en faveur de David. Son regard se fit plus intense. De toute manière, Krisztina, dites-en le moins possible à votre père et ne m'impliquez surtout pas. S'il vous interdisait de me voir, ce serait détruire toute chance de vous aider. Vous savez, il ne sera pas facile d'obtenir la liberté de David, conclut-il après une pause.

Les yeux de Krisztina étaient encore humides.

— Je crois que vous pouvez tout faire pourvu que vous l'ayez décidé, Laurent.

— Peut-être, dit-il en haussant les épaules.

Krisztina se leva, se pencha pour l'embrasser sur la joue avec chaleur.

— Faites le plus possible, pour moi, le pressa-t-elle d'une voix sanglotante.

Laurent ferma les yeux pendant un instant.

— Si seulement vous saviez tout ce que je serais capable de faire pour vous, Krisztina, répliqua-t-il à mi-voix en rouvrant les yeux.

VIII

À leur retour à Budapest, Gabor garda Laurent à dîner tandis qu'il envoya Krisztina dans sa chambre avec un bol de soupe et une tranche de pain. Florian mangea et but en silence, ignorant Ilona et ne faisant aucune allusion à l'épisode qui les avait ramenées en hâte chez elles.

Plus tard, lorsque les deux hommes s'assirent dans le bureau, les joues et le nez de Gabor étaient écarlates de rage et d'émotion. Il osait à peine parler tant était grande sa déception et dévastateur son sentiment de l'échec. Oui, il avait voulu que Kaufmann soit éloigné de la vie de Krisztina, mais il avait voulu aussi davantage pour elle, et singulièrement le nom de Trouvère et tout ce qui devait l'accompagner. À présent, à cause de cette disgrâce, à cause de cette honte révoltante, toutes ses aspirations étaient anéanties, car il était certain que le baron et sa famille abandonneraient désormais les Florian frappés de malédiction.

Lorsque Laurent lui confessa que David et Krisztina s'étaient rencontrés dans sa chambre, Gabor fut incrédule et pétrifié, et l'humiliation fit place à la colère.

— Pour l'amour du ciel, comment avez-vous pu permettre une telle abomination ?

Laurent eut l'air mal à l'aise.

— J'avais quitté l'hôtel pour quelques heures. Krisztina savait que ma chambre était vide. Il fit un geste vague. Peut-être un homme sans expérience à la place du portier en titre...

— Mais sa mère... La rage de Gabor s'accroissait visiblement. « Je lui avais expressément enjoint de ne jamais laisser Krisztina seule durant le voyage. »

— Madame Florian a été le chaperon le plus attentif, dit Laurent. Elle a rarement quitté Krisztina, mais en cette occasion... Il rougit. « J'ai voulu aller voir les magasins du Kurfürstendamm, et j'ai eu le malheur de prier madame de bien vouloir m'accompagner. »

— À Berlin ? aboya Gabor en bondissant sur ses pieds et secouant la tête. Je ne peux pas vous blâmer, mais Ilona savait que Krisztina exploiterait la moindre occasion pour rencontrer Kaufmann !

Laurent se leva à son tour.

— Vous ne devez pas blâmer votre femme. Je suis sûr qu'elle ne serait jamais venue avec moi si elle avait soupçonné la vérité.

Gabor écrasa le bout de son cigare.

— Vous êtes trop généreux !

Quinze minutes plus tard, Gabor affronta Ilona dans leur chambre. Son visage était encore livide, Ilona était blême.

— Comment as-tu pu laisser faire cela ?

— Quoi ?

— Ne fais pas l'innocente, Ilona, dit-il d'une voix traînante. Comment as-tu pu être assez stupide pour la laisser rencontrer ce sale petit cochon, et pire... Il s'interrompit, trop noué de rage pour continuer.

— Gabor, plaida Ilona. Je n'étais même pas à l'hôtel à ce moment-là.

— Cela, je le sais parfaitement, idiote ! Si tu t'y étais trouvée, si tu étais restée avec elle comme je te l'avais ordonné, il ne serait rien arrivé.

Elle essaya de rester calme.

— Gabor, je sais que j'ai été négligente.

— Négligente ? Idiote et criminelle, oui ! Il triturait ses cheveux clairsemés. Tout ce que je vois, c'est qu'à cause de toi, Ilona, le renom de notre fille a été souillé et qu'elle a perdu sa seule chance de faire un bon mariage, un magnifique mariage.

— Avec Laurent ? Ilona soupira. Gabor, tu sais qu'elle aime David, et rien...

— *Ma fille ne peut pas aimer un Juif !* rugit-il subitement. D'un geste rapide et sauvage, il empoigna le couvre-lit et le lança sur le sol. Elle aurait pu devenir baronne, idiote ! Il contourna le lit et Ilona recula.

— Abuser de moi ne sera d'aucun secours pour Krisztina, dit-elle en tremblant.

— Moi, cela m'aidera. Il la saisit par les cheveux et Ilona hurla de douleur. Ferme-la ! siffla-t-il entre ses dents, les yeux étincelants. Si tu réveilles la maison, tu regretteras le jour où tu es née !

Ilona lança ses mains contre lui pour se protéger. Il la lâcha alors en poussant un gémissement, mais ce fut pour la hisser sur le lit. Il ouvrit la ceinture de son pyjama, son visage était cramoisi, gonflé de fureur et d'excitation.

— Tu as beau être pieuse, Ilona, tu n'es tout de même qu'une stupide putain, c'est comme une putain que tu mérites d'être traitée.

Ilona fixa du regard la face livide et menaçante qui s'agitait au-dessus d'elle. Elle réalisa alors qu'elle était sur le point d'être violée. Une multitude de sentiments affluèrent à son esprit. Elle avait aimé cet homme pendant des années ; trop souvent, de mauvaises pensées de dégoût avaient terni insidieusement cet amour, elle s'était alors agenouillée pour demander pardon ; elle se souvenait de ce que son cousin Joseph lui avait révélé concernant la véritable mère de Krisztina, il pensait qu'elle avait été violée avant d'abandonner le bébé. Un éclair de sympathie et une impression de parenté l'envahirent.

Elle revint au présent et regarda son mari. Gabor s'était entièrement déshabillé et se tenait devant elle, érigé comme un taureau, les yeux pleins de dédain et de luxure. Ilona, étrangement abattue, se demanda si c'était un péché pardonnable de lutter contre son mari, tout en sachant parfaitement qu'elle ne pourrait jamais l'arrêter, qu'elle était plus faible que lui. Un sentiment nouveau et jusque-là totalement inconnu s'éleva en elle ; elle en était presque étouffée. Et une pulsion bizarre de destruction qui s'alimentait à cette haine naissante arracha de ses lèvres les mots qu'elle avait cru ne jamais proférer.

— Gabor Florian, une seule chose me fait supporter cette scène, dit-elle d'une voix saccadée mais étonnamment nette. Pour l'amour de Krisztina, je suis reconnaissante à Dieu qu'elle ne soit pas ton enfant.

Les mots résonnèrent dans la chambre. Comme au ralenti, elle observa la fureur de son mari croître et prendre des proportions monumentales.

Ilona ferma les yeux et se signa.

À quatre heures du matin, Krisztina était endormie, la clarté des étoiles flottait sur elle, illuminant la racine douce des seins dressés sous la chemise de nuit en coton blanc.

Gabor la regardait depuis le pas de la porte, le souffle coupé, parfaitement immobile.

Puis, ignorant Moïse qui, assis sur son train arrière, l'observait d'une manière sinistre, Gabor marcha pieds nus jusqu'au lit et baissa les yeux sur la jeune femme qu'il aimait plus que tout au monde.

« *Pas ton enfant.* » Les paroles d'Ilona tournaient dans sa tête. La sueur dégoulinait dans son dos.

Elle s'agita légèrement, et un doux murmure s'échappa de ses lèvres. Elle était en train de rêver, pensa-t-il, et il serra les lèvres. En train de rêver à Kaufmann, supposa-t-il avec amertume. Elle a encore l'air d'un ange, pensa-t-il, et pourtant, elle aussi ne vaut guère mieux qu'une putain. Il s'arrêta sur les courbures de son corps, sur la masse soyeuse de sa chevelure sur l'oreiller, sur les lèvres tendres légèrement entrouvertes. Il ressentit alors une chaleur si violente dans les reins qu'il dut faire un effort pour ne pas gémir à haute voix.

Elle avait toujours été tellement adorable ; quand elle n'était encore qu'une petite fille, il n'avait rien connu de plus délicieux que de tenir dans ses bras ce petit corps parfumé, caresser sa peau douce...

« Pas ton enfant. »

Il secoua de son esprit ces mots empoisonnés et regarda cette jeune fille allongée avec l'adoration d'un père. Puis il se baissa et l'embrassa très doucement sur le front. Il était doux et frais sous ses lèvres. Il caressa ses cheveux d'une main précautionneuse.

Puis, comme si cette main avait été douée d'une volonté propre, elle trembla légèrement, s'éleva et descendit se poser doucement sur le sein droit dont elle éprouva la rondeur et la chaleur.

De son poste près de la porte Moïse grogna. Krisztina s'agita encore et Gabor se redressa rapidement, le front trempé de sueur. Inexplicablement, des larmes brûlantes lui montèrent aux yeux. Alors, très vite car il eut peur qu'elle ne se réveillât à cet instant, Gabor retourna dans la fraîcheur du couloir, refermant silencieusement la porte derrière lui.

Un nuage traversa le ciel nocturne, poussé par la brise obscurcissant brièvement la lune et une ombre tomba sur le visage de Krisztina.

Elle attendit encore un moment, afin d'avoir une certitude, puis elle ouvrit les yeux.

Les trois semaines qui suivirent furent terriblement éprouvantes pour les Florian. Il semblait que les liens invisibles qui relient les familles aient été rompus. Ilona parlait courtoisement à Gabor et continuait à jouer son rôle d'épouse consciente de ses devoirs, mais au fond, rien n'était plus pareil. Gabor passait plus de temps que naguère dans son bureau et au magasin, et quand il était chez lui, il sentait bien la froideur glaciale de son épouse et la méfiance de sa fille, et pour lui aussi rien n'était plus pareil. Krisztina, uniquement préoccupée de David, n'éprouvait que dégoût pour son père et pitié pour sa mère. Pour elle aussi, rien ne serait plus jamais pareil.

Les semaines devinrent des mois. Laurent voyageait entre Trouvère, Berlin et Budapest, mais cela n'apportait aucune joie à Krisztina. Gabor seul en tirait quelque espoir. Krisztina continuait à écrire de longues lettres d'amour à David, sachant qu'il ne les recevrait jamais ; elle pressait Laurent pour obtenir les moindres bribes de nouvelles au cours de rendez-vous clandestins. À l'approche de l'année 1938 qui verrait le retour de la saison des championnats, elle décida de se remettre à danser. C'était en effet le seul aspect de sa vie susceptible de lui apporter une consolation ; d'autre part, il serait inélégant de sa part de faire défaut à Laurent, d'autant qu'il poursuivait ses efforts en vue de faire relâcher David. Cet hiver-là, ils conservèrent leur titre européen, mais ils ne remportèrent que la seconde place dans le championnat du monde. L'été qui suivit, ils gagnèrent les deux titres.

À deux heures du matin suivant le Championnat du Monde à Paris, Laurent et Krisztina se donnèrent l'accolade pour fêter leur victoire ; pour la première fois, Laurent embrassa Krisztina sur la bouche et elle répondit à son baiser. Ce triomphe lui donna le vertige, et il voulut attirer Krisztina dans une nouvelle étreinte, mais elle s'esquiva. Pour Krisztina, il ne s'était agi de rien de plus que d'une marque amicale accordée dans le tumulte du moment. Laurent en fut comme pétrifié.

Le temps s'accélérait pour Laurent. La santé du baron Armand se détériorait. L'inquiétude se répandait en Alsace en raison de sa situation de ligne de front potentielle dans l'éventualité d'un conflit avec l'Allemagne. Les parents de Laurent commençaient à faire pression sur leur fils pour qu'il passât plus de temps en Alsace afin de se concentrer sur la production du vin et l'administration du domaine. Laurent avait espéré que Krisztina oublierait David une fois ce dernier sorti de sa vie, mais il était clair que cet espoir était vain. Laurent était obsédé. Il ne pensait qu'à Krisztina. Dès qu'il se réveillait, il l'imaginait dans son lit ; dès qu'elle était loin de lui, il revivait les moments éclatants de leur vie en association, il voyait ses longues jambes marquer le rythme, il voyait sa chevelure flotter et ses yeux étinceler ; chaque nuit il rêvait d'elle et dans ses rêves, Krisztina était une statue exquise et distante, elle le suppliciait de l'éclat marbré de ses seins nus...

La maladie nazie étendait ses tentacules. En mars 1938, l'armée allemande entrait à Vienne. L'Autriche fut absorbée dans le Reich, et aussitôt débutèrent les persécutions contre les Juifs. En Allemagne, ce fut l'escalade de l'horreur. Des centaines de gens furent envoyés dans des camps de concentration, Dachau, Buchenwald ; des synagogues furent incendiées à Munich et à Nuremberg, des flots de réfugiés tentèrent de s'échapper. À Paris, le 6 novembre, un jeune Juif nommé Hirsch Grynszpan, scandalisé par les rapports venant d'Allemagne, se rendit à l'ambassade d'Allemagne et abattit un personnage officiel, Ernst von Rath. Trois jours plus tard, von Rath mourut ; les nazis dénoncèrent alors l'existence d'un complot juif et la *nuit de cristal* fit régner la terreur dans toute l'Allemagne. Des millions de fragments de verre provenant des synagogues soufflées, des maisons et des magasins juifs en flammes jonchèrent le sol. Des centaines de Juifs furent battus et lynchés. Des dizaines de milliers de gens disparurent simplement, enlevés dans les rues et dans les maisons. Parmi eux, les derniers membres de la famille Kaufmann.

— Ils ont disparu, expliqua Laurent à Krisztina devant un café crème dans la salle du Gerbeaud. Il ne leur était plus possible de parler de David chez les Florian.

Elle le dévisagea.

— Où donc ? Les gens ne disparaissent pas ainsi... c'est impossible.

— Ça n'est plus impossible de nos jours, dit-il la mine sombre. Du moins en Allemagne.

— Il y a bien quelqu'un qui sait où ils sont, insista-t-elle.

Laurent remua son café.

— Probablement dans un camp de concentration.

— Oh, mon Dieu ! dit-elle tout bas.

— Il se peut que ce soit aussi le cas de David.

Elle cilla.

— Mais, vous avez dit qu'il était en prison.

— C'était ce que je croyais, mais je pense maintenant qu'il a été transféré à Dachau ou à Buchenwald il y a quelque temps.

— Êtes-vous certain ? murmura Krisztina.

— Difficile d'être certain de quoi que ce soit, répliqua-t-il en l'examinant attentivement. Ma chère, vous devez comprendre que l'Allemagne est en train de se débarrasser des Juifs.

— Ce ne sont que des mots, protesta-t-elle. On ne se débarrasse pas comme cela de millions de gens !

— Pas comme cela, en effet, dit-il ironiquement. Mais c'est ce qui est en train de se passer néanmoins. Difficile de dire jusqu'où cela ira. D'abord, privation des droits civils, puis confiscation des biens ; et maintenant, suppression des libertés fondamentales. Cela commence ici aussi, en Hongrie.

Krisztina perdit ses dernières couleurs.

— J'aurais souhaité vous raconter une autre histoire, mais je vous dois la vérité.

Elle hocha la tête et subitement, elle se pencha par-dessus la table et dit d'une voix basse et pressante :

— Nous devons les aider à partir.

Il eut un sourire triste.

— Si c'était aussi simple que cela.

— Ce n'est sans doute pas simple, dit-elle avec passion, mais certainement pas impossible.

— En effet, acquiesça-t-il, rien n'est impossible, mais certaines choses sont plus difficiles que d'autres.

— Laurent... je vous en prie, aidez-moi. L'intensité de son regard pétrifia Laurent.

— Vous savez que je vous aiderai toujours, si je le peux.

— Rien n'est impossible... répéta-t-elle.

Il baissa la voix.

— Trouver David sera déjà difficile, le libérer le sera encore davantage, dit-il avec calme. Si nous n'avons pas pu le faire sortir de prison, il est plus que probable que nous n'arriverons pas à l'extirper de la confusion d'un camp de concentration.

— Avez-vous tout tenté ?

Il leva une main.

— Attendez. Il appela une serveuse, paya l'addition et se leva. « Venez, allons nous promener, nous risquerons moins d'être entendus. »

Elle plissa le front.

— Vous faites comme s'il y avait des nazis à tous les coins de rue à Budapest.

— Je préfère être prudent. Dehors, il lui prit le bras, examina le Vorosmarty Ter, puis ils déambulèrent comme deux amis.

— Je vous demandais, reprit-elle, si vous aviez bien tout tenté pour faire libérer David.

— Je devrais dire plus justement, répondit-il lentement, que notre avocat a tenté toutes les approches légales.

— Peut-il exister une autre voie ?

— Hors de la légalité ? Il sourit de son innocence. Je ne pense pas. Il fit une pause, et son visage redevint grave. Je dirais qu'il reste peut-être une chance.

— Laquelle ? Elle retira son bras de sous le sien, affreusement inquiète. Oh ! Laurent, je vous en prie, expliquez-moi.

Il reprit son bras avec fermeté.

— L'argent, dit-il en regardant avec indifférence une vitrine.

— Vous voulez parler de corruption ? dit-elle en écarquillant les yeux.

— Quel vilain mot.

— Appelez cela comme vous voudrez, plaida-t-elle, mais je vous en prie, n'hésitez pas ! Elle s'effondra sou-

dain. « Vous allez encore me trouver naïve, n'est-ce pas ?
dit-elle sur un ton morne. Il faudrait en effet une somme
d'argent considérable, et je n'en ai pas moi-même. »

— Moi, j'en ai.

Elle secoua misérablement la tête.

— Je ne peux pas vous demander cela.

Il s'immobilisa, mit sa main droite sous son menton
et releva vers le sien le visage de Krisztina.

— Je vous l'ai déjà dit, Krisztina, je suis prêt à faire
presque tout pour vous.

— Pourquoi, Laurent ? Pourquoi êtes-vous si bon pour
moi ?

— Parce que je vous aime, dit-il simplement.

Elle rougit.

— Vous ne devriez pas.

— Vous ne pouvez pas m'en empêcher. Il ôta la main
de sous son menton et lui adressa un sourire inattendu, tel
un gamin joueur. Elle lui rendit son sourire malgré son
anxiété.

— Eh bien ? dit-il.

— Je ne pourrai peut-être jamais vous rembourser.

— Vous me rembourserez, dit-il. Croyez-moi.

Elle l'observa sans souffler mot.

— J'ai une proposition à vous faire, dit-il enfin.

— Oui ?

— Je suis très désireux de vous aider, Krisztina, mais
il y a un obstacle majeur.

— Lequel ?

— Si j'avais la possibilité de faire libérer David, peut-
être même de le faire s'enfuir de l'Allemagne, je ne doute
pas un instant que vous voudriez le suivre.

— C'est évidemment ce que je ferais.

— Dans ce cas, c'est un motif pour moi de ne rien
faire pour lui. Il se remit à marcher d'un pas ferme et tranquille, comme si ce qu'il venait de déclarer n'avait pas la
moindre importance.

Un sentiment d'horreur emplit Krisztina, puis la submergea complètement.

— Qu'êtes-vous... Elle le retint sur place en lui saisissant le bras. Qu'êtes-vous en train de dire là ?

— Seulement ce que j'ai dit tout à l'heure, dit-il d'une voix réfléchie. Je vous aime, Krisztina, plus que tout au monde.

— Mais... nous sommes amis... Elle cherchait ses mots. Et des partenaires, n'est-ce pas suffisant ?

— Pas pour moi, pas du tout. Il fit une pause. Voulez-vous m'épouser, Krisztina ?

— Non ! répliqua-t-elle brutalement, scandalisée.

La physionomie de Laurent restait douce.

— Je suis tout à fait conscient que c'est David que vous aimez, mais vous devez savoir maintenant que vous ne pourrez jamais l'avoir.

— S'il est libéré.

— Il ne sera pas libéré.

Les jambes de Krisztina se mirent à trembler, puis ses bras, puis sa bouche. Elle pinça ses lèvres de toutes ses forces pour ne pas céder à ses sentiments en pleine rue.

—Il ne sera pas libéré, reprit Laurent, à moins que vous acceptiez de m'épouser. Vous avez le pouvoir de l'aider, ou du moins, d'essayer. Je ne pourrai vous donner aucune assurance car je suis un homme d'honneur, mais je vous promettrai de faire de mon mieux. Il laissa passer un moment. À vous de choisir, conclut-il.

Elle voulut parler, mais aucun mot ne sortit de ses lèvres. Elle humecta sa bouche avec sa langue et put enfin parler.

— Si je refuse de vous épouser, dit-elle d'une voix saccadée, David est perdu, si je vous comprends bien.

— Exactement.

— Laurent, c'est du chantage.

— Un autre vilain mot.

— Le seul qui convienne ! Sa voix était dure.

Il eut un léger haussement d'épaules.

— Je vous aime.

— Et moi j'aime David.

— Je sais. Mais je sais aussi que jusqu'à ce moment présent, vous m'avez aimé comme un ami.

— Mais ce n'est pas assez ! s'écria-t-elle, la fureur s'emparant d'elle. Un groupe d'étudiants se retourna sur eux.

— Ce n'est plus assez maintenant, du moins en ce qui vous concerne.

— Laurent, pour vous non plus ce n'est pas suffisant ! Il vous faut une épouse qui vous aime sincèrement !

— Moi, je vous désire, dit-il simplement. Si je ne puis avoir votre amour, j'accepterai votre présence amicale et votre respect.

— Comment osez-vous imaginer que je puisse vous respecter après cela ?

Il marchait toujours. Krisztina s'arrêta un moment, trop émue pour bouger, puis elle le rattrapa.

— Si vous preniez un peu de temps pour réfléchir, dit-il, vous verriez que ce que je vous propose n'est pas terrible. J'ai été patient, plus que patient. Or, je ne suis pas un saint, mais seulement un homme.

Les idées de Krisztina se brouillaient. *Le mariage en échange de la liberté de David, peut-être même en échange de sa vie ?* Si elle acceptait, pouvait-elle faire confiance à Laurent ? Respecterait-il sa part du marché ? Pourquoi le ferait-il ?... Elle secoua la tête et accéléra le pas. C'*était* un homme d'honneur non ?... Était-il vraiment en position d'aider David ? Kaufmann ne pouvait-il être libéré de toute manière sans son aide ? Laurent n'était-il pas en train de dramatiser la situation à son profit ?... Avait-elle vraiment le choix ?... Aimait-elle David au point d'accepter de devenir l'épouse d'un homme qu'elle n'aimait pas ?...

— Voulez-vous rentrer chez vous ? La voix de Laurent interrompit le cours de ses pensées.

Elle s'arrêta net et dévisagea le jeune homme.

— Oui, murmura-t-elle.

—Je vais héler un taxi. Il fit signe à une voiture libre.

Krisztina avança au bord du trottoir et monta sur la banquette arrière.

Gabor, à moitié ivre d'un surcroît de cognac, reçut Laurent dans son bureau trois jours plus tard.

— A-t-elle choisi ?

— Pas encore.

Gabor frappa la table de son poing.

— Quelle idiote ! Est-elle donc dénuée de tout bon sens ?

— Il lui faut encore un peu de temps, dit Laurent à mi-voix.

— Et vous êtes toujours décidé à attendre ?

— Encore quatre jours.

— J'ai toujours admiré votre patience, Laurent, et votre dévotion, dit Gabor avec ferveur. Quand je pense à la façon abominable dont elle se conduit !

— Erreurs de jeune fille, dit Laurent avec générosité. Il faut lui pardonner.

Gabor réfléchit.

— Peut-être ne croit-elle pas que vous puissiez aider Kaufmann.

— Je pense qu'elle croit que je le peux.

Gabor articula à peine :

— Qu'elle est donc naïve.

— Elle n'a que dix-neuf ans, rappela Laurent, et elle est très amoureuse. Ses traits pâlirent. Si elle me repousse, Gabor, il me faudra bien accepter ma défaite, et cette perspective m'attriste énormément. Il se tut, puis reprit : « D'autant plus que cela signera la fin de notre amitié. »

Gabor avala son cognac jusqu'à la dernière goutte. Le liquide en glissant dans sa gorge attisa la colère qui le brûlait déjà. Ses yeux se rapetissèrent.

— Je pourrais lui intimer l'ordre de vous accepter pour mari.

— Non, dit Laurent d'un ton emphatique. Je veux une épouse consentante ou pas d'épouse du tout.

Elle acceptera, pensa Gabor, la mine sinistre, en se versant un autre cognac qu'il avala encore plus rapidement. *Elle acceptera volontiers, même s'il me fallait la rouer de coups !*

— *Persze,* répliqua-t-il à haute voix. Bien sûr.

Il était environ deux heures du matin lorsqu'il ouvrit la porte de sa chambre ; il saisit Moïse par son collier et l'envoya violemment dans le couloir. Krisztina se réveilla en sursaut et se souleva.

— Père, qu'y a-t-il ?

— Lève-toi ! lança-t-il d'une voix pâteuse.

— Pourquoi ? Qu'y a-t-il ? Maman ne va pas bien ?

— Je te dis de te lever ! dit-il en haussant le ton.

Elle se glissa hors de son lit et voulut prendre sa robe de chambre. Gabor marcha vers elle à grands pas et la lui arracha des mains. Elle haleta de surprise, puis elle recula lorsqu'elle vit son expression.

— Qu'y a-t-il ? répéta-t-elle anxieuse. Pourquoi me regardes-tu ainsi ?

— Pour qui te prends-tu donc ? Il lui coupait la parole si férocement qu'elle frémit nerveusement. Il projeta un doigt dur sur son épaule. « *Qu'est-ce* que tu crois donc être ? Quelque jeune dame de la haute société qui peut s'attendre à se voir courtiser par une foule de prétendants avantageux ? »

Elle commençait à comprendre.

— Certainement pas, dit-elle, sur la défensive, le dos au mur.

— Crois-tu qu'une fille de négociant se voit offrir tous les jours un mariage avec un aristocrate ? Il marchait sur elle jusqu'à planter de nouveau son doigt dans sa chair.

— Tu ne comprends pas, père.

— C'est fichtrement vrai que je ne comprends pas, gronda-t-il. Alors qu'on t'offre la chance de devenir baronne, petite sotte !

— Je ne veux pas être baronne, dit-elle tranquillement.

— Non, tu préfères épouser ton grand amour, siffla-t-il entre ses dents. Ton gibier de potence juif !

— Tu sais bien que David n'a rien fait de mal ! protesta-t-elle.

— Comment oses-tu ! grinça-t-il. Comment oses-tu te montrer aussi ingrate envers Laurent après tout ce qu'il a fait pour toi !

— Je suis reconnaissante, murmura-t-elle, mais cela ne veut pas dire que je veuille l'épouser.

— C'est un miracle qu'il veuille encore de toi après ce que tu lui as fait... et après ce que tu m'as fait à *moi* ! Il tremblait de fureur. Agir comme une vulgaire racoleuse, et ne même pas le regretter.

Krisztina se redressa de toute sa taille.

— Jamais je ne regretterai que David et moi ayons saisi l'occasion que nous avions de nous aimer...

La main de Gabor battit l'air et s'abattit sur Krisztina avant même qu'elle eût fini de parler. Sa tête se renversa rudement contre le mur, l'étourdissant.

— *Kurva* ! aboya-t-il tel un fou. Putain !

Instinctivement, Krisztina porta ses mains devant son visage pour le protéger et cligna des yeux dans l'attente d'un second coup. Rien ne vint. Elle rouvrit les yeux. À sa grande surprise, son père était dressé devant elle, tout tremblant, ses traits déformés par le chagrin.

— Père ?

Les yeux de Gabor se remplirent de larmes et il secoua désespérément la tête d'un côté de l'autre. Krisztina était confuse en le regardant. Elle n'avait jamais vu son père pleurer.

— Oh ! Dieu, gémit-il dans son désarroi. Dieu du ciel, qu'ai-je fait ?

— Père, ne pleure pas, plaida Krisztina, déchirée entre la colère, la peur et une pitié inattendue. N'en parlons plus.

— Non ! Sans que rien l'eût laissé prévoir, Gabor enferma sa fille dans ses bras et la tint tout près de lui. Elle était comme une pierre dans le cercle de ses bras, ne sachant trop comment réagir. Gabor se mit à sangloter, de pauvres sanglots lourds qui secouaient tout son corps. Krisztina alors s'adoucit, céda à son instinct et laissa Gabor se blottir contre elle, car elle voulait l'aider en dépit de tout.

— Papa, dit-elle sur un ton apaisant. Papa, ne pleure pas.

Peu à peu, les sanglots cessèrent, mais elle le garda contre elle pour le réconforter. Et puis lentement, d'abord totalement incrédule puis avec une horreur de plus en plus intense, elle se rendit compte qu'un changement était en train de se produire. Son père sembla se serrer de lui-même contre elle, lui donnant de légers coups de hanches. Elle tenta de s'écarter de lui, mais les bras de Gabor étaient comme de l'acier autour d'elle. Trop désespérée pour croire qu'elle se trompait, elle demeura figée, n'osant même plus respirer. Mais elle ne se trompait pas. L'érection était de plus en plus nette, elle en sentait la pression contre son ventre à travers le pantalon de Gabor et sa mince chemise de nuit à elle. Une vague nauséeuse monta en elle. Un léger râle s'échappa des lèvres de Gabor...

Dans un effort énorme, elle monta ses mains contre la poitrine de Gabor et le repoussa ; elle était blanche sous l'effet de sa répugnance.

— Sors d'ici ! siffla-t-elle toute frémissante. Sors de ma chambre ! Elle était comme clouée sur place tant elle avait peur ; elle pria pour qu'il sortît, ne sachant ce qu'elle ferait s'il restait.

Gabor ne bougeait pas. Seuls ses bras et ses mains tremblaient visiblement. Son souffle était âpre et court.

— Sors d'ici ! répéta-t-elle en séparant les mots dont chacun claqua comme un coup de pistolet. Avant que je hurle !

— Tu ne feras pas cela, fanfaronna-t-il.

— Je ferai *tout* pour que tu t'éloignes de moi, menaça-t-elle.

Le dégoût violent que Krisztina exprimait ramena Gabor à plus de raison. Il ferma les yeux quelques instants, retrouva un souffle saccadé au plus profond de lui-même et se tourna vers la porte. Puis il regarda en arrière. Krisztina n'avait encore jamais fait montre d'une telle fermeté, d'une telle haine – elle n'avait jamais eu cette expression d'*adulte*. Inutile de faire comme si rien ne s'était passé. Elle avait parfaitement compris ce qu'il voulait.

— Krisztina, ne dis rien à ta mère, supplia-t-il. Pour l'amour d'elle, sinon pour moi.

— Je t'assure que si je ne dis rien, ce sera uniquement pour elle. Ses mâchoires étaient serrées et ses yeux étincelaient de mépris.

Gabor ouvrit la porte et aussitôt Moïse, frémissant d'excitation contenue, bondit à côté de lui comme une flèche.

Krisztina se laissa tomber sur ses genoux et cacha son visage dans ses mains. Plusieurs minutes passèrent ainsi. Le grand chien était patiemment allongé à côté d'elle, flairant de temps en temps la joue de sa maîtresse de son museau humide. Toujours tremblante, alternativement glacée et brûlante, elle fit l'effort de contrôler son envie de vomir, trop effrayée pour quitter sa chambre et se rendre à la salle de bains. Elle tira la courtepointe de son lit pour s'en envelopper complètement, et au bout d'un moment, elle trouva la force de se relever.

Ne disposant d'aucune clef sur sa serrure, elle se contenta alors de pousser une chaise contre la porte, tout en sachant qu'il était peu vraisemblable qu'il revînt dans la nuit, mais elle avait besoin de ce semblant de sécurité.

Lentement, elle marcha vers sa coiffeuse et alluma la lampe. Elle s'assit sur le tabouret rembourré et regarda dans le miroir. Son reflet lui apparut, terrifié et fantomatique.

— Je ne peux pas rester ici plus longtemps, dit-elle à haute voix, tandis que Moïse gémissait doucement. Krisztina prit la petite photo de ses parents qui se dressait dans son cadre en argent au-dessus du miroir : son père, un bras autour de la taille de sa mère, tous deux souriant devant l'objectif, un sourire de commande. Krisztina examina le cher visage de sa mère.

« Comment l'abandonner ? » se demanda-t-elle tristement. La photo tomba de ses doigts sur le tapis avec un petit bruit assourdi. Elle secoua la tête misérablement. «Je n'ai plus le choix. »

Elle se pencha pour sortir le tiroir inférieur de sa commode, glissa sa main droite parmi les soutiens-gorge et les culottes pliés. Elle en retira une enveloppe.

Elle l'ouvrit et en retira une autre photo. Elle la posa sur le plateau ciré et la regarda attentivement. C'était une photo de David et d'elle-même dans la salle de l'Hôtel Kulm à Saint-Moritz. Elle datait de presque cinq ans. La photo qu'elle préférait par-dessus tout. Au milieu d'un paso doble, ils s'étaient écartés légèrement de leur ligne pour prendre la pose ; ils respiraient le bonheur et la vitalité. Elle paraissait tellement jeune – véritablement une enfant – et David était merveilleux, beau à briser le cœur, et fier...

Les larmes coulèrent sur ses mains, puis glissèrent sur le coin de la fragile photo. Elle les essuya avec ses doigts, les écrasant sur le papier terni.

« Je ne peux pas rester ici, » se dit-elle encore avec un profond sanglot.

La réalité brutale et impitoyable resurgit en elle, attisant ses blessures encore plus sauvagement. Il lui fallait quitter sa mère, sa maison, sans savoir si elle reverrait un jour le grand pont sur le Danube, les figueries, les couchers de soleil irisés sur le lac Balaton, la grande *puszta*. Oui, la réalité déchirante de son déracinement, de la perte de tout secours familial, de l'abandon de tout ce qui avait constitué le fond de son être, la réalité de l'arrachement à tout ce qui lui était familier lui apparut dans toute son horreur : devenir une étrangère dans un pays inconnu et dans un monde qui s'écroulait et devenait fou. Et enfin, perdre David.

Elle prit la photo, puis elle éteignit la lampe.

« Oh, David ! pleura-t-elle doucement dans l'obscurité. David, mon amour. »

Elle tint le morceau de papier sur son cœur, il ne lui restait plus que ce seul souvenir tangible.

« Je sais ce que j'ai à faire, dit-elle, pour ta sauve-garde et pour la mienne. »

Un nouveau sanglot la parcourut, secouant violemment tout son corps.

« Pourras-tu jamais me pardonner ? Quant à moi, je doute de pouvoir me pardonner un jour à moi-même. »

DEUXIÈME PARTIE

KRISZTINA : Alsace, 1938-1944

IX

L'adjoint au maire, cheveux argentés, referma le registre relié en pleine peau.

— Au nom de M. le maire, dit-il solennellement, toutes mes félicitations. Il s'inclina cérémonieusement en courbant la taille ; son costume resplendissait grâce à l'écharpe tricolore officielle.

Laurent s'inclina à son tour, échangea des poignées de mains avec les deux témoins et pencha la tête pour embrasser sa jeune épouse juste au moment où Krisztina tournait son visage de côté, de sorte que les lèvres de Laurent frôlèrent sa joue au lieu de sa bouche.

Le fonctionnaire eut un sourire embarrassé.

— Monsieur le Baron, cette cérémonie a été un grand plaisir pour moi. Comme vous le savez, M. le maire a beaucoup regretté de ne pouvoir accomplir lui-même le mariage civil.

— Veuillez assurer M. le maire que chacun ici a pris grand soin de nous, dit aimablement Laurent. Nous pouvions nous attendre à ce que le maire de Strasbourg ait à s'occuper d'affaires plus importantes en ces temps difficiles.

— Malheureusement, soupira l'adjoint. Tant d'affaires imprévues. Puis il sourit à Krisztina et s'adressa à elle en allemand : « Madame la Baronne, nous espérons pourtant avec ferveur que toutes les dispositions en question se révéleront inutiles. » Il reporta son attention sur Laurent. « Comptez-vous rester à Strasbourg une autre nuit ? »

— Non, répondit Laurent, nous partons immédiatement pour de Trouvère. Ma mère est restée seule assez longtemps.

L'adjoint au maire devint grave.

— Madame la baronne sera heureuse de votre retour. Le baron Armand était vraiment un grand homme, dit-il après une pause.

Il y eut un moment de silence respectueux, puis Laurent regarda l'horloge en or moulé au-dessus de la cheminée.

— Nous devons partir. Il prit derrière lui le manteau en renard argenté qu'il avait acheté à Krisztina deux jours auparavant dans la Maximilian-Strasse à Munich. Elle avait protesté avec véhémence contre cet achat, en vain. Viens, chérie.

Ils passèrent devant le portrait du premier ministre Daladier et pénétrèrent dans le grand hall. Tandis que Laurent remerciait les témoins, le fonctionnaire baisait la main de Krisztina.

— Je vous souhaite beaucoup de bonheur dans votre nouvelle vie, madame. Je sais que vous serez heureuse au château de Trouvère. Je n'y suis allé qu'une fois, mais je n'ai pas oublié son charme.

— J'ai hâte d'y arriver, dit-elle en souriant.

Elle ajouta dans un français lent et prudent :

— Moi aussi, je vous remercie pour tout, monsieur.

Puis, se souvenant de la date :

— Et bonne année.

Ils s'arrêtèrent en haut de l'escalier en pierre et regardèrent en bas la voiture de Laurent. Moïse, sa truffe noire plaquée contre la vitre, remuait joyeusement la queue à l'idée de revoir sa maîtresse.

— Madame la Baronne, demanda Laurent avec un petit sourire en coin, quelles sont vos impressions ?

— Je ne sais pas encore, dit-elle avec franchise. Je crois qu'il me faudra quelque temps pour m'habituer.

— Bien sûr. Il lui ouvrit la portière et resta en arrière tandis que Moïse avançait sa tête et son poitrail au-dessus du siège du passager afin d'atteindre Krisztina.

— J'espère qu'il va s'entendre avec les autres, dit Laurent en s'asseyant au volant.

Elle le regarda avec surprise.

— Les autres ?

— Les autres chiens du château de Trouvère.

— Vous n'avez jamais mentionné de chiens.

— Trois, indiqua-t-il en mettant le moteur en marche. Des chiens-loups irlandais. On les appelle aussi les gentils géants. Ils gardent notre famille depuis des générations.

Pour la première fois depuis son départ de Budapest, Krisztina trouva presque supportable la perspective d'une nouvelle vie.

Après que Krisztina eût accepté son offre de mariage en novembre, Laurent était retourné en Alsace pour obtenir l'accord de ses parents et publier les bans. Il organisa la cérémonie dans la chapelle privée du château dès que prit fin la période d'attente de quarante jours. Toutefois, l'annonce du décès d'Armand de Trouvère parvint à Laurent trois jours après son retour à Budapest. Il dut alors repartir d'urgence pour les funérailles et ses espoirs de mariage en grande pompe furent ainsi brisés. Ne voulant pas attendre la fin du deuil familial et considérant désormais qu'il valait mieux placer sa mère devant le fait accompli, le nouveau baron de Trouvère insista pour que la cérémonie civile ait lieu à Strasbourg, première ville alsacienne qu'ils traverseraient sur le chemin du château de Trouvère.

Le 29 décembre, Laurent, Krisztina et Moïse montèrent à bord de l'express de Vienne à la gare de Keleti ; sur le quai enneigé, les parents de la jeune fille leur firent des signes d'adieu. Ilona retint ses larmes tandis que les sept malles de sa fille étaient chargées dans le compartiment des bagages. Laurent et Krisztina voyagèrent sous le ciel blafard et gris de la capitale autrichienne, puis par Linz et Salzbourg, ils arrivèrent à Munich où ils passèrent une nuit avant de poursuivre vers Stuttgart, puis la France au-delà du Rhin. À Strasbourg, Laurent avait réservé une suite à l'hôtel Carlton afin qu'ils soient reposés pour le mariage civil du lendemain matin à dix heures, la veille du Nouvel An.

Les trains étaient certes douillets et confortables, mais le voyage fut long et monotone ; ils disposèrent de plus d'heures creuses qu'ils n'en auraient souhaité pour songer au passé et à l'avenir. Laurent était d'humeur étrange, pris entre la jubilation et le chagrin. Quant à Krisztina, elle trouva son seul véritable réconfort dans ses allées et venues entre son compartiment et celui où avait été enfermé le pauvre Moïse qui avait bien besoin d'être rassuré.

Le premier jour, alors qu'ils déjeunaient dans le wagon-restaurant, Krisztina demanda à Laurent s'ils seraient capables de faire la compétition de printemps étant donné qu'ils étaient restés absents des championnats d'hiver.

— Bien sûr que non, répliqua-t-il, l'air surpris.

— Ah !... dit-elle, plus déprimée que jamais, mais consciente du fait que le deuil de rigueur dans la famille de Trouvère puisse leur interdire de danser en public pendant un certain temps. « Si nous travaillions dur l'année prochaine, nous pourrions rattraper le temps perdu. »

— Vous ne comprenez pas, dit-il d'une voix unie.

— Qu'est-ce que je ne comprends pas ?

— Que la danse est terminée pour nous.

Elle le dévisagea, stupéfaite.

— Ma chérie, je suis maintenant le vingt-sixième Baron de Trouvère, et après demain, vous serez la Baronne. Nous allons avoir de nombreuses responsabilités – des terres à surveiller, le château à gérer, les vignobles, les champs, les vergers, sans parler des enfants que nous ne tarderons pas à avoir, j'espère. Il lui sourit avec tendresse.

Krisztina ne faisait pas un geste.

— Vous voulez dire que nous ne danserons plus jamais ?

Il éclata de rire.

— Oh ! bien sûr que si, nous danserons. Il y aura les réceptions, les bals.

— Je parle des compétitions, interrompit-elle, les poings serrés sur ses genoux.

Il s'adossa, tout à fait calme.

— Non, Krisztina, il n'y aura plus de compétitions.

— Vous ne m'en aviez rien dit.

— Je pensais que cela allait de soi.

Elle secoua la tête.

— Je suis désolé, chérie, dit-il aimablement, mais cet épisode de notre vie est terminé.

Terminé. *Vege*. Fini. Comme tout ce qui avait compté jusque-là dans la vie de Krisztina. Elle tourna son visage vers la vitre, par delà le puissant paysage de décembre. Elle ne se souvenait plus s'il ressemblait à la Hongrie, à l'Autriche ou à l'Allemagne. Elle ne s'en souciait pas non plus. Lorsqu'ils quittèrent Strasbourg après la cérémonie, la neige tombait rapidement et se déposait en silence sur les champs alentour.

— Nous avons tout notre temps, dit Laurent placidement. Nous allons prendre la *Route des vins,* ce sera le meilleur moyen pour vous d'apprendre le caractère de l'Alsace. Bien qu'à cette époque, il n'y a pas grand-chose à voir, dit-il d'un air maussade.

— En été, dit-il un peu plus tard, vous ne verrez à gauche de cette route et sur des kilomètres carrés rien d'autre que des tournesols ouverts sur le ciel ; et sur votre droite vous verrez les Vosges et leur douceur veloutée.

— Ce doit être merveilleux, à vous entendre.

— C'est vrai. La terre est très riche ici, on pourrait compter jusqu'à cinquante nuances de vert entre les herbes et les arbres.

À Barr, les rues pavées et les maisons multicolores enchantèrent Krisztina ; elle vit dans une seule rue des maisons peintes en rouge, en rose, en bleu, en ocre, en beige et en crème, la plupart ornées de jardinières aux fenêtres, ce qui lui rappela avec émotion les petites villes hongroises.

— En été, expliqua encore Laurent, ces jardinières sont pleines de géraniums éclatants, et tous les villages sont fleuris. Il désigna une petite place presque déserte. Les hommes âgés jouent aux boules, d'autres villageois les regardent en buvant de la bière.

147

— Pas du vin ?

— Si, mais aussi de la bière. Notre bière est délicieuse. En été, vous verrez de nombreux champs de houblon et d'orge.

« *En été,* pensa Krisztina avec envie, frissonnante en dépit de la chaleur de la voiture. Tout ce qu'il y a de bon semble ne se passer qu'en été. Serai-je encore en vie ? » Se remémorant plus tard sa première vision du domaine de Trouvère, Krisztina pensa avoir vécu une expérience proche de la magie, une expérience unique dans sa vie, hormis son après-midi d'amour avec David.

Ils étaient arrivés par le nord. Laurent avait arrêté soudainement sa voiture sans un mot, regardant bizarrement Krisztina qui, droit devant elle, vit ce qui lui sembla d'abord n'être qu'une autre forêt de sapins glacée.

— C'est là-bas, dit Laurent en lui poussant doucement le coude.

Regardant plus attentivement, elle vit une espèce de carrefour au milieu des arbres à partir duquel montait un long sentier tortueux qu'elle n'avait pas aperçu immédiatement à cause de la couverture de neige. Ce sentier quittait la forêt, longeait des vignobles maintenant familiers, et menait au petit château baroque, couleur crème, perché au sommet de la colline. Tout le côté droit baignait dans la pâleur rosée du coucher de soleil précoce.

— *O gyonyoru,* souffla-t-elle dans son étonnement. Puis elle se tut. Laurent souriait sans prendre la peine de la prier de traduire car il avait parfaitement compris.

Elle contemplait, totalement absorbée. Toutes ses espérances avaient été soit exagérées, soit totalement erronées. Certes, c'était sans doute un château des plus authentiques, et malgré la distance qu'elle évaluait à quatre kilomètres environ, il lui apparaissait tout à fait exquis dans son architecture et son décor. Mais ce qui frappa instantanément Krisztina et qui la remplit de joie, ce fut surtout qu'il se présentait incontestablement comme une *maison,* et non comme une fantasmagorie wagnérienne avec pinacles

148

et tourelles, ni comme un sinistre cauchemar tombant en poussière. C'était une solide maison, bien réelle et habitable, dont les fondations étaient profondément enfoncées dans la terre qui avait nourri plusieurs générations.

— Eh bien ? demanda Laurent d'une voix qui la fit sursauter.

Elle détourna les yeux de sa vision et le regarda. Les yeux dorés de Laurent luisaient d'un éclat singulier. Des larmes, constata-t-elle ébahie. Quel homme étrange, pensat-elle : tenace et insensé au point de bouleverser des vies pour arriver à ses fins et capable en même temps de se laisser aller à une émotion rare dès qu'il s'agissait de son domaine.

— Dites-moi, dit-il d'une voix saccadée.

Elle posa sa main sur la sienne.

— C'est très beau, dit-elle doucement. *Gyonyoru,* répéta-t-elle en hongrois. Magnifique.

Il porta sa main à ses lèvres et la baisa tendrement.

— Comme vous.

Elle attendit ainsi un moment, ne voulant pas briser l'atmosphère, puis elle retira sa main très lentement.

— Approchons-nous encore, je vous en prie.

Il démarra et entama la montée. Après la forêt, la route se divisait, et après avoir pris un autre virage, ils avancèrent vers une énorme arche de pierre. Laurent passa dessous et stoppa de nouveau la voiture.

— Voilà, dit-il. Nous sommes sur le domaine de Trouvère. Il se renversa contre le dossier en cuir. Moïse, instinctivement averti de l'arrivée imminente, se réveilla de son profond sommeil en jappant.

— Ce n'est pas l'entrée principale, expliqua Laurent. L'allée principale et la grande entrée sont sur le côté sud, tandis que le gros du domaine s'étend à l'est et à l'ouest. Il fit une pause. Mais cette partie-ci est celle que je préfère.

— Cela ne m'étonne pas, répondit-elle avec chaleur.

Le château était distant de moins d'un kilomètre. Il se dressait dans une parfaite symétrie au-delà d'une vaste étendue de jardins. Le paysage et les détails étaient recouverts du voile hivernal ; au centre, un bassin rectangulaire avec une fontaine d'où s'échappaient, en arc de cercle, mille éclats scintillants vaporisant la fine statue de marbre d'une femme majestueuse tenant un arc, un chien de chasse frémissant sur ses talons.

— Pauvre Diane, dit Laurent avec un sourire sous cape, elle a l'air gelée aujourd'hui.

— Elle est jolie, admira Krisztina.

Laurent leva un sourcil.

— Diane la Chasseresse ? Je croyais que vous détestiez la chasse.

— C'est aussi la déesse des animaux domestiques.

Ils se turent, dévorant l'édifice des yeux. Un vrai régal : trois étages, un petit pavillon de chaque côté, chacun relié au bâtiment principal par une jolie galerie.

— Il paraît plus grand vu d'ici, dit-elle plus timidement, rendue nerveuse maintenant que le voyage était pour ainsi dire achevé.

— Il est suffisamment petit pour être dirigé sans difficulté, dit Laurent très à l'aise. Les châteaux sont différents dans leur architecture et leur taille. On peut dire que celui-ci est un petit château, à peine plus qu'une villa spacieuse. En réalité, à l'origine se dressait ici un pavillon de chasse du dix-septième siècle ; il fut entièrement reconstruit à la fin du dix-huitième siècle par un successeur de Guêpière qui édifia plusieurs palais de campagne pour la Maison de Württemberg. L'expression de Krisztina le fit sourire. « Je vous raconterai plus tard l'historique complet de cette construction, lorsque vous vous serez reposée. Mais ne vous y trompez pas, ma chère, malgré son pedigree impressionnant, le château de Trouvère est principalement une habitation, pas un monument. »

Elle avait déjà pressenti cela depuis la route, cette indéfinissable continuité familiale forgée par la vie et l'histoire. Elle fut grandement soulagée de trouver en ce lieu un véritable foyer.

— Comment avez-vous pu rester loin d'ici aussi longtemps ? demanda-t-elle avec un étonnement sincère.

Laurent rit de bon cœur et tourna le rétroviseur de telle manière qu'il reflétait le visage de Krisztina.

— À qui la faute ? dit-il.

Elle rougit.

— Vous dansiez et voyagiez bien avant de me rencontrer.

— C'est vrai. Mais Alice Gébhard habitait Colmar, bien plus facilement accessible que Budapest. Et puis, sachant que, selon toute probabilité, je passerais le reste de ma vie à de Trouvère, j'éprouvais le besoin d'user de ma liberté tant que j'étais jeune.

— Considérez-vous cela comme la fin de votre liberté ?

— Sous certains rapports, oui. Mais il n'y a pas trop de difficulté à abandonner quelques plaisirs – la danse par exemple – pour des choses bien plus précieuses. Tout ceci... – Il désigna le domaine d'un geste panoramique – a toujours été le plus important dans ma vie. Jusqu'au jour où je vous ai rencontrée, ma douce Krisztina, ce domaine a été l'essentiel pour moi.

— Comment pouvais-je rivaliser avec cela ? demanda-t-elle avec une ironie sous-jacente.

— C'est pourtant ce qui s'est passé, répliqua-t-il gravement. Il caressa ses cheveux toujours relevés en chignon et qu'elle avait emprisonnés sous un chapeau pour le mariage. « Et maintenant, je suis sans doute l'homme le plus fortuné de la terre car je vous possède tous les deux. »

Il y eut un bref silence.

— Posséder ?

— Vous êtes mon épouse, dit-il simplement.

— Cela ne signifie pas que je vous appartiens, Laurent.

— Nous sommes mariés. Le ton demeurait désinvolte. Nous nous appartenons mutuellement.

Elle ne dit rien.

— Jusqu'à la mort, ajouta-t-il.

Pas devant Dieu, pensa-t-elle inopinément. Seulement devant le député-maire. Cette idée suscita en elle un sentiment de culpabilité qu'elle repoussa tout en étant heureuse d'y avoir pensé. « Possession, répéta-t-elle mentalement. Mon mari est un homme de possession. » Elle frissonna légèrement.

— Ne craignez rien, dit Laurent, se méprenant sur cette réaction. La mort est loin, très loin encore. Il se pencha sur elle et l'embrassa sur la joue. Aujourd'hui, c'est un commencement, chérie. Le début d'une union pour nous deux, un nouveau foyer pour vous, et cette nuit, une nouvelle année pour le monde entier.

Elle hocha la tête lentement, serra son manteau de fourrure sur son corps.

— Alors ? dit-il en se redressant. Nous rentrons chez nous ? Êtes-vous prête ?

Non, pensa-t-elle tristement. Pas prête. Pas sans David.

Elle tritura l'anneau d'or tout neuf à son doigt.

— Oui, dit-elle tout bas.

Doucement mais résolument, elle évacua David à l'arrière-plan de ses pensées et regarda droit devant elle, vers le château.

X

Cinq minutes avant minuit, ils étaient assis dans ce que Laurent avait décrit à Krisztina comme le *salon rouge,* une pièce familiale au décor et à l'aimable désordre chaleureux. Les murs étaient recouverts de chêne, les fenêtres cachées derrière de lourds rideaux rouges damassés ; tendue sur un mur, une superbe tapisserie mille fleurs, de style gothique tardif, était le point de mire de la pièce ; deux âtres se détachaient d'un entourage en marbre ; trois tapis persans souvent foulés étaient disposés sur le parquet.

Quant aux occupants de cette pièce confortable, ils auraient pu être des statues de marbre pâle que quelques bribes d'une conversation courtoise animaient occasionnellement. Les trois survivants de la branche principale de la grande famille de Trouvère.

Geneviève de Trouvère, quarante-quatre ans, était assise, droite et calme, dans un large fauteuil recouvert de soie damassée ; ses mains élégantes aux doigts effilés n'étaient ornées d'aucun bijou hormis un anneau de mariage et reposaient croisées sur ses genoux. « Comme elle est belle, » pensa Krisztina, malgré la sévérité de sa robe noire de chez Balmain et son expression lointaine et peinée, seulement adoucie par moments grâce à quelque souvenir fugace et doux ; quand les nuages s'écartaient de ses yeux gris, une étincelle ranimait la chaleur du passé, et sa main droite tapotait machinalement son épaisse chevelure blonde comme les blés.

Les jeunes mariés étaient également assis en silence, oppressés par l'atmosphère morose, accentuée par la présence, dans un angle, d'un arbre de Noël dépouillé et dont les vingt ou trente petites bougies restaient éteintes. Laurent, en costume sombre, fumait une cigarette, négligemment adossé au fond d'un canapé ; sa jeune épouse, embarrassée, vêtue de l'unique robe sombre et toute simple qu'elle ait pu trouver dans ses malles à peine ouvertes, était toute raide sur sa chaise rococo, face à sa belle-mère. Sa seule distraction était les quatre chiens qui partageaient le salon avec leurs maîtres : les trois chiens-loups irlandais, deux bringés et l'autre d'un blanc pur, étendus en formation autour de l'âtre central d'où s'élevaient de grandes flammes et le pauvre Moïse, inquiet, allongé aux pieds de sa maîtresse.

Le vent siffla subitement derrière les rideaux drapés et aussitôt après, il y eut un craquement de branches et les vitres vibrèrent. Krisztina imagina la neige tombant en tourbillons glacés sur le sol, et elle frissonna.

Laurent leva les yeux sur la belle horloge en applique au-dessus du manteau de la cheminée.

— Il est presque l'heure, dit-il, sa voix résonnant dans toute la pièce.

Sa mère remua et son regard se dirigea lentement vers la bouteille de champagne dans un seau en argent posé sur une petite table dorée près de la fenêtre.

— Quoi qu'il en soit, dit-elle d'une voix basse mais autoritaire, le champagne, s'il-te-plaît, Laurent.

Il termina sa cigarette et se leva pour s'occuper de la bouteille. Lentement, Geneviève se leva aussi, Krisztina fit de même, tout en observant son aînée qui se dirigeait vers l'âtre pour se chauffer les mains.

L'un des chiens-loups remua la queue, et Geneviève se baissa pour le caresser sur la tête avant de se tourner vers Moïse.

— Pauvre petit, dit-elle d'une voix caressante en lui grattant le poitrail. Moïse, qui savait fort bien reconnaître un véritable connaisseur, replia donc les oreilles en arrière et émit un petit gémissement en signe d'appréciation.

— Il est beau, dit-elle à Krisztina. Il vous aidera à vous habituer, poursuivit-elle en allemand.

— Il vous aime bien, madame.

— La plupart des animaux m'aiment bien, sourit-elle.

— Maman... Laurent tendit une coupe à sa mère.

— Merci, Laurent.

Il en donna une à Krisztina et prit la dernière pour lui-même. Puis il vint se placer entre les deux femmes. Comme il est petit, remarqua Krisztina avec surprise.

Le carillon de minuit s'éleva.

À la fin du douzième coup, Geneviève leva sa coupe.

— Bonne année, mes enfants, souhaita-t-elle d'une voix assurée et les yeux brillants. Que 1939 nous apporte la paix chez nous et à l'extérieur. Et que votre union soit bénie comme le fut la mienne.

— Merci, maman. Laurent posa sa coupe sur la cheminée et se retourna pour embrasser affectueusement sa mère tandis que Krisztina, émue mais se sentant plus que jamais une intruse, s'agenouilla sur le tapis et frotta sa joue contre la fourrure soyeuse de Moïse en lui murmurant des mots gentils dans l'oreille.

Sentant soudain une main sur son épaule, elle leva la tête. Geneviève la regardait, avec sympathie.

— Bonne année, Krisztina, dit-elle dans un allemand parfait. Krisztina se releva rapidement, se souvenant heureusement que Laurent lui avait dit combien sa mère détestait cette langue.

— Merci, madame. Elle prit l'autre main tendue de la femme ; cette main était glacée. « Merci pour tout. »

— Pour quoi ? demanda Geneviève avec une légère grimace. Pour une coupe de champagne ?

— Merci de m'accueillir chez vous en un pareil moment.

— Le château de Trouvère est votre foyer maintenant, Krisztina. C'est votre nuit de noces et le réveillon du jour de l'An. Il devrait y avoir des réjouissances, de la musique et de la danse.

— Peut-être y en aura-t-il plus tard, dit Krisztina doucement, ce n'est pas de mise en ce moment.

Geneviève secoua la tête.

— Non.

— Pourquoi ne pas nous asseoir, suggéra Laurent.

— Peut-être voudriez-vous rester un peu seuls, vous et votre mère ? proposa Krisztina à brûle-pourpoint. Je pourrais monter. Je suis très fatiguée et je comprendrais...

— Absolument pas ! interrompit fermement Geneviève. Je ne veux pas entendre une chose pareille. Elle regarda l'heure. D'ailleurs, dans cinq minutes, nous devons aller dans la salle des domestiques où ils ont organisé leur propre fête. La tradition veut que nous fassions une petite célébration en commun la veille de Noël et la veille du jour de l'An.

Laurent toucha doucement le bras de sa mère.

— Êtes-vous certaine de vouloir y assister, maman ? Ils comprendraient très bien si...

— Mais bien sûr que je vais y aller, interrompit-elle sans ambages. Ils se sont montrés très généreux, expliqua-t-elle à Krisztina. Ils m'ont offert de remettre leur réveillon par respect pour mon mari, mais je leur ai dit que c'eut sans doute été la dernière des choses qu'Armand aurait souhaitée. Elle caressa gentiment la joue de son fils. Ne commence pas à me traiter comme une porcelaine fragile, mon chéri, dit-elle doucement. La vie doit continuer, surtout dans une famille comme la nôtre où l'histoire et la tradition sont souveraines.

— Vous avez raison, bien sûr, maman. Pardonnez-moi, dit Laurent, la mine contrite.

Geneviève sourit.

— Toujours.

Il regarda Krisztina.

— Ma mère est courageuse, n'est-ce pas ?

— Oui, acquiesça-t-elle de bonne grâce, remarquant en même temps que c'était les premiers mots qu'il lui adressait personnellement depuis minuit.

— On ne peut pas y échapper, dit Geneviève avec un haussement d'épaules éloquent. On peut rentrer en soi-même pendant un temps, mais on n'échappe pas à la vérité. Ses yeux se remplirent subitement de larmes. Elle les essuya aussitôt du bout des doigts et reprit sa coupe de champagne posée sur une petite table coquette. Krisztina, je vous ai dit tout à l'heure que le château de Trouvère était désormais votre foyer.

— Oui, dit doucement Krisztina.

— Je comprends toutefois qu'il vous faudra du temps pour vous accoutumer à votre nouvel environnement, quelle que soit sa beauté. Vous trouverez ici des coutumes différentes, et aussi des gens différents, bien sûr. Mais j'espère que l'amour que vous éprouvez pour votre mari comblera ces premiers jours difficiles.

Il y eut un bref silence.

— J'espère qu'il en sera ainsi, dit Krisztina avec assurance.

— Maman, il se fait tard, rappela Laurent. Nous devrions descendre.

— Allons-y.

Geneviève lui donna sa coupe et ajusta sa robe d'un brusque revers de la main.

— Laurent, mets-toi entre nous, veux-tu, afin d'offrir l'image de la continuité.

Elle cligna de l'œil en direction de Krisztina, qui en fut toute saisie.

— Une baronne à chaque bras, cela fait bien, n'est-ce pas, ma chère ?

Krisztina n'oublierait jamais cette première soirée, pas plus que le premier matin qui suivit. À sa grande surprise, cette nuit qui l'avait effrayée plus que tout passa sans laisser de souvenir, perdue dans un profond sommeil réparateur et ininterrompu. Son mari, tenant compte du fait qu'elle était épuisée, lui avait permis de se préparer un lit dans le petit salon voisin après l'avoir gentiment embrassée sur la joue et lui avoir souhaité bonne nuit.

Elle fut réveillée en douceur par une jeune servante aux cheveux noirs apportant le petit déjeuner sur un plateau d'argent.

— Bonne année, madame. La jeune fille posa le plateau sur les genoux de Krisztina, arrangea la courtepointe et tira les rideaux.

— À vous aussi, dit Krisztina, gênée. Et merci beaucoup.

On frappa à la porte. C'était Geneviève, vêtue d'un tailleur de laine marron foncé.

— Bonjour, Krisztina. La servante fit une petite révérence et disparut.

Confuse d'être découverte au lit, Krisztina voulut repousser le plateau.

— Mais non, dit Geneviève très vite. Restez tranquille.

Elle restait sur le pas de la porte.

— Je tenais seulement à vous rappeler que ce jour est un jour de vacances et que nous n'avons pas à nous hâter. Normalement, nous assistons au service religieux à Colmar pour le jour de l'An, mais étant donné les circonstances, le père Périgot se déplacera de Riquewihr pour dire la messe dans notre chapelle.

— Pourquoi Laurent ne m'a-t-il pas réveillée ? demanda Krisztina avec regret. J'aimerais tant qu'il soit près de moi.

— Nous sommes tous deux tombés d'accord sur le fait que vous deviez être encore éprouvée par votre long voyage et la soirée prolongée.

— Où est Laurent ? demanda la jeune femme.

— Il monte à cheval, répliqua Geneviève. Il a toujours aimé visiter le domaine le matin, surtout qu'il fait particulièrement beau aujourd'hui. Peut-être nous promènerons-nous toutes les deux un peu plus tard ?

— J'aimerais beaucoup, madame.

— Parfait, dit-elle. Elle tournait déjà le dos, puis elle s'arrêta.

— Puis-je vous demander une faveur ma chère ?

— Certainement.

— Cessez de m'appeler « madame », je vous prie. Je préférerais tellement que vous m'appeliez par mon prénom, ou même « belle-mère », si vous voulez.

Une heure plus tard, les deux femmes se tenaient à mi-hauteur de l'escalier de pierre, sur le côté est du château, admirant le panorama splendide. Krisztina tenta d'imaginer ce qu'il y avait sous la neige. Normalement, jardins, vignobles, champs et vergers devaient se différencier nettement ; mais ce matin-là, ils ne formaient qu'une étendue vaste et majestueuse sans limites.

— Presque tout cela fait partie du domaine de Trouvère, dit Geneviève à voix basse, lisant les pensées de Krisztina. C'est l'une des vues les plus belles de la région.

Krisztina secoua lentement la tête.

— C'est superbe. Je crois que je pourrais rester ici toujours.

— Et attraper une pneumonie. Geneviève baissa la tête vers Moïse et les trois chiens-loups, Vénus, Orion et Persée, qui s'ébrouaient déjà dans la neige. Venez, marchons un peu.

Elles s'éloignèrent du château en passant sur les pelouses blanches immaculées, en direction de ce que Geneviève expliqua en allemand être l'un des deux jardins baroques du domaine.

— Il fut un temps où toute la surface entourant l'édifice était arrangée dans le style baroque ; elle était divisée en plates-bandes rigoureusement égales. Mais la mère d'Armand détestait cette géométrie poussée à l'excès. C'était une nature tendre, elle pensait qu'il était inutile de tenter d'améliorer le *chef-d'œuvre* de Dieu, et que la place du marbre, des dorures et de la géométrie était dans l'architecture. De sorte que maintenant, si vous tombez sur quelques sculptures et fontaines décoratives sur les terres, j'espère que vous comprendrez qu'elles sont là par pure fantaisie et non parce qu'elles font partie d'un quelconque projet.

— Belle-mère, dit Krisztina, ce qui fit sourire Geneviève, c'est très gentil de votre part de me parler en allemand.

— Je tiens à ce que vous vous sentiez chez vous, Krisztina. Je souhaiterais même pouvoir parler en hongrois.

— Ce serait plutôt à moi d'améliorer mon français.

— Il est déjà très bon, ma chère, assura Geneviève, mais il vous faudra inévitablement du temps pour le parler couramment.

Elles quittèrent le jardin et empruntèrent une large allée, les chiens courant devant elles dans un galop silencieux.

— Je suggère un compromis, reprit Geneviève. Le meilleur moyen de parler couramment est de vous immerger dans le français autant que possible. À l'avenir, nous ne parlerons qu'en français dans la journée ; nous parlerons en allemand le soir jusqu'à ce que vous vous sentiez tout à fait à l'aise dans notre langue.

Krisztina approuva de la tête.

— Cela me semble très bien.

— Cependant, nous avons une journée de repos aujourd'hui, et vous avez suffisamment besoin de récupérer sans avoir en plus à chercher vos mots.

Elle claqua soudain ses mains gantées l'une contre l'autre.

— Nous devons aller un peu plus vite. Je ne pourrai vous montrer ce matin que les parties du domaine accessibles à pied. Pour avoir une idée plus juste de la beauté et du caractère de l'endroit, il vous faudra attendre le printemps.

Krisztina ajouta, admirative :

— C'est splendide en ce moment aussi.

— Oui, acquiesça Geneviève. C'est un beau camouflage. Mon mari aimait beaucoup la neige ; quand le temps était aussi clair qu'aujourd'hui, il pouvait facilement surveiller toutes ses terres sans sortir de la maison.

Les deux femmes marchèrent côte à côte pendant une heure et demie. De même que Laurent dans sa voiture avait décrit la campagne estivale, Geneviève essayait de donner à Krisztina une idée de ce que serait chaque plan dans les mois à venir.

— À votre gauche, dit-elle en arrivant dans un endroit désert et glacial, à l'ombre du vieux chêne, il y aura un parterre de lys et à droite, au printemps, vous trouverez des narcisses et des primevères. Un peu plus loin, près d'un ravissant petit pont, fermant les yeux, Geneviève évoqua les fragrances variées des iris, des myosotis, des véroniques, des rues des prairies et des pensées sauvages. Sa belle-fille l'écoutait, ravie.

Leurs bottes crissaient doucement tandis que les femmes passaient du jardin anglais au jardin japonais, de la splendeur mêlée et enchevêtrée du grand jardin sauvage, qui avait été le favori de la grand-mère de Laurent, aux planches de végétaux à l'ordonnance stricte ; ensuite, elles traversèrent un vaste parc et pénétrèrent dans l'étonnant arboretum d'espèces rares.

— Évidemment, le parc est une masse de couleurs sans pareille quand les azalées et les rhododendrons sont en fleurs, et là-bas, indiqua Geneviève en tendant la main, se dresse un arbre de Judée dont les fleurs apparaissent avant les feuilles.

Elles allèrent ainsi sous des pergolas dénudées par l'hiver, sous des abris en délicats treillis de bois, le long d'une allée bordée de noisetiers d'Espagne et d'un sentier de hêtres cuivrés. D'un point panoramique du parc, Geneviève désigna à Krisztina le jardin fruitier qui, en automne, était le pôle d'attraction de Laurent quand il était petit. Elle lui montra les nombreuses pistes cavalières bordées de buissons à fleurs qui pénétraient dans la forêt ou en sortaient pour traverser des champs en jachère où les chevaux pouvaient galoper librement ; elles suivirent le cours sinueux d'une petite rivière gelée traversée en deux endroits par de charmants petits ponts en bois voûtés. Elles arrivèrent enfin au bord d'un lac gelé dont la rive opposée était agrémentée d'un temple d'amour enchanteur qui se dressait, solitaire et lointain, sur un fond de sapins couronnés de neige.

— Quelqu'un fait-il du patin sur la glace ? demanda Krisztina. Moïse, ayant flairé la glace, trottait à côté de sa maîtresse et poussait sa main droite avec son museau.

— Du côté nord, la glace est parfois assez épaisse, dit Geneviève. Faites-vous du patin à glace vous-même ?

— Quand j'étais enfant, oui.

Elle se tut un moment puis poursuivit, une pointe de regret dans la voix.

— Lorsque je me suis mise à danser, mes jambes étaient trop importantes pour moi, je ne pouvais pas prendre le risque de me blesser.

Un silence se prolongea entre elles, ponctué parfois par un cri d'oiseau et le halètement régulier des chiens.

Geneviève reprit la parole la première.

— La danse vous manquera beaucoup ? demanda-t-elle gentiment.

Krisztina la regarda avec franchise.

— Je n'imagine pas ma vie sans la danse.

Elle attendit un peu.

— Je n'arrive pas à croire que c'est terminé.

Elle eut un rire un peu brutal.

— À vrai dire, je n'ai pas encore tout à fait assimilé le fait que bien d'autres choses sont terminées pour moi. Des larmes lui montèrent aux yeux, mais elle se contrôla fermement.

— Vous avez beaucoup de talent, dit Geneviève d'un ton égal. Une danseuse exceptionnelle.

— Au-dessus de la moyenne. La voix de Krisztina devint rauque. Et puis, j'ai eu de la chance avec mes partenaires.

— Plus que cela.

— Bien sûr, dit Krisztina qui n'avait pas compris le sens de la réplique de Geneviève. Sans Laurent, je n'aurais jamais été une championne.

— Je parlais de vous, de votre talent à vous. Vous êtes la meilleure que j'aie jamais vue.

Krisztina leva les yeux, confuse.

— Vous ne m'avez jamais vue danser.

— C'est faux, rectifia Geneviève. Je vous ai vue une fois à Baden-Baden, et à Paris, pour le Championnat du Monde.

Une bande de nuages blancs traversa le ciel bleu et le soleil apparut. Orion, le chien-loup blanc, remua sa queue avec impatience, et Moïse jappa.

— Nous ne nous sommes jamais rencontrées, dit Krisztina, stupéfaite. Laurent ne m'a rien dit.

— C'est nous qui lui avons demandé de se taire.

— Pourquoi ?

— Parce que mon mari souhaitait comprendre la raison de la passion de son fils. Geneviève haussa légèrement les épaules. J'aurais préféré vous rencontrer, mais Armand tenait à rester anonyme.

— Et... a-t-il compris ?

— Bien sûr, sourit Geneviève. Comment aurait-il pu ne pas comprendre ?

— Mais il n'approuvait pas, dit Krisztina pensivement, presque pour elle-même, tandis que subitement se présentait à son esprit un aspect totalement nouveau de la cour que lui avait faite Laurent. Il ne lui était en effet jamais venu à l'esprit qu'il avait dû surmonter bien d'autres obstacles que l'hésitation dont elle-même avait fait preuve. Comment n'avait-elle jamais considéré leur histoire sous cet angle.

— Je crois bien que non, admit Geneviève. Du moins, pas du fond de son cœur. Armand n'était pas obtus – il pouvait être strict, voire sévère parfois, mais en dernier ressort, jamais il n'aurait interdit à Laurent d'épouser la jeune fille de son choix.

Krisztina resta silencieuse un moment. Puis elle regarda Geneviève dans les yeux.

— Et vous ? Étiez-vous contre notre mariage?

— Je confesse que j'ai d'abord été d'accord avec Armand. Nous avions l'impression que Laurent ne cédait qu'à une toquade.

— D'abord ? avez-vous dit.

— Oui. À mesure que se prolongeait votre association et que persistaient les sollicitations de Laurent à votre égard, je devenais moi-même de plus en plus intriguée par cette jeune Hongroise mystérieuse.

Elle eut un sourire contrit.

— Vous devez considérer en plus le snobisme de l'aristocratie.

— Votre mari souhaitait que Laurent épouse une jeune fille de sa classe, dit Krisztina sans rancœur.

— Moi aussi, acquiesça Geneviève. Ma chère, la perpétuation d'une noble lignée est liée à d'énormes responsabilités, plus faciles à assumer par quelqu'un qui a été éduqué dans ce but.

Elle haussa de nouveau les épaules, élégamment cette fois.

— Nous vivons dans un monde imparfait et c'est cela qui est regrettable.

Elle attendit un peu avant de poursuivre :

— Je disais donc que j'ai persuadé Armand de tenter d'en apprendre davantage à votre sujet avant de faire connaître notre désapprobation, et c'est ainsi qu'il a décidé de vous voir sans nous engager nous-mêmes officiellement.

Un couple de pies fila au-dessus de leurs têtes, et Vénus et Persée aboyèrent fortement.

— C'est alors que vous avez changé d'avis ?

— Ce fut à ce moment que je compris l'importance d'une association parfaite ; une union à ce point réussie – qui semblait réaliser sur une piste de danse la fusion de deux esprits et de deux corps – pouvait être mise en parallèle avec l'amour ? Au moins dans le cœur de l'un des partenaires.

Krisztina se taisait.

— C'est ainsi que j'ai compris mon fils.

Geneviève se tut.

— Et maintenant, Krisztina, il s'agit pour moi de vous comprendre, vous. Elles avaient froid, immobiles près du lac ; elles rentrèrent au château par un chemin plus direct.

Leur promenade prit fin dans la petite chapelle privée, isolée avec le cimetière familial dans un jardin silencieux entouré de murs.

Il faisait froid à l'intérieur. De minces courants d'air vif s'élevaient des dalles du sol, faisant voleter le bas de leurs manteaux. La lumière était faible malgré les rayons du soleil traversant les sept vitraux ; leur haleine se changeait en vapeur qui flottait dans l'air comme des fantômes. Pourtant, dès que la lourde porte en chêne se fut refermée sur elles, Krisztina sentit passer sur elle une paix merveilleuse, presque primitive, comme une vague chaude.

Elle regarda Geneviève tremper le bout de ses doigts dans le bénitier, se signer et s'agenouiller. Krisztina voulut faire comme elle, mais elle resta sur place, la bouche ouverte, comme une écolière timide.

C'était donc là ce que pouvaient procurer la fortune et la naissance – un endroit privé pour communier avec Dieu. Elle avait toujours eu l'impression de pouvoir prier partout. Elle n'avait pas besoin, comme sa mère, de saints en plâtre, ni de chapelet, ni d'autel ; elle n'avait même jamais éprouvé le besoin de s'agenouiller. Elle avait appris le catholicisme aux genoux de sa mère, elle respectait sa religion. Mais si on lui avait demandé en quoi elle croyait, elle aurait répondu qu'elle avait simplement foi en l'existence de Dieu et que pour elle, les rituels solennels n'étaient guère plus que des symboles, même s'ils représentaient un réconfort indéniable pour des millions de gens.

Elle regarda autour d'elle, s'imprégnant de la profonde sérénité du lieu, admirant les chapiteaux blancs ioniques, la voûte pure du toit et l'autel délicatement sculpté représentant la crucifixion, couronné d'une petite statue peinte et dorée de la Sainte Vierge. Les symboles étaient présents ici aussi, mais la dignité modeste de cette chapelle était apaisante et stimulante pour l'esprit.

Geneviève se signa de nouveau, se leva et sourit devant l'expression ravie de Krisztina.

— Le seul exemple du style néo-classique à de Trouvère, expliqua-t-elle. Il s'agissait alors, dit-on, de réagir contre le baroque et les excès confus du rococo. Simple mais efficace, n'est-ce pas ?

— C'est...

Krisztina chercha le mot juste.

— C'est sublime. Ma mère aimerait beaucoup cet endroit.

— J'espère qu'elle pourra venir un jour.

Un accès subit de nostalgie frappa alors Krisztina avec une telle force qu'elle faillit pleurer. Devinant sa détresse, Geneviève lui toucha légèrement le bras.

— Moi aussi, je suis sous le choc depuis la mort d'Armand, dit-elle sur un ton poignant. Nos pertes sont de nature différente, évidemment, mais je ne peux pas m'empêcher de sentir que les vôtres sont d'une certaine manière plus grandes que l'on pourrait le croire à prime abord.

Les larmes, qui étaient devenues une menace permanente ces derniers temps, embuèrent de nouveau les yeux de Krisztina ; c'était cette fois la sensibilité singulière de l'aînée qui les provoquait.

— Les vraies amitiés, poursuivit Geneviève ne se créent pas du jour au lendemain, Krisztina. Comme la plupart des choses en évolution, elles ont besoin de temps pour prendre racine et devenir fortes ; mais il arrive parfois, comme pour l'arbre de Judée, qu'elles fleurissent avec une rapidité étonnante.

Elle fit une pause.

— Je ne peux pas remplacer votre mère... je n'essaierai même pas de le faire, mais j'espère qu'avant longtemps vous sentirez que vous avez une amie ici.

Krisztina se mordit les lèvres. Elle cherchait les mots appropriés pour répondre, mais elle savait que si elle ouvrait la bouche, elle se mettrait à pleurer.

— Peut-être, poursuivit Geneviève, aimeriez-vous passer quelques minutes seule ici. J'ai toujours trouvé ce lieu réconfortant.

Krisztina avala sa salive et hocha la tête.

— Merci. Je crois que j'aimerais bien rester un peu ici.

— Vous trouverez votre chemin toute seule ?

— Nous ne sommes pas loin du château, j'ai mes repères. En tout cas, Moïse me montrera la route, dit-elle en esquissant un sourire.

Seule, Krisztina descendit l'allée centrale jusqu'aux prie-Dieu du premier rang ; les semelles en cuir souple de ses bottes glissaient sans bruit sur les dalles ; elle s'assit.

Si seulement je pouvais prier. Cela lui était impossible depuis cette nuit d'épouvante avec son père. À présent, les yeux clos, ses mains gantées croisées sur ses genoux, elle résistait à cette sourde révolte qu'elle avait contenue depuis qu'elle avait consenti au mariage.

— Je vous salue Marie, pleine de grâce, s'entendit-elle murmurer. Ses yeux brûlaient sous ses paupières.

Mais son cœur se rebellait. « J'ai trahi David, maman et moi-même. Si les vœux que j'ai faits hier étaient des simulacres, alors, mes prières d'aujourd'hui en seront également. »

Elle ouvrit les yeux et rencontra les visages souffrants du Christ et des deux larrons crucifiés.

« Là où est David maintenant, il n'y a pas de synagogue, » pensa-t-elle avec un immense chagrin.

Tout à coup, ses nerfs éprouvés par le calme de la chapelle, Krisztina se leva et se précipita vers la porte.

XI

Laurent rentra de sa promenade à cheval le visage rouge et les yeux brillants. Ils déjeunèrent tous trois dans une pièce agréable du premier étage qui donnait sur la roseraie, décorée de meubles en noisetier mordoré.

« Allons-nous déjeuner ici tous les jours ? se demanda Krisztina en regardant défiler les lourds plateaux d'argent apportés de la cuisine du sous-sol. Ou est-ce seulement parce que c'est un jour de fête ? »

— Le foie gras le plus délicat du pays, dit Laurent avec enthousiasme en s'essuyant la bouche avec sa serviette. Vous ne mangez pas, ma chérie ?

— Vous élevez des oies à de Trouvère ?

— Depuis le début du siècle. Saviez-vous que ce fut un pâtissier alsacien, du nom de Jean-Joseph Clause, qui perfectionna ce pâté ? Un vrai génie.

— Je doute que les oies soient d'accord avec vous.

Il releva un sourcil en marque de surprise.

— Vous n'aimez pas ?

— Cela me révulse. C'est trop cruel.

Il haussa les épaules.

— Ce domaine est une exploitation agricole, Krisztina. Des fermiers ne peuvent pas se permettre d'être sentimentaux, n'est-ce pas, maman ?

Geneviève ne fit aucun commentaire.

« J'ai épousé un fermier, pensa Krisztina, l'air absent. Pas un danseur, un fermier. »

Le déjeuner terminé, Krisztina se retrouva seule. Laurent et sa mère s'étaient excusés car ils avaient à discuter des affaires du baron Armand.

« Qu'attend-on de moi maintenant ? se demanda-t-elle en frappant ses talons dans l'un des couloirs vides du rez-de-chaussée. Rien, je suppose, puisque c'est un jour de repos. Je pourrais aller chercher Moïse et faire une autre promenade; ou bien je pourrais écrire à maman ; ou bien explorer la maison. »

Elle se mit en route, armée d'une liste assez vague des différentes pièces que Laurent lui avait énumérées lors de leur arrivée la veille. Ses talons claquèrent sur les parquets et les dalles ou s'enfoncèrent sans bruit dans les profondeurs des tapis des Gobelins ou d'Aubusson. Elle essaya de relier chaque nom avec ce qu'elle trouva derrière chaque porte en chêne massif.

Certaines pièces étaient facilement identifiables : le *salon chinois,* plein de meubles laqués, gravés de façon exquise et d'objets en jade. La salle de la chasse où chaque vitrine contenait des objets d'art, où chaque mur et même le plafond étaient consacrés à la chasse. Le charmant salon bleu et le fumoir masculin où l'air, malgré les deux fenêtres ouvertes, restait lourd des relents du tabac, des odeurs des feux de bois et du parfum du cognac.

Elle trouva deux salles à manger de parade, l'une immense, l'autre plus intime, et à leur suite, le *salon rouge* ; elle découvrit aussi ce qu'elle supposa être la pièce où la famille dînait le plus souvent, pas moins élégante que les autres, mais manifestement plus utilisée.

Lentement, rêveusement, elle monta le fantastique escalier baroque ; sa main caressait la surface froide de la balustrade en marbre orné. À mi-hauteur, elle s'arrêta. L'escalier se partageant en deux ailes blanches jusqu'aux galeries éblouissantes du premier étage, irait-elle à droite ou à gauche ?

« C'est presque une version miniature de l'escalier monumental de Rastrelli, le Jourdain, dans le Palais d'Hiver de St-Petersbourg », lui avait dit Laurent la veille.

Au premier étage, elle traversa la salle de musique, silencieuse comme un tombeau, mais impeccablement cirée, avec un grand piano Bechstein et une immense harpe sous une housse, les deux seuls meubles de la pièce. Toutefois, en passant par une porte secondaire, Krisztina trouva dans une espèce de vaste placard un véritable orchestre d'instruments à cordes et de cuivres soigneusement rangés.

Quittant la salle de musique et refermant doucement la porte derrière elle, elle faillit se heurter à Sutterlin, le majordome, un Alsacien presque chauve, à l'allure distinguée et à l'expression distante, et qui avait été à la tête d'un comité d'accueil embarrassé lorsqu'elle était arrivée avec Laurent.

— Bonne année, Monsieur Sutterlin. Laurent et sa mère l'appelaient simplement par son nom, mais Krisztina jugea qu'il serait presque discourtois de sa part de faire de même.

— Bonne année, madame.

— Je suis contente de ma petite exploration, expliqua-t-elle avec ce besoin qu'éprouve un nouvel arrivant de rendre compte de son intrusion dans des pièces fermées.

— Puis-je vous être de quelque assistance, madame ?

Elle secoua la tête.

— À moins que vous ne m'indiquiez ce que j'ai peut-être manqué. Elle énuméra les pièces déjà visitées.

Sutterlin réfléchit un instant.

— Madame, je pense que vous aimeriez la salle fleurie et le salon d'été. Il réfléchit encore. Et la salle au miroir.

— Merci, dit Krisztina en souriant. Tout cela est à cet étage ?

Sutterlin la guida vers le côté ouest. La salle fleurie et le salon d'été formaient une continuité naturelle. La salle fleurie était une pièce tendre, créée par quelque esprit indubitablement féminin, un entassement de décors floraux que Krisztina jugea tout à fait accablant. Quant au salon d'été, contrastant avec le paysage hivernal, il était gai et représentait ce qu'elle supposa être le lac de Trouvère en été : effervescence de fleurs et d'eau bleue parcourue de cygnes, et le *temple d'amour* au loin, habité par un couple d'amoureux non identifiables.

Mais ce fut la salle au miroir qui, curieusement, lui donna le plus de joie. Pour la plupart des gens, c'était sans doute un remarquable exemple de l'art rococo ; mais pour Krisztina, le stuc légèrement argenté et le bois sculpté encadrant l'immense miroir où se reflétait le coucher de soleil précoce ne représentaient qu'une chose : la danse de studio dans toute sa perfection, même si elle est parfois extravagante.

Elle referma rapidement la porte, trouva les commutateurs et fut aussitôt éblouie par les chandeliers.

Tombant sur ses genoux, Krisztina gratta le bord du tapis jusqu'à ce qu'elle réussît à en soulever un coin. À sa grande joie, sous le tapis, elle trouva un parquet.

« Mon premier acte en tant que baronne, décida-t-elle subitement. Je vais leur demander de retirer ce tapis et de faire installer un gramophone. Si Laurent ne veut pas danser, je danserai toute seule. » Sa confiance vacilla. « À moins que Geneviève n'élève une objection. Mais non, elle n'aura pas d'objection. »

À dix heures, Laurent suggéra que chacun se retire pour la nuit, ces deux premiers jours ayant été fatigants. L'éclat de ses yeux lorsqu'il regarda Krisztina lui donna un frisson au creux de l'estomac.

Ils montèrent ensemble le grand escalier, côte à côte, mais sans se toucher. Laurent ne prit le bras de Krisztina qu'au point de séparation de l'escalier. Il la guida vers la gauche, ce qui les rapprocha de quelques pas de l'escalier privé plus commode qui menait au second étage.

Malgré la porte fermée du petit salon et les deux étages intermédiaires, Krisztina entendit le carillon de l'horloge grand-père sonnant onze heures. Impossible de retarder encore l'échéance. Elle examina une fois de plus son visage blême et immobile dans le miroir, regarda l'éclat de ses cheveux qu'elle avait longuement brossés dans tous les sens, leva le menton, se redressa et pénétra dans la chambre à coucher.

Toutes les lumières étaient éteintes hormis la lampe de chevet.

« Dans le noir, pensa-t-elle distraitement en quittant son négligé de satin blanc, je peux m'imaginer que je suis avec David. »

Laurent était à demi allongé, à demi assis ; deux gros oreillers maintenaient son torse surélevé. Il portait un pyjama de soie noire bordé d'une étroite bande écarlate ; l'écusson familial rouge était finement brodé sur sa poche. Il paraissait maître de lui et observait chaque mouvement que faisait Krisztina. Seul le faible frémissement de la cicatrice de sa joue trahit sa tension au moment où elle le rejoignit sous les couvertures.

Krisztina tourna son visage vers lui et s'efforça de sourire. Il y répondit en prenant sa main et en caressant l'anneau de mariage à son doigt, puis il porta sa main à ses lèvres. La peau était chaude et sèche, et cette première caresse réconfortante.

« Dieu merci, malgré tout, nous sommes au moins des amis », pensa Krisztina. Ce mariage était sans doute étrange, il n'était sans doute pas souhaitable, mais c'était un marché conclu par désespoir et à cause d'un amour contrarié. C'était un contrat qu'elle avait l'intention d'honorer.

Regardant son visage, elle constata pour la centième fois que Laurent était décidément très beau ; elle réalisa alors avec un éclair de soulagement mêlé de culpabilité que ce ne serait pas un devoir insurmontable que de reposer à côté de ce corps mince et vigoureux ; un corps que d'une certaine façon elle connaissait intimement et avec lequel elle avait virtuellement fait l'amour sous l'œil scrutateur du public de toutes les salles de danse européennes ; elle se dit aussi que ces mains qui l'avaient tenue et guidée avec tant d'assurance et de sensibilité devaient être sensuelles ; des mains intelligentes dans l'amour. Tout cela en définitive ne serait sans doute pas un cauchemar hideux car, mêlé à la multitude des émotions, il y avait en Laurent de Trouvère un curieux trait de vulnérabilité qui ne laissait pas de l'émouvoir.

— Krisztina, ma belle, dit-il tout à coup, d'une voix qui la tira de ses pensées, savez-vous depuis combien de temps j'attends ce moment ?

Elle hésita et répondit :

— Non.

Le regard de Laurent était fixe.

— Je rêve de vous depuis plus de cinq ans, mais dans ces rêves, vous étiez de marbre, comme une statue.

Krisztina ne répondit pas. Si c'était vrai, elle en était alarmée car une fois évanoui le mirage de l'amour, il resterait peu de chose de ce mariage supposé résister à tous les coups de la vie. Or, il fallait que ce mariage fonctionne ! C'était crucial pour leur marché, car s'il ratait, qui se battrait pour David ?

Prenant son silence pour de la modestie, Laurent posa ses mains timidement, presque avec ferveur, sur les bras de Krisztina et l'attira vers lui pour l'embrasser. Krisztina ferma les yeux pendant le temps que dura ce baiser, demeurant droite et passive. Quand il la lâcha, elle tendit le bras en arrière et éteignit la lampe.

— Non, chérie, s'il-te-plaît.

Elle arrêta son geste et regarda Laurent d'un air interrogateur.

Les yeux de Laurent étaient suppliants.

— Je serais particulièrement heureux, dit-il presque humblement, si tu laissais la lumière allumée.

Elle lâcha le commutateur.

— D'accord, dit-elle doucement.

— J'ai tant envie de te regarder, dit-il en souriant.

— Oui, je sais, répondit-elle en hochant la tête.

Il passa lentement ses bras autour d'elle et elle ferma de nouveau les yeux, pensant cette fois que son parfum était tout à fait différent de celui de David. Elle le respira pour l'analyser : une eau de cologne plus épicée peut-être et... fumée du feu de bois ; mais oui, bien sûr, la fumée s'attardait encore dans ses cheveux.

Les mains fortes mais douces de Laurent commencèrent à caresser ses épaules et ses bras. Ce n'était pas la même chose qu'avec David : sa chair alors la brûlait de désir. Mais c'était loin d'être déplaisant. Lorsqu'il caressa ses seins à travers le satin de sa chemise de nuit, elle aurait malgré tout voulu s'enfuir loin de lui et du domaine de Trouvère. Mais elle se souvint de son vœu et s'imposa de se détendre. Rouvrant les yeux, elle vit son visage ravi d'étonnement et de joie quand ses doigts réussirent à durcir le bout de ses seins sous le satin blanc. Elle pensa alors que sa façon de faire l'amour ressemblait presque à un rituel d'adoration, et cette idée la troubla et la fit trembler malgré elle. Aussi, quand il fit glisser les bretelles étroites de ses épaules, elle ne se sentit pas poussée à résister, et la culpabilité qu'elle s'efforçait de réprimer s'en trouva grandie et menaça de la suffoquer.

— Mon amour, murmura-t-il ; il cacha son visage entre ses seins, et tandis que son vieux rêve devenait réalité, tandis que le marbre de ses nuits solitaires et frustrées se métamorphosait en chair chaude et parfumée, il poussa un cri bref, et Krisztina crut sentir des larmes sur sa peau.

— Nue, murmura-t-il tout à coup en s'écartant d'elle. Son pylama de soie lui paraissait insupportable, il s'y sentait enfermé, paralysé. Il arracha violemment sa veste, faisant voler en l'air un petit bouton rouge, défit son pantalon d'un coup de pied, repoussa rudement la couverture, et enfin, tira la chemise de nuit blanche de Krisztina. Ensuite, il se tint immobile pendant de longs instants, sur ses genoux, regardant la beauté surprenante et entièrement exposée de sa jeune épouse.

Il tenta furieusement de démêler la soudaine confusion qui surgissait entre son cœur et ses sens. Une partie de son être désirait lui faire l'amour lentement, doucement, longuement ; la prendre tendrement, adorer chaque particule d'elle, ainsi qu'il convenait pour la déesse que sa poursuite insistante avait fini par créer dans son esprit. Mais en même temps que ses yeux parcouraient les seins ravissants, les hanches aux courbes voluptueuses et la toison dorée du pubis, il se dit qu'il ne désirait que la posséder, violer cette douceur, s'emparer d'elle, plonger en elle. Tandis que ses pensées l'écorchaient vif, son pénis devenait immense, ses yeux s'assombrissaient et son cœur battait au grand galop.

Krisztina l'observait. Son corps également semblait se séparer de sa conscience. De ses joues à ses orteils en passant par ses seins, sa peau commençait à rosir de désir, son souffle devenait plus court ; elle sentit entre ses cuisses une humidité qui la surprit et l'embarrassa. Elle avait l'impression que son esprit restait à l'écart ; qu'il se souvenait de sa douleur d'avoir trahi David et calculait le prix de sa promesse pendant que sa chair suivait son désir, préparant pour le mari une sève douce et accueillante...

Soudain, Laurent fut à côté d'elle sur le drap, ses bras durs et forts noués fermement sur elle ; ce qui pendant quelques minutes avait ressemblé à la contemplation d'une œuvre d'art se changea instantanément en une réalité tangible et effrayante car ce qui était en train de se passer fut ressenti par Krisztina comme de la sexualité sans amour. C'était un accouplement animal, voluptueux, excitant et horrible. Lorsque les mains de Laurent, féroces et possessives, écartèrent ses cuisses et qu'elle le sentit la pénétrer, elle ferma les yeux aussi hermétiquement qu'elle le put et tenta d'invoquer son amour dans son imagination désespérée.

Alors, elle eut la révélation subite que là se trouvait peut-être la plus grande des trahisons : toute cette hypocrisie ne pourrait lui apporter que chagrin et honte. Aussi ouvrit-elle tout grands ses yeux et regarda sans ciller son mari dans les yeux. C'est alors que toute sensation régressa puis mourut en elle ; une voix s'éleva dans son cerveau qui répétait sans cesse : pas David, plus jamais David, mais pour David. Et quand Laurent se projeta en elle à grands coups de hanches, glissant sauvagement, voracement, jusqu'au crescendo muet de l'extase, une autre pensée se précisa dans sa tête, lui apportant la détente et le réconfort d'une étrange absolution.

Un marché est un marché.

Plusieurs minutes plus tard, Laurent se dégagea enfin d'elle et s'assit, la poitrine en sueur.

— Je ne t'ai pas fait mal, constata-t-il.

Elle sourit sans comprendre.

— Non.

— Une vierge ressent de la douleur.

Son souffle resta dans sa gorge.

— Souvent, oui, réussit-elle à répondre sans broncher.

Des secondes passèrent encore.

— Je voudrais te battre, dit Laurent enfin, la voix encore blanche.

Elle ne répondit rien.

— Mais je ne peux pas battre ma femme à cause de ma propre folie. Il eut un sourire amer et pâle. Ni parce que je l'aime, ajouta-t-il.

Souhaitant recouvrir sa nudité, Krisztina se redressa lentement.

— Tu as perdu ta virginité à Berlin, dit Laurent.

Krisztina sentit la chaleur monter à ses joues.

— Tu le sais, répliqua-t-elle, essayant de ne pas paraître sur la défensive ; mais en vain.

— Tu as raison, évidemment. Il eut un rire bref, dur. Mais jusqu'à ce soir, ce n'était pas réel.

Timidement, sentant qu'il avait besoin de réconfort, elle tendit sa main et toucha son bras droit, mais il fléchit et s'écarta comme si elle tenait une cigarette allumée.

— Et le pire, poursuivit-il, le pire de tout, c'est de savoir que je suis en faute.

Elle hésita.

— Parce que c'est arrivé... dans ta chambre ?

Il acquiesça de la tête, les mâchoires serrées.

— Tu ne pouvais pas le savoir, dit-elle avec sérénité.

Il regarda ailleurs, comme s'il ne supportait pas son regard scrutateur.

— Non, dit-il durement.

— Laurent, tu as agi par amitié à l'époque.

Il secoua la tête, toujours incapable de la regarder en face.

— Non, répéta-t-il. Par amour.

Un sentiment de culpabilité d'une autre nature commença à poindre en Krisztina. Elle comprenait pour la première fois peut-être à quel point elle s'était montrée égoïste en s'imaginant qu'elle était la seule personne à éprouver des sentiments. Si elle essayait de séparer ses émotions, de les voir du point de vue de Laurent aussi bien que du sien, peut-être cela l'aiderait-il à survivre dans ce mariage. Non, rectifia-t-elle en hâte, cela nous aiderait à survivre tous les deux.

Sa nudité exposée lui devenant désagréable, elle sortit lentement du lit, trouva sa chemise de nuit sur le sol et l'enfila par la tête.

— Krisztina ! L'anxiété qu'elle perçut dans la voix de Laurent la surprit.

— Quoi ?

L'expression de Laurent avait changé de nouveau, devenant suppliante.

— Ne me quitte pas.

Elle sourit.

— Je vais seulement...

— Non ! Je ne voulais pas dire... Il était comme un gamin qui fait un cauchemar. Ne quitte pas de Trouvère !

Étonnée, elle fit rapidement le tour du lit et s'assit près de Laurent.

— Je ne veux pas te quitter, ni le domaine. Nous venons seulement...

Il lui saisit la main.

— Je te jure de tenir ma parole !

— Quoi ?

— Je vais essayer de retrouver David, de le faire relâcher ! Il était au bord de la crise d'hystérie, sa poigne était presque violente.

— Laurent, mon chéri, dit-elle doucement, dissimulant son inquiétude. Je te crois. C'était la promesse que tu...

— Et je la tiendrai !

Il lâcha sa main d'un coup, sauta du lit et ouvrit le tiroir de sa table de chevet.

— Dois-je te le prouver ? Veux-tu que je te l'écrive avec mon sang ?

Il fouilla sauvagement dans le tiroir.

— Laisse-moi trouver quelque chose avec quoi me couper et...

— Laurent, arrête !

Les yeux écarquillés, Krisztina le poussa et ferma le tiroir.

— Ce n'est pas nécessaire de me prouver quoi que ce soit. Je t'ai dit que je te croyais. Je t'en prie, calme-toi.

— Et si je ne réussis pas à le retrouver ?

Son visage était blanc comme de la craie, il y avait des larmes dans ses yeux.

— Et s'ils ne veulent pas le relâcher ? Tu me quitteras, non ?

Très doucement, elle mit ses bras autour de lui et le tint ainsi. Cette agitation la troublait. Il trembla encore violemment pendant quelques minutes, puis il s'apaisa peu à peu. Ils purent alors s'asseoir ensemble au bord du lit, le mari blotti contre le sein de sa femme. Krisztina réfléchissait sur le comportement de son époux. Jusqu'à cette heure, leur différence d'âge avait semblé énorme, l'expérience de Laurent paraissait bien plus vaste que la sienne. Et soudainement, elle avait l'impression qu'il était, et de loin, le plus jeune ; qu'il avait besoin d'être protégé de ce qu'elle comprenait être sa propre instabilité.

Inutile de tenter d'échapper à la vérité. Les bases de leur mariage étaient monstrueuses. David était peut-être à des milliers de kilomètres dans quelque camp de concentration, mais il était près d'elle en dépit de tout, il était ici, dans ce château qu'il n'avait jamais vu, il était dans son cœur à elle, et dans l'esprit de Laurent.

Lentement, patiemment, son bras ankylosé par le poids de Laurent, Krisztina se dégagea de cette étreinte épuisante.

— Tu t'en vas ? murmura-t-il.

— Je ne vais qu'à la salle de bains, le rassura-t-elle.

Il lui prit encore la main, calmement cette fois, et la porta à ses lèvres. Il la baisa et la lâcha.

— Tant d'émotions, dit-il sur un ton apaisé.

— Oui.

— Emmagasinées depuis trop longtemps.

Elle l'embrassa sur la joue.

Dans la salle de bains, elle éclaboussa son visage d'eau tiède, le sécha à petits coups répétés, puis elle se laissa tomber sur le tabouret recouvert d'une serviette. Ses jambes tremblaient, elle se sentait comme si elle avait eu à lutter contre un cyclone ; un tourbillon de sentiments enchevêtrés se déchaînait dans sa tête. Jamais elle n'avait été aussi épuisée. Elle avait froid aussi, elle serrait ses bras autour d'elle pour trouver un peu de chaleur, recroquevillée dans la splendeur marbrée de cette salle.

— Krisztina ?

Elle entendit Laurent l'appeler à travers la porte fermée.

— J'arrive, cria-t-elle.

Une nouvelle pensée la frappa, qui lui fit peur. Et si elle allait être enceinte ? Laurent lui avait déjà dit qu'il désirait des enfants, mais dans ces circonstances, elle était certaine que ce serait une erreur terrible. S'il lui fallait créer une espèce de stabilité, il fallait que ce fût fait avant qu'un enfant innocent ne vînt au monde.

« Mon Dieu, je t'en supplie, fais que je ne sois pas enceinte. » Elle respira profondément. Il lui fallait trouver un médecin, quelqu'un qui se montre discret et compréhensif, quelqu'un qui puisse l'aider.

Elle vit en esprit l'image de sa mère agenouillée dans l'église, et elle pensa avec chagrin qu'Ilona serait profondément affligée à la seule idée d'un quelconque contrôle des naissances. Il était donc essentiel pour elle que cet aspect de son union restât absolument secret, d'autant plus qu'elle était entrée dans une vieille famille solidement ancrée dans le catholicisme.

« La contraception est un péché », diraient-ils tous en manière de condamnation, et ils appelleraient le père Périgot.

« Un bébé né dans le malheur est un péché encore plus grand », pensa-t-elle avec défi. Se regardant dans le miroir qui recouvrait un mur entier de la salle de bains, elle constata que ses yeux étaient limpides et résolus. Pas de bébé. Pas encore. Le marché était scellé.

XII

La situation s'aggravait en Alsace. Krisztina s'adaptait à son nouveau rôle, parfois péniblement, parfois plus confortablement. Elle regardait aussi l'hiver se dissoudre dans un printemps enchanteur bientôt remplacé par un été précoce. Mais en même temps, elle se rendait compte que la guerre les happait sûrement, inexorablement.

Des renforts militaires arrivèrent à Strasbourg, on rappela les réservistes, on retira l'argent des banques strasbourgeoises. Fin août, la population fut invitée à partir « pendant que c'était encore possible ». Geneviève était furieuse.

« Les lâches ! Les poltrons ! Notre famille vit ici depuis 1917, elle a traversé la guerre, la paix et l'invasion, il nous faudra plus qu'une bande d'Allemands pour nous faire bouger ! » Les lignes téléphoniques internationales furent coupées, et Krisztina fut privée du luxe d'une conversation hebdomadaire avec sa mère. On décréta le couvre-feu, on distribua des masques à gaz et des cartes d'évacuation. Ce qui n'était au début qu'une alerte évolua en un véritable torrent.

Le 1er septembre, l'Allemagne attaqua la Pologne et, le lendemain, l'armée alsacienne fut mobilisée. Une évacuation générale fut ordonnée. Plus des trois quarts des travailleurs quittèrent de Trouvère, mais la famille et les employés les plus anciens, les plus fidèles aussi, demeurèrent sur place, Laurent en tête, exempté du service sous les drapeaux parce que les produits de l'exploitation agricole étaient considérés comme une contribution essentielle à l'effort de guerre.

L'armée était partout, mais ce ne fut qu'en mai 1940 que la guerre débuta sérieusement. On entendait les bombardements depuis le centre du département du Haut-Rhin, pourtant lointain. La Ligne Maginot tint jusqu'à la mi-juin et ce fut alors que l'armée française commença à faire retraite, ce qui consterna les Alsaciens. « Traîtres ! rageait Geneviève scandalisée. Ils nous abandonnent sans même combattre ! Pour la première fois, je suis heureuse qu'Armand ne soit plus là pour assister à une semblable abomination. »

À l'aube du 18 juin, Strasbourg était virtuellement une ville fantôme, ouverte sans défense à l'ennemi. Dans la nuit, les Allemands traversèrent le Rhin et avancèrent jusqu'à Benfeld, à trente kilomètres seulement de Trouvère. Lorsque l'armistice fut signé, mettant fin aux combats, on put voir du sommet du château un long fleuve de prisonniers français s'étirant sur les routes, et il ne fut que trop clair que si la guerre ne faisait que commencer dans la plupart des pays d'Europe, pour la France et pour l'Alsace, elle était déjà perdue.

Le 28 juin, Adolphe Hitler vint admirer sa nouvelle conquête ; la Werhmacht fut promptement mise en place. On introduisit l'heure allemande et l'on ordonna le couvre-feu. En quelques mois, la plupart de ceux qui avaient été évacués vers le sud-ouest revinrent, et les Allemands s'efforcèrent de convaincre les habitants de la région que la vie sous le Reich serait meilleure que sous le gouvernement français.

Le chef de l'administration civile nouvellement nommé en Alsace, le Gauleiter Robert Wagner, donna clairement à comprendre que la province serait alignée sur le Reich en toutes choses. Les fonctionnaires allaient être rééduqués sans délai. Les lois raciales allemandes entreraient en vigueur, et tous les éléments « indésirables » et « politiquement non fiables » seraient déportés. Ils étaient désormais les maîtres, les nouveaux seigneurs ; et si au début leurs ordres étaient persuasifs, presque bienveillants, leurs voix devinrent bientôt stridentes et impérieuses.

En juillet, le haut-allemand devint la seule langue officielle autorisée ; la langue française fut bannie. Des cours d'allemand furent offerts gratuitement, mais quand le peuple refusa de l'apprendre, la répression se fit plus rude, allant jusqu'à l'emprisonnement. En août, on « demanda » aux Alsaciens de changer leurs noms à consonance française. En décembre, les autorités réclamèrent tous les livres français dans le but d'aider à la « purification » de toutes les bibliothèques publiques et privées ; des membres des Jeunesses hitlériennes collectèrent les livres dans les maisons de Strasbourg ; ils furent ensuite brûlés dans l'Orangerie devant trois mille personnes.

— C'est scandaleux ! s'exclama Geneviève à Laurent et Krisztina après une visite à la capitale alsacienne au printemps suivant. Ils ont supprimé presque tout ce qui était en français. Il n'y a plus le mot *lettres* sur les boîtes à lettres ; dans le café où j'ai mangé un pauvre sandwich, j'ai vu que les robinets des toilettes avaient été repeints parce qu'il y était inscrit *chaud* et *froid*.

— C'est totalement absurde ! dit Krisztina dans un éclat de rire.

Geneviève fit un vigoureux hochement de tête, ses joues empourprées de colère.

— Je crois qu'ils sont aussi fous que méchants ! Madame Piquart, qui tient la papeterie de la Place Broglie, m'a dit qu'ils avaient détruit toutes ses photos représentant nos hommes en uniformes français. Même les légendes de ses cartes postales ont été surimprimées en allemand !

Ils étaient assis dans le salon rouge après le dîner, les chiens loups autour de l'âtre vide et Moïse, comme toujours, aux pieds de Krisztina. Laurent, fatigué de sa journée de travail, était assis à côté de sa femme sur le canapé, et fumait une cigarette.

— Puis-je mettre la radio ? demanda Krisztina.

— Pourquoi faire ? dit Geneviève sèchement. Pour entendre la propagande nazie ? Elle regarda son fils avec froideur.

— Maman, soupira Laurent, n'était-ce pas déjà suffisamment insensé de déchirer le protocole ? Voulez-vous à présent contrevenir aux lois ?

— Oui, répliqua-t-elle, ses yeux gris prenant des reflets d'acier. En fait, cela me ferait grand plaisir.

Quelques mois auparavant, chaque famille avait reçu un billet imprimé rappelant que l'écoute des radios étrangères était désormais passible des travaux forcés. Dès qu'il reçut ce papillon, Laurent s'empressa de le coller sur le poste de radio. Sa mère, exaspérée, l'avait arraché.

Ce n'était pas la première querelle violente entre eux depuis l'invasion allemande. Le jour même de la proclamation du bannissement de la langue française, Geneviève et Krisztina, d'un commun accord, cessèrent de parler en allemand le soir ; en revanche, Laurent laissa se glisser des phrases allemandes dans ses propres conversations, et il commença à donner ses ordres aux employés soit dans le patois régional que nombre d'entre eux parlaient, soit même en haut-allemand. Ces employés fidèles se trouvaient au centre d'une triste discorde familiale : d'un côté, madame la baronne et la jeune baronne – ainsi nommaient-ils Krisztina en privé – et de l'autre le maître du domaine, ménageant la chèvre et le chou, mais visiblement prêt à basculer de l'autre côté.

Sutterlin seul eut l'audace de manifester ouvertement son désaccord.

— Sutterlin, je vous prie, faites seller Seigneur, demanda Laurent un matin en allemand.

— Immédiatement, Monsieur le Baron.

Laurent avait sourcillé.

— Vous ne savez donc pas qu'il est interdit de parler français en Alsace ?

— Mais si, Monsieur le Baron. La réponse fut donnée d'un ton ferme et respectueux.

Geneviève qui passait justement dans le grand hall eut un petit rire.

— Je me demande pourquoi tu ne changes pas aussi les noms des chevaux, Laurent. Bien que personnellement, je trouverais « Herr » bien ingrat pour ce bel étalon.

Laurent rougit.

— Ce sera tout, Sutterlin. Quand le majordome fut parti, Laurent se tourna vers sa mère, l'air coléreux. Est-ce nécessaire de me faire passer pour un imbécile devant les domestiques, maman ?

Elle lui lança un regard froid.

— Tu n'es pas obligé de te conduire comme un imbécile.

— Je ne considère pas que ce soit une imbécillité d'obéir à la loi.

— Quelle loi ? répliqua Geneviève. L'accord d'armistice ne mentionne pas l'Alsace.

— Quoi qu'il en soit, ils sont ici, n'est-ce pas, et ils commandent. Conscient qu'ils pourraient être entendus, il parla plus doucement. De plus, maman, je dois vous dire que je les trouve tout aussi courtois qu'avant.

— Si tu trouves que des voleurs peuvent être courtois !

— Mais pour eux, c'est la France qui leur a volé ce territoire. Vous oubliez que cette province appartint à l'empire germanique pendant presque cinquante ans.

— Que sont cinquante ans dans le cours de l'histoire ?

Les yeux de Geneviève étincelaient.

— Si ton père t'entendait à présent, il serait désespéré !

— Il penserait surtout à l'avenir de de Trouvère, maman, exactement comme je le fais maintenant. C'était un homme intelligent.

— C'était un patriote.

À la suite de cette scène, la situation ne s'améliora pas entre la mère et son fils et le soir où Geneviève fit la description de ce qu'elle avait constaté à Strasbourg, Krisztina fut troublée de voir que leurs relations étaient de moins en moins affectueuses, pire peut-être, de moins en moins confiantes, même si l'amour fondamental demeurait.

— Il n'y a presque rien de convenable à acheter dans les magasins, dit Geneviève à Krisztina. Et quelqu'un qui ne connaîtrait pas la ville pourrait se perdre sans arrêt à cause de ces nouveaux noms ridicules qu'ils ont donnés aux rues. La Place Broglie s'appelle maintenant Adolf Hitler Platz. Madame Piquart et moi avons craché sur le panneau.

— Voila qui est digne ! dit Laurent d'une voix calme, et intelligent en plus... Si vous voulez qu'on vous arrête !

Geneviève l'ignora.

— L'avenue Jean-Jaurès est devenue la Horst Wessel Allee, la rue des Juifs, c'est la Mauerzunftgasse. Mon coiffeur est maintenant un *friseur* et la Banque de France est la Reichsbank.

Elle fit une pause pour reprendre haleine.

— Et si vous avez des enfants, mes chéris, ils devront fréquenter une *Oberschule* lieu d'un lycée et faire partie de la *Hitlerjugend* !

Sa voix singulièrement passionnée et forte résonna dans le silence qui tomba sur le *salon rouge*. La seule mention des enfants suffisait à plonger Laurent dans la morosité. En effet, il ne se passait pas un mois sans que son optimisme ne soit anéanti ; dans ces moments-là, Krisztina se sentait coupable de la déception ainsi infligée, mais plus que jamais elle était convaincue que ce n'était pas le moment de mettre une nouvelle vie au monde. Aussi feignait-elle de partager les regrets de Laurent et priait pour que s'évanouisse sa mauvaise humeur.

Ce fut trois jours après que Geneviève, par pur hasard, tomba sur le secret de Krisztina.

Les deux femmes allaient partir pour une promenade à cheval quand Krisztina s'aperçut qu'elle avait oublié ses gants. Comme elle était déjà en selle et que Geneviève souhaitait dire un mot à Marthe Schneegans, la cuisinière, au sujet du déjeuner, elle offrit à sa belle-fille d'aller les lui chercher.

— Où sont-ils, chérie ?

— Dans le tiroir du haut de la commode, à côté de la coiffeuse, je crois. Mais je vais y aller moi-même, belle-mère. Elle voulut descendre de cheval.

— Mais non, chérie, attendez-moi ici, répondit Geneviève. Les chevaux vont s'énerver. Je n'en ai que pour quelques minutes.

Ayant parlé à Marthe, Geneviève alla dans le petit cabinet de Krisztina, mais elle ne trouva dans le tiroir que des gants de peau noirs et une autre paire en coton blanc. Elle tira le second tiroir, sans succès ; elle ouvrit alors hâtivement le tiroir du bas et fouilla parmi un mélange d'écharpes, de lingerie et de lettres, tout en souriant devant ce désordre. Krisztina était toujours si nette, si soignée ; Geneviève était amusée de découvrir que le même chaos régnait dans leurs armoires respectives. C'était un autre trait qu'elles avaient en commun.

Elle trouva d'abord la photo. Ses yeux la parcoururent avec un intérêt modéré, pensant d'abord qu'il s'agissait d'une photo de Krisztina et Laurent prise au cours d'une compétition. Mais lorsqu'elle vit que le partenaire qui la tenait par la taille n'était pas Laurent mais un autre homme, aux cheveux bruns et aux yeux rieurs, elle examina plus attentivement le visage de Krisztina. Elle y vit une expression de joie pure qu'elle ne lui avait jamais vue.

« Ah ! pensa-t-elle immédiatement. La perte. La vraie perte. »

Elle glissa rapidement la photo sous la pile de bas de soie. Ses doigts rencontrèrent alors un petit étui et sans en avoir vraiment l'intention, car elle n'était pas d'une nature curieuse, elle regarda de plus près et comprit d'après l'étiquette ce qu'il contenait.

Elle écarquilla les yeux, visiblement troublée. Voilà donc pourquoi Krisztina n'avait pas d'enfant ; ce n'était pas par la volonté de Dieu, comme elle l'avait supposé jusqu'ici.

Les émotions se succédèrent en elle. D'abord choquée, puis surprise de la duperie de Krisztina ; et ensuite, vint la colère, nette et violente, réaction de défense instinctive de son fils. Et enfin, la déception.

Retirant son gant droit, elle ouvrit la boîte et considéra avec dégoût le petit diaphragme reposant douillettement à l'intérieur ; puis elle referma l'étui d'un coup sec et le remit en place au fond du tiroir, qu'elle repoussa sèchement.

— Je n'ai pas trouvé vos gants, expliqua-t-elle brièvement à Krisztina en se mettant en selle. Je vous en ai apporté une paire à moi.

Ce ne fut qu'au retour de cette promenade, deux heures plus tard, que Krisztina trouva l'occasion de questionner sa belle-mère sur son changement d'humeur apparemment inexplicable.

— Quelque chose ne va pas, belle-mère ?

— Non. Pourquoi cette question ?

— Vous avez l'air... bouleversée... en colère, même.

Geneviève la dévisagea un moment et se décida.

— Allons dans la bibliothèque. J'aimerais bavarder un peu avec vous.

En tête à tête dans la pièce douillette envahie de livres, Krisztina regarda Geneviève avec inquiétude.

— De quoi s'agit-il, belle-mère ?

— Asseyons-nous, Krisztina, voulez-vous.

Toutes deux prirent place dans de confortables fauteuils en cuir, usés et craquelés tant ils étaient anciens.

— Tout d'abord, commença Geneviève, je vous dois des excuses.

— Pourquoi ?

— J'ai fait une chose impardonnable. Je me suis immiscée dans votre vie privée.

Elle fit une pause puis reprit avec franchise.

— Comme vous le savez, je cherchais vos gants, et comme je ne les trouvais pas dans le tiroir supérieur, ainsi que vous me l'aviez suggéré, j'ai ouvert les autres tiroirs.

Le visage de Krisztina devint blême.

— Évidemment, j'aurais dû me contrôler davantage et regarder ailleurs, dit Geneviève avec calme, mais les humains sont fragiles ! Puisque j'avais découvert la petite boîte, il m'était impossible de faire semblant, fût-ce pour moi-même, de ne l'avoir pas vue.

Krisztina resta silencieuse, ses mains serrées sur ses genoux ; la cravate qu'elle portait autour du cou la gêna subitement.

— Ma chère, je sais que votre intimité ne me concerne pas vraiment, mais enfin, je suis profondément affectée. Je suis sûre que vous avez vos raisons pour tromper ainsi mon fils...

— Pour lui épargner la vérité qui lui serait pénible ! explosa Krisztina.

Geneviève conserva son maintien.

— Personnellement, j'ai toujours préféré la franchise, dut-elle être douloureuse.

— Moi aussi. La réponse était sans passion.

Geneviève tapota la main de Krisztina.

— Je vous crois.

Puis après une hésitation :

— J'ai souvent eu l'impression que vous vous sentiez encore seule ici, et je réalise maintenant combien votre mère vous manque. J'avais pensé que nous pourrions nous rapprocher, que vous me considéreriez comme votre amie... mais si vous pensez que vous ne pouvez pas avoir confiance en moi...

— Mais si, j'ai confiance en vous.

— Alors, parlez-moi, ma chérie. J'aimerais comprendre vos raisons, ou du moins, m'y efforcer.

— Mes raisons. Krisztina ne put dissimuler l'amertume de sa voix.

— Vous parlez comme s'il s'agissait d'un acte criminel.

— De nombreux catholiques considèrent ainsi la contraception. Un crime contre la loi naturelle. Vous savez cela, Krisztina.

— Bien sûr, je sais cela. La procréation est le premier but du mariage, cita-t-elle sur un ton neutre.

— C'est juste.

— Mais même le dernier pape a compris que les temps changeaient.

— Il approuve les moyens *naturels,* rectifia Geneviève. Elle secoua la tête.

— Quoi qu'il en soit, cela vous concerne personnellement, vous et votre conscience, pas votre belle-mère. Mais cela concerne Laurent. Si vous avez choisi de ne pas avoir d'enfants, il aurait sans doute le droit de savoir pouquoi.

— S'il réfléchissait un peu, il comprendrait pourquoi.

— Mais... Il ne sait pas que vous vous servez d'un diaphragme ?

— Non.

Geneviève se leva un instant pour ôter sa veste de cheval, puis s'assit de nouveau, l'air grave.

— Krisztina, Laurent est-il un mauvais mari ?

— Pas du tout.

Geneviève plissa le front.

— Est-ce en raison de son attitude par rapport à l'annexion ?

Krisztina regarda sa belle-mère dans les yeux.

— En partie, oui.

Les yeux de Geneviève étaient tristes.

— Sur ce point, je peux sympathiser avec vous, ma chérie. Pour moi aussi, son attitude est un coup dur.

— Il croit protéger de Trouvère pour l'avenir.

Geneviève réfléchit un moment.

— Armand n'aurait pas compris, dit-elle à mi-voix. Toutes les occasions lui eussent été bonnes pour se rebeller contre les nazis.

— Sans doute Laurent n'aurait-il pas réagi ainsi si votre mari avait été encore en vie.

Geneviève eut un pâle sourire.

— Vous avez peut-être raison. Il se peut que mon fils ne soit pas tout à fait à la hauteur des responsabilités qui lui sont tombées dessus.

— Il aime de Trouvère plus que tout au monde, belle-mère.

— Et pourtant, il en est resté éloigné pendant des mois !

— Pour la danse.

Geneviève sourit.

— Et pour vous.

— Oui.

— Il me semble que la danse était en fait un symptôme de la confusion qui était en lui, dit lentement Geneviève.

— Je n'ai jamais pensé que Laurent fût un être confus, dit Krisztina. Il savait exactement ce qu'il voulait.

Geneviève hocha la tête.

— Quant au sujet de son obsession... la danse, Laurent était... est... très doué, mais pour la plupart des hommes dans sa position, la danse est un passe-temps, et non une raison d'être, comme ça l'était devenu pour lui.

— Et maintenant, il ne veut plus danser du tout.

— Ce que vous devez ressentir comme un malheur.

Le regard de Geneviève se fit un peu plus chaleureux.

— Bien que vous ayez ici votre studio. Elle appuya sur ce dernier terme avec amusement. La salle au miroir que Krisztina avait découverte lors de son arrivée au château était devenue son refuge favori. Il ne se passait guère de jours sans que le miroir ne la voie se plier et s'étirer pendant une heure ou deux ; cet effort purement physique lui permettait d'évacuer toutes ses tensions négatives accumulées.

— Laurent n'a même pas envie de parler danse, pas même en tant que souvenirs.

— C'est l'une des causes de sa confusion, dit Geneviève. Cela lui manque, mais il éprouve un complexe de culpabilité à cet égard. Il pense qu'il aurait dû rester ici pour aider son père, et pourtant, il aurait bien voulu rester éloigné du domaine pour toujours. Un esprit libre. Il a toujours été persuadé que de Trouvère serait une charge autant qu'une joie. Étant enfant, il jouait au baron, il affichait des mines et des grâces que nous avons dû réprimer. Il aimait de Trouvère, comme vous le dites, parce qu'il avait le sentiment que c'était *sa* possession. Et pourtant, il en est parti. Il est plein de contradictions, résuma-t-elle avec une petite grimace. En bref, c'est un homme malheureux.

— Et maintenant, j'ajoute à son malheur parce que je ne veux pas concevoir une nouvelle vie dans des conditions aussi instables.

— Vu sous cet angle, fit franchement Geneviève, il m'est difficile, en tant que femme et non en tant que catholique, de vous blâmer.

Krisztina resta muette.

— Mais je ne peux m'empêcher de penser, ma chérie, – laissons Laurent de côté pour le moment – que peut-être le jeune homme de la photo...

Elle se tut devant l'expression stupéfaite de Krisztina.

— Elle était dans le même tiroir... je suis désolée.

Elle poursuivit après un silence.

— J'ai l'impression qu'il pourrait bien ne pas être étranger à vos sentiments. Ai-je raison ?

Une rougeur s'éleva lentement du cou de Krisztina à ses joues.

— Oui. Sa voix n'était plus qu'un souffle.

— Votre précédent partenaire ?

Krisztina acquiesça de la tête.

— Mais beaucoup plus qu'un partenaire.

Un autre « oui » à peine audible.

— Ma chérie, vous m'avez dit que vous aviez confiance en moi. Vous ne voulez pas me faire partager davantage ?

Le ton de Geneviève s'était considérablement radouci. Elle désirait tant comprendre. Enfin, les larmes trop longtemps retenues brûlèrent les yeux de Krisztina : le moment était venu de se soulager de son fardeau.

— Ainsi, mon fils n'est guère plus qu'un maître-chanteur. Le visage de Geneviève était devenu tendu et pâle, sa voix était morne.

— Belle-mère il a agi par amour.

— Vous le défendez ?

— Je crois, dit Krisztina doucement, que je commence à le comprendre.

La baronne secoua la tête, encore profondément bouleversée.

— Pas étonnant que vous ne vouliez pas d'enfants de lui.

— Pas maintenant du moins.

Toutes deux restèrent silencieuses un moment.

Geneviève reprit enfin :

— Vous devez réaliser maintenant que Laurent ne peut plus aider David. Même s'il avait pu obtenir quelque chose avant la guerre, il est trop tard à présent.

— Oui.

Krisztina osa à peine formuler la question qui obsédait son esprit depuis des années. Elle dut avaler plusieurs fois sa salive, ses lèvres étaient comme engourdies.

— Aurait-il pu faire quelque chose avant ?

Geneviève eut l'air lugubre.

— Vous me demandez s'il vous a menti ?

Elle haussa légèrement les épaules.

— J'espère que non, de tout mon cœur. Il est vrai qu'Armand avait des relations à l'ambassade de Berlin.

Il se peut qu'ils aient fait quelque chose.

Il y avait un réel chagrin dans son regard.

— Mais maintenant, tout est trop tard, répéta-t-elle.

— Je sais.

— Malgré cela, vous voulez rester avec lui ?

— Je ne peux pas blâmer Laurent parce qu'il y a la guerre.

— Ma petite, je me demande si je pourrais être aussi généreuse.

Krisztina se leva, ses genoux tremblaient tant elle était troublée et tendue.

— J'ai fait un vœu en épousant Laurent : en dépit de tout, je prendrai soin de lui, même si c'est en tant qu'amie plus qu'en tant qu'épouse.

Elle respira profondément.

— Et puis, il y a de Trouvère. Impossible de ne pas tomber amoureuse de ce château.

Elle fit une pause.

— Et puis, il y a vous.

Geneviève se leva. Les deux femmes s'enlacèrent, leurs visages recouverts de larmes.

— Je voudrais vous montrer quelque chose, dit Krisztina après quelques instants de silence.

— Quoi ?

— Une lettre.

Elle regarda Geneviève dans les yeux et sut aussitôt qu'elle pouvait lui faire confiance.

— De David.

Geneviève eut l'air surpris.

— Quand... Oh ! vous voulez sans doute parler d'une ancienne lettre.

— Pas si ancienne. Elle est arrivée ici il y a quatre mois, mais elle a été écrite plus d'un an avant.

Elle prit la main de Geneviève.

— Venez, elle est dans ma chambre.

Dans son petit salon, Krisztina remit à sa belle-mère une petite enveloppe rectangulaire, de pauvre apparence et légèrement déchirée sur les bords.

Geneviève regarda fixement l'enveloppe.

— Êtes-vous sûre de vouloir que je la lise ?

— Absolument certaine.

La bouche de Krisztina frémissait, elle serra sa lèvre inférieure avec ses dents.

— Elle paraît si fragile, n'est-ce pas, et pourtant, elle a cheminé de l'Allemagne en Palestine, puis de là-bas jusqu'en Hongrie, et enfin jusqu'ici grâce à ma mère. Asseyez-vous, belle-mère.

Geneviève s'assit, et Krisztina approcha un petit tabouret pour elle-même.

— Laurent se trompait en disant qu'il devait être à Dachau ou à Buchenwald, poursuivit-elle. Il était à Sachsenhausen, un camp situé au nord de Berlin.

Elle ferma les yeux, les larmes perlaient sous ses paupières.

— C'était tout près, et je ne l'ai jamais su.

Geneviève regarda l'enveloppe ; c'était visiblement une vieille enveloppe de réexpédition, sur laquelle un nom et une adresse inconnus avaient été grattés avant qu'on y ait péniblement inscrit : «Florian Krisztina Kisasszonyt, rue Kalvaria », en pattes de mouches.

— C'est écrit de sa main, expliqua Krisztina avec fierté. Bien que sur d'autres lettres plus anciennes que je pourrais vous montrer, l'écriture était droite et forte.

Quelques secondes passèrent. Krisztina couvrit la main de Geneviève de la sienne.

— Je vous en prie, lisez.

Avec tendresse, Geneviève ouvrit l'enveloppe et en retira une feuille unique de papier fragile, d'un bleu passé, et dont le coin droit était taché de graisse. Elle était légèrement froissée, et Geneviève eut l'impression qu'une main l'avait patiemment aplanie, avec amour, peut-être pendant des heures. La même écriture fine recouvrait la page d'un seul côté.

« Si bref », pensa-t-elle ; sa sensibilité était frappée par la minceur du message qui, pour celle qui l'avait reçu, représentait une espèce de miracle. Si... pathétique.

Elle lut en allemand :

Mon aimée,

Trop peu de temps, trop peu d'espace, trop peu de force, mais cela doit suffire pour l'éternité.

Beaucoup sont morts ici, beaucoup sont en train de mourir, moi, je vis toujours et je reste ton David. On entend des rumeurs, certains d'entre nous seront bientôt déportés. À Riga, dit-on.

Riga, c'est très loin. Trop loin. Je crois que je ne survivrai pas. Mais ne pleure pas, mon aimée, ma joie la plus pure. J'ai pleuré en trouvant ce feuillet, car il m'apparut si beau. Je me suis souvenu de tes yeux. Ma Kriszti. Tout en grâce, en douceur, en fragrance et en amour.

Si tu trouves mes parents, partage ce feuillet avec eux, car je n'en ai trouvé qu'un.

Mon corps s'anéantit, mes cheveux sont blancs, mais mon cœur et mon âme sont remplis de toi.

David.

Geneviève tendit la main comme une aveugle pour empêcher que ses larmes ne souillent le papier. L'atmosphère était pleine de fantômes, elle les sentait, ils lui caressaient les joues, lui tordaient l'estomac, picotaient la racine de ses cheveux, déchiraient son cœur.

Elle leva la tête et vit que Krisztina aussi les sentaient, mais elle n'en avait pas peur.

— Ce que vous éprouvez vous fait du mal, belle-mère, dit Krisztina d'une voix unie. David désirait m'épargner, mais il sort de ce feuillet quelque chose qui va au-delà.

Geneviève était incapable de parler.

— Mais l'amour est plus fort, acheva Krisztina.

Geneviève hocha la tête et très doucement, elle remit la lettre et l'enveloppe dans les mains de Krisztina. Elles étaient froides et les siennes tremblaient, remarqua-t-elle tout à coup.

— Il pensait que je l'attendais à Budapest.

— Et que ses parents étaient libres. La voix de Geneviève sortait rauque de sa gorge serrée.

— Non. Il savait trop de choses pour penser cela. Peut-être l'espérait-il tout au plus.

Les larmes revinrent à ses yeux, mais elles ne coulèrent pas.

— Mais il était seul.

Le silence dura de longs moments.

— Pensez-vous qu'il se trouve à Riga ? demanda Geneviève lentement, prudemment.

— Je n'en sais rien.

Geneviève insista.

— Pensez-vous qu'il soit mort ?

Krisztina eut un petit soupir.

— Il me semble que je le sentirais s'il l'était.

— Mais vous n'en avez pas l'impression.

— Non.

À présent, les larmes roulaient lentement.

— Et je sais maintenant que je ne le ressentirai jamais ainsi parce qu'il est trop vivant en moi.

Elle s'interrompit et regarda Geneviève.

— Mais je sens, que Dieu me pardonne, qu'il est perdu pour moi.

— Peut-être. Quand la guerre sera finie ? dit Geneviève après avoir retenu sa respiration.

— Je n'y crois pas, belle-mère. Elle serra la lettre sur son cœur. Je ne crois pas le revoir jamais.

XIII

Parfois, le personnel de de Trouvère était porté à croire qu'il y avait deux guerres en cours : l'une qui étendait ses féroces tentacules destructrices à travers le monde, et une autre qui sévissait moins visiblement mais non moins passionnément à l'intérieur du château.

De Trouvère devint un centre d'activité sous l'occupation allemande. L'Alsace était coupée du reste de la France ; les importations avaient pratiquement cessé et la région vivait sur sa propre production, laquelle diminua rapidement. Toutefois, en partie grâce à l'amour de Krisztina pour les animaux, la situation de la famille était remarquablement saine. Au cours de l'évacuation qui précéda l'annexion, le bétail avait été abandonné dans la nature ; de nombreuses bêtes moururent de faim ou servirent de cibles à l'entraînement des soldats. Ayant été mise au courant de leur triste condition, Krisztina s'était mise à l'œuvre. Elle employa le personnel disponible au rassemblement du plus grand nombre de bêtes possible, de sorte que le domaine disposa bientôt d'un petit troupeau de vaches laitières.

Laurent n'avait pas tardé à convertir en capital la compassion de sa femme. Dès l'annonce du rationnement, il prit contact avec les services du Gauleiter Wagner à Strasbourg et offrit ses produits aux Nazis. Avec le retour des évacués et la situation économique qui s'était dégradée, le chômage se développait ; mais au domaine de Trouvère on embauchait car la moisson avait triplé, on cultivait des légumes, on nourrissait le bétail et les vignobles de Riesling prospéraient. Le tout avec la bénédiction des Allemands.

Les nazis avaient d'abord cru que la guerre se terminerait rapidement, et toute proposition d'incorporation des Alsaciens dans la *Wehrmacht* fut repoussée. Mais il s'avéra que la défaite qui mit fin à la bataille d'Angleterre et l'agression plus tôt que prévu contre la Russie contraignirent le *Gauleiter* à entamer une grande campagne de recrutement. On fit des promesses séduisantes, puis la machine de propagande passa à la vitesse supérieure. Malgré cela, seule une faible minorité d'Alsaciens se portèrent volontaires, et en août 1942, la conscription devint effective. Les mêmes facteurs qui avaient protégé Laurent d'une incorporation dans l'armée française le sauvèrent alors de la *Wehrmacht,* car la production du domaine de Trouvère était vitale pour l'effort de guerre allemand.

Quand Laurent informa Krisztina et Geneviève qu'il avait invité Hermann Bickler, le *Kreisleiter* de Strasbourg, à dîner au château, Krisztina fut la première à exprimer sa révolte.

— Tu n'attends tout de même pas de moi que je reçoive cet homme, Laurent !

— Si.

— Il n'en est pas question ! Geneviève était livide.

— Je vous en prie, maman, ne vous immiscez pas dans cette affaire. Bickler a exprimé le souhait de visiter de Trouvère, le lui refuser serait de la folie.

Ils étaient tous trois réunis dans la salle à manger familiale, juste après le déjeuner dominical. Geneviève frappait la table avec son poing, faisant trembler la porcelaine et le cristal.

— Pour l'amour du ciel, ce sont des assassins !

— Ils protègent l'Alsace, et ils sont pleins de sollicitude pour le domaine alors qu'ils auraient pu le laisser tomber en ruines.

— Tu es encore plus fou que je ne le pensais. Quand cela leur conviendra, ils *violeront* notre terre et nous laisseront sans rien.

— Ce que vous dites n'a aucun sens, coupa Laurent avec impatience. Quand le Kreisleiter sera là, vous et Krisztina vous efforcerez de parler allemand, je vous prie.

— Mon fils le nazi ! cracha Geneviève.

— Belle-mère ne dites pas cela.

Krisztina était calme.

— Nous ne gagnerons rien en nous disputant ainsi.

Elle était toute pâle de l'effort qu'elle devait faire pour se contrôler.

— Laurent croit sans doute qu'il nous protège. Il a peur d'agir autrement.

Laurent, furieux, frappa sur la table.

— Non seulement ma mère m'insulte, il faut encore que je me fasse traiter de poltron par mon épouse, je ne peux pas supporter cela !

Krisztina tenta de sourire.

— Je ne t'ai pas traité de poltron, je veux seulement dire que tu es angoissé. Il y a une différence.

— Laurent, je t'en prie, annule cette invitation, dit Geneviève sur un ton plus modéré.

— Impossible.

— Rien n'est impossible si tu as le courage nécessaire.

— Je ne manque pas de courage, maman. Je prévois simplement.

Sa colère retombait, lui aussi parlait plus courtoisement.

— Maman, tu vis dans le passé.

Geneviève se leva et dévisagea son fils.

— Non, Laurent. Je vis pour l'avenir.

— Cet homme, Bickler, doit penser beaucoup de bien de toi, dit Krisztina le soir de ce même jour, alors que Laurent et elle lisaient dans leur lit, pour qu'il désire venir dîner ici.

Laurent posa son livre.

— Il s'intéresse au château et à son histoire.

Elle sourit.

— Ne sois pas aussi modeste, Laurent. Il doit s'intéresser aussi à toi.

Laurent eut un geste d'indifférence.

— Il sait peut-être que je ne porte pas d'œillères aussi épaisses que certains autres Alsaciens et que, même si je désapprouve bien des choses qu'ils soutiennent, je comprends et apprécie leur professionnalisme, tout comme Bickler apprécie mon efficacité.

Son regard se durcit.

— Il sait aussi, contrairement à ma propre famille, que je suis fier d'être français, et je crois qu'il respecte cela.

Krisztina referma son livre.

— Eh bien alors, dit-elle aimablement, puisqu'il semble que vous soyez appelés à devenir de grands amis et que toi-même tu pourrais te trouver un jour dans les bonnes grâces du Gauleiter, tu serais peut-être en situation de te souvenir d'une ancienne promesse.

— Une promesse ?

— À ta femme.

Le visage de Laurent était blême.

— Il me semble même me rappeler que tu voulais l'écrire de ton sang.

Il se tourna vers elle, ses sourcils en broussaille.

— Tu veux parler de David ?

— Bien sûr. Elle était parfaitement calme.

Il la regardait, stupéfait.

— Krisztina, tu as sans doute réalisé qu'une fois commencées les hostilités, je ne pouvais plus rien faire pour lui, hein ?

— En effet.

Elle se tut un instant.

— Jusqu'à ce jour.

— Que veux-tu dire ?

— Jusqu'à ce jour où j'apprends que tu es considéré avec tant de bienveillance par le Kreisleiter et ses collègues.

— Le Kreisleiter est responsable des activités politiques, culturelles et économiques de cette région, ma chère, expliqua-t-il. Il ne sait rien des camps.

Il eut un petit rire défensif.

— Que voudrais-tu que je fasse ? Demander à Hermann Bickler de s'inquiéter d'un Juif qui est dans l'un de leurs camps de concentration... qui y est ou qui n'y est pas ?

— Exactement.

— Mais c'est impossible ! Même s'il voulait faire quelque chose, ce serait chercher une aiguille dans une meule de foin !

— Et si quelqu'un savait dans quel camp il est ?

— Mais nous ne savons pas, dit-il, agacé.

Krisztina fixait droit devant elle une tache sur le mur.

— Je crois qu'il est à Riga.

— Pourquoi dis-tu cela ?

Elle ne répondait pas.

— Krisztina ? La voix de Laurent était autoritaire.

— J'ai reçu une lettre.

— De David ?

Le ton était incrédule. Krisztina acquiesça d'un hochement de tête, sans le regarder

— Quand ? reprit Laurent.

— Il y a longtemps.

— Et tu ne m'en as rien dit ?

Elle secoua la tête.

— Il a dit qu'il était à Riga ? interrogea-t-il d'une voix cassante.

— Il était à Sachsenhausen, mais des bruits couraient qu'ils allaient être déportés à Riga.

Laurent resta silencieux un moment.

— Combien de lettres t'a envoyées ton amoureux ? demanda-t-il aigrement. Tu as une cache secrète ?

Elle le regarda enfin, la mine dédaigneuse.

— Crois-tu qu'il existe un service postal régulier à Riga ? Il n'y a eu qu'une lettre.

— Comment a-t-il réussi à l'envoyer ?

— Sans doute est-elle sortie en fraude de Sachsenhausen. Elle m'est arrivée via la Palestine et la Hongrie.

— Comme c'est touchant ! ironisa-t-il.

— Ne me pousse pas à te haïr, Laurent.

— Ne me hais-tu pas déjà ?

— Non. Elle s'était radoucie. Mais te laisser dominer par ta jalousie est indigne.

— Tu ne trouves pas que j'ai le droit d'être jaloux ?

— Laurent, je suis ta femme, dit-elle simplement. Je suis près de toi, alors que David est à des milliers de kilomètres d'ici, en train de pourrir dans un camp, si même il est toujours en vie. Tu n'as aucun motif d'être jaloux de lui.

— Vraiment ? Ses yeux étaient tristes. Je vis encore avec son ombre tous les jours. C'est toujours la même chose que lorsque nous étions partenaires, même lorsque nous dansions dans les bras l'un de l'autre, je savais que Kaufmann s'insérait entre nous, je savais que tu ne cessais de te rappeler comment c'était avec lui.

— Ce n'était pas vrai, et tu le sais.

— Si, c'était vrai ! Et c'est toujours la même chose depuis que nous sommes mariés. Nous faisons l'amour, mais toi, c'est à lui que tu penses.

Il eut un rire amer.

— On dit que les fantômes hantent les lieux dans lesquels ils ont vécu en tant qu'êtres vivants. David Kaufmann n'a jamais mis les pieds à de Trouvère, mais il t'habite, toi.

— Ce n'est pas vrai. Évidemment, je pense à lui, comment ne pas penser à un homme que j'ai aimé, à qui l'on a fait endurer Dieu sait quels tourments, et qui est peut-être mort.

Elle posa une main sur son bras.

— Mais moi, je ne passe pas mon temps à rêver au passé ; cela ne mène à rien, c'est gaspiller la vie.

Laurent agita son bras pour échapper à la main de sa femme.

— Laurent, je vis comme je peux. Tu es mon mari, pour le meilleur et pour le pire.

— Et nous avons conclu un marché. La voix de Laurent était froide comme l'acier.

— Oui, répondit-elle fermement. Nous voici revenus au début de cette conversation.

— Tu veux donc que je parle à Bickler.

— Mais tu ne le feras pas, n'est-ce pas ?

— Non.

Son intransigeance vacilla cependant.

— C'est impossible, Krisztina. Même s'il le voulait, il ne pourrait pas nous aider. De toute façon, il ne voudra pas.

— Et tu as peur de poser la question.

— Ce serait inutile, protesta-t-il. Ce serait prendre un marteau et abattre tous les avantages dont j'ai bénéficié.

Devenu presque suppliant, il acheva :

— Bickler n'est pas mon ami, chérie, crois-moi. Mais en tant qu'allié, il est aussi fort qu'il le serait en tant qu'ennemi.

Krisztina posa son livre sur la table de chevet.

— J'ai eu tort ce soir en assurant que tu n'étais pas un poltron, dit-elle. Tu en es bien un.

Le visage de Laurent s'assombrit.

— Tu es aussi un menteur.

— Je ne romps pas ma promesse, dit-il avec obstination. Il m'est tout simplement impossible de la tenir.

Elle éteignit sa lampe et ferma les yeux. Laurent était allongé, très calme. Le silence dura longtemps.

— M'aimes-tu seulement ? demanda-t-il enfin et la peur reparut sur ses traits.

Krisztina ouvrit les yeux et étudia son beau visage embarrassé mais arrogant.

— De moins en moins, répliqua-t-elle.

Le Kreisleiter Bickler vint dîner en compagnie d'un collègue, René Schlegel, chef de la propagande à la commission municipale récemment installée à Strasbourg. Il apportait aussi les bons souhaits du Gauleiter. Geneviève, fidèle à ses convictions, refusa absolument d'assister au dîner, et ce fut Laurent qui expliqua que son absence était due à une migraine. Krisztina toutefois, obéissant à un étrange sentiment du destin, revêtue d'une robe de velours noir qui lui allait à merveille, prit place face à son mari, répondant aussi cordialement qu'elle put.

Le moment le plus répugnant de la soirée vint lorsque Laurent, sortant du fumoir où les messieurs s'étaient retirés après le dîner, pria Krisztina d'aller chercher son appareil photo dans son petit salon.

— Komm herein ! s'écria-t-il jovialement quand elle revint avec le Leica. Nos amis m'ont fait l'honneur de me proposer de nous prendre tous les deux en photo. Ma chérie, veux-tu ?

— Réglez-le sur elle d'abord, dit Bickler sur un ton de condescendance.

Quelques jours plus tard, Laurent envoya deux excellentes reproductions encadrées et dédicacées : « En souvenir d'une soirée exquise » au Kreisleiter et à Schlegel, et accrocha le troisième exemplaire en face de la tapisserie du *salon rouge*.

Dans l'heure qui suivit, Geneviève déchira la photo et brisa le verre. Laurent, décidé à accrocher une nouvelle photo au même endroit, fit réparer le cadre, mais à la onzième heure, le courage lui manqua pour affronter sa mère, et la photo fut reléguée dans son bureau privé.

Trois mois après ce dîner, alors que la photographie de Laurent et de ses amis nazis était toujours accrochée au-dessus du bureau de son mari, Krisztina commença à comprendre l'étrange attitude fataliste qui avait plané au-dessus d'elle le soir de la visite de Bickler.

C'était un après-midi de décembre froid et blafard, et Krisztina disposait de quelques heures plaisantes à son fourneau, Marthe Schneegans, leur excellente cuisinière, ayant pris sa journée de congé.

Elle confectionnait un plat hongrois qu'elle aimait bien. Elle jetait du paprika, du poivre en grains et des petits oignons dans une grande marmite de bouillon de poulet mijotant doucement lorsqu'elle entendit frapper à la porte de la cuisine. Moïse, dont la fourrure noire et brillante était devenue ces derniers temps un peu plus terne et se parsemait de poils blancs, cessa d'être attentif à ce qui le faisait saliver ; il s'assit et dressa les oreilles.

On frappa de nouveau. Krisztina s'essuya les mains à son tablier et se dirigea vers la porte.

Une jeune fille attendait à l'extérieur, âgée d'environ quinze ou seize ans, cheveux noirs et yeux en amandes. Elle portait une jupe bleu clair et un gilet tricoté noir sur un corsage blanc à col montant, et pour se couvrir, elle n'avait qu'un châle noir fait au crochet. Pourtant, bien que son haleine se transformât en vapeur dans l'air froid, elle ne semblait pas ressentir les rigueurs de l'hiver.

— Bonjour, madame. Ses yeux verts examinaient Krisztina avec attention.

Deux ou trois secondes passèrent. Moïse ne gronda pas. Krisztina avait l'impression qu'on l'évaluait. Cependant cet examen, bizarrement, ne l'inquiétait pas.

— Que puis-je faire pour vous ?

De sa main droite, la jeune fille frôla le chiffon rouge qui recouvrait le panier tressé suspendu à son coude gauche. Elle sembla réfléchir un moment encore, puis, brusquement, elle se décida.

— Vous êtes la baronne de Trouvère ?

— En effet.

La fille retira sa main du panier.

— Vous espériez peut-être trouver Marthe ?

— Non. C'est vous que je cherchais, madame.

La surprise de Krisztina ne dura qu'un moment. On savait que malgré les efforts rigoureux des nazis pour éliminer d'Alsace toute la *Résistance,* des poches actives se maintenaient, combattant la propagande allemande, dénichant des informations et aidant les prisonniers de guerre évadés. Le printemps 1941 avait vu un attentat manqué contre le Gauleiter Wagner ; on avait lancé des grenades sur sa voiture à Strasbourg. Depuis, la Gestapo avait pris des mesures sévères, écrasant de nombreuses organisations, arrêtant des douzaines de gens dont beaucoup furent condamnés à mort.

Cela n'empêchait pas la formation de nouveaux réseaux, sans interruption.

— Voulez-vous entrer ?

La jeune fille secoua la tête.

— Je préfère rester dehors. Elle fit un geste vers le panier. Si quelqu'un vient, j'ai des conserves à vendre.

— Que voulez-vous ?

— Votre aide. Les yeux fendus en amande se plantèrent de sang-froid dans ceux de Krisztina.

La veine temporale de Krisztina battit un grand coup.

— Quel genre d'aide ?

La jeune fille lança un coup d'œil derrière Krisztina, s'efforçant de regarder dans la cuisine et au-delà.

— Il n'y a personne d'autre que moi ici, dit Krisztina gentiment.

Les yeux verts se fixèrent de nouveau sur elle.

— Vous savez qu'il y a eu un bombardement ?

Krisztina hocha la tête, à peine capable de parler. Un sentiment d'intense excitation mêlé de crainte commença à la parcourir.

La jeune fille parla à voix basse.

— La nuit dernière, un avion s'est écrasé près de Thannenkirch. Des Anglais. Deux hommes ont été tués, trois survivent.

— Vous les avez ramassés ?

— On les a trouvés.

— Blessés ?

— L'un a un bras cassé, les deux autres ont des coupures et des ecchymoses, rien de grave.

Krisztina attendit.

— Nous avons besoin d'un lieu sûr, dit la jeune fille.

Krisztina la dévisagea avec embarras.

— Madame, voulez-vous les abriter ?

— C'est impossible. Un regret réel perçait dans la voix de Krisztina. Elle aurait tant voulu aider. Durant ces quelques minutes, elle réalisa que cette guerre était ce qu'elle avait attendu inconsciemment, cette guerre qui aurait donné un sens à son existence sans but.

— Pourquoi impossible ? La voix de la jeune fille était devenue imperceptiblement plus dure.

— Parce que...

Krisztina hésita, détestant partager ses craintes personnelles avec une inconnue. Elle respira fortement.

— Parce que de Trouvère n'est pas sûr.

— Vous avez des celliers.

— Oui, mais on s'en sert pour les vins.

— Ils s'étendent sous le château entier, dit la jeune fille. Il existe une partie vide du côté ouest, près de la chaudière, il y fait trop chaud pour y stocker le vin.

Elle fit une pause.

— Là, c'est en sécurité.

— On charge la chaudière plusieurs fois par jour.

— C'est Jacques Schneegans qui le fait, dit la jeune fille très sûre d'elle.

Krisztina était ébahie.

— Comment savez-vous tout cela ?

— C'est notre affaire de savoir ce genre de choses.

La jeune fille attendit un instant.

— Alors, ils peuvent venir ? Seulement pour quelques jours, jusqu'à ce que l'on puisse organiser leur évasion.

La peur envahissait Krisztina, une boule serrée et compacte, mais le picotement d'excitation demeurait ; c'était presque de la jubilation.

— Madame ?

Elle fixa la jeune fille. Elle savait tant de choses ; que savait-elle sur Laurent ? Loyal ou non, ce serait folie de prétendre qu'il serait désireux de protéger trois aviateurs britanniques à de Trouvère.

— Mon mari... commença-t-elle.

— Monsieur le baron a des amis haut placés, répliqua la jeune fille promptement. La Gestapo ne songerait pas à perquisitionner ici.

Krisztina avala sa salive.

— S'il les découvrait.

Elle se mouilla les lèvres...

— Je ne peux pas répondre de ses réactions. Je ne crois pas qu'il les dénoncerait, mais...

— Il y a toujours des dangers, madame, mais monsieur le baron ne visite jamais les celliers du côté ouest, et il ne s'agit que de quelques jours.

Le cœur de Krisztina se mit à battre la chamade et Moïse, sentant son agitation, jappa doucement et se serra contre la cuisse de sa maîtresse.

— Eh bien, madame ?

— Il faut d'abord que j'en parle avec ma belle-mère. Je ne peux pas prendre une décision aussi importante sans son assentiment.

— Le temps presse.

— Alors, je suis obligée de refuser.

— Vous êtes la baronne à présent, madame, dit la jeune fille d'une voix unie. Et de plus, vous savez qu'elle sera certainement d'accord.

— Oui, c'est vrai. Krisztina ferma les yeux un moment. Geneviève préférerait mourir plutôt que de les renvoyer. Elle ouvrit les yeux et fixa ce visage calme et apparemment invincible.

— Amenez-les !

Ils n'étaient pas comme elle se les était imaginés, mais à ce moment, elle ne savait plus très bien ce qu'elle avait imaginé. Des héros ? À quoi ressemblaient des héros ? À n'importe qui d'autre, elle s'en rendit compte après sa rencontre avec cette jeune héroïne anonyme, trois jours plus tôt. Elle savait que ces hommes volaient sans protection dans le ciel nocturne, prêts à se battre contre un ennemi invisible, décidés à lâcher leurs bombes mortelles, à détruire, à estropier, à tuer. Des héros. Si elle se les était vraiment représentés, sans doute aurait-elle vu des hussards éclatants de couleurs, fiers et flamboyants.

Il s'avéra que c'étaient des hommes blêmes et inquiets. Ils ressemblaient davantage à des écoliers vulnérables tombant de fatigue et de peur. Celui qui s'était cassé le bras, sa veste de cuir drapée autour de ses épaules, avait la peau la plus blanche des trois, un teint presque lumineux ; Krisztina toutefois mit cela en partie sur le compte de ses cheveux roux, en partie sur le compte de la souffrance causée par sa fracture.

La jeune fille les avait amenés à l'heure convenue, lorsque Laurent était occupé loin de la maison, à l'entrée de la cave inutilisée qu'elle avait repérée au cours de ses rondes de reconnaissance autour du château. C'était une espèce d'écoutille recouverte de végétation et fermée par quelques planches humides en train de pourrir.

Elle donna du mou aux planches en faisant le moins de bruit possible, puis elle fit signe aux hommes de se glisser par l'ouverture, le blessé étant aidé par les deux autres. Elle secoua ensuite la main de Krisztina avec vigueur.

— En cas d'ennuis, voyez Schneegans.

Krisztina ouvrit tout grand les yeux.

— Il est au courant ?

— Non, car c'est moins dangereux pour lui de cette façon, mais si vous avez des problèmes, on peut se fier à lui, il nous contactera.

Krisztina en vint à se demander, non sans quelque ironie, pourquoi sa propre sécurite devrait être de moindre importance que celle de Jacques, mais elle se retint de poser la question.

— Vous pourriez clamer votre ignorance, expliqua la jeune fille, devinant ses pensées, et l'on pourrait vous croire. Mais Schneegans serait fusillé.

Un frisson parcourut l'échine de Krisztina.

— Ce nest qu'une question de jours, dit la jeune fille.

— J'espère, rétorqua Krisztina avec ferveur. Comment saurons-nous que vous êtes prêts ?

— Si tout va bien, vous n'en saurez rien. On ne vous demandera pas de nous aider à les faire évader. Ils s'en iront tout simplement sans rien dire.

Krisztina la regarda fixement.

— Vous êtes très brave.

La jeune fille leva les épaules.

— Pas vraiment.

Les yeux verts étaient plus énigmatiques que jamais.

— Ce serait humiliant d'être autrement.

Elle se tut et jeta un coup d'œil à la ronde.

— Allez, dit-elle, et elle poussa doucement Krisztina vers l'écoutille. Je vais replacer les planches.

Krisztina épia par l'ouverture et vit les visages des trois hommes levés vers elle. Elle se félicita brièvement d'avoir songé à enfiler sa culotte de cheval.

— Venez, madame, encouragea le blessé.

Elle s'assit sur le bord, posa ses deux mains fermement sur la bordure en bois éclaté et se glissa en bas. Des bras forts lui entourèrent la taille et elle atterrit en douceur sur le sol en pierre.

— Merci, dit-elle, mais personne ne répondit.

Elle les guida en silence dans la pénombre, heureuse d'avoir pu examiner les lieux à l'aide d'une lampe torche la veille au soir. Geneviève montait la garde ; il serait en effet facile de s'égarer dans ce dédale souterrain divisé en vastes surfaces ouvertes et en pièces de différentes dimensions, certaines bourrées de bois de chauffage et d'outillage pour la chaudière.

Plus ils s'éloignaient de l'écoutille, plus il faisait sombre, et pendant quelques moments, leur seule source de lumière fut la flamme dansante de la chaudière, à quelques douze mètres de distance.

Toujours silencieux, ils s'approchèrent de cette lumière, et l'atmosphère devint plus tendue à mesure que les flammes captives rugissaient comme un monstre en cage et que la chaleur devenait presque insupportable. Regardant derrière elle, Krisztina vit le visage du plus jeune des hommes : la peur y était inscrite.

— Ne vous inquiétez pas, dit-elle d'une voix basse mais nette. Ce sera mieux là où nous allons. Elle était certaine qu'il ne la comprenait pas, mais la note positive que contenait sa voix sembla le réconforter un peu. Elle leur fit prendre encore deux tournants et les fit entrer dans une pièce qui, supposa-t-elle, avait servi d'office autrefois, car elle comportait une porte, une vieille table en chêne, et suprême bénédiction, une étroite fenêtre dans le mur donnant sur l'extérieur.

— Il fait un peu plus frais ici, dit-elle, et les hommes se mirent à se parler entre eux à voix basse, dans un anglais rapide dont elle ne comprit pas un mot. Elle avait d'abord cru que le blessé s'appelait Skipper, car c'était ainsi que les deux autres le nommaient ; mais il se tourna vers elle et expliqua en français que son vrai nom était William Hunter et que ses camarades se nommaient Jim Miller et Eddie Cox et ne savaient dire en français que « bonjour » et « merci madame ».

Elle sourit au plus jeune, dont les cils étaient comme ceux d'un enfant, épais et d'un blond presque blanc, assortis à ses cheveux.

— Eddie ? Pour Edouard ? Il dit quelques mots à Hunter, et tous sourirent pour la première fois.

— Qu'a-t-il dit ? demanda-t-elle.

— Il aime votre accent, répondit-il. Mais elle était certaine qu'Eddie n'avait pas dit tout à fait cela.

— J'ai cru que vous vous nommiez Skipper, dit-elle à Hunter.

Il sourit de nouveau.

— C'est seulement le mot d'argot anglais pour capitaine.

— C'est vous le chef ?

Il leva ses sourcils en prenant un air humble.

— Eddie et Miller sont sergents-chefs. Moi, je suis capitaine dans l'aviation.

Krisztina pensa qu'il présentait fort bien, et qu'il était tout à fait différent des Hongrois ou des Français : très grand, très mince, un long visage fin qui lui rappelait un peu le faciès du lévrier ; un nez cassé attirant bizarrement l'attention sauvait toutefois ce visage de toute impression de fragilité. « Un homme élégant, pensa-t-elle, mais pas comme un danseur, plus bourru, plus solide. »

— Je volais sur le Wellington quand il est tombé, dit-il. Je suppose que c'est pour cela que je suis leur chef.

Elle eut l'impression qu'il avait mauvaise conscience à cause de cet atterrissage en catastrophe, comme si c'était entièrement sa faute et non celle de Hitler. Et puis elle se souvint que deux hommes étaient morts, et elle eut pitié de lui.

— L'avion est perdu ?

— Ne vaut guère mieux.

— Il y a des couvertures sous la table, dit-elle après un silence, surtout pour changer de thème. Et aussi quelques bougies et des allumettes. Elle regarda la fenêtre. Il était presque quatre heures de l'après-midi, et le peu de lumière qui filtrait à travers la saleté diminuait déjà.

Elle regarda le sergent aux cheveux bruns, Miller. Tous étaient sales, mais lui semblait le plus couvert de boue et de sang.

— Je voudrais pouvoir vous faire monter là-haut pour prendre un bain chaud et vous reposer d'un bon sommeil, dit-elle, sachant que seul Hunter la comprendrait, mais ne voulant pas ignorer les autres.

— Vous avez déjà fait assez, madame, dit le capitaine. Nous vous en sommes très reconnaissants.

— Je vais essayer de vous apporter de l'eau chaude et des serviettes plus tard, et je vous promets de quoi souper.

Ils entendirent un bruissement soudain, et les trois hommes eurent une sueur froide.

— C'est la baronne, les rassura Krisztina en apercevant Geneviève qui prenait corps peu à peu en approchant de la chaudière, telle une apparition.

— Je pensais que vous étiez la baronne, dit Hunter.

— Je le suis en effet, mais c'est ma belle-mère. Elle les présenta un à un, et Geneviève les salua chaudement et tranquillement, comme si cacher des officiers de la RAF dans son cellier était un événement tout à fait naturel.

— Je crains que votre confort ne soit pas celui que je souhaiterais, dit-elle dans un anglais limpide et impeccable, ce qui surprit tout le monde, singulièrement Krisztina qui ne comprit pas un mot.

Hunter regardait Geneviève, il avait plutôt l'air d'un homme en proie à un mirage, et Krisztina le comprit, car sa belle-mère, vêtue d'une jupe en tweed et d'un corsage de chez Chanel sous un cardigan orné de perles, apportait avec elle un style d'une qualité telle que l'ambiance de peur et d'incertitude sembla s'évaporer dans l'atmosphère, au moins pendant quelques instants.

— C'est beaucoup plus que nous ne pouvions espérer, madame, dit lentement le capitaine.

— Je ne savais pas que vous parliez anglais, dit Krisztina à Geneviève.

— Comment l'auriez-vous su ? sourit-elle. Je parle plusieurs langues que je n'ai guère l'occasion d'utiliser.

Elle regarda les hommes.

— J'admire beaucoup les Britanniques, messieurs. Herr Hitler ne vaincra jamais le stoïcisme des Anglais, et si par malheur il réussit à traverser la Manche, les Irlandais confondront les nazis par leur charme, les Écossais et les Gallois les massacreront.

Hunter eut un sourire épanoui et traduisit aux deux autres qui considérèrent Geneviève avec respect.

— Le capitaine Hunter parle un excellent français, commenta-t-elle. Cela les sauvera peut-être jusqu'à ce que le plus dur soit passé.

Elle regarda sa montre.

— Krisztina, nous devons monter avant qu'on ne remarque notre absence.

— J'ai dit aux hommes que nous leur apporterions à manger plus tard.

Geneviève hocha la tête.

— Ce ne sera pas possible tant que les autres ne seront pas couchés.

Krisztina parla gravement au capitaine.

— Laissez la porte fermée quand nous serons parties, je vous prie. Il y a un lavabo juste au coin, à votre droite, mais attendez que l'homme soit descendu s'occuper de la chaudière.

Elle ajouta en ayant l'air de s'excuser :

— Il ne faut pas que l'on voit la lumière des bougies à travers la porte, il vaudrait mieux les éteindre dès que vous entendrez des pas.

— Je crois que nous allons dormir pendant quelques heures, répliqua Hunter. Ne serait-ce que chacun notre tour. Nous sommes tous épuisés.

Geneviève toucha doucement la bretelle où reposait le bras cassé.

— Vous avez vu un médecin ?

Il hocha la tête.

— La nuit dernière. Il a mis des attelles. Il a dit que c'était tout ce qu'il pouvait faire.

— Vous devriez être à l'hôpital.

— C'est ce qu'il a dit aussi.

— Vous souffrez beaucoup ? demanda Krisztina.

Il lui sourit.

— Plus autant.

Il était minuit passé lorsqu'elles retournèrent au cellier, portant deux marmites en cuivre fumantes, l'une contenant de l'eau chaude pour la toilette, l'autre remplie de ce qui restait de la soupe au poulet à la hongroise de Krisztina.

— Ce n'est que nous, dit Krisztina doucement en approchant de la petite pièce plongée dans le silence. La porte s'ouvrit et elles entendirent l'un des hommes gratter une allumette pour rallumer en toute hâte la bougie qu'ils avaient soufflée.

Les trois hommes étaient réveillés, leur tension était palpable, surtout chez le jeune Eddie dont les yeux pâles brillaient, apeurés et fixes dans la lueur irréelle de la bougie.

— Tout va bien ? murmura Geneviève, incertaine quant à la diffusion possible des voix dans tout le château par le labyrinthe des colonnes chauffantes, surtout dans le profond silence nocturne qui régnait.

218

— Parfaitement, merci. Hunter était debout.

— Encore un instant. Les deux femmes disparurent dans le noir et reparurent quelques instants plus tard les bras chargés de provisions qu'elles avaient laissées en haut des marches du cellier.

— Serviettes et savon. Geneviève les déposa sur la table.

— Un rasoir. Krisztina ajouta au paquet précédent le petit couteau-rasoir que Laurent n'utilisait jamais.

— Des bols à soupe. Geneviève posa trois bols finement modelés, ornés de cailles frêles et de rameaux de verdure.

Le front de Hunter se plissa en les regardant.

— Seigneur, dit-il, en frôlant doucement de son doigt le bol vernissé.

Il écarquilla les yeux.

— Ce ne sont pas des copies ! s'exclama-t-il en français. Madame, ces objets sont précieux !

Geneviève mit un doigt sur ses lèvres pour l'inciter à se taire.

— Je sais, Capitaine.

— Ce sont d'authentiques Kakiemon, dit-il entre ses dents avec une excitation à peine contenue.

Elle considéra l'homme avec curiosité.

— Comment un pilote de la RAF peut-il en savoir autant sur la porcelaine japonaise ?

— Ma famille fait le commerce des antiquités, répondit-il, l'air absent et secouant la tête. Mais madame, ce ne sont pas des objets à utiliser couramment, et certainement pas par des militaires aux mains brutales.

Elle sourit.

— On remarquera sans doute moins l'absence de trois petites pièces retirées d'une grande collection que si elles étaient prises sur le service dont nous nous servons quotidiennement.

— Des cuillères, dit Krisztina avec une légère impatience. La soupe refroidit, belle-mère.

— D'accord.

Geneviève lui tendit une louche rutilante. Pendant que Krisztina servait le liquide épicé, épaissi de morceaux de poulets, de pommes de terre, de tomates et d'oignons, Geneviève plongea ses mains dans les vastes poches de son manteau de fourrure.

— Et voilà ! D'un grand geste triomphant, elle posa une petite pile de livres près des serviettes blanches.

— Bon sang ! dit Miller en ouvrant des yeux énormes. En anglais ! Agatha Christie !

— Un peu de littérature d'évasion pour vous rafraîchir l'esprit, dit-elle.

— Regarde, Eddie, dit joyeusement Miller. *Le meurtre de Roger Ackoyd*. C'est épatant ! Tu ne penseras plus à tes ennuis.

Eddie ne put esquisser qu'un faible sourire, et Krisztina le regarda avec inquiétude.

— Le Sergent Cox est un peu claustrophobe, expliqua Hunter. Il n'est pas à l'aise claquemuré dans un lieu étroit et sombre, cela le rend nerveux.

— Comment supporte-t-il alors de rester dans un avion ? s'étonna Krisztina. À des milliers de mètres au-dessus de la terre, en plein ciel ?

— C'est un tout autre homme dans les airs. On dirait qu'il y est chez lui.

— Ça va aller ? Et si cela doit durer quelques jours ?

— Nous allons veiller sur lui. Il regarda la soupe d'un air affamé. Si vous permettez... ?

— Oh ! bien sûr.

Elle se tut un moment.

— Oh ! j'allais oublier... Elle prit un tire-bouchon dans sa poche et regarda Geneviève.

— Belle-mère ?

— Bien sûr, chérie. Le rayon de sa lampe torche devant elle, Geneviève disparut pendant plusieurs minutes et revint avec deux bouteilles poussiéreuses.

— Château Pape-Clément, annonça-t-elle, rayonnante.

Il ne fut pas nécessaire de traduire.

— Bon sang ! s'écria de nouveau Miller. Du vin rouge. Juste ce que le médecin m'a prescrit !

Même Eddie, qui piquait comme un homme mourant de faim dans son poulet, lança un œil enthousiaste vers les bouteilles.

J'ai bien peur de ne pouvoir les ouvrir, dit Hunter avec regret en touchant son bras.

— Restez assis et mangez, Capitaine, dit Geneviève. Nous savons nous servir d'un tire-bouchon. Hunter mangea hardiment pendant quelques secondes.

— C'est formidable, dit-il à Krisztina.

Elle sourit.

— Je suis contente que cela vous plaise. Elle le regarda avec curiosité dans les yeux. Elle avait d'abord cru qu'ils étaient d'une nuance noisette assez indéfinissable, mais maintenant, elle s'apercevait qu'ils étaient marron.

— Pas de verres ! s'écria tout à coup Geneviève.

— Cela ne fait rien, dit aimablement Hunter. Cela ne nous empêchera pas de le boire avec plaisir.

— Pape-Clément a une histoire charmante, dit Geneviève.

— Je sais, dit Hunter en hochant la tête.

— Vraiment ?

— Oui, dit-il, les surprenant encore une fois. C'est l'Evêque de Bordeaux qui planta le premier vignoble ; il aimait tant les vins français que lorsqu'il devint pape, il transféra les services pontificaux à Avignon.

Il regarda la bouteille que tenait Geneviève et se leva.

— Puis-je porter un toast, madame ?

— Je vous en prie.

Hunter prit la bouteille et la leva dans sa main gauche. Miller et Eddie s'arrêtèrent de manger et levèrent les yeux.

— Cette nuit, commença Hunter sur un ton lugubre, nous aurions pu être dans un camp de prisonniers. Il parlait français mais les hommes semblaient le comprendre. Nous aurions pu tout aussi bien être dans nos tombes.

Il sourit.

— Au lieu de cela, j'ai la vague impression que nous sommes entrés dans une sorte de rêve. Il y a si peu de temps et d'espace pour la grâce et la gentillesse dans un bombardier Wellington.

— Il y a le courage, lui rappela tranquillement Geneviève, et vous avez un but.

— Il y a aussi la peur et la mort.

Il sourit encore, l'air morose.

— Enfin, il y a la guerre.

— Ici aussi il y a la guerre, dit Krisztina.

— Pas cette nuit.

Il regarda tour à tour Miller et Eddie.

— Cette nuit, il y a de la chaleur, de la bonne nourriture, du vin de qualité et des livres à lire à la lumière des chandelles. Et puis, nous pouvons imaginer une fin à cette guerre.

— Pas pour longtemps, hélas, dit Geneviève.

— Peut-être pas, mais je pense que cela va traîner encore un peu apres cette nuit, ce sera une espèce de réconfort pour les nuits froides, noires et sans pain qui nous attendent.

Il fixa tout à coup son attention sur Krisztina.

— Avez-vous des enfants, madame ?

— Non.

Il sourit.

— Vous devriez.

Ils restèrent silencieux pendant plusieurs secondes, puis il leva la bouteille un peu plus haut.

— Au courage, à la générosité et au style.

Ses yeux étincelaient.

— À la Baronne de Trouvère.

Il but une longue goulée à la bouteille puis la passa à Geneviève qui but aussi et tendit la bouteille avec assurance à sa belle-fille.

Krisztina sentit de nouveau le picotement brûlant qu'elle avait déjà éprouvé lorsque la jeune fille aux yeux verts avait frappé à la porte de la cuisine. C'était un sentiment qu'elle sentait s'éveiller en elle, quelque chose comme une nouvelle signification à donner à sa vie.

Elle aspirait l'atmosphère étouffante du cellier et tenait la bouteille devant elle, comme un trophée. Elle parla d'une voix basse, mais son sang battait puissamment dans ses veines.

— À votre retour chez vous, sains et saufs. Et à la victoire.

XIV

Trois jours passèrent ; trois jours de tension sans rémission, ponctués par des moments d'alarme qui firent cesser de battre le cœur de Krisztina et de Geneviève. Le premier matin, au déjeuner, Sutterlin se plaignit que le système de chauffage était défectueux et qu'il fallait faire venir le spécialiste de l'extérieur. Au déjeuner, Schneegans expliqua qu'il ne s'agissait que de bulles d'air. Le second matin, Laurent lut dans le *Kolmarer Kurier,* contrôlé par les nazis, que les aviateurs britanniques disparus n'avaient pas encore été retrouvés ; il commenta cette information en assurant que seuls des « imbéciles » risqueraient le martyre en leur donnant asile, car leur capture était inévitable. Le troisième jour à minuit, Krisztina faillit s'évanouir quand une Mercedes noire arborant deux swastikas s'arrêta devant l'entrée du château ; elle sut plus tard que ce n'était que le secrétaire de Bickler venu apporter une invitation du Kreisleiter.

Dans le cellier, les hommes s'étiolaient et la tension grandissait. Le quatrième jour, Laurent, ayant attrapé un rhume sérieux, décida de rester au château ; il devint plus difficile encore pour Krisztina de leur rendre visite. À midi, après que Laurent se fut mis au lit, Geneviève dit à Krisztina que la claustrophobie d'Eddie commençait à être inquiétante.

— Il demande au capitaine de lui permettre une sortie.

— C'est beaucoup trop risqué.

— Évidemment, mais il devient fou. S'ils ne le sortent pas bientôt, j'ai bien peur que nous ayons de graves ennuis. Peu après quatre heures de l'après-midi, ce même jour, Laurent, dont l'humeur devenait irritable et qui étouffait dans son lit, décida que l'air frais lui ferait du bien. Sortant par la porte est, il aperçut René, le jardinier, qui promenait les chiens-loups.

— Donnez-moi Orion, René. Sa voix était rauque à cause de sa gorge endolorie.

— Il fait presque noir, monsieur.

— Donnez-le moi, s'impatienta Laurent, maussade. Il saisit la laisse du chien et s'éloigna en frappant des pieds sur le sol, projetant de petits nuages de gravier sur l'allée.

Dans le cellier, Eddie était au bord de la crise.

— Je vous préviens, Skip, – il haletait par manque d'air – si je ne sors pas d'ici dans trois minutes, je vais faire quelque chose de terrible ! Je vais perdre la tête, je vais hurler, je vais...

Hunter le gifla rudement. Eddie émit encore un halètement saccadé et poussif, puis il s'affala. Il trembla de tout son corps, et il transpira abondamment.

— D'accord, Eddie, dit Hunter calmement. Je vais vous dire ce que je vais faire. Je vais vous laisser sortir.

— Non, Skipper ! siffla Miller, horrifié.

— Pas de panique, Jim, dit Hunter sur un ton rassurant. Il n'y aura aucun problème. C'est le crépuscule, il fait presque nuit. Le baron est emmitouflé dans son lit et nous n'avons entendu personne bouger ni rôder dehors depuis que nous sommes arrivés.

Hunter et Miller observèrent Eddie qui regardait la fenêtre étroite, les yeux attirés par le morceau de ciel au-dessus de lui comme par un aimant.

— Il est à bout, non, Skip ? dit Miller à voix basse.

— J'en ai bien peur, dit Miller en secouant la tête.

— Vous croyez qu'on en sera quitte pour quelques minutes dehors ?

— Pas pour longtemps. Mais cela pourrait nous permettre de passer une autre nuit.

— Espérons seulement que cela suffira, hein, Skip ?

Hunter regarda sa montre.

— Il doit nous rester pas mal de temps d'ici à ce qu'ils s'occupent de la chaudière. Jim, allez déplacer les planches de l'entrée et assurez-vous que les alentours sont libres.

— D'accord, Skipper.

Déprimé, marchant lourdement sur l'allée qui aboutissait à l'un des jardins baroques, Laurent se retourna un moment pour surveiller le château. Une large tache de pierre décolorée attira alors son œil. Il fronça les sourcils et, tirant la laisse d'Orion, il fit demi-tour vers la maison pour se rendre compte de plus près.

Perçant la lumière déclinante, il vit que le mur blanc était incrusté d'une espèce de mousse, et que juste en dessous, le bord de la fenêtre semblait se dégrader.

« Maudite guerre ! » marmonna-t-il en colère, et il éternua bruyamment. « Ma maison est en train de tomber en ruines ». Il se pencha pour déboucler la laisse du chien. « Viens, Orion, allons examiner le reste du bâtiment. »

Au second étage, Krisztina frappa d'un coup sec à la porte de Geneviève et entra directement.

— Qu'est-ce qu'il y a ? demanda Geneviève avec anxiété en voyant l'expression de sa belle-fille.

— Laurent n'est pas dans notre chambre.

— Il est probablement en train de lire en bas.

— Ses bottes ne sont plus à leur place, précisa Krisztina. Belle-mère, j'ai peur.

Geneviève se leva.

— Soyez calme, ma chérie. S'il est sorti, il est presque certainement dans les jardins.

— À cette heure ? Elle passa une main dans ses cheveux. « Si seulement je savais où il se trouve ! »

— Cherchez-le, conseilla Geneviève. Il ne peut pas être loin. Dites-lui que vous êtes inquiète pour sa santé, et ramenez-le dans la maison. Elle prit son châle. Moi, je vais aller au cellier et m'assurer que tout est en ordre.

— Vous avez peur aussi, belle-mère ?

— Je ne fais que me fier à votre instinct.

Hunter était devant Eddie, Miller restant à l'arrière pour assurer la protection. Les deux hommes se tenaient sur la tourbe durcie et respiraient l'air du soir. L'air était merveilleusement froid et pur après l'odeur de moisi du cellier et la chaleur oppressante de la chaudière. Ils éprouvèrent un moment de vertige tandis qu'ils remplissaient leurs poumons.

Eddie se retourna et lança au capitaine un regard de gratitude et Hunter hocha la tête. Ils tendirent leurs jambes et marchèrent en petits cercles tout en balançant leurs bras pour activer leur circulation. Le silence était total, hormis le doux frôlement des herbes contre leurs pantalons.

Au bout de trois minutes, Hunter repartit à grands pas vers l'écoutille et guetta Miller, en bas.

— Okay ? murmura-t-il.

Hunter ne vit que le pouce levé de Miller.

— Juste encore une minute. Hunter se redressa et regarda Eddie. Le jeune homme était immobile, sa face levée vers la lune qui montait, comme en extase.

Hunter sourit.

Puis Eddie fit une chose impensable.

Au comble du ravissement, sous l'effet d'une joie pure et libératrice, il arrondit sa bouche, ferma les yeux, et d'un son de flûte limpide comme du cristal, il siffla les trois premières mesures de « Souhaite-moi bonne chance. Quand tu me diras au revoir d'un signe de ta main. »

Hunter se glaça.

Eddie, réalisant immédiatement ce qu'il venait de faire, s'arrêta au milieu d'une note, les yeux écarquillés d'horreur. Quelques pas au-dessous, Miller se couvrit le visage de ses mains et Geneviève, qui venait d'arriver aux marches du cellier, resta sur place.

Dehors, un peu moins de cent mètres plus loin, Laurent, qui allait tourner à l'angle nord-ouest, s'immobilisa. Le chien-loup dressa les oreilles. Et Krisztina ayant repéré l'animal blanc sous le clair de lune, ferma sa main sur son cœur.

Un très long silence suivit.

Et Orion se mit à aboyer, vigoureusement et avec insistance.

— Es-tu folle ?

— Je ne pense pas.

— Il faut que tu le sois ! Ou bien perverse, ou peut-être simplement stupide !

Laurent secouait la tête d'écœurement.

— Mais tu n'es pas stupide, hein, Krisztina ? C'est seulement parce que tu me hais tant que tu es prête à mettre en péril notre existence, ce château, ce domaine, notre union... et même ma mère !

— Ta mère a ses propres idées.

— Elle vieillit... elle n'est pas responsable de ses actes.

— Elle a quarante-quatre ans, et son cerveau fonctionne mieux que les nôtres !

— Jamais elle n'aurait songé à faire une telle chose du vivant de mon père... sa mort l'a dérangée.

— Quelle sottise !

— Tu veux qu'on la fusille ?

— Évidemment non. Et toi ?

— Je n'ai pas contrevenu à la loi !

— Non, mais ta mère et moi l'avons fait, et je remercie Dieu d'en avoir eu l'occasion.

Il fit mine de la frapper, mais il s'arrêta à temps.

— Eh bien ? dit-elle entre ses dents serrées, comptes-tu faire fusiller ta mère ? Si tu les dénonces, c'est ce qui arrivera.

— Non, dit-il.

Krisztina, soulagée, se détendit.

— Mais toi, tu vas le faire. Sa physionomie était déterminée.

Krisztina le regarda fixement.

— Je mourrai avant cela.

— Tu vas téléphoner au quartier général de la Gestapo à Colmar et dire que tu viens de découvrir les hommes de la RAF portés disparus dans une partie désaffectée de nos celliers et tu leur diras que tu n'as aucune idée du temps qu'ils y sont restés.

— Tu es fou ! dit-elle simplement.

— Si toi tu ne le fais pas, c'est moi qui le ferai. Il sourit impitoyablement. Puisque je ne peux pas dénoncer ma propre épouse et ma mère, je n'aurais qu'à dire que le responsable est l'un de nos domestiques.

— Tu ne ferais pas cela !

— Certes, je préférerais ne pas avoir à le faire, mais...

— Alors, pour l'amour de Dieu, ne le fais pas !

Krisztina saisit sa main gauche, sa voix l'implorait.

— Laurent, je t'en supplie ! Rappelle-toi qui tu es, ce que représente ta famille, avant qu'il ne soit trop tard !

— Je m'en souviens. C'est toi qui as choisi d'oublier !

— Tu as oublié que tu es Français. Tu t'imagines que les Nazis sont tes amis, mais ils sont tes ennemis, et ils te détruiront, tout comme ils sont en train de détruire ce qu'il y a de bon en ce monde !

Sa bouche eut un rictus cynique.

— Tu penses que je suis bon ?

— Au fond de toi, oui !

Krisztina savait qu'elle s'accrochait à un brin d'herbe.

— Et je crois que tu aimes trop ta mère pour la trahir.

— J'ai le droit de vivre ma vie dans les limites de la loi ! cria-t-il subitement.

Et il se mit à tousser, car à force de parler, sa gorge était irritée.

— J'ai le droit de protéger ce en quoi je crois ! La toux s'accentua. Krisztina esquissa un geste en direction de la carafe d'eau, mais elle l'interrompit. S'il voulait de l'eau, qu'il la prenne lui-même.

— Je ne peux plus lutter contre toi, dit-elle avec amertume. Tu as toi-même choisi ta ligne d'action – tu as ton libre arbitre – et si tu refuses de reconnaître que ces trois hommes ne sont pas seulement des êtres humains, mais aussi des héros qui méritent notre protection à tout prix, alors je te prie au moins de comprendre que si tu les trahis, ta mère et moi ne te le pardonnerons jamais. Jamais.

Le silence tomba, épais et pesant d'émotion. Le visage de Laurent était rouge, ses yeux injectés de sang, sa respiration laborieuse. Quant à Krisztina, elle osait à peine bouger un muscle, elle n'avait plus de menace à brandir contre lui. Les minutes s'écoulaient imperturbablement. Laurent semblait plongé dans ses pensées.

— Eh bien ? dit enfin Krisztina à mi-voix.

Il cilla, comme s'il avait oublié sa présence.

— Que vas-tu faire maintenant, Laurent ?

Il déglutit.

— Je vais attendre le matin, dit-il d'une voix enrouée.

— Et ensuite ?

— Je visiterai les celliers.

Elle attendit encore.

— Et si je les trouve, je téléphonerai au bureau du Kreisleiter.

Il s'assit péniblement sur le bord du lit.

— Laurent, ils ne peuvent pas partir en pleine nuit. Ils n'ont aucune chance.

— Cela, ma chère épouse, n'est pas mon affaire ! dit-il avec lassitude.

Le silence sinistre retomba de nouveau. Krisztina réfléchissait fébrilement. Elle consulta l'horloge sur la cheminée. Presque cinq heures trente. Lentement, elle s'approcha de son mari et posa une main sur son front.

— Tu devrais te recoucher.

Il acquiesça faiblement de la tête.

— Veux-tu du thé ?

— Oui. Il se pencha pour retirer ses bottes, puis il regarda sa femme.

— Jusqu'au matin, répéta-t-il.

Krisztina eut très froid.

— Je vais te chercher du thé, dit-elle d'une voix sans timbre.

Comme elle fermait la porte de la chambre, elle vit Geneviève qui montait l'escalier. Elle se hâta de la rejoindre en lui faisant signe de ne pas faire de bruit. Elles descendirent au premier étage.

— Je n'ai qu'une minute. Il veut du thé, et si je ne lui en apporte pas rapidement, j'ai peur qu'il appelle Bickler.

— Il ne l'a pas déjà fait ?

— Il attend jusqu'au matin.

Elle vit le soulagement sur les traits de Geneviève.

— Mais je veux rester près de lui pour le cas où il se raviserait.

— Que dois-je faire ?

— Trouver Jacques Scheegans et lui expliquer. Dites-lui qu'ils doivent être sortis avant l'aube.

Elle embrassa Geneviève rapidement sur les deux joues.

— Ne prenez plus de risques, belle-mère. Laissez faire Jacques.

Elle se tut un instant.

— Dites-leur que je suis désolée.

— Bien sûr, ma chérie.

— Et souhaitez-leur bonne chance.

Ils passèrent une nuit agitée. Laurent dormit d'un trait. Krisztina resta les yeux grands ouverts et aux aguets du moindre bruit. À trois heures du matin, le vent déjà froid souffla en tempête. À quatre heures, Laurent se réveilla, il avait de la fièvre et il se mit à tousser atrocement. À cinq heures, après que Krisztina lui eût administré des médicaments, il tomba dans un sommeil irrégulier et intermittent.

Autour de six heures, Krisztina sortit de son lit avec précaution, marcha pieds nus et à petits pas vers la fenêtre. Par une fente entre les rideaux, elle vit qu'il neigeait fortement. Elle perdit courage. La couche de neige était déjà épaisse sur le sol ; Schneegans avait-il pu parler aux hommes ? Les hommes étaient-ils encore dans le cellier ou étaient-ils dehors, tels des cibles visibles se détachant sur le paysage blanc ?

Laurent bougea, et elle retourna se coucher. La pire chose à faire serait de risquer de le réveiller dans le seul but de satisfaire sa curiosité, car si Laurent s'apercevait de son absence, il pourrait téléphoner à Bickler sur l'impulsion du moment.

À huit heures, il se réveilla, s'assit et gémit. Krisztina bougea aussi, comme si elle se réveillait en sursaut.

— Qu'y a t-il ?

— Ma tête est en train d'éclater.

Elle s'assit.

— Je vais chercher des cachets.

— Je devrais me lever.

— Il est encore trop tôt. Son cœur battait fort en allant à la salle de bains. Elle en revint avec l'un de leurs derniers tubes d'aspirine.

Laurent secoua la tête.

— Si je prends cela maintenant, je vais me rendormir.

— Laurent, tu es malade. Tu as besoin de dormir.

— Ah ! tu as raison. Il avala les cachets et se leva.

— Où vas-tu ? demanda-t-elle, alertée.

— Où crois-tu que je puisse aller ? dit-il brusquement, et il ferma la porte de la salle de bains. Une minute passa. Elle entendit la chasse d'eau, puis un bruit d'eau courante, et la porte se rouvrit.

— Et ta gorge ?

— Endolorie, et j'ai mal dans la poitrine.

— Tu devrais rester au lit.

Il se remit au lit et remonta la couverture.

— Réveille-moi dans une heure. Il lui jeta un coup d'œil indolent. J'ai des choses importantes à faire.

Elle ne répondit rien.

À neuf heures, incapable de supporter la tension plus longtemps, Krisztina se leva, se glissa sans bruit dans son cabinet de toilette, enfila un pantalon et un gros pull-over.

Elle vit Sutterlin sur le palier du premier étage.

— Ne dérangez pas mon mari, je vous prie. Il n'est pas bien et il doit se reposer le plus possible.

— Bien sûr, madame.

Geneviève était dans la bibliothèque, assise dans un fauteuil en cuir à dossier droit, un livre ouvert sur ses genoux, regardant les flammes qui s'élançaient dans l'âtre.

Krisztina se pencha pour l'embrasser.

— Bonjour, belle-mère.

— Laurent ? Geneviève était inquiète.

— Dort encore.

Geneviève leva les sourcils.

— Si tard ?

— En l'aidant un peu.

Elle observa sa belle-mère avec anxiété.

— Eh bien ?

— Partis.

— Quand ?

Geneviève fit un mouvement de la tête.

— Je suis descendue à minuit. J'avais pris du potage de légumes chaud et le reste du porc. Je leur ai demandé s'ils avaient besoin de quelque chose. Le capitaine Hunter était superbe. Très maître de soi. Il m'a dit d'aller me coucher, que nous avions fait plus que notre part, et qu'il avait le sentiment qu'ils s'en sortiraient.

— Et les autres, comment étaient-ils ?

— Pâles, mais braves.

Elle sourit.

— Ce pauvre garçon se sent horriblement coupable, mais je crois qu'il était soulagé que cette affreuse attente se termine.

— Et ensuite ?

— Quand je suis redescendue à six heures et demie, ils étaient partis, et il n'y avait plus aucune trace de leur présence, à l'exception des bols Kakiemon et des livres qu'ils avaient cachés dans le tiroir de la table.

— Et Schneegans ?

— J'imagine qu'il a été mis au courant.

Geneviève hésitait.

— Mais il n'est pas revenu pour le moment.

— En êtes-vous certaine ?

— J'ai entendu Sutterlin murmurer à Marthe qu'il semblait avoir disparu de la surface de la terre.

— Marthe sait-elle quelque chose ?

— Si elle sait, elle n'en a rien laissé voir. Mais vous connaissez Marthe.

Krisztina alla à la fenêtre.

— Ce temps !

Elle frissonna.

— Cela me rappelle mon premier hiver ici. C'était si morne quand le soleil ne brillait pas.

Elle se retourna vers Geneviève.

— Pensez-vous qu'ils vont s'en sortir, belle-mère ?

Geneviève leva les mains et les laissa retomber sur ses genoux.

— Entre les mains de Dieu.

Quand Laurent se réveilla, Sutterlin apporta un plateau avec du thé et des biscottes sèches, et lorsqu'il eut quitté la chambre, Krisztina tira les rideaux.

Laurent cilla sous l'effet de la luminosité.

— Neige ? Elle acquiesça de la tête et le regarda.

— Ils sont partis.

Il redressa ses épaules.

— Vraiment !

— Oui.

— Tu me le jures ?

— Va voir toi-même. Il ne reste rien. Personne ne saura jamais.

Il repoussa le plateau et se recroquevilla sous la couverture.

— Fais allumer le feu. Je reste au lit aujourd'hui.

— Veux-tu voir un médecin ?

— Je veux le tube d'aspirine, de l'eau fraîche et je ne veux pas te voir.

— Cela, rétorqua-t-elle calmement, c'est facile à arranger.

À cinq heures et une minute de l'après-midi, deux hommes de la Gestapo se présentèrent à la porte d'entrée, ouverte par Sutterlin.

— Madame Schneegans, s'il-vous-plaît.

— Entrée de service, répondit Sutterlin dans un français concis.

Ils le dévisagèrent, mais il demeura imperturbable.

— Reprenez le même chemin, à deux cents mètres vous prendrez la route sur votre gauche.

Il referma la porte doucement puis il se mit à courir en direction de la cuisine à la vitesse étonnante d'un champion d'athlétisme.

— Où l'ont-ils emmenée ? demanda Geneviève à Sutterlin.

— Ils ne l'ont pas dit, mais probablement au quartier général de la Gestapo à Colmar.

— Ils ont donné un motif ?

— Aucun, madame.

Elle hocha la tête, l'air absent.

— Merci, Sutterlin. Le majordome allait tourner les talons, mais il se ravisa.

— Madame ?

Sa physionomie était insondable, comme à l'ordinaire, mais sa voix avait un ton compatissant.

— Vous ne pouvez rien faire, madame.

— Seulement attendre.

— Oui, madame.

Marthe rentra vingt-cinq heures plus tard. Elle était seule.

Geneviève et Krisztina l'accueillirent chaleureusement à la cuisine, mais elle leur répondit à peine. Elle avait été de

236

tout temps une femme maigre et anguleuse, mais ce jour-là, elle ressemblait à un vieux poulet dont on aurait tordu le cou ; elle paraissait molle, froide et morte.

— Ils l'ont fusillé, dit-elle d'une voix sans timbre.

Krisztina la regarda, figée de stupeur. Qui ? demandait-elle mentalement. Des visions de Hunter, Miller et Eddie se succédaient rapidement dans son cerveau.

— Ils ont tué Jacques. La méfiance, la haine et la culpabilité étaient à l'affût au château. Chacun les sentait, même les animaux couchés nonchalamment près de la cheminée, sauf Moïse qui suivait Krisztina comme son ombre, et Vénus, la femelle bringée, qui restait près de Marthe dès qu'elle le pouvait.

— Elle me regarde toujours, se plaignit Laurent à sa femme en parlant de Marthe, quatre jours plus tard. Comme si c'était moi qui avais fusillé son mari. Ils étaient dans le salon rouge après le dîner.

— C'est dans ton imagination, le rabroua Krisztina.

— Ces petits yeux vifs, dit-il en frémissant, la seule partie vivante de son pitoyable visage, me lance son aversion comme des flèches acérées.

— Qu'attends-tu donc d'elle ? Qu'elle t'embrasse ? C'est déjà remarquable qu'elle continue à travailler.

— Je ne serais pas surpris qu'elle cherche à m'empoisonner, cette vieille sorcière.

— Laurent, son mari a été *assassiné*.

— Il n'a pas été assassiné. Il a été puni parce qu'il avait contrevenu à la loi.

Krisztina le considéra avec un dégoût renouvelé.

— Rien ne te fera changer, n'est-ce pas ?

— Ce n'est pas ma faute si Schneegans a choisi d'aider ces hommes.

— Tu sais bien que si, c'est ta faute. Sans toi, il n'aurait jamais été impliqué dans l'affaire.

Laurent prit un flacon de cognac et s'en versa un verre.

— Tu m'en veux, ma mère me parle à peine... Il avala une gorgée de cognac avec impatience et fit la grimace quand elle toucha sa gorge.

Krisztina ne répondit pas.

— Je n'ai même pas dit quoi que ce soit à Bickler ! protesta-t-il.

— Nous le savons bien.

— Eh bien alors !

Elle le regarda en face.

— Parfois, les menaces sont aussi dangereuses que les actes, dit-elle avec calme.

— Je vais déménager de notre chambre, annonça Krisztina à Geneviève le lendemain matin au petit déjeuner.

Geneviève leva sa tasse de café noir, son visage était serein.

— Que préférez-vous, l'appartement des hôtes ou la chambre rose ? La clématite a peut-être un pouvoir réchauffant en cette saison, mais le matelas est meilleur dans l'appartement.

— La suite est plus pratique. Elle regarda Geneviève avec gravité.

— Cela vous contrarie beaucoup ?

— Bien sûr... mais à votre place, je ferais la même chose. Je crois même que je le quitterais carrément.

— En d'autres temps, je l'aurais probablement fait, belle-mère, dit-elle franchement. Et maintenant... C'est-à-dire que d'un autre côté, il me fait de la peine.

Elle tripotait son couteau à beurre du bout des doigts.

— Sans doute ne trouvera-t-il jamais le courage de l'admettre, mais je suis sûre qu'il se sent coupable.

Elles restèrent silencieuses pendant quelques instants et terminèrent leur petit déjeuner sans appétit.

Krisztina reprit la parole.

— Croyez-vous qu'ils sont en vie ?

— Nos amis britanniques ?

Geneviève eut un mouvement nettement affirmatif de la tête.

238

— Oui, je suis certaine qu'ils sont vivants.

Krisztina soupira.

— Je me demande si la vie redeviendra normale un jour. Geneviève sourit.

— Qu'est-ce qui est normal ?

— Je ne m'en souviens pas vraiment.

Elle s'assit au fond de sa chaise, les yeux dans le vague.

— Peut-être la vie n'a-t-elle pas à être normale, ou du moins, pas pour longtemps... En bref, je me demande si cette guerre finira un jour ?

—Toutes les guerres ont une fin, ma chérie.

XV

Ce qui avait débuté comme une guerre mais s'était transformé ensuite en une étrange « paix » d'annexion prit un autre tournant qui entraîna cette fois l'Alsace dans une guerre réelle et tangible.

Le 6 septembre 1943, des bombes américaines tombèrent tout près de la capitale. La cible de ce bombardement était la voie de chemin de fer entre Strasbourg et Kehl, mais les dégâts furent très importants sur un grand périmètre, et plus d'un millier de personnes furent tuées. Il n'y eut plus d'attaques aussi importantes jusqu'au printemps suivant. Et ensuite, le 6 juin 1944, les forces alliées débarquèrent sur les plages normandes ; dans le salon privé de Geneviève au château de Trouvère, au cœur du Haut-Rhin, Geneviève et Krisztina écoutèrent les radios clandestines britanniques et suisses et portèrent un toast à ce qu'elles espéraient être la campagne finale contre Hitler.

Vers le mois d'août, espoirs et craintes se succédèrent sans arrêt et cela pendant encore neuf mois. En outre, Krisztina était de plus en plus inquiète pour sa mère dans une Hongrie toujours plus confuse qui, depuis mars, avait laissé la bride sur le cou aux nazis et qui ensuite tentait de négocier la paix avec l'URSS. Plus près de l'Alsace, les Allemands, encore mal remis de l'attentat de juillet 1944 contre Hitler, étaient sauvagement déterminés à se cramponner à l'Alsace. Strasbourg avait été en partie détruite lors d'un bombardement massif le 11 août. Ils mobilisèrent toutes les forces disponibles pour faire face aux urgences et fortifier la *Wehrmacht* dont les combats étaient désespérés. Lorsque la pénurie commença à se faire sentir sur tous les fronts, les matières premières furent saisies un peu partout.

Enfin, Laurent se rendit compte que les prédictions pessimistes de Geneviève pourraient bien se réaliser. Il observait avec une inquiétude croissante la limitation graduelle de son contrôle personnel sur le domaine, le pillage systématique des récoltes, l'état défectueux du bétail survivant, et le pire de tout, le manque de soins dont souffrait le vignoble de Riesling lorsque la main-d'œuvre de Trouvère fut de nouveau décimée.

Dans ces circonstances, l'optimisme persistant de sa mère le rendait furieux.

— Ça ne sera plus long, maintenant, lui disait-elle souvent.

— Pour en arriver où ? demandait-il amèrement. À notre ruine ?

— À notre libération.

— Vous ne voyez donc pas ce qui se passe ici ?

— Bien sûr que si, je le vois, disait-elle avec mépris. Il y a longtemps que je vois les choses venir, alors que toi, tu t'es obstiné à fermer les yeux, c'était plus commode !

— Pour l'amour du ciel, mère ! Peut-être que si d'autres avaient compris ce que voulaient les Allemands, nous serions prospères et en paix aujourd'hui.

— Non, Laurent. Ce qu'ils ont toujours voulu, c'est nous soumettre, nous réduire à l'esclavage, nous matraquer. Je t'avertis, Laurent, le temps viendra – bientôt – où pour toi aussi il sera peut-être trop tard pour faire le bon choix, acheva-t-elle avec une douceur presque menaçante.

— Que devrais-je choisir, selon vous ?

— Je voudrais que tu choisisses le bon côté, conclut-elle en le considérant avec chagrin.

Rien de ce que fit ou dit Laurent ne sembla freiner le cours des événements qui s'accéléraient en direction du château. Paul Schall avait succédé à Hermann Bickler à la fin de 1942, et bien que les relations avec le nouveau Kreisleiter aient toujours été cordiales, Schall avait toujours résisté à toutes les tentatives de Laurent pour l'attirer dans des rapports plus personnels. Laurent se sentait rabroué et déprimé. Et d'autant plus en colère contre sa femme et sa mère.

Pendant plusieurs mois qui suivirent l'incident des hommes de la RAF, il avait passé des heures innombrables assis dans son bureau, les yeux levés sur la photo le représentant en compagnie des deux nazis ; il était persuadé que la culpabilité de Schneegans avait décidément projeté une ombre sur le domaine, même si le sujet n'avait jamais été évoqué.

Le 28 août, trois jours après l'entrée à Paris des unités des Forces françaises libres, un colonel SS au crâne chauve et luisant, aux yeux très clairs, se présenta au château de Trouvère. C'était le colonel Rahm.

Le but de sa visite était simple. L'ancien Kreisleiter Bickler, à présent *Standartenführer* dans les SS, avait parlé en termes chaleureux de l'hospitalité de Laurent, et le colonel Rahm comptait bien en profiter.

Les hommes prirent place dans les chaises à dossiers droits autour de la table en chêne de la salle de chasse ; ils étaient entourés d'une variété d'armes et observés par des têtes de chevreuils aux yeux vitreux.

— Que puis-je faire pour vous ? demanda Laurent, l'estomac contracté et l'esprit confus.

Paris était libre, et les Alliés, après avoir débarqué en Provence, avaient formé un front allant de la Suisse jusqu'à la mer du Nord ; ils avançaient sur les Vosges et l'Alsace. Traduit en allemand : « l'ennemi » était à la porte ; et pour Laurent, ainsi que Geneviève l'avait prévu, le temps était venu de choisir son ennemi.

— Trois amis ont besoin d'un abri pour une ou deux nuits.

— Des amis ?

Le colonel Rahm acquiesça de la tête.

— Ils sont en route venant de Paris pour rentrer dans leur patrie. Ils ont été retardés.

« Je crois savoir pourquoi », pensa Laurent. On disait que certains fonctionnaires haut placés de Vichy avaient déjà fait mouvement vers l'est en compagnie des Allemands, précédant les forces de la libération ; ils avaient l'intention d'établir un « gouvernement en exil » à partir de la base assurée du château de Sigmaringen, à environ cinquante kilomètres au sud de Stuttgart.

— Nous avons organisé leur voyage, ils seront ici demain dans l'après-midi, poursuivit Rahm.

— Je vois, dit Laurent d'une voix neutre.

— Y a-t-il un problème, monsieur le baron ?

— Oh ! non, répliqua Laurent avec empressement. Ou plutôt, j'espère que non. Je dois bien sûr consulter ma femme.

— Elle n'est pas ici ? sourit Rahm. Si elle est au château, vous pourriez la consulter immédiatement. Il souligna le mot sur un ton ironique.

— Je crois bien qu'elle est sortie. Elle est à Ribeauvillé avec ma mère.

Rahm se leva.

— Peut-être aurez-vous une réponse à me donner si je téléphonais dans la soirée ?

Laurent se leva également, heureux du répit, mais le colonel se rassit tout à coup.

— Une petite précision, Herr Baron, que vous pourriez prendre en considération.

— Oui ? Laurent se rassit avec raideur.

— Vous vous êtes certainement rendu compte que le cas de votre employé, Schneegans, n'a jamais été examiné à fond.

Laurent sentit des picotements le long de son échine.

— Dans la plupart des affaires de ce genre, poursuivit Rahm, on aurait dû faire une enquête complète. Car

244

Schneegans ne se contentait pas de travailler ici ; on a supposé qu'il donnait aussi asile à des ennemis du Reich, et que cela se passait sous votre toit.

— Ce dont je n'ai jamais été mis au courant, interrompit Laurent sur un ton sec.

— ... Vous-même et votre famille auriez dû être interrogés. Toutefois, le Kreisleiter de l'époque, Bickler, fut consulté et se porta garant de votre intégrité.

— Je suis son obligé, dit Laurent avec une nuance d'aspérité dans le ton. Cependant, je ne vois pas pourquoi vous vous référez à une affaire qui a trouvé sa conclusion il y a vingt mois.

— Précisément, rien n'a été conclu, Herr Baron, puisque les doutes subsistent.

— Les doutes ?

Le colonel eut un petit sourire.

— Vous-même vous êtes montré un ami sûr dans le passé, aucun doute quant à cela. Néanmoins, je crois savoir que vous êtes également un fils loyal vis-à-vis de votre père.

Laurent plissa le front.

— Certainement.

— Et feu Herr Baron était un Français patriote, si je suis bien informé.

— En vérité, oui, il l'était.

— Votre mère aussi est une *Française* loyale qui ne s'est jamais inquiétée de cacher ce fait.

Rahm arrondit sa lèvre supérieure.

— Il va de soi que je respecte une telle femme, mon ami, mais en toute conscience, je ne peux pas me fier à elle.

Laurent avait rarement connu la véritable peur depuis le début de la guerre. Il était tellement persuadé de la supériorité des Allemands, il avait si adroitement dirigé son domaine selon le cours qui servirait au mieux les nouveaux maîtres, qu'il ne lui était jamais venu à l'esprit qu'il prenait des risques.

— Et puis, insista Rahm, il y a votre femme.

— Ma femme ?

— La belle Hongroise au cœur tendre qui fit un jour une erreur de jugement qui aurait pu lui coûter très cher sans votre intervention.

Laurent eut la bouche sèche subitement.

— Mais là encore, grâce à vous, Herr Baron, mes collègues de Berlin m'ont dit que son « erreur » a pu passer inaperçue.

Laurent n'osait même plus parler.

La voix de Rahm était douce comme de la soie.

— Mais est-elle au courant de cela, je me le demande ?

Il observait Laurent avec un amusement mielleux et venimeux.

— Eh bien, Herr Baron, je vous ai posé une question.

— Elle ne sait rien.

Le ton de Rahm se fit plus dur.

— Dans ce cas, elle-même et certains membres de la *Résistance* avec lesquels je la crois en relation trouveraient là une information du plus haut intérêt.

Il se leva de nouveau et Laurent, engourdi sous le choc, fit de même avec difficulté.

— Je vous téléphone plus tard, baron de Trouvère, quand vous aurez consulté madame.

Il fit deux pas en arrière et exécuta le salut de rigueur : « Heil Hitler ! »

Une légère étincelle d'un vague reste de libre arbitre, ou peut-être même de fierté, maintint le bras droit de Laurent le long de son corps.

Il releva même le menton.

— *Au revoir,* dit-il.

Quand le colonel Rahm téléphona à sept heures du soir, l'éclair de bravade qui s'était manifesté en Laurent s'était évaporé depuis longtemps.

— Vos amis peuvent venir, dit-il au colonel.

— Je suis content de l'apprendre.

Laurent raccrocha et constata que sa main tremblait. Il ne lui restait plus qu'à expliquer à Krisztina.

À dix heures vingt, passant devant la salle au miroir, il entendit de la musique filtrer sous la porte. Il frappa. N'obtenant pas de réponse, il rassembla son courage et entra.

Pendant un moment, ce fut comme s'il était passé de plein pied du couloir dans le monde matérialisé de l'un de ses phantasmes.

Les chandeliers n'étaient pas allumés, mais un candélabre à trois branches se dressait à une extrémité de la salle, éparpillant une lueur phosphorescente à travers la lumière voilée. Réverbérée par les miroirs, elle baignait la jeune femme assise au centre de l'estrade à même le parquet, les yeux clos, les jambes étendues devant elle, les genoux légèrement soulevés ; de petites taches de poussière dansaient autour de sa chevelure d'argent, tel un halo de lucioles.

Bing Crosby chantait *Begin the Beguine* au gramophone installé dans l'angle opposé.

— Krisztina ?

Surprise, elle ouvrit les yeux.

— Laurent...

Il referma la porte derrière lui tout en s'efforçant de maîtriser les battements de son cœur.

— Excuse-moi de te déranger.

— D'accord, dit-elle sans bouger. Viens ici, ajouta-t-elle en indiquant le sol à côté d'elle.

Il ôta son veston, s'assit lentement et lui parla de Rahm et de leurs visiteurs de Vichy.

Elle était stupéfaite.

— Était-ce un ordre ou une demande ?

— Un ordre.

— Je ne te crois pas. Il t'a demandé, n'est-ce pas ? Et toi, tu fais encore tout pour leur plaire, comme un enfant docile.

— Pas vrai. On ne me laisse pas le choix. Il y a des menaces.

Elle regarda dans le vague.

— Alors, c'est pire, dit-elle simplement, car cela signifie que tu es vraiment un lâche.

La lumière du candélabre parut soudain insupportable et la musique discordante.

— Les menaces étaient dirigées contre toi, dit-il calmement.

— Contre moi ?

— Et ma mère.

Elle était de plus en plus consternée.

— Comment cela ?

— Schneegans.

— Ils savent ce que nous avons fait ?

— Évidemment.

— Pourquoi n'en ont-il jamais rien dit ? Pourquoi ne nous ont-ils jamais arrêtées, ni interrogées ?

Il attendit avant de répondre :

— À cause de moi.

— Je comprends, dit-elle d'un ton tranchant.

— Jusqu'à aujourd'hui. Ils réclament le paiement.

— Tu ne trouves pas qu'ils se sont suffisamment payés ? Nos terres sont presque stériles, il faudra des années pour reconstituer les vignobles... Elle se tut, son expression était amère.

— Tu comprends pourquoi j'ai dû donner mon accord ?

— Non. Pas vraiment, dit-elle en secouant la tête.

— Veux-tu qu'on t'arrête ?

— Laurent, ils sont pour ainsi dire vaincus. Ils ne peuvent plus rien nous faire à présent.

— Ils peuvent encore te fusiller.

Elle le regarda durement.

— Cela t'importerait-il vraiment ?

Ce fut son tour d'être choqué.

— Penses-tu ce que tu dis ?

— Excuse-moi. Je veux bien croire que cela t'importerait, au moins pour ce qui est de ta mère.

Il était intensément sensible à la proximité de son corps, à son parfum.

— Tu crois que je ne t'aime plus ?

— Je crois que tu ne sais rien de l'amour.

— Je t'ai *toujours* aimée, Krisztina... Je n'ai jamais cessé de t'aimer !

Elle le dévisagea. Elle vit sur ses traits toute sa misère, sa solitude et sa peur, et subitement, quelque chose en elle se radoucit.

— Dis-leur non, le pria-t-elle sur un ton insistant. S'ils n'ont pas d'autre asile, qu'ils viennent en pointant leurs fusils sur nos têtes.

Il baissa les yeux sur le parquet.

— Ils ont fait allusion à la *Résistance*.

— En quels termes ?

Il s'humecta nerveusement les lèvres.

— Je crois qu'ils pourraient leur dire que j'ai trahi Schneegans. Il la regarda en face. Tu ne comprends donc pas ? Les *maquisards* sont de plus en plus puissants.

— Je ne doute pas qu'ils sachent exactement ce que tu as fait ou n'as pas fait au sujet des aviateurs, Laurent, dit-elle tranquillement. Mais ici, nous savons tous que tu ne les as pas dénoncés, tant il est vrai que tu aurais pu le faire plus tard dans la matinée. Elle se tut un moment. Tu as aujourd'hui une chance de te décharger de tout soupçon.

— Comment ? En refusant ?

— Non.

Elle le défia du regard.

— Laisse venir les hommes de Vichy... mais fais-le savoir à la *Résistance*.

— Tu veux que je leur tende un piège ?

— Exactement.

Il avait une mine hagarde.

— Ils seraient assassinés de sang froid !

Elle le considéra sans broncher.

— Quand Jacques Schneegans a été fusillé, cela n'a pas paru te troubler outre mesure... ni même quand tu discutais affaires avec des hommes qui ont massacré une multitude de gens.

— Comment peux-tu savoir ce qui me trouble ? protesta-t-il avec colère. Crois-tu que ces dernières années ont été faciles pour moi ?

— Je pense que tu as toujours choisi la voie la plus facile, dit-elle doucement.

— Cela a été facile de voir ma mère me tourner le dos ? Cela a été facile, crois-tu, d'entendre les domestiques chuchoter à mon sujet ? Et de voir Sutterlin me défier ouvertement ?

— Tout cela aurait pu être évité.

— Tout cela m'a rongé ! Il se leva et fit les cent pas, obéissant inconsciemment au rythme de la musique. Cela dure depuis que nous sommes arrivés ici.

Son visage était déformé par l'angoisse.

— Mais rien, *rien* n'a été plus terrible que de savoir que je t'avais perdue !

Elle avala sa salive.

— Je suis toujours là, non ?

— Pas *avec moi* ! Pas à mes côtés, pas en tant que mon épouse... pas même dans mon *lit* !

Elle l'observa un moment.

— Peut-être n'est-il pas trop tard, dit-elle sur un ton uni.

Il s'immobilisa.

— Si je savais cela possible, je serais prêt à tout.

Elle leva les yeux sur lui.

— Même trahir les hommes de Vichy ?

— *Tout* !

Il se jeta tout à coup à genoux à côté d'elle.

— Krisztina, si seulement tu savais à quel point ma vie est vide sans toi. À quel point je me suis langui de toi, jusqu'au désespoir ! Je me suis rendu presque fou moi-même à l'idée que si nous avions eu un enfant, il aurait été un lien entre nous, et les choses se seraient peut-être mieux passées.

— Les enfants ne réparent pas les mariages brisés, dit-elle fermement ; mais en elle, sa vieille culpabilité refaisait surface.

— Ils peuvent créer l'amour !

Il la fouillait des yeux.

— Y a-t-il vraiment une chance, Krisztina ? Si je passais un message aux *maquisards* ? Dis-moi ?

Très doucement, elle toucha ses cheveux, et une vague de pitié et de chagrin passa sur elle, première trace de tendresse depuis des mois.

— Peut-être, dit-elle en hésitant.

Il eut un petit cri d'espoir et lui saisit les deux mains qu'il baisa.

— Je te jure que je vais le faire, murmura-t-il avec ferveur.

Les chandelles vacillèrent, la cire fondit, grésilla et se transforma en filaments, tandis que la voix séductrice commençait à chanter « Dans le silence de la nuit ». Un ancien réflexe presque oublié les saisit tous deux, assis sur le parquet dans la lueur fantomatique.

— Danse avec moi, souffla doucement Laurent.

Krisztina était très calme.

— Je t'en prie, une minute seulement, dit-il.

Elle le regarda, ses jambes avaient envie de bouger.

— D'accord.

Lentement, avec précaution, il la souleva et sa main droite se glissa derrière son dos, geste familier et rassurant aussi instinctif et naturel pour eux deux que le fait de respirer.

Il y avait des années qu'ils n'avaient plus dansé ensemble, mais la magie opéra de nouveau, immédiatement. Ils évoluèrent au son d'un fox-trot, leurs images flottant de miroir en miroir, Laurent en chemise blanche, Krisztina en robe d'été si fine que les courbes de son corps et de ses cuisses transparaissaient dans la lumière vacillante. Ils dansèrent comme ils n'avaient jamais dansé auparavant – non pour des juges, non pour un public ni pour des invités – cette fois, ils dansèrent pour eux-mêmes, pour leurs souvenirs, pour les lambeaux pitoyables qui restaient de leur union – ils dansèrent parce qu'ils le désiraient ; c'était étrangement tendre et singulier.

La chanson prit fin, puis le disque s'arrêta, et ils restèrent sur place, parfaitement immobiles. Laurent laissa sa main sur le dos de Krisztina, il regarda son visage levé vers lui, un visage merveilleusement calme ; puis il se pencha et l'embrassa.

— Laurent, non, murmura-t-elle contre sa bouche, mais il ne le pouvait pas, et elle-même n'aurait pas su dire si elle désirait qu'il s'arrêtât. Elle vit ses yeux mouillés de larmes, et plusieurs pensées contradictoires l'agitaient. Et elle gémissait dans sa confusion et ses mains étaient faibles contre la poitrine de Laurent, et en même temps, ses lèvres s'écartaient, sa langue se tendait et se mêlait à la sienne, ses seins brûlaient et leurs bouts se durcissaient comme de petits bourgeons et se dressaient au contact de la main gauche de Laurent tandis que sa main droite glissait le long de son dos et caressait la courbe de ses reins. Et toujours elle était consciente du corps de Laurent qui s'imposait, avide, fort, possessif.

— Mon amour, murmura-t-il en commençant à ouvrir sa robe dans le dos.

— Non, Laurent, pas ici.

— Si, ici, maintenant... Il la dirigea rapidement vers la porte et tourna la grande clef d'argent dans la serrure.

Sa robe glissa sur le parquet et les mains et les lèvres et la langue de Laurent furent partout à la fois. Elle se laissa tomber avec lui sur le bois frais et ciré, elle perçut l'impact sur le parquet et aussitôt la chaleur de la peau de son mari. Elle l'enveloppa de ses bras et de ses jambes comme avec des cordes.

— Merci, mon amour, haleta-t-il lorsqu'elle s'ouvrit à lui. Elle reconnut dans sa voix un amour tellement poignant et tant de gratitude qu'elle en fut contente, presque joyeuse...

Plus tard, dans leur ancienne chambre, reposant côte à côte sous la lumière douce du candélabre que Laurent avait rapporté de la salle du miroir, il lui prit la main ; les traits de son visage avaient retrouvé leur fermeté ; il était vivant de la joie de l'avoir près de lui.

— J'ai été pire qu'un idiot, dit-il d'une voix enrouée.

Elle lui prit la main à son tour ; elle éprouvait le besoin d'être gentille...

Ses yeux étaient rivés sur elle.

— Je n'ai besoin que de toi, je le comprends maintenant. Elle secoua la tête.

— Tu as besoin du domaine de Trouvère plus que de moi.

— Non ! dit-il avec véhémence. Je donnerais tout pour te regagner. *Rien* ne m'est plus indispensable que toi !

Une ombre passa sur ses yeux.

— Excepté ton enfant – mais en cela comme en tout le reste, j'ai raté.

Elle ferma les yeux, incapable de le regarder franchement.

Il prit son silence pour du regret.

— Excuse-moi, pria-t-il.

— Il n'est pas trop tard ; peut-être que si nous essayions encore...

Il s'interrompit devant la morosité de son expression.

— Krisztina, je t'en prie, ma chérie, ne fais pas cette mine-là.

Elle rouvrit les yeux, mais elle ne parla pas.

— Krisztina ?

Elle se redressa tout à coup et repoussa les couvertures.

— Où vas-tu ?

— Dans ma chambre. Elle se leva et enfila son peignoir.

— Non ! cria-t-il, consterné.

— Excuse-moi, Laurent.

— Pour l'amour de Dieu, Krisztina, ne me quitte pas maintenant !

Krisztina alla à la porte sans se retourner.

— Excuse-moi, répéta-t-elle.

Dans le petit cabinet, Moïse, devenu vieux, son museau couvert de poils blancs, remua la queue en signe de bienvenue.

Krisztina caressa sa vieille tête d'un air absent et rentra dans sa chambre. Elle s'assit au bord de son lit pendant quelques instants, les joues brûlantes, respirant mal. Puis lentement, telle une somnambule, elle se leva de nouveau et se dirigea vers l'armoire ; elle ouvrit un tiroir intérieur et en sortit la minuscule boîte contenant le diaphragme.

Inutilisé depuis si longtemps. Elle songeait à ce qui venait de se passer ce soir. Quelle ironie du sort si...

Elle l'examina. Elle avait été sur le point de lui expliquer quelques minutes plus tôt. Folie, pensa-t-elle en secouant la tête.

Elle n'entendit pas la porte, ni les pas de Laurent derrière elle.

— Mon Dieu, dit-il sans éclat.

Krisztina se retourna d'un coup, surprise, et elle laissa tomber la boîte.

Laurent la ramassa.

Elle vit ses mâchoires se serrer, sa peau rougir et ses yeux se durcir. Toutes traces de vulnérabilité disparurent. Elle était à présent intensément consciente que s'il y avait eu une lueur d'espoir pour leur avenir, elle l'avait tuée par ce seul coup fatal.

— Garce !

Elle ne dit rien.

Il fixait la boîte.

— Et c'est moi que tu accusais de trahison. Il lança la boîte vers le lit.

— Oui, dit-elle d'une voix aussi assurée que possible. Je suis désolée.

Il ne dit plus rien. Elle avait l'impression qu'il ne la voyait plus.

Soudain, il alla à la porte, tourna la clef, l'ôta de la serrure et retira sa robe de chambre. Il était nu.

— Laurent, que fais-tu ?

Jamais elle n'avait vu une telle tension dans le corps de Laurent. Tous ses muscles étaient tendus, ventre, reins, cuisses, bras, cou.

— Laurent ?

Il ne répondait toujours pas. Quand il vint vers elle, l'obligeant à reculer contre le mur, elle vit que cette découverte, ce seul mensonge venant d'elle, c'était trop pour lui. Il ne la voyait pas, il semblait absorbé, comme dans un cauchemar. Krisztina connut alors la peur, la peur brutale, instinctive.

— Laurent ?

Sa voix sanglotait de frayeur.

— Laurent ! cria-t-elle plus durement.

Comme dans un geste au ralenti, Laurent leva son bras droit en décrivant un arc de cercle, et il lança la clef comme si c'eut été une balle de cricket ; elle traversa l'air, frappa la cheminée de marbre de l'autre côté de la chambre et ricocha encore ailleurs.

— Laurent !

Son bras bougeait encore, traversant l'air puis revenant ; il s'arrêta, plana pendant une seconde, puis il se remit en mouvement, vite, très vite, comme un éclair, et le poing d'une puissance inouïe s'abattit sur l'estomac de Krisztina qui eut l'impression d'un fer chauffé au rouge.

— Dieu du ciel ! souffla-t-elle. Elle s'affaissa sur le sol, cherchant à retrouver son souffle et son cerveau embrumé l'avertissait d'un péril pire encore : peut-être allait-elle être battue, foulée à coups de pieds ou même tuée.

Laurent voyait en même temps Krisztina recroquevillée et hoquetante sur le tapis, mais à travers un filtre de lumière, brumeuse et lointaine.

Il l'entendit vaguement dire son nom, il la vit mettre ses mains devant elle comme un bouclier, mais il remarqua à peine le visage et les yeux horrifiés. Il était tout entier absorbé par le désir de déverser son sperme jusqu'à la dernière goutte dans ce corps qui l'avait trompé, qui s'était protégé contre lui. Il se baissa, la prit par les bras et la leva, puis la serra contre le mur froid et arracha la ceinture de son peignoir.

Krisztina reprit ses esprits. Elle dévisagea son mari et vit ses yeux vitreux, sa peau qui devenait cramoisie. À cet instant, nul doute qu'il était fou. Elle demeura un instant pétrifiée et immobile. Baissant ensuite les yeux, elle vit son énorme pénis érigé, et alors elle se débattit, mais le bras droit de Laurent vola sur sa poitrine, comme un lien d'acier qui la clouait au mur tandis que le bras gauche se glissait derrière elle ; sa main agrippa la base de sa colonne vertébrale et poussa son bassin vers lui tout en lui écartant les cuisses avec son genou droit.

Puis il plongea en elle, et elle hurla ; son pénis était comme une épée, la détruisant, l'empalant, la crucifiant et la déchirant dans sa chair et dans son âme. Cela dura jusqu'à ce qu'il fût complètement vidé. Laurent retomba alors, le souffle saccadé, à demi-mort d'épuisement et de démence. Krisztina entendait à peine les aboiements de Moïse derrière la porte, elle n'éprouvait qu'un vertige qui commençait à avoir raison d'elle ; elle glissa lentement le long du mur et accueillait déjà l'obscurité comme un bienfait ; mais des coups frappés à la porte la tirèrent vers la lumière, lui interdisant le repos, des coups qui se faisaient plus insistants, plus pressants et plus impérieux tandis que la poignée de la porte fermée à clef était violemment secouée.

— Laisse-moi entrer !

La voix de Geneviève, angoissée mais autoritaire, agit comme une douche froide sur le cerveau temporairement annihilé de Laurent. Krisztina observa avec une espèce de fascination comment Laurent réagissait au son dominant de son enfance.

Toujours nu, il marcha lentement, automatiquement vers la porte et tourna la poignée, en vain.

— Laurent ? dit Geneviève d'une voix concise, ouvre la porte.

— Elle est fermée à clef, répondit-il sur un ton rauque.

— Cherche la clef.

Il fit demi-tour et chercha la clef. Il semblait avoir oublié Krisztina toujours à terre et qui priait en silence pour qu'il la trouve rapidement.

Il la vit près de la fenêtre, il se baissa pour la ramasser et retourna à la porte. Il l'ouvrit enfin. Ses gestes avaient toujours l'étrangeté d'un mécanisme d'automate.

Geneviève se précipita dans la chambre, telle un personnage de théâtre dans sa robe de chambre bleu roi. Elle embrassa la scène du regard et sa crainte tourna à l'horreur.

— Nom de Dieu ! Elle s'empressa près de Krisztina, remarqua d'un coup son visage gris comme de la cendre et ses yeux effrayés, le peignoir en désordre et les traces de sang sur ses cuisses. Elle en suffoquait.

Rapidement, elle arrangea le peignoir pour couvrir la nudité de la jeune femme et tandis qu'elle glissait un bras autour de ses épaules, elle tourna la tête vers son fils.

— Habille-toi !

Les mots claquèrent comme des coups de fouet. Il répondit par un silence ; regardant les deux femmes, il sembla voir Krisztina pour la première fois, son expression était indéchiffrable.

Geneviève parla doucement à l'oreille de Krisztina.

— Vous pouvez vous lever, ma chérie ?

— Encore une minute. La voix de la jeune femme n'était qu'un souffle.

— Ça va, murmura Geneviève sur le ton de l'apaisement. Il n'y a plus rien à craindre.

Laurent remit sa robe de chambre, s'assit lourdement sur le bord du lit et ramassa la petite boîte tombée sur la couverture.

Geneviève cligna des yeux en reconnaissant l'objet. Elle regarda Krisztina.

— Il l'a trouvé ?

Krisztina hocha la tête, l'air morne.

— Je comprends, dit-elle dans un soupir.

Laurent prit le diaphragme et le brandit devant lui comme une petite bannière, il prit son briquet en or dans sa poche et l'alluma.

— Laurent, arrête ! lâcha Geneviève brutalement.

Il mit en contact la flamme et le petit réceptacle, et immédiatement l'odeur de gomme brûlée se répandit dans l'air de la chambre. Il jeta le diaphragme sur le tapis et le piétina affreusement de son pied nu pour écraser la flamme.

— Es-tu fou ? s'écria sa mère.

— Au moins, elle ne peut plus s'en servir maintenant, dit-il d'un air sinistre.

Krisztina eut un petit gémissement de douleur et pressa une main contre son estomac. Geneviève plissa le front, écarta un peu le peignoir et, le regard horrifié, vit l'ecchymose qui s'étendait déjà sur tout le ventre. Sa colère s'en accrut et elle fixa Laurent durement.

— Si tu t'imagines qu'elle en aura encore besoin un jour, alors c'est que tu es complètement fou.

Il se leva, la petite douleur à son pied brûlé commençait à le faire émerger.

— Ne vous inquiétez pas, mère, jamais plus je ne la toucherai, aussi longtemps que je vivrai.

Une étincelle d'angoisse erra sur ses yeux, et il lança un regard rapide et chargé d'amertume à Krisztina.

— Elle n'a jamais été vraiment à moi de toute façon.

— Personne n'appartient à personne, lui dit Geneviève calmement.

— Ma femme appartient à un autre. Elle appartient encore à son premier amour, son David bien-aimé. Vous êtes au courant, mère ? Je suppose que oui, vous avez partagé tant de choses déjà.

— Je suis au courant, répondit-elle d'une voix unie.

— Il est probablement mort, poursuivit Laurent comme en un rêve. Gazé, comme une bête.

Geneviève serra Krisztina un peu plus fort et caressa ses cheveux.

— Un tel gâchis, dit Laurent.

— Oui.

— Non, mère, vous ne comprenez pas ce que je veux dire.

— Laurent, pour l'amour de Dieu, tais-toi maintenant. N'as-tu pas fait assez de mal déjà ?

— Du gâchis, reprit-il de la même voix vide, parce que je supposais qu'elle finirait par l'oublier. Je savais qu'il y faudrait du temps. Mais j'étais patient. Tu ne trouves pas que j'ai été patient, Krisztina ?

Elle était incapable de parler.

— Mais tu ne l'as jamais oublié, hein ? Il secoua la tête, pris d'une nouvelle lassitude. Tous mes efforts, toute ma stratégie gaspillés !

Les deux femmes écoutaient, consternées.

— Voyez-vous, j'avais mis un plan sur pied. Le père de Krisztina espérait que David serait arrêté en tant que Juif.

Il sourit ironiquement.

— Certes, il l'aurait été au bout d'un certain temps. Mais moi, je n'avais pas le temps... j'avais déjà tant attendu... de sorte que j'ai pris le chemin le plus sûr.

Dans les bras de Geneviève, Krisztina sentit le froid l'envahir.

— Tu nous as dénoncés ?

Il acquiesça de la tête.

— C'est toi qui a organisé notre rendez-vous, et tu nous as dénoncés ensuite ?

— Bien sûr. Il fit une pause. *Rassenschande.* Le pire de tous les crimes.

Elle avait tellement froid qu'elle crut mourir d'horreur.

— Et pourtant, tu m'aimais !

— Plus que tout au monde.

— Alors, tu n'as jamais tenté de l'aider – tu n'as jamais eu l'intention de l'aider.

Il sourit de nouveau, un sourire lointain.

— J'aurais pu le faire quand tu es devenue ma femme. Il réfléchit un moment. Mais la guerre est venue et c'était trop tard – et puis, tu n'as jamais été mienne, n'est-ce pas ?

Geneviève bougea comme si elle émergeait d'un profond engourdissement. Doucement mais fermement, elle aida Krisztina à se relever en la tenant solidement pour qu'elle ne tombe pas.

— Venez, ma chérie. Elle l'embrassa tendrement sur la joue. Allons dans ma chambre, nous y resterons ensemble.

Lentement, elles se mirent à marcher vers la porte, laissant Laurent planté au milieu de la pièce à regarder dans le vague.

— Moïse, murmura Krisztina tout à coup. Dans le petit cabinet...

— Bien sûr, petite, la rassura Geneviève. Moïse va vemr aussi. Nous allons rester tous les trois ensemble, je vous le promets.

Geneviève adossa Krisztina au chambranle de la porte en chêne, puis elle alla chercher Moïse qui, tremblant de détresse, vint prendre sa place près de sa maîtresse.

— Bien, dit Geneviève à mi-voix. Allons-y.

Elle ne se retourna pas sur son fils.

La nuit passa.

Dans la chambre de Geneviève, on fit du feu dans la cheminée bien que ce fût le mois d'août. Krisztina s'allongea sur le lit, sa belle-mère s'assit près d'elle, lui tenant la main et lissant ses cheveux, lui parlant quand elle en avait besoin, restant silencieuse quand elle dormait, le vieux chien noir étendu au pied du lit comme une sentinelle stoïque et affectueuse.

Dans sa chambre, Laurent alluma une cigarette et ouvrit la fenêtre. Il apporta une bouteille pleine de cognac qu'il prit dans le fumoir et but jusqu'à la dernière goutte. À trois heures du matin, il était inconscient sur le sol. À quatre heures il était de nouveau debout et vomissait dans la salle de bains. Il ne trouva ni repos ni sommeil pour le reste de la nuit. Il ne trouva pas la paix non plus.

Il ne trouverait plus jamais la paix.

Les trois hommes de Paris arrivèrent dans l'après-midi du lendemain. Deux d'entre eux étaient avec leurs épouses. Ils avaient cinq malles en fer et dix valises en cuir.

Ils restèrent quarante heures.

Pour Laurent, la visite avait le caractère figé et menaçant d'un cauchemar surréaliste. Krisztina et Genevière restèrent en haut, ne descendant que trois fois pour prendre l'air brièvement et gardant un silence glacé lorsqu'elles rencontraient Laurent ou les étrangers. Sutterlin, René et Marthe, résistant à toutes les menaces de Laurent, se mutinèrent.

Rahm téléphona à sept heures.

— Votre hospitalité est très appréciée, Herr Baron.

La voix de Laurent était tendue de fatigue.

— Vous m'avez placé dans une situation terrible. Mes domestiques refusent de travailler.

— Je pourrais vous envoyer une jeune fille pour vous aider.

La pause fut fort brève.

— Ce qui, en conséquence, vous coûtera la domesticité existante.

Le fantôme de Jacques Schneegans, squelettique et sanglant, dansa devant les yeux de Laurent et il frissonna.

— Merci. Je vais me débrouiller.

— Je veux le croire.

Il devint donc leur domestique autant que leur hôte. Il veilla à leur confort, leur apporta le champagne, entra même dans les cuisines – ce qu'il n'avait fait que très rarement depuis qu'il était sorti de l'enfance – pour récupérer de la viande froide et de la salade à ajouter au foie gras qu'il avait déjà trouvé. Ce plat improvisé accompagné de quelques bouteilles de Riesling frais calmerait leur faim.

Le lendemain matin, il trouva une jeune fille qui nettoyait le sol de la cuisine.

— Qui êtes-vous ?

— Je m'appelle Marie, monsieur.

— Depuis quand travaillez-vous ici ?

— Six mois, monsieur.

— Bien. Vous préparerez le petit déjeuner.

— Monsieur ?

— Oeufs au plat, croissants et café pour six.

Elle avait l'air ébahi.

— Allez ! dit-il impatiemment.

— Mais, Mme Schneegans a dit que nous ne devions pas travailler pour les... Elle se tut, désorientée.

Le peu de patience qui restait encore à Laurent craqua.

— Merde! Il prit un ton dominateur. Faites le petit déjeuner immédiatement ; sinon, je vais chercher la Gestapo et je vous fais fusiller !

Elle s'inclina.

— Oui, monsieur.

— Allez !

Au déjeuner, Marie avait également disparu, et Laurent, au comble du désespoir et de la rage, retourna servir, car il était clair que les hommes et les femmes de Vichy préféreraient mourir de faim plutôt que de se débrouiller par eux-mêmes. Il avait bien envie de les abandonner, ou même de les mettre à la porte, mais le spectre du colonel SS Rahm rôdait autour de lui, menaçant, de sorte qu'il avala son humiliation et sa rage et continua à improviser.

Rahm téléphona de nouveau à cinq heures.

— Tout va bien, Herr Baron ?

— Aussi bien que possible étant donné les circonstances pénibles.

— Les temps sont difficiles.

— Oui, Colonel.

Laurent raccrocha, épongea ses sourcils mouillés de sueur et regarda par la fenêtre de son bureau. Il vit André Sutterlin debout au milieu de l'allée en train de l'observer.

« Une souris dans une souricière », pensa Laurent, et la peur le tenaillait au ventre. « Sans issue, quel que soit le côté où je me tourne. »

Ils parurent à neuf heures le matin suivant et leurs bagages furent chargés dans une vaste Mercedes par un chauffeur en civil.

Au moment de monter à bord, l'une des femmes, une grande blonde arrogante, s'approcha de Laurent pour le remercier de son hospitalité.

— Vous ne serez jamais un chef, Monsieur le Baron, dit-elle d'une voix basse et nette, mais si vous vous trouviez un jour dans les environs de Sigmaringen, je me ferais certainement un plaisir de découvrir vos autres talents. Elle l'embrassa longuement sur la joue.

Laurent ne répondit rien car son regard était rivé sur Sutterlin qui se dressait à une vingtaine de mètres plus loin et qui sans aucun doute le surveillait de ses yeux froids.

Quelques heures après, il croisa Krisztina dans le hall principal, et pour la première fois, elle ne l'ignora pas. Elle lui fit un signe de tête glacé.

— Ils sont partis, dit-il.

— Oui.

— Les maquisards ne sont pas venus.

— Non.

— Je pensais que tu les informerais.

Elle le considéra sereinement.

— Je ne tiens pas à stygmatiser publiquement mon mari comme un traître.

Il cilla.

— Sutterlin les préviendra, non ?

— Oui, répliqua-t-elle.

Le lendemain matin, au réveil – il s'était enivré pour récupérer quatre nuits consécutives sans sommeil – la première chose que vit Laurent fut le mot COLLABORATEUR ! peint en rouge sang sur le mur face à son lit.

Terrorisé, il s'assit et son cœur se mit à battre fortement.

« Sutterlin », pensa-t-il. C'était net, glacé et terrible. Il secoua la tête, les yeux rivés comme deux aimants sur le mur souillé. Certainement pas Sutterlin – pas son style. Mais quelqu'un.

Quelqu'un, un inconnu, dans sa chambre.

Il appela le Colonel Rahm de son bureau, porte fermée à clef, rideaux tirés, craignant un moment qu'on ne le mette pas en liaison avec lui.

— Ja ?

Le soulagement donna un peu d'assurance à Laurent.

— Colonel, j'ai besoin de votre aide.

— De quelle manière ?

Il le mit brièvement au courant.

— Que croyez-vous que je puisse faire ?

— Me protéger. M'envoyer quelqu'un – deux hommes, ou même un seul, pour monter la garde au château.

Rahm paru presque amusé.

— Nous avons un pays à défendre, Herr Baron. Pensez-vous sérieusement que je puisse soustraire un seul homme dans une période comme celle que nous traversons ?

— Mais, je suis en danger !

— Peut-être.

— Pour l'amour du Christ, j'ai fait ce que vous vouliez, non ? J'ai coopéré depuis le début ! Vous pouvez certainement faire quelque chose pour moi à présent ? Il transpirait à grosses gouttes.

— Je ne peux que vous conseiller de rester chez vous, Herr Baron. Nous avons de nombreux rapports mentionnant des exécutions sommaires de fonctionnaires de Vichy et de leurs partisans par des bandes de la Résistance.

— À quoi sert de rester chez moi puisqu'ils sont déjà rentrés dans ma maison ? murmura Laurent dans son désespoir.

— Je pourrais peut-être vous donner quelques garçons des Jeunesses hitlériennes... proposa-t-il après un silence.

— Comment des garçons sauraient-ils me protéger contre le maquis ?

— Fort possible qu'ils ne le pourraient pas, répondit Rahm avec calme. En tout cas, leur présence risque de rendre votre situation encore plus explosive.

— C'est votre dernier mot ? L'incrédulité et une haine violente commençaient à étrangler Laurent. Après tout ce que j'ai fait pour vous ?

La voix de Rahm se fit impatiente et dure.

— Ce que vous avez surtout fait, mon ami, ce fut remplir vos propres poches et chercher une voie sûre à travers la guerre.

— J'ai nourri vos armées, bon sang !

— Vous avez seulement donné volontairement ce que nous aurions pu prendre facilement nous-mêmes.

Laurent était resté debout et bien droit près de son bureau. À présent, il s'affalait dans son fauteuil, sachant qu'il n'y avait plus rien à dire.

— Je vous souhaite bonne chance, Herr Baron, dit Rahm.

La conversation était terminée. La ligne était coupée.

Il se dirigea vers les étables, sella Seigneur et prit le chemin de la forêt. Il se sentait plus à l'aise là-bas, parmi les vieux arbres noueux et les jeunes plants pleins de sève. Le cheval avançait lentement, se balançant doucement. Laurent aspirait le doux parfum de la mousse et écoutait le bruit réconfortant et solide des sabots foulant le sol alsacien. Ses sens s'apaisaient au contact du tapis de fleurs sauvages dont il ne s'était jamais soucié d'apprendre les noms, même lorsque sa mère le prenait par la main et lui désignait chacune d'elles.

Si seulement il pouvait rester dans cette lumière douce, pensait-il, nourri par la nature, inanimé mais survivant, saison après saison, année après année, isolé du château et de ses habitants. S'il pouvait rester ici, replié sur lui-même comme une taupe, creusant la terre toujours plus profondément, aveugle mais en toute sécurité, creusant jusqu'à la mort.

Mais il resta en selle, ses jambes fortes comme l'acier contre les flancs de la noble créature blanche qui ne le jugeait pas, qui ne pouvait pas le juger. Il ne resta pas non plus dans la forêt ; il suivit l'allée en direction de la lumière, puis à ciel ouvert, là où le soleil le faisait cligner des yeux et réchauffait sa peau, et où les oiseaux, libérés des branches enchevêtrées, chantaient joyeusement. Lentement, suivant son instinct, il avança jusqu'au nord du château, à l'endroit d'où il avait montré pour la première fois sa maison ancestrale à Krisztina.

« Magnifique », avait-elle dit très doucement.

Il regarda encore une fois et admira la pureté des lignes baroques et la splendeur des terres environnant la maison. Il perçut alors le sens de l'histoire et du destin, car il aurait pu s'agir d'un autre été d'une autre année ; ce qu'il voyait, c'était le tableau d'ensemble laissé intact par la guerre, les Nazis ou les jeunes patriotes vigoureux qui jouaient avec ses terreurs tandis qu'eux-mêmes guettaient dans les coins sombres le moment de le fusiller, de le pendre ou de le décapiter à la hache.

Seigneur frémit sous lui avec une soudaine impatience, il balança sa crinière et donna de grands coups de sabot sur le sol. Laurent lui tapota le cou.

« Tu ne tiens pas à attendre davantage, mon ami, alors que moi je ne peux rien faire d'autre. Je ne sais ni où, ni quand, ni comment cela arrivera. »

Soudain téméraire, il se mit à rire violemment, sauvagement, enfonça ses talons dans les flancs du cheval et tira sur les rênes ; ils partirent au grand galop sur la route, en direction du château qui était encore le sien, vers les gens qui le fuyaient, vers la fin qui était assurément, inévitablement proche.

Il ne cessa de rire qu'après être descendu de cheval, alors qu'il reconduisait la bête dans son écurie.

Les mots étaient nets, sur le mur extérieur du box de Seigneur, peints en jaune par une main différente.

MORT AUX COLLABORATEURS !

La panique le saisit de nouveau, brûlante, honteuse, fatale. Il se retourna, lança ses bras autour du long col de l'animal et enfouit sa face dans la crinière soyeuse. Et il pleura comme un enfant. Il ne pouvait plus aller nulle part. Plus aucun lieu où se cacher. Personne ne lui parlait plus. Il était devenu un paria, tel un lépreux.

Il se rendit à l'appartement de sa mère et frappa à la porte.

— Qui est là ?

— Laurent.

— Va-t’en !

— Mère, je vous en supplie, aidez-moi !

— Non, Laurent.

— Maman !

— Je ne peux pas t’aider, Laurent.

Il s’éloigna.

Dans sa chambre, Geneviève était assise dans un fauteuil à dossier droit, son visage était gris et les larmes roulaient le long de ses joues, des larmes qu’elle ne cherchait pas à maîtriser.

À la porte de la chambre d’ami bleue, il s’arrêta en silence et écouta la musique douce d’une radio. Il imagina Krisztina, dansant seule, sans public, excepté son vieux chien noir.

Il frappa. Elle vint ouvrir la porte.

— Que veux-tu ?

— Être avec toi.

Le visage de Krisztina était grave.

— Non, Laurent.

— Seulement un moment.

— C’est fini, Laurent, dit-elle.

— Je sais.

— Je t’en prie, va-t’en.

Il pensa que ses yeux étaient du bleu le plus pur et le plus doux qu’il eût jamais vu.

— Aide-moi, murmura-t-il.

— Je ne peux pas.

Elle referma la porte.

Il prit le Mauser dans la salle de la chasse et une bouteille de précieux whisky dans le fumoir. Il alla dans son bureau, ferma la porte à clef et tira les rideaux.

Il prit un grand album en cuir dans le tiroir du bas de sa table de travail, il l’ouvrit aux pages centrales et regarda son passé perdu.

« *Europa Meisterschaft 1937* »

Fini.

Il leva la tête sur le mur en face de lui et vit trois visages souriants. Bickler, Schlegel et lui-même.

Il décrocha la photo et la posa sur son bureau. Sa physionomie était indiciblement triste.

Le whisky était excellent.

« La dernière goutte », pensa-t-il.

Il prit le Mauser et pressa le canon froid sur sa tempe.

« Mea culpa », dit-il en baissant les yeux sur le visage heureux et rieur de Krisztina.

Il appuya sur la gachette.

— Il n'a laissé aucune lettre.

— Il n'avait plus rien à dire.

— Je ne le crois pas.

— Il faut le croire, ma chérie.

— Il a tenté de nous parler, belle-mère.

— Je sais, soupira Geneviève. Nous le savons toutes les deux.

Les deux femmes vêtues de noir se turent. Elles étaient assises dans la chambre de Geneviève ; sur la table, devant elles, il y avait un plateau à thé, quatre gros albums dont l'un était taché de sang, et la photo encadrée de Laurent en compagnie des nazis dont les taches avaient été soigneusement nettoyées.

— Vous devriez la brûler, dit Geneviève.

Krisztina secoua la tête.

— Il en était fier. Elle l'a rendu heureux, pour un temps.

Geneviève ouvrit l'un des albums de photos d'enfance et d'adolescence de Laurent.

— Les archives d'une vie. Krisztina regarda une autre photo de Laurent dansant avec Alice Gébhard.

— Il aurait dû rester avec elle.

— Pour votre sauvegarde à vous, peut-être, mais pas pour la sienne.

Krisztina toucha du doigt la photo encadrée.

— Tout l'homme est là, dit-elle sans passion.

Geneviève ferma les yeux quelques secondes.

— J'ai l'impression... Krisztina se tut, sa gorge se nouait, les larmes étaient proches.

— Je sais, dit Geneviève en hochant la tête.

TROISIÈME PARTIE

KRISZTINA : Alsace, 1945-1958

XVI

— Presque la faillite.

— Pratiquement pas de récoltes.

— Enceinte de plus de huit mois.

Geneviève sourit. « Vivante. »

Krisztina, mal à l'aise, s'agitait dans son fauteuil. « Qu'allons-nous faire, belle-mère ? »

— Faire ?

— Pour survivre.

— Rassemblez Sutterlin, Marthe et les autres, ouvrez les portes de la terrasse du salon d'été et sablons le champagne, comme des millions de gens vont le faire ce soir à travers l'Europe.

— Je crois qu'ils veulent aller à Riquewhir ce soir.

— Voulez-vous y aller aussi, ma chérie ?

Krisztina secoua la tête.

— Eh bien, nous boirons le champagne toutes les deux.

— Et si le cellier est vide, si les champs restent stériles, si une autre tempête de grêle arrache les vignobles, si les cueilleurs ne viennent pas parce que nous ne pouvons pas les payer – que ferons-nous ?

— Tant de pensées sombres, dit Geneviève gentiment. Alors que nous prions depuis si longtemps pour la victoire ?

Krisztina était visiblement lasse. « Bien sûr, je m'en souviens. »

— Eh bien alors !

— Mais maintenant que la victoire est là, je ne peux plus penser qu'à la mort, à ce que nous avons perdu, à l'échec.

— Laurent.

Krisztina fit un signe de tête. « Et maman. »

— C'est pénible d'être sans nouvelles.

— J'ai si peur maintenant que les Russes sont à Budapest. Pas de poste, pas de téléphone.

Elle baissa son bras et caressa les oreilles de Persée d'un air distrait ; depuis que Moïse était mort trois mois plus tôt, le chien-loup bringé avait pris sa place à côté de Krisztina.

— Nous devons les faire sortir de là-bas, belle-mère. La Hongrie est finie.

— Un pays dont le cœur est fort ne meurt pas aussi facilement. Vous en avez l'exemple autour de vous. Elle fit une pause. Vous pensez à David aussi, n'est-ce pas ?

Krisztina ne répondit pas.

— Peut-être sera-t-il bientôt possible de retrouver sa piste.

— Peut-être.

Geneviève se pencha plus près de Krisztina. « Mais pour le moment, ma petite, c'est au bébé qu'il faut penser. »

Krisztina eut un rire douloureux. « Je ne pense à rien d'autre ! Je suis sur le point de mettre l'héritier de Laurent au monde, et pour autant que je sache, il n'y aura peut-être pas de domaine de Trouvère pour lui. »

— Ou pour elle.

— C'est un garçon. J'en suis certaine... Pauvre bébé.

— Pourquoi pauvre ?

— Pas de père.

— Mais une mère merveilleuse.

Krisztina sourit. « Et une grand-mère. » Elle redevint sérieuse. « Et naître dans un monde qui croule ! »

Geneviève secoua la tête énergiquement. « C'est fini les ruines, Krisztina, elles ont pris fin en même temps que la guerre. À présent, c'est la reconstruction qui débute. »

— Comment ? Vous dites vous-même que les vignobles pourraient ne pas être récupérables. Pas de terre à liquider.

— Personne n'achèterait maintenant.

— Que faire alors ?

— D'abord déboucher le champagne. Geneviève se leva et donna la main à Krisztina.

— Et ensuite ? La jeune femme se leva péniblement.

— Ensuite, nous réfléchirons.

— À quoi, belle-mère ? Nous sommes deux femmes, et nous sommes seules.

— Vous oubliez une chose, Krisztina.

— Quoi ?

Geneviève répondit énergiquement :

— Nous sommes des femmes fortes.

L'enfant naquit. Un fils, comme Krisztina l'avait prévu. Il fut baptisé dans la chapelle privée.

« *Olivier Armand Laurent de Trouvère.* »

Les femmes le portèrent, ses yeux noirs clignotant furieusement sous le soleil lumineux, sur la tombe de son père.

« Ton papa, dit Krisztina doucement, qui t'a tant désiré et qui serait infiniment fier de toi. »

Le bébé se libéra de la robe de baptême des Trouvère, ses petits poings battirent l'air et il émit comme une plainte de protestation.

— Il crie tellement, dit Krisztina anxieusement.

— Il est en bonne santé. Les yeux de Geneviève étaient voilés de souvenirs. Laurent était un bébé silencieux. Elle leva les épaules. Peut-être vaut-il mieux laisser les émotions bouillonner et exploser.

— Vous pensez qu'il se porte bien ? Krisztina le berçait doucement.

— Solide comme un petit Gaulois. Geneviève caressa le duvet noir sur son petit crâne. La protestation redoubla de force et devint un hurlement de colère. Elle sourit fièrement. « Petit sauvage ! »

275

Enfin arriva une lettre d'Ilona écrite en avril et envoyée via l'ambassade soviétique à Paris. Elle ne contenait que quelques lignes rédigées dans un style guindé qui manquait de naturel. La censure était passée. Mais enfin, tout allait bien, Ilona faisait de son mieux pour rassurer sa fille ; le magasin Kaufmann ne leur appartenait plus, mais Gabor y était devenu un employé ; quant à leur *lakas* (le luxueux appartement moderne dans lequel ils avaient emménagé peu après le mariage de Krisztina, sur l'insistance de Gabor), il avait miraculeusement échappé aux bombardements et avait été réquisitionné par les autorités pour abriter d'autres familles déplacées. *Nous sommes contents d'aider,* écrivait-elle, *et nous avons suffisamment de place.*

Krisztina pleura de soulagement et de pitié en lisant cette lettre, reconnaissante au-delà de toute expression que sa mère soit sauve. Mais elle se souvenait aussi qu'Ilona avait beaucoup aimé leur maison de la rue Kalvaria, et elle réalisait avec un élan de sympathie combien elle devait être malheureuse de vivre dans une seule pièce avec son père pour qui ce renversement de situation avait dû être un coup terrible.

— S'ils ne peuvent pas sortir de Hongrie, peut-être pourrais-je faire une demande de permis de visite ? dit-elle à Geneviève.

— Vous n'obtiendrez rien, ma chérie, dit Geneviève. Patientez encore un peu. Les choses vont s'améliorer, se calmer, peut-être pourrez-vous alors emmener Olivier – Peut-être. Krisztina était désolée.

Le projet de sauvetage du domaine de Trouvère naquit un mois après Olivier. Il se présenta tout naturellement, comme un tendre fruit mûr et prêt à être cueilli au bon moment. Et pourtant, il fut précédé d'innombrables heures de discussions désespérées d'où il ressortait que le seul moyen logique d'échapper au désastre financier était de vendre le domaine. Mais même si elles trouvaient un acheteur dans un climat économique aussi consternant, Geneviève et Krisztina sentaient bien qu'elles priveraient ainsi irrémédiablement le vingt-septième baron des biens qui lui revenaient de droit. Dans ces conditions, plutôt mourir.

Péniblement, à l'aide des registres de gestion que Laurent avait tenus méticuleusement, elles firent un relevé de chaque parcelle, notèrent ce qui y avait été récolté dans les meilleures années, comparèrent les chiffres à ceux qu'elles pouvaient espérer pour l'année suivante, calculèrent le coût de la main-d'œuvre qui n'était pas très importante.

— Je crains que les terres ne puissent pas nous sauver, annonça Geneviève avec lassitude en reposant son crayon.

— Ce qui ne laisse que le château.

— Et nos trésors.

— Vous ne vendriez pas vos collections, belle-mère !

— Si cela devait sauver de Trouvère, si, je le ferais.

— Cela reviendrait à extraire tout l'or d'une veine simplement pour préserver une mine vide. Le caractère de ce lieu vient de ses tableaux, de ses sculptures, de l'argenterie, des tapisseries.

— Et des porcelaines, et des pièces en or, et des objets gravés, et des meubles, compléta Geneviève. Je sais tout cela, ma chérie, croyez-moi. De toute manière, l'ensemble ne suffirait pas pour le long terme.

Elles étaient dans la bibliothèque, assises à la table de lecture, les livres de comptes empilés devant elles ; leur café refroidissait dans les fragiles tasses en porcelaine de Dresde. Krisztina se leva et marcha vers les étagères de livres, laissant courir ses doigts sur les reliures de cuir.

— Je suis tombée amoureuse de de Trouvère dès le premier jour, dit-elle tout bas. Vous souvenez-vous, belle-mère, vous m'avez menée dans les jardins, et au lac, et vous m'avez montré la chapelle.

— Ce jour-là a été merveilleux pour moi aussi. Une occasion de revoir cet ensemble avec des yeux neufs.

— Tout était dissimulé sous la neige, et pourtant, vous m'avez fait comprendre comment seraient le printemps et l'été.

Geneviève sourit. « Mais le château lui-même. j'aurais souhaité que vous ayez pu le voir en des temps plus heureux. »

— Avant la guerre ?

— Quand Armand était encore là, quand il était encore fort. Nous donnions des réceptions chaque fin de semaine. Des amis venaient de partout : de Paris, de Lyon, de Francfort, de Zurich et même de Londres. De Trouvère attirait toute l'Europe comme un aimant. Certains s'arrêtaient ici avant de poursuivre sur Baden-Baden, mais le plus souvent, c'était de Trouvère qui était leur but.

— Une maison fantastique !

— C'était plus que cela. C'était un lieu presque magique.

Krisztina se rassit. « Ainsi, c'est là notre principal atout, dit-elle sur un ton résigné. Un beau château capable d'enchanter les gens. »

Le silence tomba.

— En effet.

Krisztina regarda Geneviève. « En effet quoi ? »

— C'est bien notre atout principal, comme vous le disiez. Ses joues devinrent rouges tout à coup.

— Alors ?

— Un hôtel ! dit Geneviève.

— Pardon ?

— Nous pouvons transformer le château de Trouvère en un hôtel.

Krisztina la considéra avec de grands yeux.

Geneviève sourit. « Pas un hôtel ordinaire, Krisztina. Un hôtel superbe. Un grand hôtel de luxe. Un hôtel unique. »

Krisztina la regardait toujours. La pièce devint si tranquille, l'atmosphère si intense qu'elle percevait toutes ses pulsations qui marquaient le temps, comme un métronome silencieux.

— Comment cela ? Sa voix était à peine plus qu'un murmure.

— Par le travail, répondit Geneviève. Par l'imagination, par l'inspiration.

Elle fit une pause.

— Lutter, se donner du mal, travailler, acheva-t-elle, rayonnante.

Krisztina avala sa salive. « Et l'argent ? »

— Les banques vont reprendre leurs activités.

— On ne nous prêtera pas suffisamment pour financer un projet aussi énorme, belle-mère.

— Je pense que si. Mon mari avait de nombreux amis bien placés, entre autres l'ancien administra1eur du Crédit lyonnais à Strasbourg.

— Cet ami nous aiderait ?

— Il a de bonnes raisons pour se souvenir d'une dette restée en suspens envers Armand. En tout cas, c'est par là qu'il faut commencer.

Krisztina se renversa sur sa chaise et ferma brièvement les yeux, complètement éblouie par le tourbillon d'idées et de visions qui tournaient dans sa tête.

— Chérie, dit Geneviève, inquiète. Êtes-vous malade ?

Krisztina éclata de rire. « Belle-mère, vous me bouleversez et vous restez tranquille comme si vous veniez de suggérer simplement un petit voyage à Paris ! »

On frappa à la porte.

« Entrez », dit Geneviève. Jeanne, la nurse d'Olivier, avait l'air de s'excuser.

— Un problème, Jeanne ? demanda Krisztina.

— Le petit est très agité, madame. Je lui ai donné de l'eau et je l'ai changé, mais il ne se calme pas.

— Il veut voir sa maman, dit Geneviève.

Krisztina se leva. « J'y vais tout de suite. » Elle regarda sa belle-mère. « Nous en reparlerons plus tard ? »

— Bien sûr. Vous êtes d'accord sur le principe, ma chérie ?

Krisztina se pencha pour l'embrasser cordialement sur la joue. « En principe, je pense que c'est une excellente idée, courageuse et suffisamment folle pour que ce soit la solution parfaite de notre problème. » Elle se redressa. « Mais une chose est certaine. »

— Laquelle ?

— Ce ne sera pas facile.

Plus tard, tandis qu'Olivier dormait bien tranquillement dans sa chambre, les deux femmes examinèrent le château dans ses moindres détails, le jaugeant avec des yeux neufs et critiques. Elles admirèrent ses beautés, repérèrent ses défauts, comptèrent les chambres, les salles de bains et les réserves, suivirent les conduites d'eau et les tuyaux de chauffage depuis la cave et à travers toute la charpente. Elles allèrent, de pièce en pièce, s'efforçant d'imposer une nouvelle identité à chacune d'elles et rencontrant des problèmes à chaque pas. Le salon chinois par exemple aurait fait une chambre absolument exquise et originale, mais l'absence de toute plomberie rendait impossible l'adjonction d'une salle de bains. Par ailleurs, il était important que les chambres soient situées aux étages afin que les hôtes puissent se reposer en paix. Quel dommage aussi que le salon d'été et la salle fleurie communiquent ; le premier eut fait une belle salle publique tandis que la dernière eut été facilement transformée en une chambre romantique.

— Un vrai cauchemar ! se désespérait Geneviève.

La tête lui tournait.

— Un grand hôtel de luxe, il faut le construire en conséquence, je comprends cela maintenant. Mon idée était vraiment farfelue.

Elle se frappa la tête énergiquement.

— Je suis folle !

— Alors, peut-être faudrait-il m'enfermer immédiatement, car moi, je pense que ça marcherait !

— Comment ? Sans l'aile ouest, il n'y a pas assez de chambres. Et où habiterions-nous ?

Tout en marchant, Krisztina brandissait les notes qu'elle avait prises. « Après avoir soustrait nos pièces d'habitation personnelles, nous aurions... trois suites et trois chambres, plus une salle de bains supplémentaire, le tout au deuxième étage. »

— Ces chambres ne sont pas assez grandes.

— Au premier étage, poursuivit Krisztina, nous aurions trois autres chambres et deux salles de bains, et encore trois pièces qui pourraient être transformées en chambres.

— Quelles pièces ? demanda Geneviève sur la défensive.

— La salle à manger verte, la salle de musique et la salle fleurie, ce qui exclurait le salon d'été de tout usage quotidien. Elle griffonna un chiffre. Ce qui nous donne douze pièces.

— Certainement pas suffisant pour faire du bénéfice.

— Peut-être pas, mais nous ne le saurons pas tant que nous n'aurons pas élaboré un plan complet. Le rez-de-chaussée a bien trop de pièces exiguës, il faudrait abattre quelques murs.

— Arrêtez !

Krisztina se tut, surprise.

— Puis-je me permettre de vous rappeler que c'est ma maison que vous êtes en train de mettre en morceaux, dit Geneviève sur un ton glacial.

— Notre maison, belle-mère, rectifia Krisztina, pas encore remise de sa surprise.

— Raison de plus pour ne pas la faire disparaître complètement. Geneviève s'était radoucie quelque peu. L'idée est de sauver le château, non de le saccager comme n'importe quel promoteur insensé.

Krisztina était piquée au vif. « C'est exactement ce que j'essaie de faire, non ? »

— Vraiment ? C'est pour en arriver là que vous projetez déjà de supprimer la pièce où mon mari avait coutume de jouer Chopin rien que pour moi ?

Une rougeur de honte colora les joues de Krisztina. « Excusez-moi, je ne savais pas. »

— Oh, vous ne pouviez pas le savoir, naturellement. Mais vous parlez de cloisons à abattre...

Un silence profond s'établit, les deux femmes s'absorbèrent dans leurs réflexions. Un tuyau gémit des profondeurs d'un mur vénérable, et comme en réponse, une latte du parquet craqua.

Krisztina regarda Geneviève avec inquiétude. « Préférez-vous que nous abandonnions cette idée, belle-mère ? »

— Je ne suis encore sûre de rien.

— Pourquoi ne laisserions-nous pas passer la nuit ? proposa doucement Krisztina.

Geneviève hocha la tête. « Nous avons besoin de temps pour réfléchir, dit-elle lentement. Il faut examiner chaque aspect, les conséquences qui en résulteraient pour le château, pour nous, pour Olivier, et pour tous ceux qui comptent sur de Trouvère. »

Le lendemain soir, elles parlèrent à peine au dîner. Le léger grattement de l'argent sur la porcelaine et le grincement occasionnel de leurs chaises prêtaient à l'atmosphère un caractère tendu et formaliste, inhabituel entre elles.

Sutterlin leur apporta le café dans le salon rouge.

— Prenons un petit cognac, proposa Geneviève quand il fut sorti.

— Bonne idée.

Elles s'assirent toutes les deux sur la dormeuse.

— Pour ma part, j'ai décidé, dit Geneviève.

Krisztina restait silencieuse.

— Je suis trop vieille pour les idées neuves, poursuivit Geneviève.

— Vous n'êtes pas vieille du tout, belle-mère.

— J'ai cinquante et un ans. Et si j'ai pu me flatter de paraître plus jeune que mon âge dans le passé, ces dernières années ont pris leur revanche.

— L'âge est immatériel, belle-mère, protesta Krisztina, légèrement exaspérée. Vous êtes la femme la plus inattaquable par le temps que j'aie jamais connue.

Elle se tut un moment.

— La peur, dit-elle résolument, c'est là le nœud du problème. La peur du changement, qu'il affecte le château lui-même ou votre genre de vie. La peur de trahir l'héritage de votre mari. De trahir son foyer ancestral au lieu de le consolider. Elle se tut un moment et répéta simplement « La peur ».

Geneviève la regarda. « Vous avez raison. J'ai peur. »

— Ce qui est tout à fait naturel.

Krisztina se leva.

— Moi aussi, mais ce n'est pas une raison pour repousser l'idée la plus brillante et la plus osée qui fût jamais !

— Je suis d'accord avec vous.

— Vous êtes d'accord ?

— Ne restez pas bouche bée, je vous en prie, ma chérie. Vous venez de m'expliquer clairement pourquoi vous avez le sentiment que nous devrions passer à la réalisation de ce projet. Je suis simplement d'accord avec vous.

Krisztina se rassit. « Et ces transformations ? Il faudra abattre certaines cloisons, des inconnus vont s'asseoir dans nos pièces, marcher dans nos jardins. Vous n'allez pas aimer cela. »

— Vous connaissez Tagore ? demanda Geneviève après un moment de réflexion.

— Le poète indien ?

— Il a écrit des choses très avisées sur le changement. Quand de vieux mots meurent sur la langue, de nouvelles mélodies s'élancent de notre cœur.

Elle prit la main de Krisztina.

— Quand la salle de musique sera transformée en chambre à coucher, j'essaierai de me souvenir de Tagore.

Krisztina se sentit frappée. « La salle de musique ne sera pas touchée, belle-mère, vous avez ma parole. »

— Pas de promesses hâtives, dit Geneviève avec sang-froid. S'il le faut, ce sera fait.

Elles restèrent silencieuses pendant longtemps. Krisztina commençait à comprendre l'énormité de la décision qui venait d'être prise. Elle ressentit un grand frisson ; ce n'était pas l'ivresse sauvage et bouleversante qui l'avait submergée la veille, mais une jubilation profonde et intense.

— Notre projet, reprit enfin Geneviève, répond parfaitement à ce que nous recherchons. Avant la mort d'Armand, avant la guerre, il ne se passait pas un mois sans que j'aille à Paris ; j'allais dans les magasins, Je rendais visite à des amis, à mon coiffeur, et même à mon dentiste. Je retrouvais Armand pour les réunions d'affaires, je voyageais avec lui. En un mot, je vivais.

— Mais de Trouvère a toujours tenu la place principale dans votre cœur ?

— Oui, sans doute, surtout parce que c'était un foyer, un endroit où se reposer, où l'on avait ses aises, où l'on était chez soi. Les nazis ont contribué à en faire une espèce de sanctuaire, une maison sûre et à moitié saine au milieu d'un monde fou, mais nous, nous sommes devenus une communauté fermée dans cette affaire.

— Dieu en soit loué.

— Certes. Mais c'est aussi un motif puissant en faveur du changement. Ce n'est pas important pour moi, Krisztina, mais pour vous, il est temps que vous réappreniez à vivre pleinement.

— Vous avez raison, dit Krisztina avec calme.

— Et maintenant, nous devrions porter un toast. Mais il y faut du vin rouge, pas du cognac.

— Ni du champagne ?

— Le champagne, c'est pour les célébrations, pour les festivités. Les affaires d'importance exigent quelque chose de plus substantiel, quelque chose qui se mêle au sang.

Krisztina sourit. « Montons à la nurserie. Il me semble qu'Olivier devrait partager cette heure décisive avec nous. »

— D'accord, dit Geneviève en se levant. Après tout, c'est son avenir qui est en jeu.

En haut, dans la douceur de l'air traversé par la magie pure de l'enfant, Krisztina se pencha sur le berceau et contempla son fils, son petit visage si serein et limpide, ses cheveux presque noirs qui formaient comme un halo soyeux en contraste avec sa peau blanche.

— Oh, belle-mère, comme il sent bon, murmura Krisztina en respirant le parfum exhalé par la chair talquée du bébé, et un élan de tendresse ardente fit bondir son cœur.

— Dans une heure, chuchota Geneviève avec amour, il s'y ajoutera une touche légèrement piquante.

Krisztina eut un petit rire nerveux.

Geneviève versa du Château Margaux dans deux verres posés sur la table de change.

— Et maintenant, dit-elle gravement, portons un toast au *Grand Hôtel du Château de Trouvère*.

Krisztina leva son verre. « Qu'il apporte sécurité, abri et joie au vingt-septième baron. » Elles burent un long trait. « Et à votre banquier, ajouta-t-elle. Que son esprit soit large et son cœur généreux. »

— Et ses poches profondes, acheva Geneviève. Toutes deux rirent de bon cœur, et Olivier bougea dans son berceau, poussant de petits sons plaintifs. Sa mère le tourna soigneusement sur le ventre, sa main frôlant doucement le petit dos tout chaud jusqu'à ce que le bébé soit profondément endormi.

— Pensez-vous pouvoir persuader ce banquier, belle-mère ? Ce sera un investissement gigantesque.

— Je n'ai pas vécu à de Trouvère depuis près de trente ans sans avoir appris ce qu'était l'esprit de décision.

Les yeux de Geneviève étaient vifs et brillants.

— Détendez-vous, ma chère Krisztina, poursuivit l'aînée résolument, dès que j'aurai parlé avec M. Jean-Joseph Dienheim, il croira en notre projet.

XVII

Il fallut des efforts, du charme, de subtiles menaces, mais ainsi que Geneviève l'avait prévu, Jean-Joseph Dienheim finit par croire au projet ; les fonds soumis à l'approbation des planificateurs furent alors disponibles.

Ensuite, il fallut trouver l'architecte capable de faire le point sur le potentiel du château et conseiller les modifications nécessaires. Les deux femmes refusèrent trois d'entre eux, qui ne comprenaient pas leurs buts et ne partageaient pas leur sensibilité à l'égard de leur domaine. Elles trouvèrent enfin Alberto Giordano, qui n'était pas un véritable architecte mais un décorateur d'intérieur.

— Mais n'avons-nous pas besoin d'un architecte ? lui avait demandé Krisztina lors de sa première visite. Ce fut lui qui se présenta, un petit Italien chauve et sympathique dont les yeux d'un noir pétillant indiquaient une nature exubérante et sincèrement enthousiaste qui séduisit les deux baronnes.

— Certainement pour ce qui concerne les modifications de structure, avait répondu Giordano, et je consulterai les experts chaque fois qu'il le faudra. Mais il me semble que votre but est d'utiliser le château de Trouvère tel qu'il est ; vous tenez à lui conserver son caractère tout en partageant ses charmes avec le public.

Krisztina regarda Geneviève.

— C'est difficile pour un architecte de s'attaquer à ce genre de travail, poursuivit le décorateur. Par définition, un architecte est un dessinateur de bâtiments, un créateur. Or, cette maison n'a pas besoin d'être créée, il n'est besoin que d'imagination.

— Pourquoi êtes-vous en Alsace, Signor ? demanda Geneviève.

Il eut un petit sourire. « J'ai du sang gitan, Baronessa. J'ai voyagé à travers toute l'Europe, m'imprégnant de différentes cultures et j'ai travaillé là où se sont présentés des projets qui me convenaient. »

Krisztina feuilleta de nouveau le dossier qu'il avait apporté et qui contenait des douzaines de photos, des lettres et des articles se référant à ses travaux : articles critiques ou louangeurs.

— Vous avez fait beaucoup de choses, dit-elle, impressionnée.

— Je suis un homme heureux, signora, répliqua-t-il avec un sourire.

— N'auriez-vous pas joui d'une renommée bien plus grande si vous étiez resté toujours au même endroit, dans une seule ville ? Vous auriez aussi gagné plus d'argent, dit Geneviève.

Giordano eut un geste d'indifférence. « Probablement, mais je ne sais si j'aurais acquis ces qualités que m'ont apportées mes voyages. »

— Vous avez une maison quelque part ? osa demander Krisztina.

— Pas encore, répliqua-t-il avec désinvolture. Je ne suis pas prêt. Je vis où je travaille. Il m'arrive d'y dormir aussi si cela est possible. Ainsi, je suis à même de comprendre le caractère singulier d'une maison, ou d'une pièce, et pas seulement la structure et les surfaces d'un édifice. Je crois que j'ai assez parlé maintenant. Je vais me retirer, Baronne, et attendre votre décision.

Geneviève et Krisztina se regardèrent et se firent un signe de tête, leurs visages exprimaient la satisfaction.

— Inutile d'attendre, dit Geneviève.

Les yeux de l'Italien devinrent encore plus noirs d'excitation.

Krisztina sourit. « Nous sommes entre vos mains, Signor Giordano. »

Le temps était venu de communiquer la nouvelle au personnel.

Sutterlin avait déjà été consulté, en partie parce qu'il était vain de tenter de lui cacher quoi que ce soit d'important, et en partie parce qu'elles avaient une proposition à lui faire.

Il savait qu'elles étaient financièrement dans l'embarras, et il fut bien heureux qu'elles ne vendent pas. Toutefois, leur projet commença par le scandaliser visiblement, bien qu'il se déclarât prêt à y refléchir. Cela lui prit seulement vingt-quatre heures pour décider qu'il pouvait vivre avec cette idée.

André Sutterlin s'imposait comme *concierge* ; en effet, aucun autre que lui ne possédait cette capacité de faire partager à des hôtes sa connaissance parfaite de de Trouvère et de ses environs. Lorsque Geneviève et Krisztina lui offrirent le poste, il accepta avec plaisir et dignité.

Quant à Marthe Schneegans, les deux femmes ne savaient quoi lui proposer. Marthe faisait partie de la maison depuis fort longtemps, Geneviève se souvenait l'avoir toujours vue. Mais en dépit de sa maigreur, elle était forte comme un cheval et il n'était certainement pas question de lui offrir une retraite anticipée.

— Elle va vouloir faire la cuisine, dit Krisztina pour la énième fois. Mais c'est hors de question.

— Absolument, acquiesça Geneviève en tordant une mèche de cheveux, la relâchant et la tordant de nouveau. Marthe est une excellente cuisinière familiale, mais elle n'est pas un chef. Or, dans notre hôtel, la cuisine doit être au-delà de toute critique.

— Que faire alors ?

— Nous ne pouvons pas lui demander de prendre les ordres d'un inconnu, elle serait vexée.

— Nous ne pouvons pas non plus la renvoyer. De Trouvère est toute sa vie maintenant que Jacques est mort.

— Zut, zut et zut ! s'écria Geneviève rouge d'irritation et de mauvaise humeur, chose rare chez elle. C'est insoluble !

— Que dit André ?

— Que nous devrions lui parler, être franches avec elle.

— Peut-être a-t-il raison, belle-mère.

Il fut bientôt évident que Marthe avait entendu parler de leur projet depuis quelque temps déjà, bien que personne, comme elle s'empressa de le dire, ne lui en eût vraiment parlé. Elle s'était seulement contentée de prêter attention aux allées et venues dans la maison, et elle en avait tiré elle-même ses conclusions. Et comme elle avait aussi prévu la position difficile dans laquelle se trouveraient ses employeuses, elle avait pris sur elle-même de projeter son propre avenir.

— J'avais craint que vous ne me demandiez de rester comme cuisinière ; mais alors, évidemment, j'ai réalisé que je ne suis pas un *chef de cuisine*.

Geneviève et Krisztina étaient stupéfaites.

— Vous ne voulez pas rester ?

Bien sur que si, mais pas comme cuisinière. J'en ai assez de la cuisine ! Je n'ai fait que cela le matin, le midi et le soir pendant plus de vingt ans, et je ne veux plus être cuisinière en titre. Si l'on me laissait le choix, je serais heureuse au-delà de toute expression de ne jamais plus franchir le seuil d'une cuisine pour le reste de mes jours !

Les deux baronnes étaient plus embarrassées que jamais.

— Bien. Que souhaitez-vous donc, Marthe ? réussit à demander Geneviève d'une voix faible. J'ai l'impression que vous avez déjà décidé.

— C'est vrai, madame. D'un grand geste théâtral, Marthe ôta son tablier et le posa sur le dos d'une chaise de cuisine. Ses petits yeux d'oiseau étaient très vifs. Je me suis renseignée, j'ai fait des recherches, et je me suis aperçue que dans tout bon hôtel, il faut une *gouvernante* pour surveiller les servantes et l'économie domestique en général. Elle se tut quelques instants. Eh bien, je suis là.

Il y eut un silence pétrifié.

— Si vous jugez que je ne fais pas l'affaire, dit-elle d'un ton guindé, je le comprendrai. Mais je crois que je ferais une gouvernante tout à fait convenable.

Geneviève et Krisztina se secouèrent de leur stupeur.

— Bien sûr, Marthe, que vous feriez une bonne gouvernante, dit Geneviève qui se remit la première de sa surprise.

Elle eut même un sourire avant de poursuivre:

— Excusez-nous si nous sommes quelque peu étonnées, mais nous étions désespérées ; nous avions le tort de ne vous voir que dans le rôle qui fut le vôtre pendant si longtemps. — Nous sommes impardonnables d'avoir manqué d'imagination, dit Krisztina. Nous savions que vous ne pouviez pas faire la cuisine pour tout un hôtel.

— Je me permets de dire que je le ferais s'il le fallait, interrompit Marthe avec vigueur.

— Oh, je suis sûre que vous le pourriez, s'empressa d'affirmer Krisztina, mais vous ferez une superbe gouvernante. C'est une idée formidable !

Leur eût-on posé la question, Geneviève et Krisztina auraient dit que c'était pratiquement impossible d'imaginer Marthe Schneegans rayonnante de joie ; en vérité, on l'avait rarement vue rire même au temps des jours heureux, avant que Jacques eût été emmené. Et voilà que tout à coup, au moins passagèrement, toute sa personne parut se transformer : ses petits yeux brillèrent, ses joues creuses se colorèrent, elle se tint bien droite, et sa physionomie était même radieuse. Marthe la cuisinière avait disparue, remplacée par Mme Schneegans la gouvernante.

Alberto Giordano devint en quelque sorte un meuble. Impossible de tourner dans le château sans tomber sur l'une de ses grandes feuilles de papier couvertes de dessins et de notes, ou sur l'un de ses « experts », ou même sur Giordano lui-même, tantôt silencieux et méditatif, tantôt enflammé d'une idée nouvelle.

C'était un bohémien ; pendant quatre mois, il dormit presque chaque nuit sur un matelas à même le sol, dans toutes les pièces et tous les halls tour à tour. Il travaillait chaque projet l'un après l'autre ; il faisait venir des architectes, des électriciens, des plombiers, des charpentiers et des décorateurs, il bavardait aimablement avec eux, il criait aussi, il approuvait ou contrecarrait, il les louait, ou bien il les mettait à la porte et ensuite, il s'isolait pour réfléchir et dessiner.

Il maigrissait, puis grossissait, puis redevenait maigre : c'était le résultat de ses oscillations entre les gros repas et le jeûne. Pendant des jours d'affilée il dédaignait les efforts de Marthe pour le nourrir – car il savait en appeler à l'instinct maternel de la cuisinière – et aucune goutte d'alcool ne passait ses lèvres et puis tout à coup, comme s'il sentait qu'un réapprovisionnement massif s'imposait, il tambourinait comme un fou à la porte de la cuisine et dévorait des jattes pleines à ras bords de spaghettis tout en s'imbibant de deux ou même trois bouteilles de chianti rosso que Krisztina commandait spécialement pour lui à Strasbourg.

Les problèmes furent innombrables, mais Alberto était décidé à les résoudre tous. Rien ne lui était étranger : « Dans notre hôtel, promit-il, l'eau chaude sera inépuisable, l'installation électrique sera tellement solide que l'hôtel entier pourra être illuminé sans que saute un seul fusible ! » Il améliora de deux pièces la première estimation de Krisztina quant au nombre de chambres. Il trouva les astuces pour loger toute la famille confortablement et pour conserver les pièces importantes comme le salon rouge et la salle de musique. Il partageait avec les deux femmes leur aversion pour les ascenseurs dans un château de style baroque, mais en reconnaissant toutefois leur nécessité, il trouva un compromis en prévoyant un ascenseur pour les hôtes et un autre pour le service, tous deux entièrement dissimulés sous le chêne d'origine soigneusement détaché du mur et dont les portes furent revêtues.

Il aimait à dire que chaque problème avait sa solution, et s'il n'y en avait vraiment pas, il restait toujours le *compromeso* – un de ses mots favoris – le compromis.

L'étape des plans terminée, l'opération entra dans la phase suivante. Et le château de Trouvère ne fut plus qu'un chantier : bruits de toutes sortes, saleté et chaos lorsque les entrepreneurs et leurs cohortes l'envahirent comme des saboteurs insensibles.

— Calma, calma, amiche mie, disait Giordano pour apaiser les deux baronnes désolées. Tout ira bien, la maison retrouvera sa paix et sa beauté.

— Mais les murs ! Le chêne... le marbre ! gémissait Geneviève. Vous m'aviez promis de tout laisser intact.

— Tout restera intact, cara signora, je vous en donne ma parole.

— Comment ce château pourrait-il retrouver son aspect ancien ? protestait Krisztina. Il ne reste plus que la maçonnerie ! Tout est détruit !

— Ma no ! On enlève chaque morceau *con tenerezza*. Quand les travaux seront terminés, rien n'indiquera que les murs ont été touchés !

Il baissa la voix.

— Ces hommes sont comme des chirurgiens, Baronne. Pour que les plombiers et les électriciens puissent travailler, il faut pratiquer des incisions.

Il sourit.

— Un corps sous le scalpel ne doit pas être très beau non plus, mais avec un chirurgien de premier ordre, les cicatrices sont invisibles.

Geneviève se tenait très droite, une lueur de résignation morne dans les yeux. « Nous nous en tenons à votre parole. Mais je vous avertis, Alberto Giordano, si vous avez tort, je vous promets que vous ne connaîtrez plus jamais de nuits paisibles ! »

Giordano fit une profonde révérence. « Baronessa, je ne doute pas que lorsque les travaux seront terminés, je dormirai comme le plus innocent des bambins. »

Le 28 avril, Sutterlin prévint Krisztina qu'une communication l'attendait dans le bureau.

— Krisztina ?

Même après huit ans, elle ne s'y trompa pas. Son estomac se noua.

— Père ?

— *Igen.*

— Où es tu ?

— À Vienne.

— Et maman ? Où est maman ? Ses jambes tremblaient et ses joues devenaient brûlantes. Père, dis-moi !

— Ta mère est ici aussi.

— *Hala Istenek* ! Elle remerciait Dieu. Laisse-moi parler avec elle, immédiatement !

Gabor parut hésiter. « Elle n'est pas près de moi à l'instant, Krisztina. »

— Pourquoi ? Où est-elle ? Pourquoi êtes-vous à Vienne ? S'agit-il d'un voyage d'affaires ? Comment avez-vous fait pour sortir de Hongrie ? Où est maman ? Les questions se bousculaient fébrilement.

— *Lassan,* Kriszti, doucement ! Laisse-moi le temps de répondre.

— Maman va bien ? demanda-t-elle encore.

— Oui. Elle est à l'hôpital, mais...

— Pourquoi ? !

La peur la tenaillait.

— Qu'est-ce qui ne va pas ?

— Elle a été opérée. Une hystérectomie, mais elle est...

— Oh, mon Dieu !

— Je t'en prie, Kriszti, essaie de te calmer et laisse-moi t'expliquer. Ta mère a été opérée il y a trois jours.

— Pourquoi ne m'en as-tu rien dit ?

— Parce que j'ai préféré attendre le verdict des médecins.

— Et ?

— Ils sont satisfaits, Dieu soit loué. Elle a été très malade à la maison, et il lui faudra du temps pour se rétablir complètement, mais elle se rétablira.

— Mais, comment avez-vous fait pour aller à Vienne ? Pourquoi maman ne s'est-elle pas fait opérer dans votre ville ?

La liaison à longue distance rendait la voix de Gabor métallique et sèche. « Tu n'as pas vu ce qu'est devenu Budapest, Krisztina. Les bombardements ont beaucoup détruit, tous les ponts, notre vieille maison, presque toutes les maisons même. Et puis les Russes sont venus. »

— Ont-ils détruit aussi les hôpitaux ?

— Elle avait été admise à l'hôpital de Pest, et son médecin, un brave homme, un jeune homme très bien, a dit qu'elle mourrait si elle ne bénéficiait pas de soins chirurgicaux de premier ordre. Il a dit que le meilleur endroit pour cela se trouvait ici.

— De sorte qu'ils vous ont laissé sortir ?

— Pas si facilement, crois-moi. Mais le médecin a réussi à convaincre les autorités qu'ils tueraient une femme innocente sans ce simple permis de sortie. Il a su les influencer.

— Dieu le bénisse.

— Oh, oui. Il y eut un silence. Nous aimerions te voir, Krisztina. Peux-tu venir ?

— Bien sûr, je vais venir. Elle réfléchit un moment. Maman a-t-elle reçu des lettres de moi ? Êtes-vous au courant de la naissance d'Olivier ?

— Oui, Kriszti. Tu l'amèneras avec toi ?

— C'est un long voyage, père.

— C'est si important pour ta mère.

Elle perçut l'humilité et la supplication dans sa voix.

— Nous partirons demain.

Ilona était maigre, pâle et faible, mais elle poussa un cri de joie quand elle vit sa fille. La mère et la fille pleurèrent longtemps dans les bras l'une de l'autre. Puis Krisztina regarda sa mère. Elle reconnut bien les yeux bruns tels qu'elle les avait gardés dans son souvenir, ils étaient toujours aussi beaux ; elle vit aussi une touche de couleur sur ses joues.

— *Hala Istenek, hala Istenek,* répétait Ilona en scrutant le visage de Krisztina comme si elle voulait imprimer dans son cerveau une vision ineffaçable quoi qu'il arrivât dans l'avenir.

— Tu as changé, *dragan,* s'étonna Ilona. Tu es une femme... et une mère, acheva-t-elle en souriant.

— Et toi, maman, comment te sens-tu ? s'inquiéta Krisztina.

— Moi ? Beaucoup mieux. Inutile de te faire du souci pour moi, pas pour le moment de toute façon.

Krisztina caressa la joue de sa mère.

— Tu vas aller mieux, tu vas reprendre des forces, maman. Et tu vas venir vivre avec nous à de Trouvère.

Les yeux d'Ilona se remplirent de larmes.

— As-tu amené Olivier ? Gabor a dit que tu le ferais.

— Il est dehors, il joue avec une infirmière. Je voulais m'assurer que tu étais assez forte.

— Pour rencontrer mon petit-fils ? Ilona fit un effort pour rire. Pouvais-tu en douter ?

— Et puis, je voulais t'avoir un peu pour moi toute seule, ajouta Krisztina gentiment en tenant doucement la main de sa mère.

— Si Dieu le veut, nous aurons bientôt tout notre temps, *dragam.*

Krisztina se leva de la petite chaise dure.

— Je vais le chercher.

Quand Ilona vit Olivier, elle en perdit le souffle de surprise.

— Si brun ! Un vrai petit gitan !

Avec précaution, tenant compte du goutte à goutte intraveineux dans le bras de sa mère, Krisztina déposa son fils au bord du lit d'hopital et attendit qu'il protestât. Rien ne vint. Grand-mère et enfant se regardèrent dans les yeux, gravement, comme fascinés, Ilona muette de bonheur, Olivier sans doute trop intrigué pour crier.

Ilona tendit son bras libre.

— Viens, *baba,* le pria-t-elle doucement.

Olivier tourna ses yeux ronds presque noirs vers sa mère, puis il regarda de nouveau Ilona.

— Vas-y, chéri, l'encouragea Krisztina.

Olivier eut un petit gloussement. Ses joues potelées se creusèrent de fossettes, son adorable bouche de bébé s'entrouvrit, exposant de minuscules dents blanches, puis il rampa tout près d'Ilona et lui saisit le bras.

— Dieu, maman, s'exclama Krisztina. Il est content de faire ta connaissance !

Ilona eut l'air surpris.

— Pourquoi cela ne lui ferait-il pas plaisir ?

— Tu ne connais pas encore Olivier, maman, expliqua-t-elle, amusée. Nous l'aimons pourtant beaucoup, mais il n'est pas facile à contenter, et je ne l'ai jamais vu accepter un inconnu aussi rapidement.

— Parce qu'il sait, *baba,* tu ne crois pas ? Il sait que je suis sa grand-mère, et absolument pas une inconnue. Ilona examina l'enfant de plus près, caressant ses cheveux noirs et le tapotant du bout du doigt sous le menton pour le faire rire, mais ses pensées la ramenaient en arrière, hors de cet hôpital viennois ; elle se retrouvait plus de vingt-cinq ans plus tôt, elle revoyait l'enfant exquise, l'enfant de ses rêves que son cousin lui avait donnée à aimer.

Kriszti blonde comme le lin, pensait-elle, et Laurent presque aussi clair... Elle examina encore les yeux d'Olivier, noirs comme du jais. Un rappel lointain ? se demandait-elle en pensant pour la millième fois peut-être à l'Étoile de David qu'elle avait emportée frauduleusement dans son sac en quittant la Hongrie, et dont Gabor n'avait jamais rien su.

— Maman ?

Ilona eut un clignement d'yeux.

— Te sens-tu mal, maman ? Krisztina reprit rapidement Olivier qui était en train de sucer un coin du drap.

— Ça va, Kriszti, ne t'inquiète pas. Juste un peu fatiguée... tant d'émotions.

— Nous allons te laisser te reposer. Krisztina se leva et le bébé s'agita dans ses bras.

— Tu reviendras ? Le visage d'Ilona se froissa en petites ridules que sa fille ne lui avait pas connues avant la guerre.

— *Perze,* dit Krisztina en manière de réconfort. Bien sûr, je vais revenir demain. Nous resterons à Vienne aussi longtemps qu'il sera nécessaire. Elle se pencha et posa un baiser sur le front de sa mère.

— Kriszti ?

— *Igen,* maman ?

Ilona lui prit la main et la serra avec force.

— Qu'y a-t-il, maman ?

— Ne permettons plus jamais à personne de nous séparer. Des larmes se formèrent au bord de ses yeux.

— Jamais, maman.

Ilona eut un sanglot étouffé. « Je ne supporterais plus de te perdre encore. »

Kirsztina caressa doucement les doigts maigres qui s'agrippaient à elle comme à une bouée.

— Moi non plus.

Krisztina et Gabor étaient assis à une table près de la fenêtre d'un médiocre restaurant proche du Danube. Ils avaient devant eux des escalopes trop cuites dont ils n'avaient pu manger que la moitié, et leur verre encore presque plein d'un vin de paille trop aigre, le tout posé sur une nappe tachée. Une bougie vacillait dès que la porte du local s'ouvrait ou se refermait. Cette chandelle était censée diffuser un peu de poésie dans ce décor terne d'après-guerre, mais elle ne servait en réalité qu'à éclairer les traits tendus du père et de la fille s'observant mutuellement pour la première fois depuis huit ans.

— Fini, dit Gabor avec morosité. Tout est fini.

— Qu'est-ce qui est fini ?

— La Vienne d'autrefois. Finie. *Fertig.*

— T'attendais-tu à ce que rien ne soit changé ?

— Je ne savais pas ce que j'attendais. Budapest est tellement horrible maintenant, tellement détruite. Je me rappelais de la Vienne de jadis. Un espoir idiot, dit-il en haussant les épaules.

— Je pense que l'espoir n'est jamais idiot.

Il y eut un bref silence.

— Toi et moi aussi, dit Gabor faiblement.

— Quoi ?

— Fini !

Elle ignora l'appel dans son regard. « Comme nous étions autrefois, oui. »

Il s'éclaircit la gorge, puis il poursuivit avec une légèreté forcée.

— Ils m'ont dit que ta mère devrait absolument jouir du bon air, pour sa convalescence. Ils m'ont suggéré Semmering. Je pensais que nous pourrions louer un appartement pour quelque temps. Ce serait plus reposant qu'un hôtel, une domestique pourrait s'occuper du ménage.

Il hésita.

— Et ce serait moins cher.

— L'argent serait-il un problème ? Krisztina savait que la perte du magasin Kaufmann, leur départ de Budapest et les frais médicaux de sa mère devaient avoir à peu près épuisé les quelques ressources qui lui restaient après la guerre.

Gabor rougit.

— Franchement, oui. Le sommet de son crâne chauve brilla à la lumière de la chandelle.

— Puis-je faire quelque chose ?

Il détourna son regard.

— Serais-tu prête à m'aider, Krisztina ?

« Non, pensa-t-elle, pas toi », mais elle se retint de s'exprimer aussi brutalement. Même au bout de tant d'années, ses sentiments envers Gabor étaient confus. Il avait joué un rôle majeur dans la perte de David, mais ce qui était presque pire, il avait détruit une foule de souvenirs précieux, il les avait entachés à jamais par sa conduite choquante et révoltante d'une seule nuit.

— Krisztina ?

Et pourtant... Elle le regarda et vit sur ses traits une telle lassitude, une telle détresse d'homme se sachant coupable qu'elle sentit la pitié l'envahir malgré elle.

— Bien sûr, je veux bien vous aider, dit-elle calmement. Bien que les choses soient loin d'être faciles à de Trouvère depuis la guerre.

Elle lui raconta brièvement leurs luttes, soulignant l'idée de Geneviève.

— Est-ce vraiment si beau ? demanda Gabor. On dirait que tu affectionnes ta nouvelle résidence plus que tu ne t'y attendais toi-même.

— C'est vrai.

— Alors, peut-être...

Il était dans l'expectative, ne sachant s'il devait poursuivre ou non.

— Peut-être quelque chose de bon est-il sorti de ton mariage finalement.

— Mon mariage a été un échec, dit-elle implacablement, mais il s'est fait de mon propre chef, et je n'en blâme personne d'autre. En effet, il en est sorti beaucoup de bien : mon amitié avec la mère de Laurent, le château, le domaine, et surtout, Olivier.

— Mon petit-fils.

— Oui.

Gabor eut l'air gêné.

— Tu sais pourquoi ta mère a eu besoin d'une opération ?

— Oui. J'ai parlé avec un médecin à l'hôpital.

— Elle a besoin d'une radiothérapie.

— Et de repos.

— Semmering lui fera du bien.

— Et ensuite ?

Krisztina dévisagea Gabor.

— Après Semmering ?

Il ne supporta pas son regard.

— Évidemment, ta mère aurait bien envie de rester près de toi, et d'Olivier, mais...

— Mais ?

— Je sais que tu ne tiens pas à ma présence, Krisztina, et je ne peux pas t'en vouloir. De nouveau, l'humiliation perçait dans sa voix.

— Maman a besoin de toi, répondit-elle d'une voix unie.

— Je suppose.

— Et toi, tu es toujours mon père, dit-elle après un silence.

Il se décida enfin à la regarder en face.

— Quand l'hôtel ouvrira, je pourrais travailler, me rendre utile. Il en appelait visiblement à elle, plein d'espoir.

— Peut-être.

Son visage sembla s'affaisser de nouveau.

— Ils m'ont pris mon usine, tu sais.

— Je sais, maman me l'a écrit.

— Ils m'ont donné un emploi.

Il eut un rire amer.

— Balayer, nettoyer les comptoirs, laver les fenêtres. Dans ma propre usine.

Il était près des larmes.

— Pour nettoyer les chandeliers, il fallait que je monte sur une grande échelle, et j'avais le vertige – tu te souviens que j'ai toujours détesté me trouver en hauteur – ils m'ont dit que c'était cela ou pas de travail du tout.

Elle se souvenait de lui avant la guerre, elle se souvenait de son ambition vorace, et à présent, elle constatait sa misère et son désarroi. Bien qu'elle reconnût que sa chute n'était que justice, elle fut surprise de ne trouver en elle aucun désir de revanche.

Gabor reprit contenance en buvant une gorgée du vin aigre.

— Tu vois, Kriszti, je suis prêt à travailler pour payer notre entretien.

— Cela ne sera pas nécessaire, père.

Elle lui coupa la parole, haïssant de le voir s'abaisser.

— Ma maison est la vôtre ; c'est normal et juste.

— Qu'en pensera la mère de Laurent ?

— Belle-mère aura les mêmes sentiments que moi. Toutefois, je crains que vous ne puissiez arriver au château avant un certain délai.

— Pourquoi ?

Elle sourit.

— Si tu voyais, tu comprendrais. Les entrepreneurs n'ont pas laissé un seul centimètre intact. Il y a de la saleté et de la poussière partout. Ce serait malsain pour maman.

Gabor eut l'air anxieux.

— Ne t'en fais pas pour l'argent, père, pas pour le moment, dit-elle gentiment. Que maman se repose à Semmering, et ensuite, si le château n'est pas encore prêt, vous pourrez séjourner quelque temps à Ribeauvillé, ce n'est pas loin.

Les joues de Gabor devinrent cramoisies.

— C'est dur, tu sais, d'accepter la charité de son propre enfant.

— Ce n'est pas de la charité.

— Pour ce qui est de ta mère, bien sûr que non... mais il s'agit bien de cela pour l'homme que tu hais... ?

— Je ne te hais pas, père.

Il leva la tête subitement, ses lunettes brillèrent à la flamme de la chandelle.

— Pourquoi ? demanda-t-il, incrédule.

Krisztina réfléchit un moment.

— Je voudrais bien le savoir.

Après avoir veillé à ce qu'Ilona soit en bonne voie de rétablissement, Krisztina retourna en Alsace avec le bébé et porta à Alberto la nouvelle : il fallait trouver encore un logement pour son père et sa mère.

Giordano s'était montré fidèle à sa parole ; les ouvriers accomplissaient toutes les tâches avec une méticulosité amoureuse. Mais il y avait un problème majeur, c'était la question de l'argent, ou plus exactement, du manque d'argent.

Il pouvait sembler presque vulgaire d'assister à un miracle en train de se produire tout en traduisant en francs chaque étape de sa réalisation. Mais la surveillance et la présence de plus en plus pessimiste de M. Jean-Joseph Dienheim et de ses délégués imposèrent finalement certaines retenues.

Pour la première fois, Alberto commença à montrer des signes de tension et d'irritation qui affectèrent tout le monde à de Trouvère.

— Je ne peux pas travailler ainsi ! On veut me mettre hors de combat !

Ce fut alors au tour de Krisztina de l'apaiser.

— Nous n'avons pas le choix, Alberto. La banque insiste sur le fait que le budget a été suffisamment rallongé. Ils sont en possession de vos estimations et...

— *Estimates* ! ? gémit Giordano, de plus en plus exaspéré. Nous ne sommes pas en train de créer un immeuble de bureaux, mais une vision !

Krisztina sourit avec sympathie.

— Nous le savons, Alberto... mais la vérité est que si M. Dienheim le décrète, il peut trancher sur nos fonds comme on ampute un membre. Et si cela devait arriver, dit-elle avec un air triste, de Trouvère aura besoin d'un entrepreneur de pompes funèbres et non plus de vos chirurgiens.

Giordano eut l'air ébahi. « *Prego ?* »

Krisztina chercha une traduction. « *Per la morte* », dit-elle.

— Ah, un *becchino*. Sa face s'illumina puis s'assombrit nettement. Sur mon corps mort !

Elle ne savait pas si elle devait rire ou pleurer.

— Mais, Alberto ! Quand comprendrez-vous enfin que si nous ne leur prouvons pas que nous sommes capables de réduire les frais, il n'y aura pas d'hôtel du tout !

Le 14 août, Krisztina reçut enfin des nouvelles de la Croix-Rouge internationale à Genève. On lui confirma que David Kaufmann avait péri au cours de son transport de Sachsenhausen à Riga en janvier 1942. Son père et sa mère étaient morts à Buchenwald.

Un survivant du camp de travail de Salaspils, près de Riga, avait fait parvenir au comité de la Croix-Rouge une page de journal intime. Le comité la fit suivre à l'intention de Krisztina. Écrite avec une simplicité poignante, elle relatait les horreurs de la déportation des prisonniers juifs d'Allemagne vers Latvia, occupée par les Nazis.

Le rédacteur du journal intime nommait les nombreux compagnons qui étaient avec lui dans le camion, et il relatait comment les prisonniers les plus forts grattaient la glace sur les parois et les vitres afin d'avoir un peu d'eau ; pendant ce temps, onze hommes, femmes et enfants, y compris David, déjà affaiblis par le typhus et la malnutrition, étaient morts de froid.

« Pour beaucoup, il aurait mieux valu qu'ils meurent pendant le transport, poursuivait le rédacteur, car nous avons appris plus tard que cinq cents personnes au moins furent conduites dans la forêt de Rumbuli et fusillées. »

Krisztina ne parla à personne pendant quatre jours. Elle se contenta de s'occuper d'Olivier sans penser à rien, serrant le petit garçon de quatorze mois contre elle avec un désespoir silencieux et violent, ne le relâchant que lorsqu'il gigotait en signe de protestation. Tout le château sut bientôt que la jeune baronne avait perdu quelqu'un qui lui avait été très cher, et Alberto, par respect pour son chagrin, ordonna à ses hommes de cesser le travail. Toute la maison fut plongée dans le silence.

— Voulez-vous aller voir votre mère à Semmering ? demanda Geneviève le cinquième matin. Jeanne et moi pourrions facilement nous occuper d'Olivier.

Krisztina parla enfin.

— Non, merci, belle-mère. Cela ne ferait que troubler ma mère de me voir ainsi. Ce que je ressens est tellement étrange.

— Comment cela ?

— Je suppose que c'est la peine. Mais ce n'est pas le même chagrin que celui que j'éprouverais pour quelqu'un qui aurait vécu chaque jour de son existence avec moi. Il n'y a pas de nouveau vide dans ma vie.

— Je pense que si, ma chérie.

Krisztina n'écoutait pas.

— Vous savez, malgré tout, et bien que je vous aie dit que je le croyais mort, je n'avais en réalité jamais cessé d'espérer qu'il pourrait s'échapper un jour et se mettre à ma recherche. Et maintenant je sais qu'il est vraiment parti pour toujours, qu'il ne reviendra jamais. Elle avala sa salive péniblement. Et je n'ai même pas de corps, pas de cadavre à enterrer et sur lequel pleurer, juste quelques mots sur un bout de papier. Alors je n'y crois pas encore tout à fait.

— Il le faut, ma chérie.

— Je sais, je sais ! Elle laissa ses larmes couler. Ils disent qu'il était malade et affaibli, dit-elle, la voix tremblante. Qu'il a gelé !

Elle frissonna et ferma ses poings.

— Je ne pourrai jamais penser à David de cette manière... Jamais ! Pour moi, il sera toujours comme il était, sain, beau, vivant.

— C'est ainsi qu'il doit en être, dit Geneviève doucement. C'est ainsi que je me souviens d'Armand.

Krisztina rougit.

— Et de Laurent.

— Oui.

Le silence était lourdement chargé de souvenirs et de chagrins.

— Mais tant que je ne reconnaîtrai pas la vérité, belle-mère, reprit Krisztina qui avait besoin de parler à présent, et qui s'efforçait de se maîtriser, tant que je ne cesserai pas de rêver que David pourrait, par quelque impossible miracle, marcher un jour dans le château de Trouvère, comment l'oublier ?

— Vous n'avez nul besoin de l'oublier, ma chérie.

— Mais si ! L'angoisse déformait son visage. Je veux oublier ces doux souvenirs ! Je veux oublier ce que je lui ai fait !

— Que lui avez-vous donc fait de si terrible ?

— Je l'ai trahi ! s'écria-t-elle.

— Comment cela ? demanda vivement Geneviève. En épousant Laurent ?

— Évidemment.

— Vous l'avez fait pour lui, Krisztina.

— Pas seulement.

— Peut-être pas. Mais si...

Geneviève avait peine à poursuivre, à dompter son propre sentiment de déloyauté envers son fils ; mais elle désirait tant réconforter Krisztina.

— Si David avait été hors de danger, c'est lui que vous auriez épousé, et non Laurent, n'est-ce pas ?

Elle caressa les cheveux de Krisztina.

— Vous ne voulez pas oublier cela.

— Je veux oublier qu'il est mort, murmura Krisztina.

Geneviève soupira, sachant qu'avant le réconfort, il faut l'acceptation et le deuil.

— Ma chérie, peut-être..., dit-elle, pensive, si vous faisiez quelque chose en mémoire de lui ?

— Vous voulez dire allumer une bougie ? L'amertume perçait dans la voix de Krisztina.

— Oui, dit Geneviève fermement. Mais je pensais à quelque chose de plus profond.

— Quoi donc ? Je peux difficilement faire dire une messe pour lui.

— Pourquoi pas ?

— Un service catholique pour un Juif ?

— Non, bien sûr.

— Quoi donc ? Aller à la synagogue ?

Geneviève secoua la tête.

— Je doute que cela vous donnerait le réconfort dont vous avez besoin, ma chère. Non, mon idée est différente. Elle hésitait. Un service commémoratif dans notre chapelle.

— Mais David...

— Je suis sûre que le père Périgot ne ferait aucune objection à la présence d'un rabbin.

Krisztina était stupéfaite.

— Mais vous-même, belle-mère, ne trouveriez-vous rien à redire à entendre des prières juives dans votre chapelle ?

— C'est votre chapelle maintenant, Krisztina.

Le silence tomba. Geneviève devina facilement le cours des pensées de sa belle-fille rien qu'en étudiant son visage.

— Vous pensez à Laurent ?

Krisztina eut un hochement de tête.

— Vous vous demandez si ce ne serait pas un affront envers lui, et peut-être même envers moi ?

Krisztina n'osait pas parler.

Les yeux de Geneviève étaient très tristes, mais sa voix restait calme.

— J'essaie autant qu'il est humainement possible, de ne jamais penser à ce que mon fils a fait à David.

— Et Dieu sait que ce n'est pas moi qui voudrais vous le rappeler, belle-mère chérie !

— Je le sais. Mais il y a des vérités qu'il faut regarder en face.

— Il ne faut pas non plus que vous mettiez systéma-tiquement les crimes nazis sur les épaules de Laurent, ajouta Krisztina dans sa détresse. Il y a des millions de morts. Nous savons toutes deux que si David n'avait pas été arrêté ce soir-là, il l'aurait probablement été plus tard.

— Il aurait pu s'échapper.

Krisztina la fixait du regard, désemparée.

— Et de plus, vous n'aurez pas de tombe à visiter, ajouta Geneviève.

— Et ni sa mère ni son père ne sont plus là pour porter son deuil. Les larmes retenues se mirent à couler sur les joues de Krisztina, sans bruit, douloureusement.

— La Sainte Vierge n'y verra aucun mal, reprit Geneviève tranquillement, et le bon Dieu prend soin de nous tous à égalité.

Elles tombèrent ensuite dans les bras l'une de l'autre ; les deux femmes avaient besoin de partager leurs chagrins et de trouver leur consolation dans leur affection mutuelle. C'est alors que l'ironie de la vie s'imposa plus que jamais à Geneviève. Car si Laurent avait eu moins de défauts, si cet inconnu tant aimé, ce David Kaufmann, avait vécu, Geneviève n'aurait jamais connu Krisztina, jamais elle n'aurait eu cette tendre et courageuse amie, presque sa fille.

— Alors, ma chère fille, dit-elle tendrement, me permettez-vous de faire ce petit geste ?

Krisztina, toujours secouée de sanglots, fit un effort pour lever son visage trempé de larmes.

— Comment vous remercier assez pour cela, belle-mère ? Geneviève s'écarta doucement d'elle, ses yeux remplis d'amour.

— Il n'y a rien dont vous deviez me remercier.

Jean-Joseph Dienheim n'avait plus la foi.

Tout support financier retiré, Geneviève fut contrainte de téléphoner à Alberto Giordano à la petite pension de Ribeauvillé où il s'était discrètement retiré pour laisser un peu de paix à Krisztina.

— Tout est fini, dit-elle avec un regret profond. Les banquiers ont mis fin au projet.

— *Ma non è possibile !*

— Malheureusement, Alberto, c'est ainsi. Il faut payer les hommes et terminer immédiatement, sinon, nous devrons verser des indemnités.

— Nous ne pouvons pas terminer ! Nous ne pouvons rien arrêter tant que l'hôtel n'est pas prêt ! Je n'arrêterai rien du tout ! Je vous le dis, Baronessa, si ces banquiers sont de tels poltrons, nous en trouverons d'autres qui auront plus de *coraggio* !

— Mon cher Alberto, c'est hors de question. Vous serez tous payés pour ce qui a eté fait, mais nous ne pouvons pas continuer.

— Il doit bien exister un moyen.

— Pas cette fois.

— Laissez-moi au moins y réfléchir.

— Je ne peux pas vous en empêcher, dit Geneviève courtoisement. Mais il faut faire face à la réalité. Il n'y a plus d'argent.

Le père Périgot vint de Riquewhir, un jeune rabbin solennel vint de Colmar. Krisztina, Geneviève et le petit Olivier, de même que Sutterlin, Marthe et Jeanne s'agenouillèrent lorsque le prêtre commença une messe de requiem, puis ils se levèrent têtes baissées, lorsque le rabbin chanta deux psaumes de David et récita la prière traditionnelle des affligés. Il avait expliqué auparavant que la coutume voulait que ce soient les parents mâles les plus proches du défunt qui conduisent le Kaddish.

— Serait-ce déplacé si je disais cette prière ? avait demandé André Sutterlin, le visage grave et digne. Bien que je ne sois pas un parent, et que je n'aie pas connu M. Kaufmann.

— Dans ces circonstances, monsieur, avait répliqué le rabbin, je considérerais cela comme une bonne action.

Il remit à Sutterlin une carte sur laquelle les mots hébreux étaient écrits phonétiquement, et le majordome protestant rougit en la lisant d'une voix à peine hésitante. Lorsqu'ils se turent, le silence de la chapelle fut si remarquable que pour une fois, même Olivier parut hypnotisé ; le père Périgot et le rabbin bénirent la petite plaque commémorative en or fixée au mur, près de la porte. À ce moment, les yeux de Marthe rougirent, Jeanne pleura franchement, et le cœur de Krisztina déborda de gratitude et de fierté.

— C'était beau, chérie, n'est-ce pas ? dit Geneviève en la serrant contre elle, et ses yeux aussi étaient inondés de larmes.

— Plus beau que tout ce que j'avais rêvé, murmura Krisztina.

— C'est extraordinaire, poursuivit Geneviève avec étonnement. La guerre a changé bien des choses, et elle a apporté en même temps beaucoup de bien et beaucoup de mal.

Elle regarda les autres quitter la chapelle, Jeanne tenant la main d'Olivier.

— Ceci n'aurait jamais pu arriver avant. Ces gens ont toujours été loyaux, ils furent toujours des amis fidèles et pas seulement des domestiques... mais à présent, je sens que nous sommes devenus une famille.

Les deux femmes s'embrassèrent encore et puis, toujours perspicace, Geneviève se signa, fit demi-tour et suivit les autres, laissant à Krisztina un moment de solitude.

Krisztina regardait fixement la plaque :

David Kaufmann
1918-1942

Il y était gravé un autre mot en hébreu ; le rabbin l'avait aidée à le choisir : *Shalom*. Paix. Elle porta à ses lèvres les doigts de sa main droite puis les posa sur le nom gravé. Les premiers mots du *Kaddish* vacillèrent dans son esprit.

« Yis'gadal v'vis'kadas sh'mai raboh... »

Ils avaient un goût étrange sur sa langue, et elle se demanda ce qu'ils signifiaient. Puis une image de sa mère lui vint à l'esprit, voilée et dévotement agenouillée dans l'église ; très vite, elle aussi fit une génuflexion, fit le signe de la croix et quitta la chapelle.

Les autres étaient retournés au château et l'après-midi était embrasé du soleil et des fleurs de cette fin d'été, les oiseaux dans les arbres, de l'autre côté du mur du jardin, lançaient à tous vents de joyeux hosannas.

Elle passa le portail et comme elle longeait le cimetière, elle vit un homme debout qui regardait la tombe de Laurent ; il lui tournait le dos. Il portait un costume d'été beige, un imperméable négligemment jeté sur son épaule gauche ; il était très grand, et il y avait quelque chose de vaguement familier en lui.

Ces cheveux, pensa Krisztina. Cette rousseur dans le soleil.

Sans doute perçut-il sa présence, car il se retourna vers elle et sourit.

— Bonjour, dit-il.

XXIII

Le capitaine Hunter et les deux baronnes bavardèrent durant toute la soirée, tout en dégustant vols-au-vent, truite grillée et tarte aux cerises, un véritable festin organisé rapidement et avec enthousiasme par Marthe et qui fut arrosé de deux bouteilles de Riesling de Trouvère et d'un cognac vieille réserve. La soirée se prolongea même tard dans cette nuit chaude de septembre.

Il leur raconta – dans son excellent français dont elles se souvenaient – le choc de l'arrestation qui suivit leur départ prématuré de leur cellier-refuge, et comment leurs uniformes de la RAF les avaient sauvés d'une exécution pour espionnage ; il décrivit leur brève et déplaisante incarcération dans la prison de la Gestapo, leur transfert dans deux camps de prisonniers différents convenablement dirigés près d'Augsbourg, dans le sud de l'Allemagne, et comment en se réveillant un matin ils trouvèrent leurs camps abandonnés ; les Allemands étaient partis.

— Les portes étaient grandes ouvertes. Nous aurions pu sortir.

— Mais vous ne l'avez pas fait ? Krisztina était toujours aussi captivée par le récit de l'Anglais.

— Non. Il valait mieux attendre que la situation se stabilise.

Il eut un geste désinvolte.

—Nous nous sommes organisés, nous avons établi des liaisons radio, nous avons utilisé au mieux les provi-

313

sions que nous avons trouvées, et nous avons attendu. Ce sont les Américains de la 7ᵉ armée qui nous ont atteints les premiers, le 27 mars. Et puis nous sommes rentrés en Angleterre deux semaines plus tard.

— Vous avez donc fêté la victoire chez vous, dit Geneviève.

— Bien sûr.

— Comment va votre bras ? demanda Krisztina.

— Aussi bien que s'il était neuf. Il le plia. Il est resté raide pendant un bon bout de temps – le médecin du camp n'était pas ce que l'on peut appeler un spécialiste – mais un physiothérapeute me l'a remis en état quand je suis rentré à Londres.

— Et les autres ? Eddie et Miller ?

Une ombre voila le visage de Hunter. « Miller est en forme. Il s'est marié tout de suite après sa démobilisation. »

— Et Eddie ? demanda Geneviève, qui avait déjà compris.

Hunter resta un moment silencieux. « Eddie n'a pas pu résister. »

Il y eut comme un vide.

— Que s'est-il passé ? Krisztina était blême.

— Il semble qu'il n'ait pas pu supporter sa situation de prisonnier. Et puis il se sentait coupable, il se sentait responsable de notre arrestation.

Son visage s'assombrit.

— Eddie était le candidat le moins apte à une évasion. Bien des hommes ont tenté le coup dans la plupart des camps, expliqua-t-il. Certains sont devenus des professionnels de l'évasion. Mais pour Eddie, cela exigeait une tension nerveuse qu'il ne supportait pas.

— Il a été pris ?

Hunter eut un signe de tête affirmatif.

— Fusillé ? murmura Krisztina.

— Non. Il leur a épargné cette tâche. Ils l'ont isolé dans une cellule, et il s'est pendu avec sa ceinture.

Le silence était lourd.

— S'il n'avait pas été celui qui avait sifflé, je pense qu'il aurait pu réussir. Les yeux de Hunter étaient tristes et comme absents. Vous comprenez, nous étions tous avertis du danger de ces bonnes vieilles chansons.

Krisztina ferma les yeux, Geneviève fixa l'âtre vide.

Hunter but encore un cognac.

— J'ai froid dans le dos quand j'entends cette damnée chanson : « Souhaitez-moi bonne chance quand vous me direz au revoir d'un signe de la main ». C'est un air si entraînant.

Hunter était venu en Alsace par reconnaissance et parce qu'il souhaitait ardemment revoir les habitants du château en temps de paix. Il dit aux deux femmes qu'il les avait toutes deux recommandées pour l'obtention de la médaille royale pour acte de bravoure. Il n'avait pas su ce qui était arrivé à Jacques Schneegans, et il résolut de veiller à ce que Marthe reçut une récompense pour le compte de son mari. Tous seraient probablement priés de se présenter à l'ambassade britannique à Paris.

— Mais, c'est absurde, protesta Geneviève, embarassée. Pas pour Jacques, bien sûr, mais nous, nous n'avons rien fait d'extraordinaire.

Hunter sourit.

— Nous savons exactement ce que vous avez fait, madame, et ce que cela vous a coûté.

Il séjourna à de Trouvère pendant trois semaines, il apprit à connaître plus profondément Geneviève et Krisztina, il s'intéressa à Olivier qui était de plus en plus remuant et aussi impétueux comme gamin qu'il l'avait été comme bébé.

Impossible par ailleurs d'ignorer l'état bizarre du château quasiment en détresse. Les deux femmes avaient d'abord coupé court à toute explication en parlant de « travaux en cours » et Hunter était trop discret pour faire quelque commentaire que ce fût. Mais le moment vint où, se sentant suffisamment à l'aise avec lui, elles lui firent part de leurs problèmes.

Leurs difficultés financières le surprirent, il trouva leur solution tout à fait intéressante et le comportement à courte vue des banquiers le révolta.

— Je suis révolté mais guère étonné, ajouta-t-il. Les banques sont pusillanimes dès qu'il s'agit d'un financement de moyenne importance.

— Ils ont plutôt l'air de considérer l'affaire comme de grande importance, argumenta Krisztina avec sévérité.

Hunter éclata de rire.

— N'en croyez pas un mot. Si vous étiez multimillionnaire et projetiez de construire un hôtel cinq fois plus grand que de Trouvère, des fondations jusqu'au toit, ce sont eux qui vous supplieraient de leur permettre de vous prêter de l'argent.

Geneviève cligna des yeux.

— C'est parce que nous sommes des femmes, William ?

Il eut un haussement d'épaules.

— Je voudrais ne pas y croire, mais je dois admettre que cela pèse dans la balance ; mais ce n'est qu'une partie des motifs qui les poussent à se retirer. Il se tut un moment. Ils reviendraient si on leur soumettait les bons arguments.

— Par exemple ? demanda Geneviève. Nous n'aurons pas de chauffage dans les salles de bains ? Nous n'aurons pas d'ascenseurs ? Nous peindrons les murs des chambres parce que les papiers sont trop chers ?

— Non, il ne s'agit pas de cela, interrompit Hunter. Vous savez comme moi que de telles suppressions ne feraient que les décourager davantage.

— Eh bien, qu'est-ce qui les encouragerait ? Quel est ce stimulant ? demanda Krisztina.

Il attendit un instant.

— Un second. Vous avez besoin d'un second.

— Un second ? reprit Krisztina en écho.

— Oui. Un patron. Un garant.

Geneviève eut un rire ronflant.

— Pourquoi pas un saint patron ? Un ange gardien ?

316

— Parce que je ne peux pas me faire pousser des ailes ni une auréole, répondit-il, amusé. Mais je peux vous servir de garant.

Elles le dévisagèrent.

— Me serait-il venu des ailes par hasard ?

Krisztina retrouva sa voix la première.

— Vous avez dit que vous pourriez vous porter garant pour nous.

— C'est juste.

— Ce qui veut dire en clair ?

Il sourit.

— Je ne saurais vous l'expliquer exactement pour le moment, il y faudrait la présence de conseillers financiers et d'hommes de loi, mais ce dont je peux vous assurer, c'est que, d'après ce que j'ai entendu et vu, d'après ce que me dit mon instinct, la possibilité existe que moi – ou plutôt ma firme familiale, soit en mesure d'inspirer à vos banquiers la confiance qui leur fait défaut actuellement.

— Dieu ! dit Geneviève sans ambage. Est-ce que je rêve ?

Hunter rit de bon cœur.

— Laissez-moi m'expliquer.

— J'aimerais bien que vous le fassiez, dit Krisztina avec ferveur.

— C'est très simple. Ce château regorge de trésors. Objets en or, argenterie, porcelaine, antiquités, toutes choses qui feraient pleurer nos commissaires-priseurs, sans parler des tapisseries et travaux d'art pour lesquels certains des grands musées de renommée mondiale seraient prêts à faire appel à des tueurs.

— Vous pensez que nous pourrions les vendre ? dit Krisztina avec un triste sourire. Nous y avons pensé, croyez-moi, mais nous n'obtiendrions jamais, fût-ce approximativement, le prix qu'ils valent vraiment. De toute manière, ils seraient un atout pour l'hôtel, leur place est ici.

— Précisément, répliqua Hunter.

Geneviève fronça le front.

— Vous avez parlé de *vos* commissaires-priseurs.

— Oui.

— Votre firme familiale, qu'est-ce exactement ?

— Un hôtel des ventes dont le siège est à Londres, avec des filiales à Paris et New York.

Geneviève écarquilla les yeux. « Hunter's ». Elle répéta comme un défi : « Hunter's » ?

— C'est exact.

— Mais vous avez dit...

Son front se creusa de plis en se souvenant :

— Lorsque vous étiez dans le cellier, je vous ai demandé comment il se faisait que vous en sachiez tant sur la porcelaine Kakiemon, et vous m'avez répondu que votre famille faisait le commerce des antiquités.

— En effet.

— Mais Hunter's est l'un des plus importants hôtels des ventes !

— Oh, nous ne sommes ni Sotheby's ni Christie's, dit-il modestement.

— La trisaïeule d'Olivier n'était pas Marie-Antoinette, rétorqua Geneviève aimablement, mais la famille de Trouvère est encore l'une des plus en vue d'Alsace. Elle eut un petit sourire ironique. La pauvre femme n'y croirait guère en ce moment, c'est vrai.

— Tout cela est bien difficile à suivre pour moi, interrompit Krisztina.

— Il me semble que le capitaine Hunter se proposerait de vendre aux enchères certaines de nos collections, avança Geneviève. Toutefois, même si ces ventes nous rapportaient de grosses sommes, nous aurions du même coup dépouillé le château de sa singularité.

— Je crains que vous me compreniez mal toutes les deux, dit Hunter. Il est vrai que Hunter's est une firme de commissaires-priseurs. Il fit une pause. Mais nos immeubles de Londres et de New York abritent également deux musées réduits par la superficie, mais dont la renommée grandit de jour en jour.

Les deux baronnes écoutèrent avec un intérêt renouvelé.

— J'ai une idée, reprit-il, qui si elle pouvait satisfaire mon père, et bien sûr, vous-mêmes, serait de nature à résoudre vos problèmes d'argent frais et redonnerait la foi à vos banquiers.

Les deux femmes étaient assises très droites, attentives et silencieuses.

Geneviève parla d'abord.

— Peut-on vous prier de nous exposer cette idée, William ?

Il secoua la tête.

— Je ne voudrais pas prendre un engagement que je ne pourrais peut-être pas respecter.

Il tergiversait.

— Tout ce que je peux vous dire, c'est que j'entrevois une éventualité où Hunter's pourrait vous assister sans rien retrancher de la beauté de de Trouvère.

Il leur laissa un instant de répit.

— Voulez-vous me faire conflance ?

Elles considérèrent son visage mince et intelligent. Il y avait quelque chose de singulier en lui, il semblait porteur d'une vérité fondamentale.

— Quand repartez-vous ? demanda Geneviève.

Il rit.

— Pas tout de suite. Je dois préparer un dossier plus précis avant de rentrer à Londres. Je ferai alors une proposition solide à notre conseil d'administration. Et pour cela, j'aurai besoin de votre coopération.

— À votre disposition, acquiesça Geneviève.

— Parfait. Dans ce cas, je vais demander à certains collègues de notre bureau de Paris de nous rejoindre ici sans délai.

Il hésita.

— Il leur faudra la permission d'aller et venir librement dans le château, pendant une semaine ou plus.

Krisztina sourit.

— Il y a eu tant de monde dans cette maison que le silence est devenu presque inquiétant depuis qu'Alberto a fait partir ses hommes.

— Il a quitté l'Alsace ? demanda William.

— Alberto ? s'étonna Krisztina. Je ne pense pas.

— Alors, Je pense que vous devriez le contacter immédiatement et lui demander de tenir bon.

Il se leva.

— Et maintenant, j'ai besoin d'un téléphone.

Pas moins de onze collègues de Hunter's arrivèrent en consultation, balayant l'allée sud en une procession bigarrée d'automobiles, depuis la superbe Bentley Mark V 1939 – « On n'en a construit qu'une vingtaine », précisa William – qui transportait l'expert en art chinois impérial de la firme Hunter, jusqu'à la Citroën délabrée d'avant la dépression qui transportait le spécialiste – tout aussi délabré – de la porcelaine européenne. Ils arrivèrent avec de petits sacs de nuit, la mine affable et sans expression, mais plus d'une semaine après, ils étaient encore prisonniers de la multitude des chambrees en chantier, en proie à des accès de jubilation à mesure que les trésors du château se déployaient sous leurs yeux le plus souvent pourvus de lunettes.

« lls ont l'air d'avoir meilleur moral qu'à leur arrivée », sourit Krisztina.

S'ils avaient pleinement conscience de la splendeur de la maison, cela avait d'abord été d'une façon globale. À présent, pour la première fois, ils avaient l'occasion d'en examiner les différentes composantes.

Dès la fin de la première semaine, les experts découvrirent et certifièrent dans la seule salle de la chasse une dizaine de bronzes étrusques, des sculptures en terre cuite, deux tapis persans à motifs cynégétiques, une épée crétoise et deux dagues en bronze aux poignées serties d'or, d'argent et de nacre, une exquise table en marquetterie du dixneuvième siècle et deux tableaux d'animaux sauvages signés Antoine Barye. Sans oublier une remarquable table anglaise de Coalbrookdale supportée par quatre chiens-loups irlandais à chaque coin, pièce favorite de feu le baron Armand.

William quitta de Trouvère à la fin de la troisième semaine, un jour après le départ des spécialistes pour Paris. Trois autres semaines s'écoulèrent avant qu'il ne téléphone.

— Eh bien ? demanda Krisztina après quelques mots hâtifs de pure courtoisie.

— Le conseil a donné son avis il y a une demi-heure.

— Oui ?

— Geneviève est-elle près de vous ?

— Oui, elle est ici.

— Parfait. Saluez-la de ma part.

— William, je vous en supplie ! Qu'a décidé votre conseil ?

Il y eut des craquements sur la ligne.

— William !

Les parasites disparurent, et la voix forte et claire, si indiciblement britannique malgré le français excellent, combla les six cent quarante kilomètres qui les séparaient.

— Appelez Giordano. Dites-lui de réunir ses hommes et de se tenir prêt.

Krisztina s'accrocha à Geneviève de sa main libre.

— Vous voulez dire que c'est d'accord ?

— Il y a une masse de papiers à faire et nous avons encore besoin de la coopération de la banque, mais...

— Et si la banque refuse ? C'était de nouveau la panique.

Les paroles de Hunter étaient confiantes.

— Croyez-moi, Krisztina, la banque ne refusera pas.

Il revint au château après avoir passé trois jours à la banque avec Dienheim. Devant un dîner somptueux préparé par Marthe et Krisztina, il expliqua le marché extraordinaire que Hunter's était prêt à conclure si les deux baronnes étaient d'accord.

La simplicité du plan était stupéfiante. Hunter's prendrait à bail de nombreuses œuvres d'art, porcelaines antiques, argenterie, objets en or, meubles et certaines pièces des joyaux de famille, mais l'ensemble resterait en place au château ; étant entendu que toute pièce ou collection pourrait être retirée – sur préavis raisonnable – pour présentation en exposition, et donc, en dernier ressort, pour vente par l'intermédiaire de Hunter's. Dans ce cas, Geneviève et Krisztina auraient un droit d'option sur l'achat de toute pièce avant offre à un tiers.

— Et au lieu de vous donner de l'argent liquide, acheva William, nous garantirons le prêt de votre banque. Et si les frais afférents à l'édifice ou à la mise en route de l'hôtel excédaient les ressources disponibles de la banque, ou bien nous vous garantirions personnellement, ou bien nous chercherions un autre prêt.

— Ainsi, tous nos problèmes sont résolus par quelques traits de plume, dit lentement Geneviève, qui avait peine à y croire.

— Mais pourquoi ? demanda Krisztina, qui se faisait en même temps l'interprète de Geneviève. Qu'espère donc obtenir Hunter's par cet arrangement ?

Elle secoua la tête.

— Car enfin, vous pourriez simplement insister pour acheter quelques œuvres à exposer et mettre le reste aux enchères : nous ne sommes pas vraiment en situation de les conserver ici.

— D'abord, répondit William, nous serons effectivement propriétaires de ces œuvres jusqu'à ce que l'hôtel fonctionne avec un bénéfice normal.

— Ce qui pourrait exiger quelques années, si cela arrive un jour, souligna Krisztina.

— Peut-être, acquiesça-t-il. Ce qui m'amène à ma seconde remarque. Hunter's a décidé que de Trouvère représente un investissement intéressant à ajouter à notre portefeuille. Comme vous vous y attendez sans doute, nos conseillers juridiques et nos agents comptables respectifs devront constituer une société d'exploitation conforme où nous serons associés. Mais je peux vous promettre à toutes deux que nous serons des associés consciencieusement silencieux dans des limites raisonnables.

— Il est certain que votre conseil d'administration tiendra à s'assurer que nous dirigeons cet hôtel avec efficacité ? demanda Geneviève.

—Ils ont déjà ces garanties, croyez-moi, et ils continueront à les obtenir de moi.

Il sourit.

— À moins que des erreurs manifestes attirent notre attention, nous vous laisserons faire. Nous sommes des commissaires-priseurs, pas des hôteliers.

Geneviève fit une grimace. « C'est que nous ne pouvons guère nous proclamer nous-mêmes expertes en matière d'hôtellerie, William. »

— Peut-être pas, mais vous avez déjà démontré que vous recherchiez l'aide des spécialistes lorsque le besoin s'en faisait sentir. De plus, je suis certain, Geneviève, que vous avez séjourné dans des établissements de grand luxe beaucoup plus souvent que la plupart des gens que je connais.

— Si c'était une garantie de qualification, des milliers de gens pourraient ouvrir des hôtels, railla-t-elle.

— Combien de gens possèdent la volonté et la capacité, et surtout la matière première ? Il y a aussi un troisième facteur, que ni mon père ni moi n'avons exposé à notre conseil.

— Lequel ?

Son visage était grave.

— Je me souviens – en fait, je n'oublierai jamais – de cette première nuit remarquable dans le cellier ; j'avais porté un toast de Château Pape-Clément à la bravoure, à la générosité et au style. Je voudrais maintenant ajouter à cela : à la gratitude.

— Pourquoi ? dit Geneviève avec ironie. Pour avoir passé plus de deux ans en camp de prisonniers ?

— Vous savez très bien pourquoi j'agis ainsi, dit-il fermement, refusant d'être mis hors jeu. La médaille royale pour acte de bravoure, c'est parfait, de même que la reconnaissance de votre courage, mais tout cela n'ouvrira pas les portes de votre hôtel ni ne sauvera de Trouvère pour Olivier.

Krisztina regarda Geneviève.

— Il a raison, dit-elle doucement.

Geneviève fit un mouvement de tête.

— Je sais, ma chérie.

Les travaux recommencèrent et le château fut rempli de vie, l'atmosphère devint poussiéreuse et s'imprégna de l'odeur des peintures ; l'espace retentissait des bruits des marteaux, des scies et des forets, et des injures criées en toute amabilité entre des hommes venus de Marseille, Milan, Lyon et Naples – des hommes arrivés au château en tant qu'étrangers mais qui semblèrent bientôt faire partie de la maison, comme Alberto lui-même.

Ilona reçut de ses médecins l'autorisation de quitter Semmering. Elle arriva à de Trouvère en compagnie de Gabor deux jours avant Noël. Il était convenu qu'ils habiteraient tous deux à Ribeauvillé jusqu'à la fin des travaux, mais Geneviève et Krisztina tombèrent d'accord pour que la famille soit réunie sous le même toit pendant les fêtes.

Ce fut une espèce d'âge d'or, une période paisible où il parut possible de croire que tous les ennuis, tous les maux étaient révolus et qu'un avenir de paix et de bonheur les attendait tous. Krisztina observait son père perdre rapidement cette attitude d'humilité et de désespoir dont les Russes et la maladie de sa femme l'avaient accablé ; elle observait avec un amusement teinté d'amertume comme son petit côté snob se gonflait d'orgueil devant tant de grandeur et de beauté. C'était une manifestation tangible de l'aristocratie à laquelle il avait toujours aspiré – fille baronne, petit-fils déjà baron, et le tout dans un château.

Ce fut Ilona, avec son calme et sa modestie, qui sembla se glisser le plus aisément dans la vie du château ; elle prit place avec une grâce et une délicatesse naturelles à côté de Geneviève au repas du réveillon. Ilona, maigre, pas encore très forte et en deuil de la Hongrie, fut absorbée sans peine dans le tissu de la famille de Trouvère tandis que son mari, qui aspirait tant à en faire partie, demeurait à la périphérie en dépit de ses propres efforts et de la courtoisie de Geneviève.

Ils assistèrent à la messe de minuit à Colmar et le matin de Noël, ils entendirent le service du père Périgot à Riquewhir. Au début de l'après-midi, Krisztina emmena sa mère bien emmitouflée à la chapelle. Elle la vit pour la première fois frappée de stupeur.

Ce fut en quittant la chapelle qu'Ilona remarqua la plaque commémorative sur le mur. Elle se tourna très vite vers sa fille, pâle et choquée.

— Tu ne m'avais pas dit !

— Non, maman.

— Pourquoi ?

— Je ne voulais pas t'inquiéter.

— Tu aurais dû me le dire, Kriszti, dit Ilona sans intention critique. Quand l'as-tu appris ?

Krisztina expliqua brièvement, elle dépeignit le service religieux et traduisit les mots hébreux inscrits sur la plaque.

Ilona resta silencieuse un long moment.

— Maman ? À quoi penses-tu ?

Ilona secoua la tête.

— À tant de choses.

Elle sourit avec un air de vague regret.

— Geneviève est une personne étonnante.

— Sans elle, je n'aurais pas pu survivre pendant ces huit années.

Ilona toucha la joue de sa fille de sa main gantée.

— Je crois que tu aurais survécu, Krisztina, mais je remercie Dieu tout de même pour sa présence près de toi.

C'était la joie dans la maison de Trouvère.

Au réveillon du jour de l'An, William vint les rejoindre de Paris et pour la première fois, Sutterlin, Marthe,

Jeanne et les autres quittèrent leur sous-sol pour se joindre à la célébration familiale, à laquelle Alberto fut également invité.

— C'est extraordinaire, dit William une demi-heure après l'entrée dans l'année 1947, tandis que Krisztina parcourait le château en sa compagnie, lui montrant les progrès réalisés depuis sa dernière visite.

— Qu'est-ce qui est extraordinaire ?

— C'est presque terminé. C'est toujours votre maison, et pourtant, cela va devenir le Grand Hôtel du Château de Trouvère dont nous avons tous rêvé.

L'émotion serra la gorge de Krisztina.

— Comment vous remercier pour cela ? lui demanda-t-elle, presque étranglée par la reconnaissance.

William baissa les yeux sur elle, son visage était indéchiffrable.

— Vous pouvez faire une chose pour moi, Krisztina, dit-il à mi-voix.

— Tout ce que vous voudrez, murmura-t-elle avec ferveur.

— Apprenez l'anglais.

XIX

— Je n'aurais jamais cru que je vivrais pour dire cela un jour, mais je remercie le Seigneur d'avoir appris l'allemand, car sans cela, nous n'aurions jamais pu communiquer ensemble, dit Geneviève en riant, tendant à Ilona une autre tasse de café un dimanche matin du début de mars.

— Je souhaiterais que mon français soit meilleur, s'excusa Ilona.

— Pourquoi votre français serait-il meilleur que mon hongrois ? Je vis depuis des années avec votre fille et je ne parle pas plus de dix mots.

Ils étaient tous les quatre dans le salon d'été, oasis de calme dans un océan de copeaux, de vernis et de matériaux de toutes sortes. Krisztina souriait en regardant son père et Olivier jouant sur le tapis avec une toupie dont l'enfant ne se lassait pas. « Au moins, mon fils va grandir avec quatre langues, ou même cinq si Alberto reste encore quelque temps avec nous. »

— Votre anglais s'est grandement amélioré, commenta Geneviève. William était ravi lors de sa dernière visite.

— Il peut l'être, dit Gabor. Une idylle est plus facile avec une langue commune.

Krisztina ouvrit de grands yeux. « Une idylle ? »

— N'importe quel idiot peut voir qu'il est amoureux de toi.

— Il ne l'est absolument pas, nia-t-elle avec chaleur.

— Puisque tu le dis. Mais tu dois bien t'être demandé pourquoi un inconnu se démenait tant pour cette affaire.

— Je suis sûre que nous avons expliqué ce point plus d'une fois. Nous avons pu l'aider pendant la guerre, et il se trouve en position de nous en remercier. Il s'agit d'un simple arrangement d'affaires.

— Presque simple. Il fit tourner encore la toupie d'Olivier en ébouriffant les cheveux du garçonnet. « *Kis cigany* », dit-il fièrement.

— Que signifient ces mots, Gabor ? demanda Geneviève.

— Petit Gitan !

Krisztina éclata de rire.

— C'est ce que maman a dit la première fois qu'elle l'a vu.

Geneviève rit tout bas.

— J'ai souvent pensé qu'il ressemblait à un petit Espagnol ou peut-être même à un petit Juif.

— Ne dites donc pas de sottises ! lança Gabor sur un ton qui stupéfia les femmes.

— Gabor !

Ilona, visiblement bouleversée, se tourna vers Geneviève.

— Gabor ne voulait pas...

— Ne t'excuse pas pour moi ! cria-t-il. Si elle se met à insulter notre petit-fils...

— Je vous assure, intervint Geneviève d'un ton uni, il n'y avait là aucune insulte. De plus, n'oubliez pas qu'Olivier est également mon petit-fils.

Krisztina était devenue pâle de colère.

— Tu ne changeras donc jamais, père ?

— Ça va, ma chérie, dit Geneviève sur un ton désinvolte. Ne vous inquiétez pas. C'était seulement un malentendu.

— Non, pas un malentendu.

Krisztina se leva et prit Olivier par terre.

— Mon père a toujours été un antisémite, belle-mère. Rien n'a changé.

— *Nem,* Kriszti ! protesta Ilona dans sa détresse.

— Excuse-moi, maman, mais tu sais aussi bien que moi que c'est la vérité.

Gabor, toujours écarlate de colère et d'humiliation, parla durement.

— Je suis sûr que Geneviève est apte à comprendre, Krisztina. Après tout, son propre fils partageait mes sentiments sur ce sujet particulier.

— Gabor, je t'en supplie ! plaida Ilona.

Geneviève demeura immobile comme une statue, seule la pâleur de son teint révélait son émotion.

— Nous faisons tous des erreurs, Monsieur Florian, dit-elle d'une voix sans expression. Mais certaines sont pires que d'autres.

Ses yeux étaient d'un gris glacial.

— Mon fils a fait les siennes, peut-être même en a-t-il fait plus qu'il n'aurait dû, mais il n'est plus là pour se défendre.

Fermant les yeux, Ilona se signa. Olivier, dans les bras de Krisztina, commença à gémir de plus en plus fort, ses jambes vigoureuses battaient furieusement contre le ventre de sa mère tandis qu'elle tentait de l'apaiser.

— Inutile, dit-elle. Je vais le porter là-haut.

Les cris de l'enfant devinrent stridents.

— Olivier, chut ! fit-elle avec sévérité.

— Ilona, dit gentiment Geneviève, pourquoi ne montez-vous pas vous aussi ? Vous êtes en général la seule qui sachiez le calmer quand il est dans cet état.

— Oui, s'il-te-plaît, maman, monte.

Ilona eut un regard dubitatif vers son mari qui regardait fixement la terrasse d'un air sombre.

— D'accord, Kriszti. Elle se leva, la mine lasse, et elles quittèrent la pièce en refermant doucement la porte derrière elles.

Le salon d'été était silencieux, on y entendait que le tic-tac de la vieille horloge italienne sur la cheminée. Geneviève examina Gabor avec indifférence, ses épaules voûtées sous le coup de l'irritation, sa bouche affaissée et ses yeux méchants derrière ses lunettes.

« Que cet homme est donc désagréable », pensa-t-elle.

L'horloge sonna cinq heures.

— Eh bien, Gabor, dit-elle sur un ton plaisant, comment allons-nous résoudre ce problème ?

— Qu'avons-nous à résoudre ? Il ne la regarda pas.

— Ce... conflit.

— Ne pouvons-nous pas garder chacun nos opinions ?

— Certainement, c'est possible. Mais je voudrais m'assurer qu'il n'y aura pas de répétition. Ce genre de querelle nous bouleverse tous, en particulier votre femme qui est encore loin d'avoir retrouvé ses forces.

— Je peux veiller sur ma femme, merci.

— Je l'espère.

Geneviève était décidément de plus en plus surprise qu'un homme aussi maussade ait pu gagner une femme comme Ilona, et qu'il ait pu surtout engendrer Krisztina.

— Mais je tiens à mettre les choses au clair.

Il lui jeta un regard de mécontentement profond.

— C'est-à-dire ?

— Je sais ce que vos préjugés et votre ambition ont coûté à votre fille.

— Cela n'est pas votre affaire.

— Vous vous trompez, Gabor Florian, dit-elle sur un ton sarcastique, et puisque vous venez habiter dans ma maison, je compte bien protéger Krisztina de toute blessure.

— Je ne suis pas certain de vouloir habiter chez vous, madame.

— Nous savons tous deux que vous ne pouvez aller nulle part ailleurs, alors je vous en prie, écoutez-moi jusqu'au bout.

Il ne dit rien.

— Je pense que nous pouvons vivre ensemble en toute courtoisie à condition que vous gardiez pour vous vos opinions sectaires et inacceptables. Me suis-je fait bien comprendre ?

— Tout à fait.

— Parfait.

Elle sourit et prit la cafetière d'argent sur le plateau.

— Une autre tasse ?

En haut, dans la nurserie d'Olivier, Ilona s'effondra dans un fauteuil.

— Je souhaiterais que toi et ton père essayiez un peu de vous comprendre, Kriszti, dit-elle, l'air épuisé.

Krisztina regarda son fils qui s'était endormi profondément.

— Certaines choses sont impossibles, maman.

— Moi aussi, je pensais ainsi jusqu'à ce que vous vous retrouviez à Vienne et que vous organisiez l'avenir. J'ai commencé à espérer...

Krisztina vint s'agenouiller près de sa mère sur le tapis.

— Je suis désolée, maman, mais n'exige pas trop de moi.

— Peux-tu au moins vivre près de lui, le crois-tu ?

Krisztina hésita, puis elle vit la peur sur le visage de sa mère.

— Je suppose que oui. Mais il faut qu'il comprenne que je ne suis plus une enfant, maman. Que je suis devenue une femme qui a sa vie, et qui a elle-même un enfant.

Elle pinça les lèvres.

— Et que je trouve ses opinions révoltantes.

Ilona soupira.

— Si seulement je me sentais plus forte, je pourrais faire face avec plus d'énergie, essayer de lui faire comprendre.

— Il a toujours été trop dogmatique pour cela. Ça n'a jamais été facile de critiquer ce qu'il disait ou faisait.

— Si je redevenais moi-même, je pourrais au moins essayer.

— Tu es encore faible, maman, dit Krisztina. C'est normal.

— C'est que... je ne me sens plus normale !

Les yeux d'Ilona étaient pleins de panique.

— J'ai l'impression que j'ai tout perdu, et pourtant, je sais que ce n'est pas vrai ; je suis grossièrement ingrate, Dieu devrait me punir.

— Tu as perdu ton foyer, protesta Krisztina. Tu as été contrainte de quitter ton pays et tu as été très malade. C'est naturel que tu ressentes durement tout cela.

— Mais j'ai toujours mon mari, et j'ai un petit-fils, et surtout, je t'ai retrouvée... Les larmes vinrent subitement, douloureuses, s'écrasant sans retenue le long de ses joues. C'est pour cela que je te demande d'essayer encore avec Gabor, *dragam* ! Sinon, j'aurai peur de te perdre une seconde fois, et si cela devait se produire, je crois que j'en mourrais ! Je voudrais plutôt mourir !

— Maman, ne dis pas cela !

Krisztina était horrifiée par cet accès de désarroi.

— Mais non, tu ne vas pas me perdre ; d'ailleurs, tu ne m'as jamais perdue, pas un seul instant, pendant toutes ces années de séparation.

— Mais je ne veux plus que nous soyons séparées.

— Moi non plus, maman chérie, et nous ne le serons pas, je te le jure. Krisztina caressa les cheveux de sa mère, les repoussant soigneusement du petit visage froissé et affligé. L'hôtel sera bientôt terminé, et alors nous aurons tout le temps.

Ilona prit son mouchoir dans sa poche et s'essuya les yeux ; elle retrouva peu à peu son calme. « Excuse-moi », dit-elle. Elle se leva en chancelant et regarda Olivier, si tranquille dans son sommeil et si pétulant une fois réveillé.

— Kriszti ? dit-elle pensivement.

— Oui, maman ?

— Gabor a-t-il raison au sujet du capitaine Hunter ?

— À quel propos ?

— Tu le sais fort bien, *dragam*. Est-il amoureux de toi ? Sa voix était redevenue ferme.

Krisztina ne la regarda pas.

— Je n'en suis pas certaine. C'est possible. Il ne m'en a jamais touché mot en tout cas.

— Je doute qu'il le fasse à ce stade. Il est trop anglais.

Krisztina sourit.

— C'est le premier Anglais que j'ai jamais connu. excepté les deux sergents qui étaient avec lui pendant la guerre.

— Et toi ? Es-tu amoureuse de lui ?

Krisztina secoua la tête.

— Non.

Elle hésita.

— Plus exactement, pas dans le sens où j'étais amoureuse de David.

— Ou de Laurent ?

— Je n'ai jamais été amoureuse de Laurent.

— Non.

— William est une personnalité très spéciale, maman. Une personne d'une rare qualité.

— Et charmeur, ajouta Ilona tranquillement.

— Ses cheveux sont extraordinaires, cette nuance de roux doré, et néanmoins sans une tache de rousseur sur le visage.

— Et ses yeux.

— Tu les as remarqués aussi ? dit Krisztina avec un petit sourire en coin.

Ilona regarda sa fille.

— Je crois que tu l'aimes, seulement un peu.

Les yeux de Krisztina étaient francs.

— Honnêtement, je n'ai jamais pensé à lui de cette manière, maman. Il s'est passé tant de choses, nos vies ont été si actives ; je lui suis grandement reconnaissante pour tout ce qu'il a rendu possible. Je détesterais confondre gratitude avec quelque chose de plus fort.

— Ce serait une erreur, confirma gentiment Ilona. Mais n'oublie pas qu'un bon mariage, un mariage qui dure, se construit sur des sentiments plus solides qu'un amour romantique et passionné.

— Un mariage ? Krisztina rit de bon cœur. Que me dis-tu là, maman ? Olivier s'agita et elle baissa le ton. Que sommes-nous en train de dire toutes les deux ? Aucune de nous n'a la moindre idée des sentiments de William à mon égard ; en a-t-il seulement ?

William attendait le bon moment.

Il éprouvait des sentiments, c'était certain. Aucun doute quant à la nature de ses sentiments envers Krisztina. Il était tombé amoureux dès qu'il l'avait vue au château, le jour où la jeune résistante l'y avait conduit avec ses deux camarades.

Il supposa même que dans un certain sens, il était tombé amoureux à la fois de Krisztina et de Geneviève, deux femmes courageuses et remarquables, prêtes à perdre leur maison, voire leur vie, pour trois étrangers. Mais tandis que sa profonde gratitude pour l'élégante Geneviève ne se ternirait jamais, c'était avant tout la beauté de Krisztina qui l'avait subjugué. Il en avait été hanté durant ses nuits au cellier, elle l'aida à traverser les longs mois dans son camp de prisonniers où il avait commencé à fantasmer à son sujet, à mêler les souvenirs et les rêves qui le soutenaient dans la lumière froide des sept cents aubes germaniques qu'il vit se lever.

Il fit de nombreux séjours à de Trouvère, il y vint dès qu'il en avait le temps ou qu'il trouvait un prétexte ; il avait donc beaucoup appris sur la jeune femme. Il avait vu la tristesse sur son joli visage, le regret, la déception, la colère, la vulnérabilité, mais aussi la force et la détermination. Il avait été vraiment heureux quand le conseil d'administration de Hunter's avait rendu un verdict positif sur le projet d'hôtel. Comme il avait tremblé d'un ravissement extrême la première fois que Krisztina s'était sentie suffisamment à l'aise pour planter un baiser sur sa joue.

Il avait rencontré ses parents. La mère l'avait charmé mais le père l'avait troublé. Il avait appris l'histoire de David Kaufmann et de Laurent de Trouvère. Et bien que la tombe du cimetière familial lui fasse parfois l'effet d'un reproche, c'était la petite plaque en or clouée dans le mur de la chapelle qui le mettait mal à l'aise et ne cessait de l'inciter à la prudence. Il comprenait que bien qu'elle fût la veuve de feu le jeune baron, Krisztina pleurait encore Kaufmann, et elle n'était pas encore prête à laisser un autre homme entrer dans sa vie.

William ne savait pas si elle serait prête un jour, aussi attendait-il le bon moment.

Ce fut par un chaud après-midi d'août, alors que William était attendu à de Trouvère pour quelques jours avant de rejoindre ses parents dans leur villa de vacances à Villefranche-sur-Mer, que la vie de Krisztina changea dramatiquement une nouvelle fois.

Tranquille et contente, elle était allongée sur une grande serviette douce et blanche étendue sur l'herbe à environ vingt mètres du *temple damour*, près du lac. La chaleur était suffocante et oppressante, mais Krisztina avait su découvrir la relative fraîcheur de cet endroit abrité par un splendide rideau de conifères d'un vert profond.

Elle avait retiré sa robe de coton, elle était restée quelque temps au soleil, puis elle s'était glissée dans l'eau fraîche et limpide du lac avant de retourner s'allonger de nouveau sur la serviette, trempée et heureuse. Les insectes bourdonnaient autour d'elle, fondaient sur sa peau qui séchait rapidement, son costume de bain encore humide et ses cheveux mouillés fraîchement coiffés. Ils retournaient ensuite aux herbes et aux fleurs plus profitables pour eux. Au bout d'un moment, elle prit une petite mirabelle toute ronde dans un panier où elle avait glissé l'un des romans d'Agatha Christie que Geneviève aimait beaucoup et qui lui servaient de support pour améliorer son anglais. Son panier contenait aussi un peigne, une serviette sèche et un flacon d'huile de bronzage.

« Superbe, pensait-elle paresseusement, c'est encore mieux que le Balaton. » Elle s'étira comme un chat, en souriant. « Qui aurait cru cela possible ? Mon lac Balaton privé ! »

— Tu as l'air heureuse.

Elle se redressa d'un bond, le cœur battant.

Gabor se tenait sur les marches du temple, la regardant. Il était vêtu d'une chemise blanche à manches courtes et d'un bon pantalon léger qu'Ilona lui avait acheté à Strasbourg pour son anniversaire. Grâce au bronzage obtenu depuis qu'ils habitaient le château, il paraissait un peu plus jeune et plus détendu qu'auparavant.

— Père ! Tu m'as fait peur.

— J'en suis désolé.

— Depuis quand es-tu ici ?

— Depuis environ une heure.

— Pourquoi ne m'as-tu pas avertie ?

— J'étais assis à l'ombre, je lisais. Et tu semblais vouloir rester seule.

— En effet.

— Excuse-moi. Je vais partir.

Elle eut honte.

— Mais non, je t'en prie. C'est simplement que tu m'as surprise, je me croyais seule.

— Je viens souvent ici, dit Gabor.

— Ah oui ?

— C'est un petit lac Balaton, non ?

Elle sourit.

— C'est vrai.

Il descendit lentement les marches.

— Il fait chaud aujourd'hui.

Il sortit un mouchoir de sa poche et se tamponna les sourcils

— Quelle chaleur, grimaça-t-il.

— Tu fais des progrès en français, père.

— Petit à petit.

Krisztina se rendit subitement compte que son maillot de bain était devenu légèrement transparent à cause de l'humidité, mais le regard de Gabor était rivé sur le château de pierre blanche à quelque distance, en haut de la colline.

— C'est pour quand l'ouverture ? demanda-t-il.

— À Noël, j'espère.

Un papillon d'un blanc immaculé atterrit sur son pied, et ni la fille ni le père ne bougèrent jusqu'à ce qu'il volète plus loin.

— C'est de bon augure, dit Gabor à mi-voix. Je l'espère, Kriszti.

Elle fut surprise. Il y avait eu peu de paroles gentilles ou sincères entre eux depuis leur querelle du mois de mars.

— Merci, père.

Il baissa les yeux sur elle.

— Tu vas brûler.

— Oh, non.

— Tu n'as pas mis d'huile.

— Si.

— Pas sur ton dos. Tes épaules sont toutes sèches.

— Je n'ai pas pu les atteindre. Elle regretta aussitôt ses paroles.

—Laisse-moi le faire.

— Oh, non, ça va aller comme cela, père.

Il parut blessé.

—Je sais que tu ne veux plus m'appeler papa, Krisztina. Je sais que nous ne pouvons pas oublier totalement le passé. Mais ne veux-tu pas me permettre de faire quelque chose pour toi, ne serait-ce que ce service insignifiant ?

Il eut un petit sourire.

— C'est toujours moi qui faisais cela quand tu étais enfant.

Le souvenir des chauds dimanches d'été dans le petit jardin de la rue Kalvaria la remplit d'une douceur depuis longtemps oubliée. Jattes de crème glacée préparée par sa mère. Miksa étendue paresseusement, pantelante, dans le soleil. Papa si gentil et si attentionné lui frottant le dos avec de la crème.

— Je ne suis plus une enfant.

Elle aperçut un éclair de chagrin dans ses yeux, juste au moment où il allait regarder ailleurs, la lassitude et l'âge lui voûtèrent de nouveau les épaules.

— Tu as raison, père, dit-elle rapidement, évitant de le laisser parler encore. Je suis un peu aigrie.

Elle saisit le flacon et le lui tendit.

— Tiens, mais n'en mets pas trop, car ça risque de tacher mon maillot de bain.

— Merci, Kriszti.

Elle entendit la nuance de gratitude dans sa voix, et elle fut contente d'avoir cédé. Elle se souvint de ses lectures bibliques : « Soyez bons les uns pour les autres, que vos cœurs soient tendres et qu'ils sachent pardonner. » Elle réalisa alors que non seulement elle était une mauvaise catholique, pire encore, elle n'était même pas une bonne chrétienne car elle savait qu'elle ne lui pardonnerait jamais de lui avoir pris David.

Gabor dévissa le bouchon du flacon et s'accroupit sur l'herbe derrière elle. Elle entendit le gargouillis de l'huile qu'il renversait sur sa main, et puis sa paume toucha son dos, entre ses omoplates, et elle frissonna involontairement.

La main évoluait sur sa peau, s'arrêtant, frottant, glissant, et un autre souvenir se présenta, dominant, dans la tête de Krisztina ; le souvenir qu'elle avait presque laissé se perdre sous les fautes plus graves commises contre son amour.

« Si douce », dit Gabor à mi-voix ; il avait dû sentir sa peau frémir et devenir « chair de poule », mais il continua ses mouvements.

— Ça suffit, père, dit-elle sur un ton net. Merci.

— Encore un peu sur tes épaules, *dragam*.

Il tira sur la bretelle de son maillot de bain avec les doigts secs de sa main gauche, et Krisztina eut subitement la nausée. Elle faillit arracher la bretelle de sa main.

— Alors dépêche-toi, je t'en prie, sinon, ça sera inutile, je dois rentrer bientôt à la maison.

— T'es là que depuis vingt minutes.

« Il m'a observée pendant tout ce temps », pensa-t-elle avec répugnance. « Il m'a espionnée comme n'importe quel voyeur. » Elle fit un bond en avant pour s'écarter de lui.

— Kriszti, qu'y a-t-il ?

Elle lui fit face, elle était consciente de son regard fixe derrière ses lunettes, ce regard rivé malgré lui sur les bouts de ses seins dressés, toujours visibles à travers le maillot humide.

— J'aurais dû le prévoir, s'écria-t-elle.

— Que veux-tu dire ?

— Si innocent... dit-elle avec dédain. Assis en train de lire !

— C'est vrai.

— Le tendre père injustement lésé par sa fille !

— Je n'ai jamais dit cela, Kriszti.

— Ne m'appelle pas Kriszti ! Elle sentit monter en elle une crise d'hystérie qu'elle était incapable de maîtriser, les horreurs du passé revenaient.

— C'est plus facile à dire qu'à faire, dit Gabor, une expression blessée voilant sa face. Je t'ai appelée Kriszti pendant toute ton enfance, de même que toi tu m'appelais papa.

— C'était avant que tu ne t'empares du négoce de David comme un vulgaire voleur !

Chaque mot était comme un coup de fouet.

— Avant que tu m'interdises de voir l'homme que j'aimais !

Elle le dévisagea.

— Tu t'es même servi de Laurent pour arriver à tes propres fins...

— C'est Laurent qui s'est servi de moi ! protesta-t-il.

— Je n'en doute pas, mais toi, tu étais mon père... Tu n'aurais dû penser qu'à me protéger, moi et ceux que j'aimais.

— C'est ce que j'ai fait Kriszti ! Vois ce que tu possèdes à présent ! Il fit un grand geste violent autour d'eux. Toute cette splendeur... et toi-même, tu aimes de Trouvère, non ?

— J'ai pu apprendre à aimer ce lieu, certes ; mais tu aurais pu me laisser épouser David et vivre à Budapest.

— Si tu l'avais épousé, tu serais sans doute morte à l'heure qu'il est, toi aussi.

— C'était peut-être mon droit, père.

— Tu comprends, essaya-t-il de raisonner, tu as besoin de ma protection, même si tu n'en es pas consciente ; Krisztina, tu es déraisonnable. Tu possèdes tout, mais tu t'accroches encore à un misérable Juif mort.

Une envie folle de lui cracher au visage la prit, mais elle tendit tous ses muscles pour se maîtriser.

— Je t'assure que tu as besoin de moi, *dragam,* poursuivit-il plaintivement.

— Pourquoi ? Pour te glisser dans ma chambre une nuit comme tu l'as déjà fait à la maison ?

Elle eut la chair de poule à ce souvenir répugnant.

— Pour m'enfermer dans tes bras toutes les fois que tu le voudras puisque tu es mon papa. Ses yeux secs jusquelà se remplirent de larmes douloureuses qui se transformèrent en sanglots, distordant sa voix et son visage.

— Mon Dieu, Kriszti, non ! Évidemment non ! Il approcha les bras tendus, la mine suppliante. Tu ne sais pas ce que tu dis !

— Crois-tu que j'ai oublié cette nuit ? sanglota-t elle.

On eut dit que son assurance chèrement acquise l'avait désertée, comme si elle était redevenue une petite fille fragile et effrayée.

— C'est cela qui m'a finalement poussée à quitter la maison, à épouser Laurent, n'avais-tu jamais compris cela ?

— Non !

— Mais si, tu le savais, tu devais le savoir ! Je l'ai fait parce que j'ai cru pouvoir sauver David ainsi, mais c'est toi qui as porté le coup final. Je ne pouvais pas rester dans la même maison que toi, je n'osais plus regarder maman et je savais que je ne pouvais rien lui dire !

— Kriszti, oh, Kriszti. Il fit un mouvement mal assuré vers elle, il tenta de la prendre dans ses bras, mais elle le repoussa avec un cri de dégoût.

— Ne me touche pas !

Il insista, ses bras puissants étaient comme des liens d'acier pour Krisztina, menaçants et souillés. Elle se débattit violemment, libéra sa main droite et la brandit pour tenter de l'écarter d'un coup.

— Kriszti, arrête ! Il attrapa son poignet. Je ne veux que...

— Laisse-moi ! Elle lui griffa la face avec son autre main et il poussa un petit cri de surprise, mais au lieu de la lâcher, il essaya encore une fois de la saisir.

— Laissez-la tranquille, salaud !

La voix qui tonna derrière eux les pétrifia tous deux. Le poing dur et serré aux articulations blanches s'abattit sur la face de Gabor et l'envoya rouler à quelques pas, gémissant de douleur, le nez en sang.

« William ! »

Il était à côté d'elle, ses pieds chaussés de blanc fermement plantés sur l'herbe, son large pantalon de flanelle lui donnant l'apparence d'un joueur de cricket sur un terrain anglais ; mais ses traits exprimaient une fureur qui effraya presque Krisztina.

— Pas de mal ? demanda-t-il à Krisztina sans quitter Gabor des yeux.

— Non, murmura-t-elle.

— Vous êtes fou ! gémit Gabor en tamponnant doucement son nez avec son mouchoir et regardant le sang qui s'y collait.

— Vous avez raison, et faites attention ! gronda William. C'est votre sang, Florian, et il y en aura encore bien davantage si vous vous approchez encore de Krisztina !

— Mais vous ne comprenez pas ! Elle était devenue folle... elle croyait...

— Je sais ce qu'elle croyait, et je vous jure que si elle n'était pas là et s'il n'y avait pas sa mère, je vous tuerais !

— Vous êtes fou !

— Il existe des mots, des mots immondes et obscènes pour des hommes comme vous, Florian.

— Quoi !

Gabor retrouvait ses esprits.

— Pour qui vous prenez-vous donc, Hunter ?

— Je sais exactement qui je suis. Plus encore, je sais ce que vous êtes.

— Qu'est-ce que je suis ? demanda Gabor au bord de la crise d'apoplexie.

— Ce que vous êtes ?

William avança encore, et Gabor recula vivement, alarmé.

— Vous êtes un salaud, et ce n'est pas suffisant, vous êtes aussi un pervers...

— Moi, un pervers ?

— William, je vous en prie ! plaida Krisztina.

— Elle n'est même pas ma fille !

Les mots restèrent suspendus dans l'air, ils semblaient s'y réverbérer. Ce fut l'immobilité totale, même les oiseaux cessèrent de chanter durant quelques instants.

— Eh bien non, elle n'est pas ma fille ! lança Gabor, que la panique commençait à paralyser ; le rouge avait disparu presque entièrement de ses joues, il ne lui restait que deux taches clownesques. Nous l'avons adoptée quand elle était encore un bébé. Nous ne lui avons jamais dit, mais je vous jure que c'est la vérité.

Krisztina le dévisageait, ses yeux agrandis par une horreur muette.

— Ne me regarde pas ainsi, Kriszti, implora Gabor. Je ne voulais pas te le dire maintenant. c'est seulement parce qu'il m'a accusé.

Il cherchait ses mots.

— Quelle différence cela fait-il ? Tu es ma fille, notre enfant, comme si tu étais notre chair et notre sang !

Elle ne parlait toujours pas.

— Pour l'amour de Dieu, Kriszti, je t'en prie !

William réagit le premier. Ignorant l'homme mûr tremblant et épouvanté, il s'adressa à Krisztina.

— Venez, dit-il tout bas. Partons d'ici.

Elle regardait encore Gabor, comme fascinée.

— Vous avez reçu un choc, dit William d'une voix caressante, comme si elle eut été un enfant. Rentrons à la maison.

— Non !

Sa voix était rauque. Elle posa ses yeux fous sur lui.

— Pas la maison, pas encore !

— D'accord, dit-il d'un ton conciliant. Ailleurs. Un endroit privé où vous aurez tout le temps nécessaire pour vous remettre.

Il ramassa sa robe et la mit sur les épaules de Krisztina ; il sentait sa peau froide trembler à travers le coton fin.

— Venez.

— Mes affaires.

— Je reviendrai les chercher plus tard. Je vais vous chercher des vêtements secs avant que vous n'attrapiez froid.

— Non ! dit-elle encore. Ne me quittez pas !

— D'accord. Allons dans la chapelle, il n'y a personne à cette heure. Je vous y laisserai et je reviendrai vite avec d'autres vêtements.

Elle le regarda.

— Comment se fait-il que vous vous soyiez trouvé ici ? Nous ne vous attendions pas avant demain. Sa voix était morne.

— Je suis parti plus tôt que prévu. J'ai vu Geneviève au château, et elle m'a dit que vous preniez un bain de soleil ici.

Krisztina se retourna sur Gabor, silencieux, honteux, angoissé et rancunier ; tous ses sentiments étaient visibles sur ses traits et dans son maintien.

— Venez, insista calmement William.

Tout engourdie, elle le suivit.

Une heure plus tard, ils étaient toujours assis dans la chapelle sur deux prie-dieu côte à côte, au premier rang. Krisztina était pelotonnée dans un pull-over en cachemire rayé que

William avait pris en vitesse dans sa propre valise en passant au château. C'était un vieux vêtement qu'il aimait bien et qu'il emportait dans tous ses voyages, même sous les climats chauds. Il s'était détourné lorsque Krisztina avait enlevé son maillot de bain humide, puis il l'avait regardée de nouveau. Malgré la misère du moment, il avait pensé qu'il n'avait jamais vu de toute sa vie un être aussi sensuel que cette malheureuse jeune femme qui tremblait de tout son corps et qui pourtant ne portait qu'un vieux pull-over d'homme trop large et presque aussi long qu'une robe.

— Il ne s'est rien produit, en réalité, dit-elle.

— Je sais. Mais il s'est passé quelque chose dans le passé ?

Elle eut un hochement de tête silencieux.

— Allez-vous dire quelque chose à votre mère ?

Krisztina leva la tête, stupéfaite.

— Bien sûr que non !

— Non, pas à ce propos-là, je voulais dire, allez-vous lui poser la question ?

— Au sujet de ce qu'il a dit ?

— Oui.

Elle regarda fixement l'autel.

— Je n'en sais rien. Pas encore.

— Avez-vous le choix ?

Confuse, elle secoua la tête.

— C'est étrange. Il existe tant de tournants dans la vie ; on pense à chacun d'eux qu'il s'agit de la fin de son enfance, ou bien de sa jeunesse, on se dit : maintenant, je suis une adulte, maintenant je suis plus avisée, maintenant il ne peut plus se produire beaucoup d'autres chocs. William, je suis une femme qui a vécu, une mère, mais il y a toujours de nouveaux chocs. Cela se terminera-t-il un jour ? acheva-t-elle avec un haussement d'épaules qui marquait son désarroi.

— Je voudrais bien le savoir aussi.

— Mais n'est-ce pas là le coup le plus terrible ? S'il a dit la vérité, alors je ne sais même plus qui je suis, dit-elle avec amertume.

William osait à peine bouger. Son parfum si près de lui, mélange d'huile solaire et d'autres parfums, ajouté à la fragrance naturelle de Krisztina, c'était presque trop à supporter. Il avait le désir ardent de la serrer contre lui, d'effleurer la courbe gracieuse et douce de son cou et de ses épaules droites et parfaites, de la réconforter par des baisers ; mais il ne pouvait même pas lui tenir la main.

— Vous savez fort bien qui vous êtes. Vous êtes la même personne, la même femme que vous étiez deux heures plus tôt, dit-il d'un débit saccadé.

— Vraiment ? demanda-t-elle vaguement.

Au diable tout cela, pensa-t-il, jugeant son chagrin insupportable. D'un geste résolu, il saisit sa main droite. Ce fut comme s'il faisait une constatation ; ce n'était pas un simple geste d'amitié mais une déclaration de solidarité et même un peu plus : un défi.

Il attendit.

Le visage de Krisztina ne changea pas, il ne montrait ni surprise ni déplaisir, rien. Seuls ses yeux étaient devenus plus sombres.

Il attendit encore.

La main aux doigts longs et minces bougea légèrement dans celle de William. Mais comprenant qu'elle ne serait pas relâchée, elle s'immobilisa. Puis lentement, avec délicatesse, la main gauche de Krisztina se retira des genoux où elle avait reposé mollement et vint recouvrir la main de William.

Le défi était relevé.

Un pincement aigu de sa mémoire le fit sursauter.

— Je ne voudrais pas bouger, dit-il, mais je me souviens tout d'un coup que je vous ai apporté quelque chose.

Il prit un petit écrin de velours dans sa poche et le posa sur le genou gauche de Krisztina.

— Ouvrez-le.

Elle souleva le couvercle. Une paire de clips à oreilles était disposée sur une doublure de velours noir, deux saphirs carrés encerclés de minuscules diamants délicatement sertis d'or blanc.

— Mais, pourquoi ? demanda-t-elle.

— Vous ne les trouvez pas beaux ?

— Pas beaux ? Sa bouche était sèche de surprise. C'est exquis, comment ne pas les trouver beaux ?

— Eh bien alors, mettez-les !

Elle s'empressa d'obéir, les mains tremblantes, puis elle leva son visage vers lui.

— Quel effet font-ils ?

Il examina ses traits, admira les tendres lobes, passa à son front net et lisse, puis redescendit sur le nez droit, la bouche, le menton, le cou et...

— Que faites-vous donc ? demanda-t-elle d'une voix faible.

— J'admire le portrait.

— Je vous ai demandé quel effet ils faisaient.

— Les clips ?

— Oui, bien sûr, les boucles d'oreilles.

Il sourit.

— À votre avis ?

Ils restèrent assis quelques instants encore ; Krisztina était beaucoup moins tendue, et bien que la plupart de ses pensées fussent concentrées sur l'énigme angoissante que son père lui avait jetée à la tête, elle se rendit tout de même compte qu'il lui restait encore une énigme à résoudre, une énigme beaucoup moins dangereuse et infiniment plus délicieuse.

— Krisztina ?

— Oui ?

William avait la poitrine serrée.

— Je suis amoureux de vous, avoua-t-il dans le calme de la petite chapelle. Krisztina ?

— Oui ?

— M'avez-vous entendu ?

— Oui.

— Qu'en pensez-vous ?

— Je réfléchis.

— Dois-je me répéter ? ironisa-t-il.

— Oui, je vous en prie.

— Je vous aime.

— C'est très conventionnel, dit-elle doucement.

Les rayons du soleil de fin d'après-midi répandaient leur lumière sur la pierre, le bois, et sur eux.

— J'aimerais bien que nous sortions maintenant, dit William.

— Vraiment ? Elle parut déçue.

— Vous voulez savoir pourquoi ?

— Je vous en prie.

— J'ai envie de vous embrasser. Et ici, je me sens gêné. Avez-vous une objection ?

— Absolument aucune.

Ils s'embrassèrent devant la chapelle, dès que la porte se fut refermée sur eux. Un long baiser inquisiteur et profond, ni timide ni sauvage, une union confiante et tendre, pleine de chaleur et de bonheur.

Quand ils se séparèrent enfin, à regret, William sentit son pouls battre fortement de soulagement, de détente et de joie ; ses yeux étaient aussi humides que ceux de Krisztina.

Ilona pâlit lorsque Krisztina lui relata la scène.

— Sainte Mère de Dieu, pourquoi ? Pourquoi t'a-t-il dit cela ?

— Nous... Nous nous sommes querellés. Krisztina avait décidé que sa mère ne devait jamais apprendre ce qui s'était vraiment passé entre eux.

— *Jesszus-Maria !* s'écria Ilona dans son désespoir. Dire cela dans un accès de mauvaise humeur...

— Peut-être a-t-il eu raison ? Krisztina était étrangement calme.

— Raison ? L'écho résonnait d'incrédulité.

— Le temps n'est-il pas venu de m'apprendre la vérité, maman ?

Ilona parut se recroqueviller sous le regard ferme de sa fille.

— Ne veux-tu pas me dire toute la vérité maintenant ?

Ilona s'effondra.

— Oui, dit-elle.

Krisztina se sentit comme une passagère solitaire sur une barque prise dans une tempête tumultueuse, propulsée au hasard sur les immenses vagues sauvages. Elle écoutait sa mère – non, la femme qu'elle avait tenue toute sa vie pour sa mère – lui parler d'une jeune femme anonyme, arrachée à sa maison, assassinée ; elle lui parla d'un fleuve hongrois. de Jozsef Szabo, le prêtre aux yeux noirs et tristes et dont Krisztina se souvenait encore vaguement. Elle parla d'un homme et d'une femme dont la vie vide et incomplète avait été transformée au-delà de toute espérance par ce qu'ils avaient considéré comme un don de Dieu. Elle parla de bonheur, de confusion, de tourment.

— Kriszti ?

— Oui, maman ? Elle voyait à peine Ilona.

Ilona tremblait, apeurée, épuisée.

— À quoi penses-tu ?

— Je ne sais pas. Je suis tout engourdie.

— Tu n'est pas fâchée ?

Ilona avait lutté contre les larmes tout le temps qu'avait duré son récit. À présent, elles brillaient dans ses yeux, sans couler.

— Amère ?

— Non.

— Tu ne me hais pas ?

— Pourquoi ? Pour l'amour que tu me donnes ?

— Pour t'avoir caché la vérité. La tête d'Ilona tournait, ses pensées se dévidaient, elle était horrifiée par sa faute. La vérité ? Elle ne l'avait pas encore dite. Ce qu'elle venait d'avouer n'en était qu'une partie.

Krisztina s'acharnait à comprendre.

— Pourquoi ne m'avez-vous jamais rien dit ?

Ilona la regarda, l'air malheureux.

— Il n'y avait jamais eu de raison pour cela. Le moment ne se présentait jamais.

Elle reprit sa respiration dans un sanglot.

— Tu nous a donné tant de bonheur.

Tu étais notre enfant. Nous ne nous sommes pas reconnus le droit de te priver de quoi que ce soit, ni de personne.

— De ma mère... La voix de Krisztina était à peine audible.

— Elle avait disparu.

— Et mon père ?

— Tu n'aurais jamais pu retrouver sa trace, Kriszti.

Les larmes commencèrent à couler.

— Avez-vous jamais essayé ?

— Jozsef a essayé.

Krisztina fronçait les sourcils dans sa confusion.

— Vous n'avez jamais rien appris sur elle ? Aucun indice ?

L'Étoile de David qu'Ilona avait toujours su dissimuler brûlait dans son esprit comme une cicatrice monstrueuse ; la douleur était d'autant plus cruelle qu'elle avait vu la plaque commémorative de David Kaufmann dans la chapelle. C'est son droit de tout savoir, pensait Ilona désespérément, et pendant un instant, elle eut le désir de partager le secret qu'elle portait seule depuis vingt-huit ans. Il lui était souvent venu l'envie de tout dévoiler dans le passé ; mais aujourd'hui comme autrefois, elle pensait à Gabor. Elle pensait maintenant au nom de de Trouvère, à la maison où elle se sentait encore parfois comme une intruse, et au petit Olivier, le vingt-septième baron, et à tous les antisémites qui sévissaient toujours sur la terre entière.

— Maman ?

La face de Krisztina était si pâle, si interrogative, si avide de savoir.

— Rien trouvé ? Absolument rien ?

— Non, répondit Ilona sur un ton ferme. Absolument rien !

— Eh bien, quel est votre sentiment ? lui demanda William plus tard dans le salon rouge.

— J'aurais seulement souhaité savoir, dit Krisztina vivement. Je crois que c'est surtout ce silence qui me trouble.

— Vous comprenez pourquoi ils ne pouvaient rien dire, n'est-ce pas ?

— Oui, bien sûr... mais ça n'est pas une raison.

— Non. William la dévisagea.

— Qui étaient mon vrai père et ma vraie mère ? Comment savoir quelque chose sur eux ?

— Vous ne saurez jamais rien, dit-il doucement.

— Non.

Elle se mordit les lèvres.

— Elle m'a dit que c'était une période de sauvagerie et de folie en Hongrie.

— Pas seulement en Hongrie, chérie.

— Je sais qu'elle a raison sur ce point. Comment trouver trace dans des registres d'un minuscule être humain qui venait de naître dans des circonstances tragiques alors que des millions de gens venaient de mourir ou mouraient encore ?

William plissa le front.

— C'est un point de vue tout à fait raisonnable, mon amour, mais cela ne vous est d'aucune aide, n'est-ce pas ?

— Qu'est-ce qui pourrait m'aider ? demanda-t-elle avec tristesse et lassitude.

— Parlez à Geneviève.

XX

— Draps ?

    — Cinquante pour grands lits, cent pour lits à une place.

    — Oreillers ?

    — Deux cents à motifs, deux cents unis.

    — Couvertures ?

    — Comme les draps.

— Casseroles ?

    — Douze, différentes tailles, moitié cuivre, moitié argent.

    — Cocottes ?

    — Cinq.

    — Poêlons en acier ?

    — Sept.

    — Poêles à frire ?

    — Cinq. Et cinq poêles à omelettes.

    — Marmites ?

    — Cinq. À propos, Marthe dit qu'un rétameur vient deux fois par an pour vérifier les ustensiles en cuivre.

— André, le champagne est-il arrivé ?

    — Oui, madame.

    — Le Pol Roger ?

    — Oui.

    — Le Perrier-Jouet ?

— Oui.

— Et le Cristal ?

— Pas encore, madame.

— Zut !

— Je suis d'accord, madame, mais on m'a assuré que la livraison aurait lieu à temps pour l'inauguration.

— J'ose l'espérer ! Encore que nous devons nous estimer heureux qu'il reste du champagne en France. Savez-vous André, que plus de six millions de bouteilles ont disparu avant la fin de la guerre ?

— Les Boches auraient beaucoup à dire là-dessus, madame.

— Et le Clicquot ! Est-il arrivé ?

— Hier.

— Dieu soit loué.

Ainsi se poursuivit l'inventaire frénétique, parfois affolant, des moindres objets faisant partie des différentes sections du Grand Hôtel du Château de Trouvère, depuis le dernier chiffon à poussière de la lingerie de Marthe au vide-pommes en acier de la cuisine toute neuve et immaculée qui allait devenir le domaine exclusif de M. Luc-Alain Carême à partir du premier décembre.

Cette frénésie apparemment inépuisable apportée à l'organisation était exténuante pour tous, chaque jour apportant son lot de tension nerveuse et de fatigue en proportions variables. Ce fut la raison qui fit que William se refusa à accélérer la conclusion de son idylle avec Krisztina.

La « seconde phase » de leur relation évolua aussi tendrement et aussi inéluctablement qu'elle avait débuté, sans artifice, sans coquetterie ni cabotinage de l'un ou l'autre côté. William aurait pu plonger dans la passion, comme Laurent une douzaine d'années plus tôt ; comme lui, il aurait pu prendre tout son temps pour rêver d'elle avant de saisir l'occasion de se déclarer. Mais là aurait cessé toute similitude éventuelle. William Hunter ne souhaitait pas et n'avait nul besoin de posséder Krisztina, mais pour la première fois de sa vie, il aspirait à se donner totalement à une femme, à partager avec une femme son existence, son moi profond.

Les choses avaient évolué différemment pour Krisztina, mais l'issue était la même. Son amour pour David se prolongerait dans son souvenir avec une douceur ineffaçable et inattaquable ; mais David était irrémédiablement perdu. Elle l'acceptait maintenant et pouvait envisager un avenir qui – Krisztina en était venue à cette conclusion dernièrement – ne serait complet qu'avec la présence à ses côtés de cet Anglais solide et pourtant infatigablement romantique.

Romantique, il l'était en effet suffisamment pour désirer que tout soit parfait dans leur amour, y compris le sexe. Quand ils en seraient là, avait-il dit à Krisztina, il voulait qu'elle lui accorde toute son attention, il voulait qu'elle se concentre sur lui, sur eux, et non pas sur l'argenterie, les vins en réserve ou les piles de linge.

Ils attendirent donc sagement. Leur mariage fut fixé au 23 décembre, la veille de l'inauguration de l'hôtel.

Eût-on demandé à Krisztina de qualifier en deux mots son mariage avec William, elle eût répondu : « serein » et « juste ».

Cette fois, il y eut deux cérémonies ; d'abord le mariage civil devant le maire de Colmar, puis une petite cérémonie intime présidée par le père Perigot et réunissant la famille et quelques proches amis dans la chapelle de Trouvère.

Les parents de William et deux sœurs, Leslie et Wendy, étaient présents, tous étaient émus, mais très dignes. Ilona pleurait, Geneviève s'imprégnait de chaque seconde avec une joie intense. Olivier courait dans l'allée centrale, se plaignant d'une voix criarde, comme à son habitude, dès que Jeanne tentait de l'en empêcher. Et pas moins de sept chiens-loups irlandais (dont quatre chiots mis bas par Vénus en septembre) attendaient impatiemment dehors, dans l'air glacé, grattant à la porte et jappant doucement.

Il n'y eut qu'un seul moment épineux : ce fut lorsque Gabor prit le bras de Krisztina pour la conduire à l'autel ; pour ne pas céder à l'envie de le fuir, elle détourna vite la tête et se trouva alors confrontée à la plaque commémorative de David. Elle ressentit un frisson qu'elle ne put maîtriser. Puis elle reporta son regard sur William qui l'attendait, droit et maître de soi, et elle pensa à cet instant qu'il était plutôt beau, éclairé par le soleil de Noël qui tombait sur lui. Elle vit les fleurs, des lys blancs, des clématites et des roses magnifiques ; il y en avait partout, surgies de l'hiver grâce à Geneviève qui les avait trouvées Dieu seul savait où. Krisztina observa à travers la brume de son voile les visages des invités ; attentifs et admiratifs, tous semblaient contents. Finalement, elle tourna le dos au passé. Elle put alors tolérer la proximité de Gabor pour ces quelques secondes. Avec un frou-frou rapide et résolu de sa robe couleur pêche commandée chez Dior, elle sourit, légère et assurée, puis avança vers l'autel.

Le château semblait un peu étrange l'après-midi et le soir de ce jour-là : pas tout à fait un hôtel en état de fonctionner, ni tout à fait un foyer. Néanmoins, cela faisait partie de la métamorphose que Geneviève et Krisztina avaient délibérément fait subir à l'édifice. De sorte que le regard de Krisztina tomba sur le hall et les couloirs avec un regret fugace pour leur patine familière à jamais perdue ; mais elle se souvint des sages paroles de Tagore : « De nouvelles mélodies naissent sans cesse. » Sa mélancolie s'évanouit alors, laissant place à l'avenir et à l'espoir.

Il ne fallait pas songer à une lune de miel, mais Krisztina n'en avait cure. Il suffisait amplement qu'ils fussent enfin ensemble, vraiment ensemble. Aussi fut-elle ébahie lorsque sur le coup de dix heures Geneviève lui fit quitter la fête et la poussa vers la porte d'entrée. Là, à son étonnement, elle vit l'une de ses plus petites valises et son manteau de fourrure préparés à son intention.

— Qu'est-ce que c'est ?

Geneviève se contenta de sourire.

— Belle-mère, que se passe-t il ?

— Et notre lune de miel alors ? William surgit à côté de sa femme, portant un manteau en poil de chameau.

— Que racontez-vous là ? Je ne peux aller nulle part ! Nous n'avons pas le temps.

— Nous le savons. Il prit la valise. Venez, André est dehors, avec la voiture.

— Allez ! Vas-y, *dragam*. Ilona, Olivier endormi dans ses bras, apparut on ne sait d'où.

— Maman, toi aussi ?

Geneviève l'aida à mettre son manteau. C'est trop triste de passer sa première nuit de noces à la maison.

— Je n'ai jamais entendu ce genre de réflexion avant. C'est vous qui l'avez inventée, belle-mère ?

— Tu viens ? William la poussa vers la porte.

— Non ! Attends une minute ! s'obstina-t-elle. Il faut que je sois ici demain à l'auhe.

— Tu seras là, *dragam,* assura Ilona en l'embrassant sur la joue. Tout est arrangé.

— Où allons-nous donc ?

William la saisit pour sortir.

— Dans la forêt.

— Où ?

Il y avait une petite cabane au cœur de la forêt de pins, au nord du château. C'était l'une des nombreuses cabanes de toutes sortes, outre les pavillons, temples et folies, éparpillées sur tout le domaine de Trouvère. Celle-ci était pratiquement impossible à maintenir en bon état. C'était vers cette cabane particulière entourée de grands arbres sombres que roulait André par le seul chemin étroit qui y menait.

— Je ne comprends pas, marmonna Krisztina tandis que Sutterlin les devançait avec les valises et ouvrait la porte. Cette cabane est une ruine !

— Oui, chérie.

— Pourquoi m'amener ici alors que nous disposons d'une suite merveilleuse au château ?

— Bonne question.

Sutterlin reparut et vint leur ouvrir la portière de la voiture.

— La réponse ?

William sourit.

— Romantisme.

— Oh !

— Monsieur aura-t-il besoin de moi ? demanda Sutterlin.

— Non, merci, André. C'est parfait.

— Je reviendrai à huit heures demain matin.

— Six, rectifia Krisztina.

— Sept, décréta William.

Sutterlin reprit place sur son siège.

— Bonne nuit, monsieur.

— Bonne nuit, André, et merci.

— Bonne nuit, madame.

La voiture disparut.

— Et maintenant ? demanda Krisztina. Des araignées ? Des souris, peut-être. Je suis effrayée rien que d'y penser.

— Maintenant, je vais te porter pour franchir le seuil.

— Je suis lourde.

— Une paille ! Ferme les yeux.

— Pourquoi ?

— Comptes-tu raisonner sur tout maintenant que nous sommes mariés ?

— Certainement.

— Ferme les yeux.

Elle obéit, sentit une bouffée d'air froid, puis un courant de chaleur. Et lorsque la porte bascula, deux odeurs familières chatouillèrent ses narines.

— Qu'est-ce qui sent ainsi ?

— Tu vas voir.

— Ne me dépose pas sur le sol !

— Pourquoi ?

— Parce que mes pieds me font terriblement mal et je ne me suis pas sentie aussi à l'aise de toute la journée.

Il la déposa, ignorant sa plainte.

— Garde tes yeux fermés.

Il lui prit la main et la fit avancer de quelques pas, puis la fit tourner à gauche ; elle entendit alors un crépitement familier. C'est l'une des odeurs, pensa-t-elle. Au moins, la cheminée a été dégagée.

— Ouvre les yeux.

Elle s'exécuta.

— Dieu !

— Ça te plaît ?

Elle fut stupéfaite. La pièce semblait taillée dans du bois de pin doré et lustré ; sa lumière était renforcée par la clarté des flammes qui bondissaient dans la grande cheminée en pierre au milieu du mur blanchi à la chaux auquel Krisztina faisait face. Au mur opposé était suspendue une tapisserie d'une beauté fantastique. Le sol dallé était recouvert d'un tapis bordeaux aux boucles si serrées que Krisztina avait hâte de se débarrasser de ses escarpins assortis à sa robe et d'enfoncer ses pieds nus dans le poil.

— Krisztina ?

Elle ouvrait des yeux immenses.

— Je ne sais que dire.

— J'espère au moins que tu es contente. C'est mon cadeau de noces.

Encore éblouie, elle secoua la tête.

— On se sent tellement protégé ici, murmura-t-elle.

— C'est ce que j'espère. Ce sera notre havre de paix lorsque l'activité sera trop frénétique à l'hôtel. Nous pourrons nous échapper ici. Il lui saisit la main de nouveau. Jette un coup d'œil. D'abord la bibliothèque.

Il désigna les étagères en acajou protégées par des vitres et contenant un choix judicieux de livres en français, en anglais et en hongrois.

— C'est du Sheraton – un cadeau de Clemmie.

— Ta mère était donc au courant ?

William eut un sourire en coin.

— Comme tout le monde. Nous pensions que tu découvrirais tout, mais tu étais trop occupée pour soupçon-

357

ner quoi que ce soit. Et ceci – il passa la main sur une table en bois marqueté – c'est un Hepplewhite, un cadeau de papa.

— C'est merveilleux, souffla-t-elle, mais beaucoup trop généreux.

— La tapisserie est de Burne-Jones, avec toute l'affection de Wendy et Leslie. Si tu veux bien me suivre.

Il la tira dans le petit vestibule et la fit tourner dans une charmante cuisine resplendissante.

— C'est ce que tu as flairé à notre arrivée.

Avec un cri de joie, Krisztina souleva le couvercle d'une grande marmite en cuivre qui mijotait à feu doux sur la cuisinière.

— C'est à peine croyable – *gulvas* ! Comment se fait-il ?

— Ta mère, bien sûr.

— Quand ? Elle est restée avec moi toute la journée.

— C'est Marthe qui l'a apportée tout à l'heure. C'est pour notre festin de minuit, et voici pour l'accompagner. Il désigna un plateau en argent sur la table, chargé de deux jattes en porcelaine de Chine, de cuillères et de verres à vin en cristal.

— Les Kakiemon ! exulta-t-elle en voyant les précieuses porcelaines qui avaient été utilisées pour la dernière fois la nuit où William, Miller et le pauvre Eddie étaient arrivés à de Trouvère. Et le Pape-Clément aussi ! Cela, c'est belle-mère.

— Qui d'autre ?

Les yeux de Krisztina s'emplirent de larmes de gratitude.

— Tant d'attentions...

— Pas moins que tu n'en mérites, dit doucement William. Elle prit le visage de son mari entre ses mains.

— C'est toi qui es bien plus que je ne le mérite.

Il ferma les yeux. « Seigneur », dit-il d'une voix frémissante.

— Quoi ?

358

— Toi. Tes mains.

— Qu'ont-elles donc ?

Il sourit, les yeux clos.

— Absolument rien. Il la prit par la taille et l'attira tout contre lui.

— Je suppose que c'est leur contact qui a brisé le dos du chameau.

— Pardon ?

Il ouvrit les yeux, intensément brillants, et il examina le visage de Krisztina.

— Désir, ma femme chérie, dit-il. Je parle de désir. Sa voix rauque s'attarda sur le dernier mot.

Krisztina sentit un frémissement glisser le long de son corps, comme si les doigts de William traçaient une ligne de chaleur de sa nuque au creux de ses reins.

— Cette maisonnette possède-t-elle une chambre ?

— Une chambre tout à fait charmante.

— Puis-je la visiter ? Ou devons-nous attendre notre premier anniversaire ?

— Et la *gulyas* ?

Elle l'embrassa tendrement sous le menton, à l'endroit où elle le savait particulièrement sensible. « *A fenebe Gulyasal* », chuchota-t-elle, coquine.

— Qu'est-ce que cela signifle ? Il bécota son oreille.

— Au diable la gulyas.

Krisztina n'avait eu que deux hommes dans sa vie. La première expérience, un enchantement magique et pur. La seconde, une sexualité sans amour mutuel qui aboutit à un viol écœurant et sauvage.

Cette nuit, se tendant vers William, s'enroulant contre lui, mais encore capable de raisonner avant de s'abandonner au désir purement physique qui la submergeait, elle se disait que le destin s'était manifesté à elle de curieuse façon. En effet, dans ce magnifique lit à colonnes, il y avait un homme et une femme incontestablement amoureux, deux êtres égaux protégés et confortés par une certitude, par leur bonne volonté et leur optimisme.

Ils firent l'amour de trois manières différentes. La première fois, face à face, les yeux ouverts, lentement, habilement, légèrement et avec joie, se cherchant et se découvrant tendrement. La seconde fois, ils s'unirent sauvagement, voluptueusement, sans inhibition, le cœur haletant, jouissant ensemble et criant leur amour dans le silence nocturne. Et la troisième fois – ils eurent l'impression de comprendre l'essence du mariage ; ils firent l'amour avec toute la sérénité et la tendresse de deux êtres qui savaient désormais qu'aucun fantôme ne viendrait plus les hanter, ni aucune ombre, et qu'ils avaient donc le temps. Ce n'était que la première nuit, mais il y en aurait encore bien d'autres...

À cinq heures du matin, Krisztina fut réveillée par une espèce de grattement bizarre. Ne voulant pas déranger son mari qui dormait, elle sortit du lit avec précaution et, nue, elle alla à la fenêtre sur la pointe des pieds.

Elle écarta l'un des rideaux et poussa un petit cri de surprise.

William s'agita, tendit la main vers sa place et ne la trouvant pas, ouvrit les yeux.

— Kriszti !

Elle tourna la tête vers le lit dans la pénombre.

— Je ne voulais pas te réveiller, chéri.

— Qu'y a-t-il ?

— Rien. Viens voir, chuchota-t-elle.

— Il fait glacial. Viens plutôt te recoucher.

— Mais non, je t'assure, viens voir.

Il repoussa la couverture chaude en marmonnant à mi-voix et vint la rejoindre à la fenêtre, se pressant contre son dos nu.

— Regarde, dit-elle dans un souffle. N'est-ce pas fantastique ?

William regarda par-dessus l'épaule de Krisztina et sursauta légèrement tandis que deux paires de grands yeux d'un brun limpide traversaient la vitre.

— Des daims, s'écria Krisztina joyeusement. Ne sont-ils pas jolis ! Ils doivent être surpris de trouver cet endroit habité après avoir été déserté pendant tant d'années.

— Quand a-t-il commencé à neiger ? demanda-t-il, surpris.

À leur arrivée, la veille au soir, le ciel était clair et la lune presque pleine. Mais au matin, un épais tapis de neige poudreuse et immaculée recouvrait le sol, transformant la petite clairière derrière la hutte et plus loin les pins en une scène de calendrier de l'Avent à laquelle les daims ajoutaient un charme de plus.

— Comme c'est romantique, soupira Krisztina. Comment as-tu fait pour dénicher cet endroit, William chéri ?

— Mon flair, dit-il avec satisfaction.

Elle se retourna lentement et prit conscience de la plénitude du plaisir éprouvé tandis que leurs corps se frôlaient à moins d'un souffle de distance.

— Sais-tu, murmura-t-elle, que ton odeur est d'une essence rare ?

— Moi ?

— Je t'assure. Elle posa les paumes de ses mains sur sa poitrine et les laissa glisser sur la toison douce et les bouts durcis des mamelons, puis elles arrivèrent au nombril, au ventre, et plus bas encore, jusqu'à ce que ses doigts se ferment doucement sur le pénis érigé.

Il gémit. « Retournons nous coucher. »

— Ce tapis est si doux. Elle voulut le tirer à terre.

— Le lit est mieux, marmonna-t-il en baisant sa bouche, et nous n'avons plus vingt ans ni l'un ni l'autre.

— *T'e mindent el rontasz,* se plaignit-elle tendrement.

— Quoi ?

— Trouble-fête !

Il la prit dans ses bras d'un geste rapide et sûr, et la porta sans faiblir jusqu'au lit à colonnes.

— Tu es très hongroise, cette nuit.

Krisztina se lova contre lui.

— Peut-être suis-je vraiment *moi* à présent.

— C'est parfait, dit-il en la déposant sur la couverture et s'agenouillant au-dessus d'elle.

— Nous avons gaspillé la gulyas de ta mère, murmura-t-il comme en s'excusant.

— Elle comprendra.

— Kippers pour le petit déjeuner, très écossais. C'est moi qui prépare.

— Tu n'es pas écossais.

— J'adore pourtant le poisson fumé. C'est Leslie qui me les a apportés.

Elle sentit ses mains avides sur ses seins.

— Comment peux-tu songer à manger en un pareil moment ? demanda-t-elle malicieusement.

Il sourit. « La nourriture est un aphrodisiaque pour certains hommes. »

Krisztina ouvrit ses cuisses largement, l'invitant sans ambages.

— William, as-tu besoin d'un aphrodisiaque ?

Ses doigts descendirent sans retard et se perdirent dans les boucles chaudes et soyeuses.

— Peut-être pas, dit-il d'une voix enrouée.

— Vraiment ? Il ferma les yeux et se glissa en elle avec un long soupir ravi.

— Mieux que les kippers, dit-il.

XXI

Extrait d'un article de Gilles Perrault dans *Les Dernières Nouvelles d'Alsace* en date du 5 septembre 1948.

« Réjouissons-nous ! Que les grandioses châteaux-hôtels de la Loire, les grands hôtels de la Normandie et même de la Côte d'Azur veillent sur leurs lauriers. Car aujourd'hui, je peux confirmer qu'une nouvelle étoile, surgie au firmament des établissements de grand luxe il y a huit mois, fait désormais partie de notre univers pour un avenir que nous espérons glorieux.

« Le Grand Hôtel du Château de Trouvère, dont j'ai timidement relaté la « première » de Noël 1947, a percé ses dents, ses jambes ont allongé et il marche maintenant avec une agilité, une aisance et une efficacité admirables. Par son cadre et son service, il ravit chacun de ses hôtes dès son arrivée et l'enveloppe dans ses trésors de civilisalion et de luxe.

« De Trouvère possède tout : un édifice historique, élégant et beau que deux femmes inspirées ont transformé, deux « belles dames » au goût parfait, les baronnes de Trouvère, avec l'aide du signor Alberto Giordano dont il faut louer le talent. De Trouvère possède aussi un superbe domaine comprenant entre autres des vignobles de Riesling. Et son personnel est d'un dévouement irréprochable. Des millions de francs ont probablement été dépensés dans cet aimable édifice baroque, et pourtant, on n'a pas l'impression d'avoir réservé dans un palace mais plutôt de rentrer chez soi, dans un foyer où l'on peut se détendre vraiment, flâner, caresser un des chiens-loups irlandais élevés sur place ou même toucher (avec précaution) la profusion des œuvres d'art et des antiquités qui enrichissent tout le château sans crainte ni risque de réprimande.

« À Noël l'année dernière, arrivé au milieu d'une tempête de neige, j'avais été accueilli par un brillant feu de bois dans ma chambre, mon salon et ma salle de bains dont l'aménagement est merveilleux. La semaine dernière, l'embrasement fut créé par l'ensemble des forces de la nature dont la belle exubérance était subtilement maîtrisée pour permettre des promenades à pied en toute tranquillité ou des randonnées à cheval revigorantes. En ces deux occasions, je fus salué par René, le vénérable portier qui semble jouer également le rôle de directeur des parcs et communique à une équipe de jeunes jardiniers ses trente années de sagesse et d'expérience en matière d'agencement d'espaces verts acquises à de Trouvère. En fait, la plupart des emplois de cet hôtel sont tenus par des serviteurs loyaux à la famille, et ce sont sans doute ces hommes et ces femmes qui sont l'âme du château et qui insufflent leur amour et leur ferveur aux nouveaux venus comme Bertrand Leclerc, le distingué maître d'hôtel tiré de l'obscurité par les propriétaires, ou comme la redoutable chef de cuisine, Luc-Alain Carême (peut-être un descendant de Marie-Antoine Carême, le maître de la cuisine française), dont le génie me rappelle la vraie signification du mot « restaurant » !

« Je pose à nouveau ma question : Qu'est-ce qu'un grand hôtel ? Il n'existe pas de réponse simple. C'est la maison dans son intégralité, ses habitants, son environnement, son confort, ses commodités, sa nourriture et ses vins, son personnel et en dernier lieu la clientèle qu'elle attire. Quoi qu'il en soit, je le répète : réjouissons-nous, car l'Alsace n'a pas perdu une précieuse relique historique ; au contraire, elle a gagné un nouvel allié de grande qualité qui unit les promesses de l'avenir et la dignité du passé.

« L'un des devoirs d'un critique est peut-être d'agir comme gardien de l'authenticité, en rejetant la vulgarité tout en saluant la rareté, le chef-d'œuvre. Eh bien, je salue ici le chef-d'œuvre qu'est le Grand Hôtel du Château de Trouvère, et j'avance deux prédictions : le Guide Michelin ne tardera guère à ajouter un établissement trois étoiles à ceux qu'il a déjà élus ; les deux baronnes ne vont pas se contenter de s'asseoir, la mine satisfaite, en laissant paresseusement leurs rêves d'enfants suivre les méandres du succès. Je suis certain qu'elles vont savoir maintenir leur contrôle méticuleux et intelligent sur l'hôtel avec l'assistance de leur équipe valeureuse et, naturellement, avec les encouragements et les applaudissements de leurs hôtes fortunés. »

XXII

Quatre mois et six jours après l'article enthousiaste de Perrault, une autre annonce, bien plus brève mais peut-être encore plus triomphante, parut dans les *Dernières Nouvelles d'Alsace*, *Le Figaro*, *The Times* et la *Surrey Gazette*.

À William et Krisztina Hunter
une fille
ELLA CLEMENTINE ILONA
est née le 10 janvier 1949
Clinique Kléber, Strasbourg, France.

C'était un nouveau-né vraiment adorable, un miracle comme on en voit peu, capable d'éblouir les infirmières les plus blasées. Ella était menue mais vigoureuse, sa peau était délicate et sans la moindre marbrure plissée qui entache la perfection de tant de bébés ; ses yeux étaient de la même teinte violet-bleu que ceux de sa mère, et ce petit chef-d'œuvre était couronné d'une étonnante chevelure.

« Les cheveux sont divins ! » roucoulait sœur Mathilde, une femme d'âge mûr guère portée aux compliments. « Moitié la mère, moitié le père. Quelle merveille ! »

« La pauvre petite, elle aura des taches de rousseur », prédit boudeusement sœur Joanne ; elle-même avait toujours ressenti sa propre rousseur comme une malédiction de Dieu, aussi compatissant soit-il par ailleurs.

« Vous êtes méchante », dit sœur Mathilde avec dédain. « Ella est couleur de feu doré. »

Lorsque Krisztina examina les éclatants cheveux de sa fllle pour la première fois, elle craignit fortement qu'ils soient le signe d'un caractère bouillonnant, une particularité dont Olivier était déjà largement pourvu. Mais il fut bientôt évident qu'elle n'avait aucune raison de s'inquiéter : Ella était aussi calme que son demi-frère était turbulent ; non qu'elle fut placide et insensible ; elle portait en elle une étonnante sérénité.

En quelques semaines, son sourire fit des merveilles. On pouvait entrer dans une pièce déprimé ou irrité, si Ella souriait, on se sentait mieux ; dès qu'elle lançait son rire pétillant, on riait avec elle ; mais dès qu'elle pleurait, ce qui arrivait fort rarement, le cœur de chacun se contractait.

« C'est comme goûter les sauces mousselines de Luc-Alain », déclarait William après avoir passé quelque temps avec sa fille. « Les autres chefs peuvent faire la même sauce, ce n'est pourtant pas la même. Les autres bébés sourient aussi, mais avec Ella, c'est totalement différent. »

Olivier eut une attitude des plus surprenantes.

Tous s'attendaient à un abominable débordement de jalousie de sa part ; Krisztina la première en était nerveuse d'inquiétude. Or, le garçon de quatre ans adora le bébé dès qu'il lui fut présenté, lui faisant des câlins et la dorlotant dès qu'il en avait l'occasion. Depuis son mariage, William s'était arrangé pour être muté Avenue George V à Paris d'où il dirigeait maintenant le service français de Hunter's, et il projetait pour le compte de sa firme l'installation d'un Hôtel des Ventes à Zürich, en Suisse. Mais pour le moment, son travail nécessitait son éloignement de de Trouvère plus que lui-même et Krisztina le souhaitaient.

Ses absences inévitables de plusieurs semaines parfois avaient d'autres conséquences plus inquiétantes. Le conseil d'administration de la firme Hunter était en totalité composé de membres plus enclins au scepticisme que leur président, Robert Hunter, ou son fils. Plus fréquemment que William, Krisztina ou même Geneviève n'y venaient, le conseil les assaillait de questions, de demandes de présentation des comptes ou des chiffres des réservations ; sans mentionner les critiques !

Il arriva une fois qu'un membre du conseil nommé Bradley, s'étant installé quelques jours à de Trouvère, tomba sur Ilona qui pleurait dans la bibliothèque. Supposant qu'elle était une cliente de l'hôtel, il avait appelé André Sutterlin. Apprenant qu'elle était de la famille, il avait manifesté sa réprobation auprès de William. Tout à fait conscient que sa belle-mère était fragile, William assura Bradley qu'il n'y avait pas lieu de s'inquiéter, mais le manque de tact de Bradley irrita gravement Krisztina.

En vérité, Ilona ne s'était pas entièrement remise de son opération. De plus, elle s'affligeait pour son pays sur lequel les communistes avaient posé leur poigne de fer. Ces derniers temps, elle avait l'impression que son identité, sa personnalité, était restée à Budapest ; elle n'existait plus maintenant que pour Krisztina et ses petits-enfants ; quant à son mariage, il était désormais totalement vide d'amour.

— Je suis inquiète pour votre mère, dit Geneviève à Krisztina peu après l'incident de la bibliothèque. Elle a l'air de se couper de nous, de la réalité. Son front était soucieux. Je suis la première à comprendre que la prière est une consolation, mais elle va tous les jours à la chapelle, elle y reste parfois pendant des heures entières.

— C'est pourtant là qu'elle trouve toute sa consolation à présent, belle-mère ; j'ai le sentiment qu'elle abandonne avec joie le confort matériel pourvu qu'elle garde la chapelle.

— Allumer des bougies pour le passé est une chose, mais il faut aussi qu'elle considère l'avenir, ma chérie. André aussi est inquiet à son sujet, vous savez. Il m'a dit l'autre jour que l'un de nos hôtes l'avait questionné au sujet de la « dame au voile noir ». Certains semblent troublés par sa tristesse évidente.

— J'espère qu'il leur a dit de s'occuper de leurs propres affaires, répliqua Krisztina sévèrement.

— Je suis sûre qu'il n'en a rien fait. C'est un hôtel à présent, Krisztina. Nous ne pouvons pas nous permettre de l'oublier, quelle qu'en soit la tentation parfois.

— C'est aussi un foyer, et je mettrai toujours les intérêts de ma famille au premier rang.

Geneviève parla sur un ton calme.

— Il est pourtant certain qu'en ce qui concerne Hunter's, nous serions bien avisées de nous comporter avec tact, quels que soient nos sentiments par ailleurs.

— Que veulent-ils de nous ? s'écria Krisztina qui se sentait frustrée. L'hôtel est réservé pour des mois, il est déjà complet pour Noël et le Jour de l'An, Bertrand dit que les gens de la région essaient de le soudoyer pour avoir des tables.

— Je pense qu'ils cherchent à obtenir un peu de bénéfices, interrompit Geneviève doucement.

— Il nous faut au moins trois ans de fonctionnement pour en arriver là, ils le savent très bien.

— Ils savent aussi que nous devrons encore emprunter au lieu de rembourser avant qu'ils puissent seulement rêver d'un quelconque profit. Ce qui ne les empêchera cependant pas de nous aider à obtenir des résultats dans le laps de temps le plus bref possible.

Le regard de Krisztina s'éclaira.

— Nous leur en donnerons, du profit, belle-mère, je vous le promets. Mais à notre manière, pas à la leur !

L'espace familial était déjà réduit au mimmum, mais quand Krisztina apprit en décembre qu'elle attendait un autre enfant, il fallut bien trouver d'autres pièces.

Alberto arriva un mois après.

« La réponse, leur dit-il, se trouve dans les deux pavillons reliés à la partie nord du château par les jolies galeries supérieures. » Les pavillons n'avaient jamais été utilisés que comme des adjonctions séduisantes qui équilibraient le corps principal de la maison. Alberto décida qu'ils présentaient la solution idéale.

— Ils sont beaucoup trop exigus, argumenta Geneviève.

— Pas tant que cela.

— Trop petit est trop petit.

— Pas si on les agrandit !

— Les agrandir ? Même le bel équilibre de Geneviève vacilla. Alberto, je croyais que vous aviez compris que nous ne voulions jamais toucher à l'architecture de base de de Trouvère.

— Même pas si l'on apportait ainsi une amélioration ?

Krisztina fronça les sourcils.

— Vous n'avez pourtant jamais cessé de nous dire combien tout était parfait ici.

— Sauf quelques petits détails, signora.

Comme à l'accoutumée, ils étaient dans le salon rouge, buvant le café et dégustant quelques tartes aux fraises de leur pâtissier. William se leva de son fauteuil et dévisagea Giordano.

— Puisque vous semblez avoir presque toujours raison, voudriez-vous prendre la peine de souligner les défauts éventuels que la famille de Trouvère n'a pas remarqués depuis plus d'un siècle ?

— Avec plaisir.

Alberto écarta la tartelette qu'il n'avait pas touchée.

— Les pavillons, dit-il.

— Qu'est-ce qu'ils ont ?

— Ils sont maigrichons, comme les jambes d'une fille sous-alimentée.

Personne ne souffla mot.

— Ils devraient être fermes et bien formés, comme les jambes d'une grande courtisane au repos.

Krisztina sourit.

— Je n'y avais jamais pensé de cette manière.

— Donc, les galeries – très agréables bien sûr mais elles font des pavillons des unités séparées, comme s'ils étaient détachables du reste du château. Elles devraient être invisibles. Et en les élargissant, à condition que ce soit fait avec le plus grand soin, je crois pouvoir obtenir la place qui manque actuellement, et en même temps, vous auriez le confort, l'espace et l'intimité.

William regarda d'abord Geneviève, puis sa femme. Lisant sur leurs visage leur assentiment, il se tourna vers les yeux vifs et rieurs du décorateur.

— Eh bien, dit-il, la chose présentée ainsi, que nous reste-t-il à dire ?

— Vous pouvez dire oui, signor.

— Les travaux peuvent-ils être terminés pour le mois d'août ? Giordano lança un regard rayonnant dans la direction de Krisztina.

— Naturellement.

William sourit aussi.

— Eh bien, oui.

Le grand avantage des projets d'Alberto était qu'ils étaient aussi précis et solides en pratique qu'en théorie.

Sans déranger aucunement la vie de l'hôtel, le pavillon ouest devint le foyer de Geneviève, Ilona et Gabor le vingt-deux juillet. Le côté opposé, bien que respecté dans son parfait agencement extérieur, fut agrandi par l'intérieur, comme si ses murs étaient élastiques, afin de fournir aux Hunter toutes les commodités désirées, même un petit studio de danse pour remplacer la salle au miroir que Krisztina aimait tant et qui avait été tout naturellement ouverte au public.

Le vingt-trois août, Orion, le plus vieux des chiens-loups, mourut dans son sommeil. L'après-midi suivant, Giselle, l'une des jeunes femelles, moins paisible que ses frères et sœurs, dévala tout à coup l'allée principale au grand galop et fut heurtée et tuée par une Mercedes noire.

— Il va se passer autre chose, s'inquiéta Krisztina, l'air bouleversé, chagrinée par cette double perte.

— Mais non, dit William qui tentait de l'apaiser.

— On dit jamais deux sans trois, insista-t-elle.

— Chérie, tu n'as jamais été superstitieuse. De toute manière, Orion était un très vieux chien et il est mort tout à fait paisiblement. Tu ne peux pas appeler cela un désastre.

— Peut-être pas, soupira-t-elle, les yeux brouillés de larmes. C'est la grossesse qui doit me rendre idiote.

Deux jours après, ce fut la chute dans le hall d'un grand miroir antique. Chute inexplicable. Il se brisa en milliers d'éclats.

— Eh bien, le voici ton numéro trois, plaisanta William alors que Krisztina arrivait. Il était justement en train de déblayer les débris.

— Mon Dieu, murmura-t-elle.

Il se redressa. Voyant son teint de cendre, il s'exclama :

— Qu'y a-t-il ?

— Sept ans de malheur.

Il sourit.

— Encore une baliverne, chérie ? Tu me surprends décidément.

— Vraiment ? Elle serra de ses deux mains son ventre gonflé et ferma les yeux. *Jesszus-Maria, Istenem segits rajtam.*

— Ce qui signifie ?

Elle ouvrit les yeux et il y vit une peur atroce.

— Je prie pour notre bébé.

William l'enferma dans ses bras.

— Notre bébé va bien.

— Je n'en suis pas sûre.

— À cause du miroir ? Chérie, tu es trop sage pour croire à cela.

— Je sais, dit-elle, mais elle frissonna.

Sept ans, pensa-t-elle.

Le trente août, à trois heures de l'après-midi, alors que Krisztina bavardait avec Sutterlin à la réception, elle commença à perdre les eaux.

Leur fils, un gros bébé en pleine santé de plus de huit livres, naquit quatre jours plus tard, normalement constitué, dix doigts et autant d'orteils.

— Et à l'heure du dîner, dit son père avec ravissement. Ce sera probablement un gourmet.

Krisztina considéra le petit paquet de langes dans ses bras, et enregistrait chaque détail avec incrédulité.

— Tant de cheveux, se réjouit-elle comme s'il s'agissait d'une victoire, et d'un vrai roux, encore plus roux que les tiens !

— Une forme de lutteur aussi, souligna William tranquillement, Dieu merci.

Des larmes de soulagement roulèrent sur les joues de Krisztina.

— J'ai eu tellement peur, confessa-t-elle.

— Je sais, chérie, mais c'est fini maintenant.

— Il est tellement ridé, souffla-t-elle. J'avais toujours cru que tous les nouveaux-nés se ressemblaient, mais les miens ont tous été différents.

William caressa doucement les petits doigts du bébé qui dormait.

— Sommes-nous toujours d'accord sur Michael ?

— Oui, Je pense. Elle posa un baiser sur les cheveux soyeux. Michael Armand Robert.

William sourit.

— Père va être content.

Une infirmière en tenue amidonnée et au visage avenant entra dans la chambre.

— Nous allons coucher le bébé maintenant, n'est-ce pas ? Maman a également besoin de dormir.

Krisztina déposa l'enfant bien pelotonné dans son sommeil dans les bras solides et assurés de la femme.

— Nous l'appelons Michael, sœur Julie.

L'infirmière rayonna. « Un petit Anglais ! »

— Son frère et sa sœur vont vouloir le voir aussitôt que possible, ajouta Krisztina. Sans parler de ses grands-parents.

Comme ce fut le cas pour Ella, Geneviève fut considérée comme la grand-maman du bébé au même titre qu'Ilona ou Clémentine Hunter.

— Le matin, décida sœur Julie. La première soirée est réservée au papa. Les autres pourront s'y joindre demain.

Le bébé avait à peine un mois que chacun l'appelait déjà de quatre noms différents. Pour sa sœur, il fut Mischa. Pour Geneviève, il fut Michel. Pour Ilona et Gabor, il fut Mihaly. Il ne resta Michael que pour Krisztina et William ; bien que parfois son père l'appelât Mike.

Tous l'adorèrent. Si dès sa naissance Olivier s'était montré plein de tempérament, si Ella était une nature calme, ce dernier enfant était tout simplement l'innocence incarnée.

Tous l'adorèrent. Sauf Olivier. Il avait aimé immédiatement Ella. Il en alla différemment avec Michael. C'était un garçon, un intrus, une menace. Olivier le détesta.

Au premier anniversaire de Michael, William voulut prendre une photo de famille.

— Ollie, embrasse ton petit frère, dit-il.

Olivier refusait de lâcher sa sœur qu'il entourait de ses bras.

— Viens, Ollie, viens te mettre de l'autre côté de Michael.

Le garçonnet de six ans s'entêtait à ne pas bouger ; il fallut que William lui en intime l'ordre pour qu'il y consentît enfin.

— Va, mon chéri, encourageait Krisztina. Souris.

Il fit un sourire qui ressemblait plus à un ricanement.

— Embrasse ton frère, comme papa te le demande.

Ne pouvant plus faire autrement, Olivier se pencha et toucha du bout des lèvres la joue poupine de Michael.

— C'est mieux. Maintenant, mets tes bras autour de ses épaules. William régla l'objectif.

Ce fut plus que n'en pouvait supporter Olivier. Glissant son bras gauche autour du bébé, il y enfonça ses doigts et le pinça fortement.

Michael se mit à pleurer. Krisztina prit le bébé dans ses bras. La séance de photographie était ratée.

Olivier sourit.

— Je croyais qu'Ella l'avait changé, dit Krisztina plus tard, dans la soirée, quand les enfants furent couchés et que l'hôtel bourdonnait doucement. Les Hunter et les Florian étaient rassemblés dans le salon de Geneviève pour prendre un verre ensemble.

— Il s'adaptera, dit William en servant le cognac.

— Mais nous n'avons pas eu ce genre de difficulté après la naissance d'Ella.

— Il n'était pas jaloux d'Ella, dit Geneviève.

— Pourquoi serait-il plus jaloux de Mihaly ? demanda Ilona anxieusement.

— Ella n'est pas une rivale. C'est une fille.

Krisztina secoua la tête.

— Cela n'a pas vraiment de sens, belle-mère. Olivier est déjà conscient du titre qui est le sien, et il sait fort bien que Michael est un Hunter, pas un de Trouvère.

— Exactement.

— Que voulez-vous dire ?

— Olivier adore William, mais William ne sera jamais son père.

— Mais William le traite comme son propre fils, plaida Krisztina.

— Je sais cela, mais notre Olivier a un caractère compliqué. Geneviève sourit. Pas comme Ella qui fait confiance à tout le monde. Olivier est fier de son nom, et cependant, il brûle d'être un Hunter.

William hocha la tête.

— Il n'y a pas très longtemps, il m'a demandé s'il pouvait m'appeler beau-père au lieu de papa. Je lui ai dit que j'étais son papa, mais je crois qu'il est encore troublé à ce sujet.

— Les familles, grogna Gabor dans son coin.

— Que voulez-vous dire par là ? demanda William.

— Plus elles sont grandes, plus il y a de problèmes.

— Que devrons-nous faire ? demanda Krisztina ignorant l'intervention de Gabor.

— Traiter Olivier différemment ?

— Et l'encourager ainsi à penser qu'il est vraiment différent des autres ? William secoua la tête avec emphase. Et finalement, nous aurons en face de nous un garçon gâté et névrosé.

— Faire comme si de rien n'était, dit Geneviève.

— Mais s'il est malheureux, on doit tout de même l'aider ? Ilona avait l'air plus inquiète que jamais.

Geneviève lui caressa la main avec chaleur.

— Olivier est très aimé, et il le sait. Le plus jeune de trois enfants doit souvent subir une période d'épreuve. Les autres le considèrent comme un bébé pendant plus longtemps parce qu'il est probable qu'il sera le dernier, et ils peuvent lui en vouloir pour cette raison.

Krisztina eut l'air songeuse.

— Michael a tout juste un an, belle-mère. Nous ne voulons pas qu'il grandisse trop vite.

— Il grandira comme il lui conviendra, dit William. Geneviève a absolument raison. Laissons-leur le temps, laissons Michael se développer, s'affirmer. Il s'assit et se détendit. Je crois que nous pouvons nous fier à eux ils sauront se sortir eux-mêmes de leurs difficultés.

XXIII

Pour les gens de l'extérieur, peut-être même pour les hôtes qui sommeillaient dans leur suite, les appartements privés de la famille, masqués derrière des limites à ne pas dépasser dans les ailes en pierre blanche, devaient ressembler à un royaume féérique tant ils semblaient retirés des vulgaires réalités de la vie quotidienne.

Mais comme beaucoup de contes, c'était vrai et faux à la fois. Krisztina, par exemple, savait qu'elle était très heureuse, elle comprenait sa chance, mais elle se considérait comme une mère travaillant dur qui disposait de trop peu de temps pour vivre davantage avec ses enfants ou son mari. Quant aux trois enfants, la vie à de Trouvère était la seule qu'ils connussent.

— L'heure de la promenade, les enfants !

C'était l'ordre qu'ils entendaient deux fois par jour dans leur salle de classe du pavillon ouest.

— Il fait froid, Miss Herrick.

— Ridicule, Olivier. Allez chercher vos manteaux. Prenez aussi vos bottes et vos écharpes.

— Mischa a éternué, soutint Ella.

— Michael éternue toujours quand on nettoie le tableau. C'est la poussière de la craie.

— Mais, Nannee... C'était cette fois le plus jeune qui en réalité aimait les promenades mais qui soutenait ses aînés en tout.

— Parle anglais, Michael, et vous tous, faites ce qu'on vous dit.

— Oui, Miss Herrick.

Depuis les trois ans de Michael, les pieds des trois enfants étaient solidement campés sur la terre – dans un choix de chaussures anglaises sans concession à l'élégance mais fonctionnelles, qu'il s'agisse de sandales ou de bottes en caoutchouc. Annabelle Herrick y veillait. C'était une authentique gouvernante anglaise que William et Krisztina avaient ramenée de son Devon natal, car ils avaient décidé que la première éducation de leurs enfants devait être faite à la maison.

Annabelle Herrick avait trente-trois ans, tout juste cinq de plus que Krisztina, avec des cheveux châtains légèrement bouclés, un teint clair et naturel, une silhouette bien découpée à la taille étroite. Elle portait invariablement des jupes sport et des ensembles deux pièces. Sachant fort bien que ses fonctions pourraient être de plus en plus difficiles à exercer dans l'avenir – le jeune baron faisait déjà preuve d'un caractère obstiné – Miss Herrick avait conclu avec les parents un contrat selon lequel elle s'assurait un degré raisonnable de discipline, en laissant toutefois suffisamment de temps et de liberté pour la détente, le développement affectif et les jeux.

L'emploi du temps officiel des leçons était épinglé sur le tableau d'affichage de la salle de classe, mais les enfants se plaignaient souvent de connaître à l'avance l'activité de chaque minute et de chaque jour.

Le petit déjeuner, sainement composé, devait être consommé jusqu'au dernier morceau, suivi de l'horrible huile de foie de morue. Les cours ne devaient jamais être interrompus, même lorsque William rentrait de voyage et apportait des cadeaux. Les promenades étaient obligatoires deux fois par jour – une seule fois en cas de pluie torrentielle. Le goûter de l'après-midi était un rituel obligé – parfois délicieux lorsqu'il comportait des gâteries comme les petits sandwiches au concombre ou les petites galettes à la confiture de fraises. Mais le plus souvent, ce n'était qu'un bol de lait avec du pain et du beurre. L'heure du coucher était la règle la plus inflexible de toutes : huit heures pour Olivier, sept heures pour Ella, six heures trente pour Michael.

Les dimanches étaient plus agréables, hormis la messe obligatoire à l'église et les vêtements inconfortables. Cependant, rien ne valait les samedis, ces merveilleux samedis inscrits en gigantesques lettres éclatantes dans l'esprit des enfants. En effet, ce jour-là, ils n'avaient qu'une leçon le matin, ils mangeaient ce qu'ils voulaient – dans des limites raisonnables – au déjeuner ils pique-niquaient si le temps le permettait, ils batifolaient avec les chiens à travers la campagne sans contraintes. Et ils dînaient avec les adultes.

Bien que la discipline fût toujours présente, les trois enfants trouvaient fréquemment les moyens et les méthodes pour échapper aux limites imposées. Ces incursions dans l'espièglerie étaient invariablement menées par le jeune baron, Ella étant sa courageuse disciple et le petit Michael se contentant de suivre.

Olivier avait une préférence pour les plaisanteries d'ordre pratique. Disposant comme victimes potentielles d'un hôtel entier avec sa petite armée d'hôtes et son personnel, il avait de quoi dépenser son énergie.

Le téléphone du bureau d'André Sutterlin retentissait au moins une fois par semaine pour annoncer la dernière bêtise des *enfants terribles*.

— Des pommes de pins ?

— Mon mari a le cœur malade, André. Quel choc affreux pour lui.

— Les pommes de pins sont destinées aux cheminées, madame, pour parfumer agréablement nos feux.

— Alors, comment se fait-il qu'elles se soient trouvées dans nos lits ? !

— André, appelez le Docteur Schaeffer !

— Pour qui, Bertrand ?

— Pour celui qui commandera du consommé !

— Nourriture empoisonnée ?

— Le chef Carême est hors de lui. Il a failli tuer le pâtissier.

— Oh, mon Dieu !

— Qu'est-ce que c'est, André ?

— Encore de l'huile de foie de morue ?

— Peut-être.

— J'appelle le médecin.

— Feriez bien de cacher les enfants. Si Carême les trouve, leurs os seront dans le consommé de demain !

— André, montez vite au second étage !

— Pourquoi, Marthe ?

— J'entends crier dans l'une des suites.

— J'arrive.

— Non, attendez, André, une seconde ! Monsieur Sondheim sort à l'instant de sa chambre.

— Marthe ?

Pas de réponse.

— Marthe ?

— André, où sont les enfants ?

— Pourquoi ?

— Des grenouilles ! Dans la baignoire, dans le bidet, elles sautent partout !

— Merde !

— Précisément, André. À présent, voudriez-vous faire monter quelqu'un pour m'aider à les attraper ?

Après chaque délit, Krisztina s'assurait que les coupables s'excusent humblement auprès de leurs victimes et acceptent le châtiment qui convenait. En général, les enfants choisissaient judicieusement leurs cibles, des gens aimant rire. Mais il arrivait que leurs plaisanteries soient mal dirigées — lorsqu'Olivier ne tenait pas compte des avertissements d'Ella. Dans ces cas-là, les punitions faisaient réellement mal — les randonnées du samedi étaient interdites, ils allaient se coucher de bonne heure le samedi soir ; à la suite d'un incident catastrophique qui eut pour résultat la perte d'une réservation pour l'hôtel, ils furent privés d'une semaine entière de vacances en Normandie. Quant à Ella, si l'on voulait la punir vraiment, il n'y avait qu'à la séparer des chiens. Dès sa toute petite enfance, il fut évident qu'elle avait hérité de sa mère son amour des bêtes. Les chiens-loups veillaient sur elle jour et nuit tant qu'elle fut un bébé au berceau. Et ensuite, quand elle commença à se traîner par terre, ils lui permettaient presque tout, supportant sans broncher ses doigts accrocheurs et ses coups de pied, ils entraient même en rivalité pour avoir le plaisir de la laisser monter sur leur dos. Maintenant qu'elle était plus âgée, l'heure du jour qu'elle préférait entre toutes était lorsque René, toujours chargé des soins aux animaux, lui permettait de l'aider à les nourrir et à les nettoyer. La priver de ce moment précieux pendant une seule journée suffisait à la rendre malheureuse.

Comme tous les enfants, ils avaient chacun leur personnalité, mais ils étaient liés par une complicité évidente. Ella adorait son frère aîné, elle percevait avec une peine compatissante les oscillations de son tempérament complexe, et inconsciemment, elle s'attachait à le défendre. Ses sentiments envers Mischa étaient plus simples. Elle l'aimait – chacun l'aimait – de sorte que des démonstrations ouvertes de solidarité étaient superflues. Et Michael, avec sa tête couleur de carotte et son sourire spontané, suivait tant bien que mal Olivier et Ella avec la confiance aveugle d'un jeune chien.

L'attitude d'Olivier envers Michael était simple également. De même qu'il était irrévocablement lié à Ella par l'adoration, il était également enchaîné à son charmant petit demi-frère si fragile par la haine.

Olivier prenait un malin plaisir à diriger leurs jeux communs. Il était le vingt-septième baron et de surcroît le plus âgé, il était donc de droit le chef et l'instigateur ; il usait et abusait même méchamment du jeune Michael. Parfois, lorsqu'Ella ne les regardait pas, il lui arrivait même de maltraiter physiquement son frère ; le soir, la tendre peau blanche du petit garçon était marquée de petites égratignures et ecchymoses, ce qui était anormal s'il ne s'agissait que de bousculades de bon aloi entre des enfants sains et normaux.

— Soyez plus prudent, Michael, disait Annabelle Herrick après ivoir tamponné les blessures avec de l'iodine.

— Oui, Nannee.

— Pourquoi tombez-vous plus souvent que les autres ? Michael rougissait.

— Olivier me surnomme le lourdaud.

— Ce n'est pas très gentil de sa part.

La lèvre inférieure de Michael tremblait, mais il ne disait rien.

Les petits méfaits des enfants auraient pu faire du tort à l'hôtel. Or, ils eurent l'effet inverse. Sans préméditation aucune, le château de Trouvère fut bientôt réputé pour sa convivialité, son charme et son atmosphère familiale. Tant d'établissements de grand luxe évitaient les petits enfants et bannissaient les chiens ; la loi de Geneviève et Krisztina était d'accueillir tous ceux qui se présentaient, faisant confiance au bon sens et au bon goût de chacun pour ne pas créer de situation de nature à compromettre la sérénité de la maison ou endommager de quelque façon les parcs et jardins entretenus avec amour.

Elles ne se faisaient d'ailleurs pas d'illusions. Elles étaient encore des novices dans un monde hautement compétitif, et chaque jour leur apportait un enseignement. Mais elles apprenaient rapidement et à fond, comme des étudiantes avides de savoir.

Elles apprirent par exemple qu'il était nécessaire d'évaluer à l'avance les clients susceptibles de fréquenter l'hôtel à une période donnée. Si elles avaient plus de deux réservations incluant des enfants, il était important de s'organiser spécialement pour que les enfants soient heureux. La clé d'une cohabitation réussie des enfants et des animaux avec des banquiers, duchesses, producteurs de films, diplomates et dessinateurs de mode reposait dans le fait de satisfaire aux lubies et à l'exubérance de chaque groupe, et ainsi de les séparer subtilement.

Pour les gens énergiques, il y avait les écuries, les promenades, la baignade dans le lac l'été et la glissade l'hiver. Au printemps 1955, il y aurait quatre courts de tennis et l'hiver suivant, on prévoyait la création d'un re-monte-pente. Il y avait déjà eu des changements : le joli kiosque du parc était utilisé pour des lectures de Hans Andersen ou des Frères Grimm, le temple d'amour, près du lac, servait parfois pour des représentations théâtrales ou des concerts. Pour les enfants un peu aventureux, il y avait le belvédère légèrement délabré dans lequel Krisztina avait décelé la « maison hantée » potentielle. Elle l'avait transformé en une espèce de train fantôme d'où les cris d'effroi des enfants s'envolaient régulièrement.

Les animaux étaient accueillis avec plaisir. Les petits chats et chiens étaient autorisés dans les chambres, tandis que les animaux plus gros étaient abrités dans des chenils chauffés auxquels les propriétaires avaient accès à toute heure du jour et de la nuit.

Ainsi, la salle anglaise restait une enclave paisible pour les adultes. Le salon bleu, devenu l'un des deux bars de l'hôtel, pouvait conserver son ambiance de club désin-volte, et les jardins baroques n'étaient pas troublés par les hurlements des enfants qui jouaient ou les aboiements in-tempestifs des chiens.

De Trouvère fut un succès retentissant. Ainsi que Per-rault l'avait prédit dans son article six ans plus tôt, les deux baronnes ne s'étaient pas abandonnées à l'indolence. Elles travaillèrent avec acharnement et surent faire comprendre à leur personnel qu'il était engagé dans l'avenir de l'hôtel. Elles veillèrent soigneusement au bien-être et au plaisir de leurs hôtes. Et, miracle des miracles, elles firent des bénéfices confortables malgré les améliorations dispendieuses et les frais de décoration annuels.

Par un après-midi pluvieux d'un dimanche d'octobre 1955, William était à Paris et Geneviève et Krisztina à Strasbourg. Miss Herrick surveillait la sieste de Michael et Ilona était à la chapelle. Gabor était dans sa chambre avec Ella.

— Je t'aime, grand-père, dit Ella en embrassant Gabor qui lui semblait souvent solitaire et triste, car elle avait le cœur tendre.

— Moi aussi, je t'aime, *kis szivem,* répondit Gabor, ses bras enveloppant la taille menue si joliment soulignée par le large ruban de satin bleu noué dans le dos en une grosse boucle.

— J'aurais voulu qu'il ne pleuve pas, grand-père. Miss Herrick ne nous permet pas de sortir sous la pluie le dimanche.

— Pourquoi pas, princesse ?

— Parce que nous devons garder nos beaux vêtements toute la journée.

« Oh ! cette voix », pensa Gabor. Si douce et claire, elle lui pinçait le cœur.

— C'est une règle idiote, dit-il. Il embrassa ses cheveux, ce nuage de feu qui apportait le soleil dans la pièce la plus obscure les jours les plus sombres. Elle changea de position sur son genou.

— On pourrait jouer à quelque chose, grand-père ?

— À quoi aimerais-tu jouer ?

— Je ne sais pas.

— Reste sur mes genoux encore un moment, *kis szivem.* J'ai si rarement l'occasion de dorloter ma petite princesse.

Sa mémoire vieillissante se souvint. Kriszti était ma princesse. Six ans. En fermant les yeux, il pouvait encore voir Kriszti, les mêmes yeux inexplicables, la même odeur de peau.

Ella posa sa petite main douce sur le menton de Gabor.

— On dirait un bébé hérisson.

Ses joues se creusèrent de fossettes.

— Papa se rase tous les matins.

— Moi aussi, petite, mais ça repousse vite.

Il encercla de sa main droite une fine cheville, juste au-dessus de la socquette blanche toute propre. *La chair de bébé... Rien d'aussi pur ni d'aussi limpide que la peau d'une enfant...* Il caressa sa jambe, et Ella sourit et posa sa tête contre son épaule.

— Gentil, grand-père, murmura-t-elle.

Gabor ferma les yeux. L'odeur de la fillette arrivait à ses narines comme un parfum de fleur, un parfum laiteux. C'était comme du nectar, irrésistible comme... *comme Kriszti à six... à douze... à vingt... et...* Sa main continua son chemin le long de la soie innocente et tendre qui envoyait des messages dans ses doigts, dans son bras et jusque vers son cœur battant.

Ella, dans un réflexe spontané, le repoussa de sa main gauche.

— Ça chatouille, dit-elle doucement en s'agitant.

Mais il ne pouvait plus s'arrêter.

Ses doigts brûlants cheminèrent sous la jolie jupe bleue, sous le jupon vaporeux, tels de petites créatures instinctives à l'affût d'une proie qu'elles trouveraient plus tard, bien au chaud, après avoir franchi la petite culotte en coton, nichée dans les plis de la chair vierge.

Ella frétilla.

— Non, grand-père.

— Allons, princesse, ne bouge pas.

Son front se barra de plis, mais elle resta tranquille, ne voulant pas heurter les sentiments de son grand-père, bien qu'il ne soit plus en train de la chatouiller ; il tripotait sa culotte et ses yeux étaient bizarrement fermés, sa bouche était entrouverte.

Il fallait qu'elle descende... elle éprouvait une impression curieuse et déplaisante ; et subitement, son grand-père eut une odeur particulière, un mélange de cigare et du produit qu'il mettait sur ses cheveux, une odeur qui lui avait toujours paru jusque là réconfortante, mais qui la rendait malade à présent. Elle se mit à gigoter pour sortir de ses bras.

— Non, *kis szivem.*

Elle poussa un petit cri de terreur et de surprise. Les doigts du grand-père avaient écarté la culotte et se propulsaient péniblement, horriblement, en elle.

— Non, grand-père.

Il la tenait serrée. Kriszti... ce désir douloureux, désespéré de son corps, de son amour.

— Lâche-la !

Gabor tressauta comme s'il avait reçu une décharge de plomb. Il ouvrit ses yeux tout grands, son visage était pâle, deux grandes taches de chaleur sur ses joues.

Il fixa du regard la petite silhouette aux cheveux noirs qui se tenait dans l'encadrement de la porte.

— Olivier !

— Lâche-la, j'ai dit !

— Mais je... La main de Gabor s'écarta avec une hâte coupable, et Ella descendit maladroitement de ses genoux.

— Ollie, je ne voulais pas.

— Recule, Ella ! ordonna Olivier de toute la force dont était capable cette voix de douze ans. Puis subitement, dans un élan de fureur, il sauta sur son grand-père, faisant pleuvoir sur lui des coups violents partout où il pouvait.

— Olivier ! Arrête, je t'en prie ! Que fais-tu là !

La face livide du gamin arbora un mépris terrible.

— Tu n'est qu'un horrible vieil homme, cria-t-il. Tu étais en train de lui faire mal... je t'ai vu... Il frappait sauvagement Gabor de ses petits poings, il restait sous l'effet d'une rage frénétique, consterné par ce qu'il avait vu, sans être tout à fait certain de ce que cela signifiait mais instinctivement conscient que c'était mal et que c'était dirigé contre son Ella adorée !

— Olivier, pour l'amour de Dieu ! haleta Gabor, essayant d'attraper les bras du garçon qui allaient et venaient.

— Ollie, arrête ! plaida Ella, les larmes coulant sur ses joues, plus terrifiée que jamais.

Olivier cessa tout à coup de s'agiter ; il mit les poings sur ses hanches et les fines veines de ses tempes étaient nettement dessinées.

— N'aie pas peur, Ella, dit-il gentiment. Je suis là, je te protège.

La face de Gabor devint encore plus livide.

— Olivier, dit-il d'une voix affaiblie. Tu te trompes... je ne sais ce que tu as pu penser, mais tu avais tort, affreusement tort.

Les yeux foncés d'Olivier se rétrécirent et prirent une expression de dureté bien au-dessus de son âge.

— Si j'ai tort, grand-père, pourquoi as-tu si peur ?

Il lançait un défi.

— Si j'avais tort, tu serais en colère, non ?

— Je suis en colère, mais je ne peux comprendre comment...

— Tais-toi !

— Comment oses-tu me parler ainsi !

Le garçon se tenait droit comme un piquet.

— Oh ! je peux me le permettre, grand-père. Sa voix était chargée de menace. Et je te promets que si jamais tu touches encore à ma sœur, je te tuerai !

— Olivier, je suis ton grand-père, gémit Gabor, incrédule.

— Je souhaiterais que tu ne le sois pas !

— Ollie, Je t'en prie, arrête. Ella se risqua à poser une main sur le bras de son frère.

Il l'ignora.

— Et je crois que maman et papa penseront comme moi quand je leur aurai dit ce que tu as fait.

— Tu ne le feras pas !

— Ollie, arrête ! Ella l'agrippa de nouveau et tenta de l'éloigner.

— Et que va dire grand-mère ? lança Olivier méchamment.

Gabor fit un petit bruit comme s'il étouffait et ses yeux s'agrandirent.

— Il ne faut pas dire de mensonges !

La bouche de Gabor se tordait de peur.

— Car ce que tu dis est faux, Olivier !

Les enfants l'avaient déjà trouvé bien pâle, mais ensuite, son visage sembla s'être vidé de sa dernière goutte de sang et sa pomme d'Adam s'agitait furieusement.

Olivier prit la main d'Ella et la poussa vers la porte, puis il se retourna encore une fois vers Gabor.

— Je t'avertis, ne t'approche plus jamais de ma sœur. Tu ne dois même plus lui parler !

— Olivier !

— Et dès ce soir, plus personne ne voudra te parler !

Deux heures après cette scène, ils étaient dans la salle de jeux lorsqu'ils entendirent du bruit.

— Attends-moi ici, dit Olivier à Ella.

— Ne me laisse pas toute seule ! Au bord des larmes, elle s'était blottie près de son frère, à proximité de sa maison de poupée, depuis qu'ils avaient quitté le pavillon ouest.

— Il se passe quelque chose, je veux savoir ce que c'est.

Lorsqu'il revint quelques minutes après, il y avait une expression étrange sur son visage.

— Ollie, que se passe-t-il ?

— Grand-père est malade.

— Quoi ?

— On vient de l'emporter en ambulance.

Elle eut un petit cri étranglé.

— Il a l'air mal en point. Olivier parut satisfait.

Les yeux violets d'Ella s'assombrirent.

— Il va mourir, Ollie ?

— Comment pourrais-je le savoir, Lalla ? Dès la naissance de sa sœur, Olivier avait jugé « Lalla » plus commode pour sa langue de garçonnet de trois ans et il employait encore souvent ce diminutif.

— S'il meurt, c'est nous qui l'aurons tué !

Le visage d'Olivier exprima son mépris.

— Ce vieux cochon ?

— Ollie, ne dis pas cela !

Les yeux du garçon étaient durs.

— C'est probablement une manière pour Dieu de le punir.

— Tu dis toujours que tu ne crois pas en Dieu.

— En général, non, dit-il en haussant les épaules.

Gabor avait eu un coup de sang. Il était conscient, mais il était paralysé et incapable de parler.

Plus tard, dans la nuit, Olivier se glissa dans la chambre d'Ella. Elle était éveillée, ses joues luisaient dans le clair de lune qui pénétrait par une fente entre les rideaux.

— Ollie, qu'est-ce qu'il a ? demanda-t-elle, saisie de nouveau par la terreur en voyant son frère entrer sur la pointe des pieds. Il est mort ?

Il posa un doigt sur ses lèvres pour lui signifier de se taire.

— Non. Il s'assit au bord du lit.

— Tu as froid ? Viens à côté de moi.

— Non, Lalla, écoute-moi.

Elle s'assit, ses cheveux en cascade sur ses épaules.

— Nous ne devons raconter à personne ce qui s'est passé aujourd'hui.

Elle plissa le front.

— Mais tu as dit à grand-père que tu allais tout répéter à maman et papa.

— C'était avant qu'il soit malade. C'est différent maintenant.

— Parce que tu crois qu'ils pourraient nous blâmer ?

— On ne sait jamais avec les adultes.

— N'est-ce pas malhonnête ?

Il eut l'air contrarié.

— Qui t'importe le plus, grand-père ou moi ?

Elle se débarrassa de sa couverture et s'assit à côté de son frère.

— Toi, bien sûr, Ollie.

Il eut une moue dubitative.

— Je peux te faire confiance, Ella ?

— Tu sais ien que oui. Il se leva d'un bond.

— Demain matin, viens me retrouver derrière les écuries avant les leçons.

— Mais c'est l'heure où je vais voir les chiens.

— Pour une fois, tu les manqueras.

— Mais René...

— Nous nous retrouverons à cette heure-là. C'était un ordre.

— Oui, Ollie.

C'était un matin d'automne frisquet, suffisamment froid pour que leur haleine forme un brouillard visible dans l'air limpide.

L'odeur des écuries, fabuleux mélange de fumier, de paille, d'avoine et d'odeurs animales, leur arrivait aux narines.

Ella et Olivier se regardèrent nerveusement.

— As-tu appris quelque chose ? demanda Ella.

Il secoua la tête négativement.

Ella attendit un moment.

— Pourquoi as-tu voulu que nous nous rencontrions ?

— Pour discuter de certaines choses.

— T'assurer que je ne raconterai rien ?

Il hocha la tête.

— Je ne dirai rien. Pas si tu dis qu'il ne le faut pas.

— C'est pour toi, tu sais, Lalla. Les autres pourraient penser que c'était ta faute.

— Qu'est-il arrivé à grand-père ?

— Non, que s'est-il passé avant ?

Elle le regarda avec de grands yeux.

— Mais je n'ai rien fait du tout. J'étais juste assise sur ses genoux pour un câlin, comme je fais avec papa.

— Ça n'est pas la même chose.

— Pourquoi pas ?

— Je ne sais pas, mais ce n'est pas la même chose.

— Oh !

Il lui jeta un regard en coin.

— Alors, tu ne leur diras rien ?

Ella avait l'air troublé.

— Je ne crois pas qu'on me blâmerait, tu sais, Ollie. Et Miss Herrick dit qu'il vaut toujours mieux dire la vérité.

— Si tu parles, dit Olivier, changeant de tactique, je serai coincé. C'est toujours moi qu'on blâme pour tout.

— Je ne les laisserai pas... Je leur dirai la vérité.

— Ils penseront que tu me protèges. Il la regarda dans les yeux.

— Tu sais que je t'ai sauvée, n'est-ce pas, Lalla ?

— Oui, Ollie.

— Il te faisait des choses terribles.

Elle rougit et elle éprouva une chaleur déplaisante.

— Je t'ai secourue.

Elle hocha la tête en silence.

— Alors, veux-tu faire quelque chose pour moi ?

— Tout ce que tu voudras, répondit-elle vivement.

— Faisons un pacte ensemble.

— Qu'est-ce que c'est, un pacte ?

— On fait un serment... la même chose que faire une promesse, seulement, tu meurs si tu ne t'y tiens pas.

— Je tiens toujours mes promesses, dit Ella avec conviction.

— Et il faut le jurer avec du sang.

La vivacité d'Ella disparut.

— Comment... Comment cela ?

— C'est facile. Il la prit par la main et la tira hors de l'écurie, puis il la fit pénétrer dans un bosquet de buissons.

— Nous allons nous faire de petites coupures dans nos pouces.

Choquée, elle arracha sa main de celle de son frère.

— Des coupures ?

— Seulement de toutes petites écorchures. Pas de quoi avoir peur. ça ne fera pas mal. Il prit un petit morceau de verre dans la poche de son pantalon.

— Ollie ! Elle regarda le bout de verre avec horreur.

— Ne sois pas aussi peureuse, gronda-t-il. J'ai toujours cru que tu étais courageuse pour une fille.

— Je le suis, mais...

— C'est l'occasion de le prouver.

Et il ajouta :

— Et de me prouver que tu m'aimes beaucoup.

Elle était vaincue.

— Okay ?

Elle hocha la tête de nouveau.

— Tends ta main – ta main gauche.

Elle obéit, légèrement tremblante.

Olivier brandit son morceau de verre.

— Je vais faire très vite, ça ne te fera pas mal.

Elle ferma fortement les yeux. Elle sentit la poigne de son frère sur son poignet, puis ce fut une douleur aiguë dans son pouce. Elle recula involontairement, tentant d'étouffer un cri.

— Là, l'entendit-elle dire, et elle rouvrit les yeux.

— Ça va, Lalla ?

Elle refoula ses larmes.

— Ça va, murmura-t-elle, fascinée par le filet de sang vif qui coulait de son pouce blessé.

— Maintenant, à mon tour. Il fit une pause. Tu veux le faire ?

— Non ! Elle ferma les yeux de nouveau, incapable d'en regarder davantage. Elle entendit une très faible respiration, puis une courte pause.

— C'est fait.

Elle regarda. Encore du sang. Elle eut la nausée.

— À présent, dit Olivier, il faut mêler nos sangs.

— Pourquoi ?

— Cela nous fera frère et sœur de sang.

— Mais nous sommes déjà frère et sœur.

— Je ne suis que ton demi-frère, Lalla. Cela nous rendra encore plus vrais qu'un frère et une sœur réels.

— Vraiment ?

— Bien sûr. C'est le pacte. Cela veut dire que tu jures de m'être totalement loyale – avant de l'être à tous les autres !

— Même avant maman ?

— Et avant papa aussi....

— Avant Mischa ?

— Oui, avant Michael aussi, dit-il impatiemment.

Elle eut un petit gémissement en éprouvant un élancement dans son pouce.

— Viens, dit Olivier. Si nous ne mélangeons pas le sang maintenant, il va sécher, et il faudra recommencer.

Très vite, elle tendit sa main, Olivier fit un pas de côté afin qu'ils soient bien l'un en face de l'autre, et, levant sa main droite avec solennité, il prit le pouce gauche de sa sœur et le frotta contre le sien.

— C'est fait, dit-il gravement.

— Le pacte ? souffla-t-elle.

— Scellé dans le sang. Il sonda, de ses yeux sombres, le visage effrayé d'Ella.

— Loyaux l'un envers l'autre, ou nous mourrons.

Gabor ne mourut pas. Son côté droit paralysé de la tête au pied, il restait dans son fauteuil roulant ou s'asseyait dans son lit, appuyé contre ses oreillers, fixant un œil malveillant sur ceux qui l'entouraient. Il refusa de coopérer avec les médecins, les infirmières ou les différents physiothérapeutes qui tentèrent de lui apprendre comment s'arranger de son infirmité. Finalement, déçus, ils l'abandonnèrent à la seule qui était prête à se dévouer pour lui, Ilona.

Il devint obèse et perdit ce qui lui restait de cheveux. La plupart de ceux qui le côtoyaient éprouvaient un sentiment de gêne, et même de crainte devant cet homme qui, même lorsqu'il était en bonne santé, avait toujours exercé une influence négative qui contaminait plus ou moins son entourage. À présent, on pensait en le voyant à quelque créature malfaisante.

Les deux plus jeunes enfants que l'on amenait périodiquement dans sa chambre étaient pétrifiés devant lui : Michael, à cause de son apparence et des sons pitoyables et inintelligibles qui sortaient sporadiquement de sa bouche déformée, faisait des cauchemars ensuite et il hurlait ; quant à Ella, chaque fois qu'elle le regardait, elle croyait voir de la haine dans cet œil toujours en mouvement ; haine, désespoir et vengeance. Et bien qu'Olivier eût dit que Dieu avait puni grand-père pour ce qu'il lui avait fait, elle pensait plutôt que Dieu la punissait, elle.

Heureusement, Krisztina était très occupée à l'hôtel. Elle ressentit une compassion beaucoup plus grande qu'elle n'aurait imaginé. Elle allait le voir seule, de temps en temps, elle s'asseyait près de lui et lui faisait la lecture de quelques-uns de ses livres préférés en hongrois, ou bien elle essayait de communiquer avec lui. Mais la barrière qui s'était élevée entre eux – l'animosité de Gabor et la culpabilité angoissante que son incapacité développait en elle – était définitivement infranchissable.

Seule Ilona veillait sur lui sans se plaindre et même parfois avec un sentiment qui confinait à la joie. Les autres avaient peut-être peur de sa présence, mais pour elle, la crise d'apoplexie de Gabor avait mis fin à toute peur. C'en était aussi terminé de son inutilité ; enfin le Seigneur avait jugé bon de la relever de ses agenouillements en lui accordant un nouveau but à sa vie. Ilona avait encore une motivation – son mari avait de nouveau besoin d'elle – elle avait un nouvel enfant à soigner, à nourrir, à baigner, à habiller et à réconforter. Même si elle se rendait compte qu'il la méprisait plus que jamais, c'était au moins un mépris qu'elle pouvait comprendre et tolérer sans angoisse.

XXIV

Krisztina savait que s'appeler Olivier de Trouvère et être âgé de douze ans n'étaient pas choses faciles. Après beaucoup d'hésitations, on décida de l'envoyer au lycée de Colmar plutôt que dans une école privée plus fermée. On espérait qu'une éducation « normale » en compagnie d'enfants moins privilégiés lui formerait le caractère et lui enlèverait peut-être un peu de l'arrogance qui émanait de sa personne et qui le coupait des autres.

Olivier toutefois considéra ce choix du lycée comme une insulte directe à son héritage, et il en voulut à William encore plus qu'à Krisztina. Chaque matin, lorsqu'Ella et Michael lui envoyaient un au revoir de la main par la fenêtre de la salle de classe, Olivier levait des yeux dédaigneux vers le visage souriant, parsemé de taches de rousseur et surmonté de cette vulgaire chevelure rouge ! Il était jaloux de voir Michael rester au sein de la famille, dans le château qui lui revenait de droit, à lui, Olivier, alors qu'on l'envoyait ailleurs.

L'organisation des vacances familiales dans la villa de Cabourg était toujours un casse-tête. Il était en effet inconcevable qu'ils quittent tous l'hôtel en même temps, et Olivier ayant ses vacances scolaires au mois d'août, Krisztina devait être à de Trouvère.

Ils décidèrent cette année-là que William et Krisztina passeraient le mois de juillet à la villa avec Gabor et Ilona, et que Geneviève y emmènerait les enfants pendant trois semaines en août. Toutefois, en juin, Michael souffrit d'une mauvaise grippe, et le médecin suggéra son départ immédiat pour la mer. Il parut raisonnable qu'Ella vienne lui tenir compagnie tandis que Geneviève attendait les vacances d'Olivier.

Juillet sur la Côte Fleurie était une bénédiction. Robert et Clémentine Hunter avaient donné la villa, baptisée l'Idylle, à William et à ses sœurs pour raisons fiscales. Elle se dressait à quelques centaines de mètres de la vaste plage normande parfaitement plate. C'était une grande maison rose, commode, dont une partie était en bois, et chapeautée d'un toit de chaume. Elle reposait sur quatre arpents de jardin au désordre charmant planté de quelques pommiers et poiriers et traversé par une petite rivière.

Le soir, quand Ella et Michael étaient endormis dans leur lit, surveillés par Jeanne, et après que Gabor et Ilona s'étaient retirés pour la nuit, William et Krisztina s'éclipsaient pour aller dîner et passer une heure ou deux au casino de Deauville ; ils terminaient d'ordinaire leur soirée par une longue promenade main dans la main sur l'allée des Planches avant de rentrer à Cabourg. Pendant la journée, ou bien ils restaient cachés à l'Idylle, s'ébattant sur la plage, pique-niquant sur le sable ou dans leur jardin, ou bien ils allaient en voiture à Honfleur ou à Pont-l'Evêque où les enfants se gorgeaient des spécialités locales avec autant d'appétit que les adultes – Annabelle Herrick ayant été libérée pour ses vacances en Angleterre, William et Krisztina permettaient à Ella et Michael presque tous les crustacés, les crèmes et les fromages ; ils permettaient même à Ella – pour une fois « la plus âgée » – une exceptionnelle gorgée de Calvados.

— Eh bien, mes enfants, dit William la veille de l'arrivée de Geneviève et d'Olivier, êtes-vous heureux ? Ils étaient en train de déjeuner autour de la table en bois de pin du jardin.

— Oui, merci, papa, répondit Ella, ses yeux plus vifs que jamais sur sa peau dorée par le soleil. Très heureuse.

Ilona et Gabor étaient à l'intérieur, le soleil de midi étant trop chaud pour Gabor. De plus, William et Krisztina avaient remarqué que les enfants étaient toujours plus à l'aise quand leurs grands-parents n'étaient pas présents.

— Et toi, Mike ? demanda William.

Michael était resplendissant de taches de rousseur et il avait visiblement recouvré la santé.

— Super ! En voulant prendre du pain, il renversa le sel.

Krisztina enleva le sel avec une serviette, puis elle en jeta trois pincées par-dessus son épaule.

— Que fais-tu, maman ? demanda Ella.

Krisztina sourit.

— C'est une superstition, ma chérie.

— Qu'est-ce que c'est ? demanda Michael.

— C'est comme croire à la chance ou à la mauvaise fortune, expliqua sa sœur.

— En réalité, c'est bien ridicule, dit Krisztina.

— Pourquoi fais-tu cela alors ?

— Parce qu'elle est naïve, dit Michael.

— Ne sois pas grossier, gronda William. Ne parle pas de ta mère en disant « elle ».

— Excuse-moi, maman.

— Ça va, mon chéri. Krisztina regarda Ella. Les superstitions sont amusantes, à condition de ne pas les considérer trop sérieusement. Je me souviens avoir brisé un miroir il y a bien des années.

Krisztina se tourna vers William.

— Et je me suis mise dans un état épouvantable à cause de cela.

— Pourquoi ? Michael avala son verre d'Evian bruyamment.

— Ne fais pas tant de bruit en buvant, dit William.

— Parce qu'une superstition dit qu'un miroir brisé, c'est sept ans de malheur.

Elle partit d'un grand rire.

— Cela m'a enseigné tout de même quelque chose.

— Quoi, maman ? Ella plongea un œuf dur dans le sel sur son assiette.

— Que je ne vois personne qui ait vécu sept années plus heureuses et plus bénéfiques que nous.

— De sorte que la morale de cette histoire est que briser des miroirs, renverser le sel ou marcher sous les échelles ne peut pas vous faire de mal, dit William.

— Touchons du bois, ajouta Krisztina.

« L'amour est fort comme la mort ; la jalousie est cruelle comme la tombe. »

Olivier accorda une attention inhabituelle à ces mots du Songe de Salomon durant l'une de ces interminables et ennuyeuses séances bibliques ; non qu'il les comprît réellement, mais parce qu'ils touchaient une corde sensible en lui.

Le mois de juillet se termina, et Olivier se concentra sur Michael, cet avorton rouquin qui possédait pour lui seul Ella et William pendant que lui était en esclavage à l'école. Les trois premières semines d'août sans ses parents n'arrangèrent pas les choses.

Sa jalousie avait débuté à l'époque de la naissance de son demi-frère. Puis elle évolua et empoisonna son esprit de façon obsessionnelle.

Il lui restait maintenant une semaine de liberté estivale avant de retourner au lycée – une semaine pour punir Michael de la joie radieuse qui s'exprimait sur son visage enfantin et pur.

Il était depuis des années un inventeur de jeux, faisant preuve de beaucoup d'imagination. Il nomma sa création récente *Chevaliers et Dames* ; il s'agissait pour le chevalier de sauver sa dame des griffes de son ennemi. C'était un jeu sur mesure pour le but que se proposait Olivier. Les enfants y jouèrent chaque après-midi dans les jardins, derrière les écuries, dans la forêt et parfois dans le belvédère hanté.

Chaque fois qu'Olivier s'élançait de tout son cœur à la poursuite du petit garçon aux taches de rousseur qui n'avait rien d'un ennemi redoutable, ses persécutions devenaient de plus en plus redoutables.

— Tu ne devrais pas être si dur, Ollie, gronda Ella après leur quatrième partie. Tu finis par effrayer vraiment Mischa.

— Il est tellement bébé. Je ne lui ai pas fait mal.

— Tu l'as fait pleurer.

— Il devrait comprendre que ce n'est qu'un jeu, se défendit Olivier.

— Nous le savons, Ollie, dit Ella. Mais lui n'a que six ans.

— Il aura sept ans vendredi.

Elle hésita.

— Peut-être pourrais-tu le laisser jouer le chevalier un jour, et tu serais l'ennemi.

— Moi ?

— Pourquoi pas.

— Il ne saurait pas te secourir. Il gâcherait tout le jeu.

— Pour une fois, quelle importance ?

Les yeux d'Olivier se rétrécirent et devinrent tout à fait sombres.

— As-tu oublié qui t'a sauvée du vieil homme ? siffla-t-il.

— Ollie, nous ne faisons que jouer, c'est toi-même qui viens de le dire.

— Je ne veux pas être l'ennemi ! C'est *mon* jeu. C'est moi qui l'ai inventé !

Elle eut l'air surpris.

— D'accord. Je t'en prie, ne t'énerve pas ainsi.

— Tu aimes ce jeu, non ? Je l'ai inventé parce que j'ai pensé qu'il te plairait.

— Je l'aime bien, le rassura-t-elle.

— Alors, laissons-le tel qu'il est.

Elle soupira.

— Oui, si tu veux.

Il gardait le meilleur pour la fin.

La dernière partie du jeu des Chevaliers et Dames fut prévue pour le dernier vendredi des vacances, le jour anniversaire de Michael, puisqu'ils pique-niquaient le samedi et qu'ils n'avaient pas la permission de jouer le dimanche. Michael reçut ses cadeaux le matin, puis il y eut un déjeuner spécial au restaurant de l'hôtel. Les enfants eurent même droit – Miss Herrick ne devant pas rentrer avant le dimanche soir – à quelques gorgées de vin pour accompagner leur repas.

Olivier but son verre, puis la plus grande partie de celui de Michael où l'on avait ajouté de l'eau au vin, et il s'apprêtait à prendre celui d'Ella quand William l'aperçut et intervint fermement.

Lorsqu'ils sortirent jouer, Olivier était plus que légèrement grisé.

— Nous allons au bord de la rivière, dit-il aux deux autres. Trois des jeunes chiens, Apollon, Cérès et Junon, sautillaient autour de leurs jeunes maîtres. « J'ai tout préparé ce matin, pendant que vous dormiez. » Il riait, rouge d'excitation et de vin. « Ça va être le meilleur jeu ! »

Ils arrivèrent à la rivière, près de l'endroit où le double pont fleuri enjambait l'eau. Il y avait un affût dans les branches d'un vieux chêne, et une échelle de corde pour y grimper.

— Regardez ! cria Michael, des épées !

Olivier avait déposé à leur intention une petite réserve d'accessoires comprenant deux épées, deux boucliers, une dague miniature et deux couronnes en carton dorées. Il en donna une à Ella et mit l'autre sur sa propre tête.

— Je peux pas en avoir une ? Michael sautait sur place, faisant aboyer les chiens.

— Tu es l'ennemi, et c'est un roturier. Mais tu as droit à l'épée et au bouclier.

— Et une dague ?

— Non, il n'y en a qu'une, et elle est pour moi.

Michael riait, toujours soumis et content.

— Toi, Ella, tu grimpes dans l'affût, annonça Olivier. L'ennemi t'a enfermée dans sa prison, et si je ne viens pas à temps à ton secours, il va te tuer.

— Ollie, veux-tu me tenir l'échelle ? Elle avait facilement le vertige, mais elle refusait de l'admettre.

— Bien sûr, Lalla.

Elle grimpa doucement et s'agenouilla sur le sol en bois de la « prison ».

— Maintenant, détache l'échelle et lance-la en bas ! cria Olivier.

— Mais je vais être bloquée !

— C'est nécessaire, idiote. Si tu pouvais descendre, pourquoi aurais-je besoin de te secourir ?

— Oh ! d'accord. Elle décrocha l'extrémité de l'échelle de corde et la laissa tomber à terre. Cérès et Junon bondirent de côté tandis qu'Apollon plongeait dans l'eau.

— Et maintenant, toi Michael, tu es le méchant prétendant au trône. Tu as capturé la princesse Ella et tu veux la rançonner.

— Qu'est-ce que cela veut dire ?

— Que si je ne te donne pas mille francs, tu vas la tuer.

— Oui, je la tuerai, oui ! cria Michael entrant dans l'esprit du jeu, sachant qu'Olivier serait fâché s'il ne le faisait pas.

— Je vais compter jusqu'à cent pendant que tu te caches, et je me mettrai ensuite à ta poursuite.

Michael eut l'air inquiet.

— Je vais compter pour toi, Mischa ! cria Ella du haut du chêne.

Olivier consulta sa montre.

— On démarre maintenant !

— Un, deux, trois, quatre, cinq. Ella compta de sa voix claire et forte, regardant en souriant Olivier qui disparaissait tandis que son petit frère cherchait autour de lui une cachette convenable.

— Mischa, lança-t-elle entre ses dents, mais suffisamment fort pour que son frère l'entende, il te trouvera où que tu sois, alors pourquoi ne pas le surprendre ?

— Comment ?

— Chut ! Il pourrait nous entendre.

Elle fit une pause.

— Pourquoi ne lui tends-tu pas une embuscade ?

— Qu'est-ce que c'est ?

— Tu te caches dans l'un de ces taillis, et quand il arrive vers toi, tu bondis vers lui en brandissant ton épée, et tu luttes contre lui.

— Mais il gagnera aussi.

— Peut-être, mais tu l'auras battu tout de même parce qu'il aura été surpris.

— Ollie gagne toujours, dit Michael, la mine un peu désenchantée. Ses yeux s'arrondirent. Tu t'es arrêtée de compter !

— Dépêche-toi de te cacher – c'est presque le moment.

Dans un éclair d'inspiration, Michael leva la tête encore une fois.

— Lalla !

— Oui ?

— Dis aux chiens de rester tranquilles, sans cela, ils vont me trahir.

— Bonne idée, mais dépêche-toi maintenant !

Michael s'accroupit derrière un gros massif de roses éclatantes et d'hibiscus, ses cheveux brillants formant simplement une autre tache en guise de camouflage parmi la richesse multicolore des rouges, roses et mauves.

Il n'aurait su dire exactement pourquoi, mais il avait peur. Vraiment peur. Sa poitrine lui paraissait rétrécie, son souffle était bref et rapide, sa bouche était sèche et ses yeux le brûlaient.

« Seulement un jeu, se disait-il. Comme toujours. »

Mais Ollie était toujours victorieux, et il lui faisait mal ; c'était discret, mais c'était tout de même bien réel, un pincement, ou un coup de pied, une fois même, un coup de poing.

« J'ai sept ans maintenant, se rappela-t-il dans un éclair de fierté. Je suis plus vieux qu'hier, Ollie va peut-être me respecter à présent. » Il se souvint d'une fois où Olivier avait été méchant et il lui avait demandé pourquoi ; Ollie avait dit qu'il n'était qu'un bébé, et qu'il ne pouvait pas respecter un bébé. À sept ans, on n'est plus un bébé.

Il entendit un bruit, comme des pieds frappant des feuilles et s'approchant. C'était Olivier. Il allait devoir sauter sur lui d'une minute à l'autre, comme Lalla le lui avait conseillé ; il n'était pas certain que ce fût une bonne idée.

Puis Olivier passa très près des massifs, et Michael aperçut son visage ; il vit ses yeux où il y avait une expression qui glaça son sang et envoya dans tous ses nerfs des signaux d'avertissement. Et ce fut dans la fraction de seconde qui précéda son saut que Michael réalisa ce que signifiait ce regard.

Je ne suis pas ton frère, je suis le chevalier.

Et toi, tu es mon ennemi.

Ella s'agenouilla sur le sol en planches de l'affût ; des pommes et des aiguilles de pin lui tailladaient les jambes. Mais elle n'avait pas envie de bouger, se sentant plus en sécurité en restant absolument immobile. La brise gonfla les branches et son perchoir craqua. Elle était pétrifiée et un petit vent de panique la traversa. Elle épia par-dessus le bord, ses doigts agrippant fermement l'affût tandis qu'Olivier approchait. Elle regarda vers les massifs, elle essaya de localiser la tête couleur de carotte de Michael. Là ? Non, là-bas !

Olivier avait glissé dans sa ceinture son épée et sa dague. Ella sourit. Si Mischa suivait son conseil, pour une fois, il aurait un avantage sur Ollie – ne serait-ce pas gentil si Ollie le laissait gagner pour son anniversaire.

Mais il ne le fera pas.

Olivier tournait la tête d'un côté et de l'autre, scrutant chaque recoin, chaque ombre comme un chasseur chevronné à l'affût de sa proie.

Je vais le trouver !

Je lui apprendrai !

Il vit les chiens alignés, assis comme des enfants obéissants, frétillant de la queue, et du coin de son œil droit, il vit deux canards patauger vers le bord de l'eau et y voleter pour descendre la rivière en direction du gué.

Où est-il ?

Je vais le rosser !

Il y eut une volée de feuilles, un grand cri de guerre et une nuée d'insectes s'éleva du buisson au moment où Michael, tout menu, frémissant et résolu, s'élança dans l'air en faisant un grand geste avec son bouclier en plastique.

Ella regarda en bas.

— J'ai gagné ! J'ai gagné ! hurlait Michael avec une joie franche et pure, les bras levés en signe de victoire.

Elle vit Olivier trébucher, sa couronne tombant de sa tête, puis Michael s'abattant sur lui, criant et brandissant son épée ; elle vit Olivier reprendre son équilibre, tirer ses armes de sa ceinture et repousser son frère en proférant un son à mi-chemin entre le cri et le rugissement.

— Je t'ai tendu une embûche ! exultait Michael dans son triomphe. C'est une idée de Lalla !

Olivier leva la tête vers l'affût et Ella vit quelque chose sur son visage qui l'effraya, qui la terrifia même.

Olivier leva son épée très haut dans l'air – un salut du chevalier à sa dame.

— Je t'ai sauvée ! aboya-t-il.

Soudain, une fois passé ce moment de plaisir délirant, Michael comprit que le jeu n'était pas terminé et pire encore, bien pire, que sa terreur dans le massif n'était pas un tour de son imagination ; elle avait un fondement aussi solide que le sol sous ses pieds.

La chasse commença.

Dans les taillis et en dehors, autour des chênes, pardessus les haies, sur le sentier, dans la tourbière, tandis que les chiens-loups aboyaient follement et qu'Ella poussait des cris stridents non pour qu'on vînt à son secours, ainsi que l'eût voulu la règle du jeu, mais pour qu'on aidât son jeune frère.

« C'est un jeu, se disait-elle, ce n'est qu'un jeu ! »

Et puis, Olivier se mit à rire, et ce rire fut un grand soulagement, ce fut comme de l'eau fraîche sur sa peur ; puis elle entendit aussi Mischa hurler de rire dans la mesure où son essoufflement le lui permettait chaque fois qu'il échappait à son frère et passait à côté de lui comme une flèche vers le petit pont en dos d'âne couvert de roses.

— D'accord, démon ! cria Olivier en sautant sur le pont, l'épée levée. Combattons pour elle ! Combattons pour la princesse Ella !

Ella s'approcha du bord de l'affût, elle tendit le cou pour les voir, et sa couronne en carton voleta à terre.

— Oui, au secours ! cria-t-elle très fort, s'amusant vraiment pour la première fois et se demandant pourquoi elle s'était tant inquiétée tout à l'heure, tout allait bien.

— Je vais à ton secours ! hurla Olivier de nouveau, et il donna un grand coup dans le bouclier de Michael qui tomba avec un bruit sec sur le bord du pont. Olivier frappa de nouveau, et l'épée aussi s'échappa des mains de Michael.

— Je te tiens maintenant ! Tu te rends ?

Michael voulut passer, n'y réussit pas ; il grimpa alors à quatre pattes sur le parapet, sur sa droite.

— Non, Mischa, ne fais pas cela ! hurla Ella.

La scène sembla se dérouler au ralenti.

Ella vit les bras d'Olivier se tendre vers Michael, elle vit l'épée et la dague s'envoler de ses mains, elle vit l'excitation disparaître du visage rose de Mischa pour faire place à la peur.

Et puis Mischa tomba.

Il descendit en spirale, faisant la culbute, la tête la première, jusque dans l'eau noire. Et lorsqu'Ella recommença à hurler – des cris différents, des cris à arracher les entrailles, désespérés et déments – il disparut de son champ de vision et elle ne vit plus qu'Olivier, dressé bouche ouverte sur le pont, regardant en bas.

— Ollie ! s'entendit-elle sangloter avec un timbre aigu, sauve-le ! Pour l'amour du ciel, sauve-le !

Olivier leva la tête un bref instant, puis subitement, d'un mouvement théâtral, comme s'il était vraiment absorbé dans son rôle de chevalier, il planta fermement ses mains sur le parapet, ses poignets enfoncés parmi les épines et les pétales de roses, et se lança dans l'espace.

À présent, tous deux étaient hors de vue. Ella vit Apollon bondir vers la rive puis dans l'eau, tandis que Junon et Cérès aboyaient frénétiquement. Elle essaya de trouver un moyen pour descendre de son arbre, mais l'échelle de corde pendait, inutile, au pied du chêne.

Elle hésita une seconde, flancha, recula devant la descente terrifiante. Mais elle pensa à Mischa et à Ollie qui étaient dans l'eau, et tout en pleurant de panique, elle réussit à sortir de l'affût, descendit le long du tronc en s'y accrochant, ses ongles s'enfonçant dans l'écorce, ses mains et ses pieds agrippant les branches, à peine consciente des écorchures brûlantes sur ses bras, ses jambes et son visage. Après un grand saut, elle toucha terre, roula sur elle-même, le souffle coupé net.

— Ollie ! Mischa ! cria-t-elle encore.

Olivier n'avait pas voulu cela.

Il avait sauté dans l'eau pour sauver son frère, pas parce qu'il l'aimait, mais surtout pour Lalla dont il avait vu la face blanche et horrifiée le regarder de sa prison.

Ce fut lorsqu'il fut dans la rivière, enfoncé jusqu'à la poitrine dans l'eau bouillonnante froide et noire, la petite tête couleur de carotte sous lui, les yeux exorbités de peur, la bouche ouverte et cherchant désespérément sa respiration comme un poisson pris à l'hameçon que l'idée le submergea comme une vague puissante, comme un torrent dévalant en lui, s'emparant de lui.

— Ollie, sauve-moi !

Ces yeux couleur de noisette, confiants, désemparés.

— Ollie, au secours !

Puis le chien fut près d'eux, grand, gris, musclé ; il grognait ; ses longues dents pointues tentaient de saisir le col de la chemise de Michael. Mais Olivier tendit sa main et repoussa la bête. Et Apollon gronda, mais Olivier le repoussa d'un coup encore plus dur.

Et tandis que se poursuivait le combat d'Olivier et de la bête, Olivier ne voyait plus le visage pétrifié de Michael, ni ses yeux où il n'y avait plus de confiance mais seulement de l'incrédulité, des yeux qui ne condamnaient pas, même au moment où les bras forts de son frère le maintenaient sous l'eau.

Olivier, lui, ne sentait pas la douleur dans ses mains, là où les dents d'Apollon étaient entrées dans sa chair, il ne voyait pas non plus son propre sang qui tourbillonnait autour d'eux dans l'eau. Il ne voyait pas non plus Ella, dressée sur la rive, qui ne pouvait même plus pleurer ni crier, et dont le visage n'était plus qu'un masque d'horreur et de souffrance.

Olivier savait seulement que le combat était terminé.

Il savait que, désormais, l'ennemi était parti.

— C'était Apollon, raconta-t-il à Ella, d'une voix morne et unie. Il ne voulait pas me laisser le tirer de l'eau.

Il déposa doucement Michael sur l'herbe.

— Regarde mes mains, dit-il.

Elle regarda, elle vit les hlessures profondes, le sang. Ses genoux étaient comme du coton. Elle avait la nausée.

— Apollon ? murmura-t-elle.

— Oui.

Elle tomba à genoux, toucha de sa main la peau froide et boueuse de Michael.

— Mischa ?

— Il est trop tard, Lalla, dit Olivier, et il pleura. Il est mort.

— Mort ?

Elle se mit alors à trembler, si nerveusement et si violemment qu'Olivier s'accroupit près d'elle et l'entoura de ses bras, mais elle se dégagea de son emprise et il vit que son sang avait taché sa robe déchirée et salie.

— Mischa ! cria-t-elle piteusement, elle se jeta sur lui, le prit dans ses bras et le serra contre elle.

— J'ai fait tout ce que j'ai pu pour le sauver, sanglotait Olivier, mais Apollon ne me laissait pas... il est devenu fou subitement... peut-être à cause de l'eau... je ne sais pas...

Ella leva la tête et vit le chien à une vingtaine de mètres, debout la tête pendante, tremblant et dégouttant, un grondement bizarre et continu roulant dans sa poitrine.

Elle baissa de nouveau la tête.

Puis elle recommença à pleurer, sans s'arrêter car elle ne pouvait pas s'arrêter, jusqu'à ce que des mains d'adulte la tirent doucement mais fermement et l'emmènent loin du désastre.

XXV

Michael Armand Robert Hunter
30.8.1950 - 30.8.1957

Sept ans.

Krisztina se tenait très droite, elle sentait la main de William à son coude, elle entendait sa mère pleurer sans bruit. Elle se souvenait de ses propres paroles lancées si légèrement dans l'air parfumé de la côte normande, quelques semaines auparavant.

« Sept ans de malheur. »

Elle ferma les yeux. Ils avaient eu sept ans avec Michael, sept années de joie, de beauté et d'amour. La fin d'une superstition.

Elle rouvrit les yeux et regarda William, et vit la pâleur grisâtre de son propre visage se refléter dans son regard. Elle tourna un peu plus la tête pour voir Ella, petit visage affligé, le bras protecteur d'Olivier passé autour de ses épaules. Geneviève se tenait derrière eux.

Krisztina baissa la tête sur le cercueil si petit, si solitaire. C'était le début de septembre, il faisait encore chaud, mais elle avait froid, elle n'avait jamais eu aussi froid de sa vie.

Michael était en bas, dans cette terre froide, et une grande part d'elle-même y reposait avec lui.

« Certaines choses sont insupportables », pensa-t-elle.
Insupportables.

Pour Ella comme pour les autres, la vie continua.

Elle avait ses leçons avec Miss Herrick, elle essayait d'oublier – mais elle n'oublia jamais tout à fait – les deux tombes, celle où était gravé le nom de Mischa, et l'autre qui contenait le malheureux Apollon, le chien fou, dans le cimetière des animaux, à peu de distance.

Papa resta souvent seul à boire du whisky et à pleurer, ce qu'Ella ne l'avait jamais vu faire auparavant. Maman était gentille pour elle et pour Ollie, et courageuse, mais bien que personne ne la vît jamais pleurer, ses beaux yeux étaient toujours rouges et tristes, cernés de noir.

Ella eut très souvent des cauchemars, elle se réveillait en criant. Ollie venait alors s'asseoir au bord de son lit et elle sanglotait dans ses bras jusqu'à ce qu'elle puisse se rendormir.

La vie continua.

Maman s'acharna au travail, tous les jours, encore plus qu'avant; il lui arrivait même de ne pas déjeuner ou dîner. Puis papa sembla aller un peu mieux, il recommença ses voyages d'affaires et lorsqu'il rentrait le samedi soir, il ne buvait plus de whisky, il ne pleurait plus. Au bout de quelques semaines, il annonça à maman qu'on descendait tous ensemble dans leur villa de Ville-franche-sur-Mer. Ils y restèrent deux semaines. Ella trouva ce séjour agréable, mais ce n'était cependant plus la même chose sans Mischa.

Un après-midi de décembre, Olivier trouva un petit chiot bâtard qui avait cherché refuge dans le temple d'amour car il pleuvait très fort. Il l'apporta à Ella dans l'espoir de lui remonter le moral. Le chiot était d'un noir d'encre avec de petites raies beige sur ses pattes et sur le bout de sa queue; malgré sa taille de lilliputien, il faisait preuve de beaucoup de confiance et d'audace avec les chiens-loups. Ella le nomma donc Titus.

Elle le combla d'affection, et même Miss Herrick fut tellement subjuguée par la petite créature qu'elle l'autorisa parfois à rester dans la salle de classe, sachant qu'Ella trouvait les leçons intolérables sans son petit frère. Mais rien ne la consolait pendant longtemps, car Ella était tourmentée par le chagrin, certes, mais elle était aussi confuse car elle se sentait coupable d'une certaine manière.

Elle avait accepté le récit d'Olivier sur ce qui s'était passé ce jour-là. Elle n'avait pas de raison de douter de lui mais des souvenirs la hantaient. Des souvenirs du jeu, de la chasse, de sa propre terreur qu'elle ne s'expliquait pas – et le pire de tout, elle voyait sans cesse le visage de Michael tandis qu'il sautait du parapet. Mais surtout, en dépit du retour à la normale qui sembla revenir dans leur vie à de Trouvère, il lui restait un sentiment de culpabilité qui la traquait sans merci. Ella croyait vraiment que c'était elle qui était à blâmer. Car elle avait réalisé, elle avait reconnu qu'elle était bien plus responsable qu'Olivier; elle avait toujours cédé à ses exigences, elle avait trop souvent participé à ses jeux aux dépens de Mischa.

Et Mischa n'était plus.

Ella aurait neuf ans dans quelques semaines, elle serait au cœur même de l'enfance. Pourtant, dans un recoin de son esprit se nichait la certitude que les étés joyeux et insouciants et les hivers douillets qui l'avaient enveloppée jusqu'alors, toutes ces belles saisons de l'enfance n'étaient plus, et ne reviendraient jamais.

QUATRIÊME PARTIE

ELLA ; Alsace et New York
1968 - 1974

XXVI

Ella en croyait à peine ses yeux.

King's Road, Chelsea.

La pancarte était pourtant là. Elle supposa que la plupart des touristes qui se pressaient dans cette célèbre rue londonienne n'étaient pas particulièrement surpris, mais pour une jeune fille de dix-neuf ans qui avait été élevée presque en permanence sur les mêmes cent arpents d'une province française, la vue et le tintamarre de cette société débridée, étaient presque impossibles à imaginer.

C'était frais, c'était nouveau, c'était perpétuellement mobile, et c'était bruyant – c'était un autre monde.

Ils étaient venus en Angleterre en famille, pour les obsèques de Robert Hunter qui avaient eu lieu dix jours plus tôt. Cela s'était déroulé dans un charmant petit cimetière rural, épaule contre épaule, sous le ciel gris de novembre et une pluie menaçante. Tous s'étaient inclinés avec respect devant le cercueil d'un homme que nombre d'entre eux avaient à peine connu, dans une atmosphère de recueillement et de sérénité.

Robert et Clémentine Hunter s'étaient installés à New York trois ans auparavant, car il n'était plus possible d'ignorer le fait que la filiale Hunter's de Manhattan était désormais le vaisseau amiral de la firme. Toutefois, lorsque Robert mourut subitement d'une crise cardiaque tandis qu'il présidait une réunion, personne n'hésita un seul instant ; il fallait l'inhumer dans son pays natal.

William et Krisztina étaient restés avec Clémentine dans son appartement londonien pendant quelques jours après les obsèques. Geneviève, Olivier et Ella étaient descendus à l'hôtel Connaught. Le sixième jour, William pensa qu'il était important pour lui de faire acte de présence au bureau de New York. Krisztina et Geneviève rentrèrent donc à de Trouvère tandis qu'Ella et Olivier décidaient de rester à Londres pour de brèves vacances.

Olivier fut heureux d'escorter sa sœur à travers la grande cité ; il remarquait avec fierté les regards admiratifs qui les suivaient partout où ils allaient, car il était plus que personne convaincu qu'Ella était devenue une beauté exceptionnelle.

Ils allèrent partout – Hampstead, Kensington, Chelsea, Knightbridge, Bond Street, Carnaby Street.

— Mais, Ollie, j'aimerais bien faire autre chose que visiter les magasins et manger !

— Toutes les femmes aiment faire du lèche-vitrine.

— Je veux aller au théâtre.

— D'accord, dit-il sur un ton désinvolte.

— Et au cinéma.

— Nous avons des cinémas en France, Lalla.

— Oui, mais nous n'y allons jamais. Et dans les musées – je veux visiter le V. & A. et le British Museum et...

— Si tu veux aller dans les musées, ma chère, tu trouveras quelqu'un d'autre pour t'y accompagner.

Ella visita les musées toute seule. Elle fit avec son frère tout ce qu'ils n'avaient guère l'occasion de faire par ailleurs ; ils mangèrent dans des endroits tels que The Spot, au 235 King's Road ; au Trader Vic's ils eurent des *Pino Frios* et des côtes de porc sautées, au Carlton Tower Hotel ils se firent découper de larges tranches de bœuf ; ils dansèrent à l'Ad Lib et au Révolution ; ils virent *Pieds nus dans le parc* et l'*Odyssée de l'espace*.

— On dit, raconta Olivier ensuite d'un air entendu, que la dernière partie a été faite par Kubrick alors qu'il s'était drogué au LSD.

Ella secoua la tête.

— Le film était beau, et n'avait rien de laid et d'effrayant comme c'est le cas pour cette horreur !

— Comment peux-tu savoir, Lalla ?

— Dieu merci, je n'en ai pas l'expérience, mais je sais que c'est dangereux et idiot, et je ne veux pas en entendre parler.

Depuis qu'Olivier était rentré de son service militaire obligatoire avec une réserve de cannabis, Ella était mal à l'aise dès qu'il était question de drogue. Peu après son dix-septième anniversaire, elle avait trouvé son frère titubant comme un aveugle aux alentours de leur belvédère hanté, et elle l'avait supplié de ne plus jamais toucher à ce poison.

Mais ce n'était pas encore l'usage des drogues qui la troublait dans l'atmosphère de Londres. Les bruits incessants et la circulation lui donnaient des maux de tête ; la tension perceptible partout la déroutait, et sa soudaine confrontation avec les hommes par l'intermédiaire d'Olivier et de quelques amis qu'il n'avait pas tardé à se faire l'excitait mais la déroutait aussi.

Olivier et Ella étaient incontestablement parmi les partis les plus avantageux du Haut-Rhin. Olivier était très beau ; brun, mince, un corps musclé maintenu en forme par un exercice assidu et l'entraînement aux poids. Il avait un choix de jeunes filles de la région à sa disposition, et dernièrement, il s'était fait un jeu de faire des avances aux clientes de l'hôtel, avances souvent bien accueillies par les intéressées, mais que Krisztina et William désapprouvaient évidemment.

Quant à Ella, elle était réticente vis-à-vis du sexe opposé, même timide. Son apparence avait déjà fait rêver des douzaines d'hommes jeunes et moins jeunes, mais le fait était qu'Ella, malgré ses cheveux de feu, ses yeux splendides, ses lèvres douces et charnues et son corps souple aux seins plantés haut, n'était pas prête.

Son attitude ambivalente envers les garçons lui avait déjà causé du désagrément à Londres. Ella adorait danser, elle adorait le rythme appuyé des discothèques ; sur une piste de danse, elle trouvait facile de se laisser aller, de s'abandonner à la musique en balançant son corps, libérée de sa retenue habituelle. Un jeune homme avec qui elle avait dansé au « Révolution », un étudiant en sciences économiques aux yeux noirs, Tim, qui possédait le sens du rythme mais était dépourvu de toute expérience des jeunes filles comme Ella, l'emmena « respirer un peu d'air frais » comme il disait, et une fois dehors, la poussa promptement contre un mur, sur la Place Bruton.

Ella sentit son sang se glacer.

— Non, merci, dit-elle aussi courtoisement que possible.

Tim cependant baissa la tête et posa sa bouche mouillée sur la sienne, sa langue essayant de séparer les lèvres serrées. Ella voulut se libérer, mais il la tenait fermement, une main appuyée sur son épaule, l'autre cherchant à agripper son sein gauche.

— Non ! dit-elle plus rudement.

Le visage du garçon s'approcha cependant pour un autre baiser, les yeux clos, sa main vagabonde quitta son sein, rampa vers le bas de la mini-jupe blanche de chez Courrèges et remonta entre ses jambes.

— Non ! Elle le poussa violemment, furieuse et dégoûtée.

Tim eut l'air surpris.

— Qu'y a-t-il ?

— Je ne veux pas, dit-elle avec raideur.

— Vous ne voulez pas ?

— Non.

— Eh ! bien, vous envoyez des signaux ambigus alors.

— Absolument pas ! répliqua-t-elle avec indignation.

— Danser comme vous le faites ? Tim leva un sourcil et allait se détourner, un peu écœuré, juste au moment où Olivier sortait du night-club pour chercher sa sœur.

— Lalla ?

Ella était toujours près du mur, rouge et révoltée.

— Qu'est ce que tu as ?

— Rien.

Il lui releva le menton.

— Que s'est-il passé ?

Elle secoua la tête.

— Ce n'était rien.

— Ce garçon – qu'a-t-il fait ?

Ella vit la colère étinceler dans les yeux d'Olivier ; elle s'efforça alors de sourire.

— Rien du tout, Ollie, franchement. J'avais juste un peu mal à la tête et je voulais rester un peu à l'air.

— Je vais rester avec toi.

— Mais non, rentre. Je te rejoins dans quelques minutes.

Elle attendit qu'il disparaisse avant de mettre ses mains sur son visage ; elle avait une envie folle de pleurer.

Ridicule !

Elle avait dix-neuf ans, elle se savait jolie, elle savait par les autres jeunes filles de son âge que ce qui lui arrivait ce soir était dans l'ordre des choses et qu'elle devrait plutôt s'en trouver comblée au lieu d'éprouver ce dégoût.

Cette nausée, ce fut lorsqu'il mit ses mains aventureuses entre ses cuisses. Personne encore n'avait fait cela – des garçons l'avaient bien embrassée, certes, elle y avait même pris plaisir parfois – mais personne n'avait jamais fait cela.

Sauf grand-père.

Elle retira les mains de son visage et elles se trouvèrent un instant éclairées par les lampes. Elle regarda la petite cicatrice sur son pouce gauche, si petite que personne ne saurait remarquer son existence. Seule Ella savait. Et Olivier.

Le passé, pensa-t-elle, ne la quittait jamais. En vérité, il ne s'était jamais éloigné d'elle.

Londres enseigna beaucoup de choses à Ella. Elle éprouvait pour la première fois peut-être le véritable goût de la liberté, ou plus exactement, le goût du monde extérieur. En effet, la seule période qu'elle passa hors du domaine de Trouvère fut son année d'étude dans un institut de gestion à Paris.

Peut-être était-ce la liberté qui permettait de savoir ce que l'on désirait vraiment, où l'on voulait vivre, où l'on avait ses vraies racines, se disait-elle. Or, elle savait maintenant que sa place était au domaine de Trouvère. C'était le seul foyer qu'elle eût jamais connu ; Ella prenait subitement conscience que seul le château comblait ses attentes. De Trouvère les nourrissait tous, il offrait à sa famille sécurité et confort, et il donnait aux hôtes le plaisir et le repos dont ils avaient besoin.

Elle était prête à rentrer chez elle.

La veille de leur départ, Ella et Olivier prirent un verre dans le salon du Connaught. Olivier choisit ce moment pour lui confier que William et Krisztina seraient peut-être obligés de s'installer à New York, du moins le supposait-il.

— C'est impossible !

Il eut un haussement d'épaules.

— C'est la branche maîtresse de Hunter's – le bureau principal. Robert disparu, ils vont réclamer de nouvelles assurances.

— Quel genre d'assurances ? Ella avait pâli.

— La vie continue, dit seulement Olivier.

— Ils n'attendent tout de même pas que maman et papa aillent vivre là-bas. De Trouvère est leur foyer.

— Les choses changent, ma chérie.

— Je n'aime pas cela.

Olivier pressa sa main dans la sienne.

— Je sais.

William passa deux semaines à Manhattan, revint en Alsace pour quatre jours, puis il s'envola de nouveau en compagnie de Krisztina, laissant Geneviève, Olivier et Ella en charge de l'hôtel. Ils restèrent absents une semaine.

— Il se passe décidément quelque chose, dit Olivier un soir qu'ils étaient assis au bureau pour vérifier les livres d'achats.

— Que veux-tu dire ? demanda Ella.

— L'affaire de New York.

Il fit une pause.

— De grands changements !

— Je n'y crois pas, répliqua-t-elle très vite ; puis elle cessa de taper les chiffres sur sa machine à calculer.

— Il faut être réaliste, Ella. S'ils doivent aller s'installer là-bas, il faut qu'ils le fassent vite.

Ella laissa tomber son crayon qui roula du bureau sur le sol.

— Ollie, tu parles sérieusement ?

— Bien sûr !

— Tu sembles tellement indifférent.

Il eut un mouvement d'épaules désinvolte.

— J'ai réfléchi à cela, et je trouve franchement que ce serait fabuleux.

— Ollie !

— C'est exactement ce dont nous avons besoin, Lalla.

— Perdre maman et papa ? ! s'écria-t-elle, incrédule.

— Tu as déjà entendu parler d'abdication, non ?

— Ollie, nous ne sommes pas une royauté !

— Cela revient pourtant au même pour nous, non ? Tant que nos parents contrôlent tout, nous ne sommes en fait que des comptables. Guère plus que des employés.

— Parle pour toi ! Ella était indignée. C'est moi qui fais presque tout dans cet hôtel.

— Pour en arriver où finalement ?

— J'apprends, c'est certain.

— Dans quel but ?

— Pour l'époque où nous aurons à diriger l'affaire.

— Et quand viendra ce temps-là ? Quand nous aurons tous deux des cheveux blancs ?

— Quand le temps sera venu.

423

Olivier secoua la tête.

— C'est maintenant le temps idéal pour nous. Hunter's est une affaire encore familiale dans ses bases, et une fois le vieux parti, c'est à papa de prendre la suite.

— Ce qui ne signifie pas forcément qu'il doive habiter New York.

— Mais si, Ella. Ne sois donc pas naïve.

— Si c'est naïf que d'être chagrinée de la mort de notre grand-père, ou de vouloir que mes parents habitent le même pays que moi, alors je suis naïve, et cela me convient parfaitement !

— Il n'était pas *mon* grand-père.

— Oh ! Ollie, pour l'amour du ciel !

Olivier resta insensible.

— Réalise donc que c'est *notre* chance, ma chérie.

Elle riva son regard sur lui.

— Tu peux être si dur parfois. Cela m'inquiète réellement.

Olivier secoua ses cheveux qu'il avait laissé pousser, selon la mode.

— Il y a les moments de tendresse, Lalla. Ce n'est pas le cas actuellement.

— Je ne comprends pas pourquoi tu te trouves subitement malheureux et mécontent de la manière dont marchent les choses ci. Tu as tous les privilèges et très peu de responsabilités.

— Cela exclut-il toute ambition ?

— Bien sûr que non. Moi aussi, j'ai de l'ambition. Mais je ne suis pas pressée – j'aime ma vie telle qu'elle est, et je prie le ciel que tu aies tort au sujet de New York. Abstraction faite du reste, cet hôtel est le monde de maman – elle serait perdue sans lui.

— Elle surmontera cela.

Ella céda devant cette rudesse.

— Peut-être, dit-elle d'une voix toujours assurée, mais je prie pour que tu te trompes.

Olivier se pencha et l'embrassa sur la joue.

— Prie tant que tu voudras, petite sœur, mais tu verras que je ne me trompe pas.

Il avait raison.

La hache tomba moins d'une semaine plus tard.

— Ma chérie, il faut que nous partions, répéta Krisztina pour la énième fois.

— Je n'arrive pas à y croire.

— Nous n'avons pas le choix.

— Je ne comprends toujours pas pourquoi papa ne pourrait pas tout simplement aller là-bas plus souvent. Ella faisait une nouvelle tentative de dissuasion, mais elle savait très bien qu'elle échouerait.

— Nos raisons sont exactement les mêmes que celles qui ont contraint Robert Hunter à quitter l'Angleterre. Krisztina était pâle et fatiguée ; elle sentait pour la première fois chacune de ses quarante-neuf années. « Ella, ma chérie, j'avais espéré plus d'objectivité de ta part. »

— Tu me demandes d'être objective alors qu'il s'agit de la perte de mes parents ?

— Tu sais bien que tu ne nous perds pas, ma chérie.

Ella soupira.

— Bien sûr que si.

Elle fit un gros effort pour maîtriser ses sentiments agités.

— D'accord, j'abandonne.

— Il n'est nullement question d'une bataille, dit Krisztina, désorientée. C'est une décision qui implique toute la famille.

— Absolument pas.

— Mais si !

— Cette famille n'est pas un corps constitué, maman. Nous ne pouvons pas nous réunir gentiment pour exposer nos points de vue et voter ensuite.

Les yeux d'Ella étaient brillants.

— Nous sommes des êtres humains, nous éprouvons des émotions et des besoins, nous avons une sensibilité. On

425

me demande sans doute de me conduire en véritable adulte et de vous laisser partir avec un joyeux au revoir, mais j'ai encore besoin de mon père et de ma mère.

— Les choses sont inversées, n'est-ce pas ? D'ordinaire, ce sont les fils et les filles qui quittent la maison, pas les parents.

— Mais ce n'est pas seulement une maison que vous quittez, insista Ella. Ce n'est même pas seulement votre affaire commerciale. C'est votre création, votre chef-d'œuvre.

— Que je peux te transmettre, grâce à Dieu !

— Et à Ollie.

— Bien sûr. Cet hôtel avait d'abord été créé pour ton frère.

— Je sais.

— Au fond, il vaut peut-être mieux que les choses tournent ainsi. Au lieu d'attendre que je me retire, ou que je meure ; à ce moment-là, toi et Olivier commenceriez peut-être à vous ennuyer, ou bien vous seriez aigris, ou bien vous seriez embarqués dans d'autres affaires à des milliers de kilomètres. Krisztina plissa le front. Cet aspect m'inquiète aussi beaucoup.

— Quel aspect ?

— Le fait que William et moi sommes en train de vous lier à de Trouvère alors que vous pourriez désirer en partir, selon le cours naturel des événements.

— J'ai peine à m'imaginer quittant de Trouvère, dit Ella avec sincérité. Mais encore une fois, je n'aurais jamais pensé que tu puisses le vouloir, toi.

— Ce n'est pas que je veuille partir.

— Mais tu veux être avec papa.

Krisztina sourit.

— Bien sûr. Elle se tut un instant. De ton côté, comprends que ton père est consterné à l'idée qu'il m'enlève à vous et à de Trouvère. Il n'aurait jamais envisagé cela si ce n'était pas indispensable.

Ella fit une petite moue.

— Je suppose que c'est Hunter's qui est important, plus que l'hôtel.

— Pas plus important, mais c'est plus compliqué, bien sûr, beaucoup plus de gens en dépendent. Mais pour rien au monde ton père ne contesterait la valeur du château de Trouvère, tant dans son aspect financier que du point de vue affectif.

— Mais si papa ne va pas à New York, il risque de perdre le contrôle de Hunter's, d'où il s'ensuit que de Trouvère reste de notre côté.

— Précisément. Krisztina n'en éprouvait pas la moindre satisfaction, seulement un désenchantement profond.

Ella demeura silencieuse quelques instants, puis elle leva la tête.

— Penses-tu que ce soit permanent ? Crois-tu que vous pourrez revenir ?

— Rien n'est jamais définitif, *dragam*.

— Tu aimes New York ? demanda Ella avec curiosité.

Krisztina rit franchement.

— Par certains côtés, oui. La ville me terrorise parfois, mais c'est parce que j'ai passé trente ans à la campagne. Mais une cité qui hypnotise ses habitants au point de leur faire croire que c'est le centre de l'univers doit posséder des pouvoirs exceptionnels.

— J'ai un peu ressenti cela à Londres.

— Londres est tout à fait différent – comme Paris, ou même Budapest, Londres possède de la dignité, c'est une ville vénérable. Manhattan, c'est aujourd'hui.

Ella eut un rire étouffé.

— Londres me sembla bien belle pendant que j'y étais.

Le silence tomba entre elles pendant un long moment.

— Quand comptez-vous partir ?

— Papa voudrait partir le plus tôt possible, mais moi, je ne serai pas capable de quitter de Trouvère pour très longtemps... Es-tu rassurée, Ella. Comprends-tu maintenant ?

Ella fit une grimace.

— Penses-tu pouvoir te colleter avec l'hôtel, ma chérie ?

— Je sais que je réussirai, dit Ella en souriant.

Le soir de ce même jour, après qu'Ella soit allée se coucher et avant le retour d'Olivier, William et Krisztina se tenaient dans le salon de Geneviève, sirotant un cognac devant le feu.

— Pensez-vous qu'ils soient réellement prêts à assumer ces responsabilités ? demanda William aux deux femmes. Ella n'a que dix-neuf ans.

— Oui, mais c'est une personnalité pour son âge, sourit Geneviève.

— Elle est bien plus mûre qu'Olivier, souligna Krisztina.

— Et elle pense qu'elle est prête, ajouta Geneviève.

— Ollie aussi croit qu'il est prêt, dit William. Ce serait l'occasion pour lui de se former. Une chance d'utiliser ses avantages d'une manière pratique, pour changer.

— Il faudra qu'il cesse de séduire les jolies femmes de l'hôtel.

— Je suis sûre qu'il cessera ce petit jeu, belle-mère.

— En êtes-vous si sûre ? Pas moi !

— Ils pourraient former ensemble une équipe du tonnerre ! William caressa la petite barbe qu'il se laissait pousser depuis peu. « Olivier est une nature dynamique, il a de l'ambition, il possède un charme fou quand il le veut. Par ailleurs nous savons tous qu'Ella s'est elle-même astreinte à un apprentissage plus varié et plus approfondi que celui qu'elle aurait reçu dans n'importe quelle école hôtelière. »

Geneviève, toujours aussi superbement élégante dans sa jupe et sa blouse de chez Chanel, griffe à laquelle elle restait fidèle, rayonnait en pensant à sa fantastique petite-fille qui, bien que n'étant pas de son sang, lui était aussi précieuse qu'Olivier.

— Ella est extraordinaire, dit-elle. Efficace, talentueuse, forte, et suffisamment calme pour dompter les brusqueries de son caractère. Et Ilona et Gabor ? Comment va faire votre maman sans vous ? L'esprit d'Ilona était de plus en plus confus ces derniers temps ; il avait fallu engager une infirmière à plein temps pour veiller sur Gabor.

Krisztina eut l'air plus malheureux que jamais.

— Il est si difficile de savoir ce qu'elle veut, belle-mère. Vous savez ce qu'il en est – elle est tout à fait lucide parfois – et à d'autres moments, elle semble se croire à Budapest. Il serait presque impossible de les emmener sur un autre continent. Ils ont besoin de stabilité, de calme – de leur foyer.

— Ilona a besoin de sa fille aussi, admit William d'un ton contrit. Savez-vous que je me fais l'effet d'une brute ? Tant de ruptures, tant de chagrin.

Krisztina se leva de son fauteuil et s'assit près de lui, sur le sofa.

— Ce n'est pas ta faute, William. Personne ne te blâme.

— Cela ne change rien au fait que je t'arrache à tes racines plantées voici trente ans.

Geneviève posa son verre.

— Mon cher, votre femme est une survivante. Elle a été arrachée de ses racines encore plus violemment avant d'arriver ici.

— Ça n'a pas été aussi dur, belle-mère, dit Krisztina, parce que je vous ai connue, et parce que je suis tombée amoureuse du domaine de Trouvère.

— Notre maison est très spéciale, c'est vrai – mais je pense que vous êtes capable de voir la beauté où que vous soyez.

— Je dois admettre, dit Krisztina lentement, que je n'avais jamais imaginé que quelque chose ou quelqu'un pût me convaincre de quitter de Trouvère. Elle prit la main de son mari. « Mais je n'ai pas l'impression d'abandonner le château – puisque vous, les enfants, sans oublier André, Marthe et les autres, y vivez. Ce n'est pas comme si nous étions encore en train de le mettre sur pied. Notre hôtel existe. »

— Et ceux-là ? demanda William en désignant les deux chiens couchés aux pieds de Krisztina ; Janus, un magnifique descendant de Persée, l'un des premiers chiens-loups que Krisztina avait vus en arrivant à de Trouvère et Titus Il, l'aîné du petit bâtard noir qu'Olivier avait trouvé des années auparavant.

Krisztina flatta Janus derrière l'oreille.

— Ces deux-là viennent avec moi. Je ne peux pas les laisser ici. Et la jeune Vénus fera une splendide maman, si belle-mère et Ella le veulent bien.

Geneviève sourit.

— Vous allez faire de l'élevage ?

— Pensiez-vous que j'allais rester inoccupée ? Après la vie qui était la mienne ?

Krisztina fit la grimace.

— Je deviendrais folle au bout d'un mois.

— Cela signifie que nous aurons besoin d'espace, ce qui signifie aussi que je devrai voyager tous les jours entre ma résidence et mon travail, soupira William.

— Tu fais cela depuis vingt ans, je ne vois pas en quoi cela serait plus gênant maintenant.

Geneviève réprima un bâillement et regarda sa montre.

— Il est deux heures passées mes enfants. Je suis une vieille femme et j'ai besoin de me coucher.

Krisztina la regarda.

— Vous avez plus d'énergie que n'importe qui d'entre nous.

— Plus maintenant.

Son visage redevint sérieux.

— C'est pour cela que je suis heureuse d'avoir les jeunes pour reprendre la place. Cela serait trop pour moi toute seule.

— Ils auront certainement besoin de vous, souligna Krisztina. Ella s'est formée brillamment, certes, mais elle manque tout de même d'expérience.

— Avions-nous de l'expérience lorsque nous-mêmes avons débuté ?

— Non, repliqua Krisztina, mais les choses étaient différentes alors. La compétition est plus dure à présent, il y a plus à gagner, donc plus à perdre.

— Ne vous inquiétez pas, ma chérie, assura Geneviève. Je serai la béquille dont ils pourraient avoir besoin. Mais je n'interférerai pas dans les décisions ordinaires – si je le faisais, ils n'auraient jamais aucune chance de devenir autonomes, et l'esprit du lieu en souffrirait.

Il y eut un autre silence.

— Ainsi, c'est décidé ? dit William.

— Il me semble, répliqua Geneviève.

— Kriszti ?

Ses yeux furent tout à coup humides, mais elle refoula ses larmes, déterminée à ne pas flancher maintenant.

— Nouvelles mélodies, dit-elle à mi-voix.

— Que dis-tu, chérie ? William parut ébahi.

— L'une des sages pensées de belle-mère. Au sujet des changements, dit Krisztina en serrant la main de son mari.

— Oh ! l'une de vos nombreuses pensées.

Geneviève sourit en levant la main.

— Ce ne sont pas *mes* pensées.

— Elles furent néanmoins utiles lorsque nous réfléchissions sur la possibilité de transformer le château en hôtel. Elles conviennent encore à la situation présente, conclut Krisztina.

William trouva une maison, une belle construction en pierre de six chambres, à proximité de Rhinebeck, dans le comté de Dutchess, au cœur de la Vallée de l'Hudson. C'était une région de vignobles nullement comparables à ceux de l'Alsace ou de la Californie ; mais cela permit à Krisztina d'établir une relation avec le pays. Ils disposaient d'un charmant jardin paysager adossé à cinq arpents de friches faisant partie de la propriété.

— N'est-ce pas un peu loin de la ville ? s'inquiéta Ella quand Krisztina lui en parla.

— N'avons-nous pas toujours vécu loin des villes ?

— Oui, mais ici, c'est chez nous.

— Pas lorsque je suis arrivée pour la première fois, dit Krisztina en embrassant sa fille.

Le matin du départ, peu après sept heures, Krisztina alla seule à la chapelle et au cimetière.

Elle resta debout sur le sol dallé, le soleil du début de mai traversait les vitraux. Elle se remémorait la première fois qu'elle était venue ici – et toutes les autres fois aussi – et ses pensées dérivaient vers David et Laurent, vers son père et sa mère, vers l'époque où Ilona était calme et forte, et non la vieille dame à l'esprit confus qui était venue s'asseoir quelques moments auparavant à côté de son mari paralysé, et qui ne semblait pas vraiment comprendre que le baiser de sa fille était peut-être le dernier. Krisztina pensait aussi à son mariage, aux baptêmes, aux obsèques, et à Michael.

Elle sortit, passa devant la plaque d'or miroitante de David puis pénétra dans le cimetière où les tombes l'attendaient, recouvertes, comme toujours, de fleurs fraîches, les pierres tombales bien nettes et presque noires. Et comme elle s'agenouillait devant la plus petite, Krisztina fut envahie d'un étrange sentiment d'irréalité, comme si rien n'était en train de se passer, presque comme si ses souvenirs ne correspondaient à aucune réalité de jadis, comme si elle était encore une enfant en Hongrie, dansant devant le miroir allongé de la chambre de ses parents, Miksa puis Moïse la regardant, couchés patiemment.

— Maman ?

Elle tourna lentement la tête et vit Ella sur le chemin de gravier.

— Oui, *dragam* ?

— Excuse-moi, maman, dit Ella à mi-voix, mais papa et Ollie attendent. Il est temps de partir.

— Oui, acquiesça Krisztina d'un hochement de tête.

Elle regarda la tombe de Michael et son désir ancien, presque intolérable, de le tenir dans ses bras était aussi puissant et irrépressible que dix ans plus tôt.

— Il n'aura jamais plus de sept ans, murmura-t-elle.

— Non. Ella vint tout près d'elle.

Et David n'aura jamais plus de vingt ans, ni Laurent plus de trente.

— Je veillerai à ce qu'elles soient entretenues, dit Ella tendrement.

— Je sais que tu t'en occuperas.

Sa vision se brouilla et elle ferma très fort les yeux, comme si l'obscurité passagère avait le pouvoir de repousser sa tristesse.

— Maman, il faut vous mettre en route pour Paris maintenant.

Krisztina rouvrit les yeux et tout le charme, toute la douceur et tous les parfums qui constituaient la nature de de Trouvère frôlèrent ses joues et ses bras nus ; ils s'insinuèrent comme un souffle tendre dans ses poumons et son esprit, pour la postérité.

Elle se leva et prit la main d'Ella.

— J'y vais, dit-elle.

Une demi-heure plus tard, leur voiture remontait l'allée principale, puis s'éloignait de la maison, en direction de Paris, puis de l'Amérique.

Ella rentra tristement dans son bureau, s'assit à sa table et tourna les pages de son journal intime.

26 mai 1969.

La seconde génération prenait en main le Grand Hôtel du Château de Trouvère.

XXVII

Les choses auraient dû être plus aisées.

Étant donné la bonhomie généralement reconnue qui prévalait dans la direction de l'hôtel et ses vingt ans de bonne réputation, il eût dû être simple de maintenir le fonctionnement de l'établissement sans heurts ; il suffisait d'y apporter du dévouement, du travail et du bon sens.

Bien qu'Ella fût consciente des défauts d'Olivier, jamais elle ne l'avait considéré comme un méchant homme. Certes, elle l'aimait, elle pensait sincèrement qu'il possédait de nombreuses qualités – il aimait sa mère, il respectait William ; il était fier de son héritage, au-delà de tout ce que l'on pouvait imaginer ; il adorait sa sœur et avait une véritable passion pour de Trouvère.

Ella devait aussi admettre, fût-ce avec réticence, qu'il pouvait se montrer dur, et même impitoyable. Il aimait de plus en plus jouer de fortes sommes ; il prenait plaisir à séduire les femmes et en prenait autant à les rejeter ensuite ; il buvait souvent sans retenue, il méprisait tout ce qui était vieux, choses ou êtres humains, à l'exception des objets antiques, du château, des alcools et de ses propres ancêtres ; il dépensait sans compter.

Olivier reconnaissait et acceptait volontiers ces aspects de sa personnalité, car c'était un être fondamentalement et naturellement amoral ; s'il lui arrivait d'éprouver quelque sentiment de culpabilité, il devait être profondément enfoui dans son subconscient. Plus il en apprenait sur son défunt père, plus son hérédité pesait sur lui et plus il prenait de l'assurance. Même si parfois certains jugeaient son comportement ou ses manières répréhensibles, il s'en moquait bien car ces gens-là lui importaient peu – il se savait différent d'eux – il était un aristocrate et cela expliquait et excusait tout.

Son temps venait – le sien et celui d'Ella, car il était sûr qu'elle se soumettrait à la domination de son grand frère – mais il n'était pas encore là, car sa grand-mère tenait encore le fouet à la main. Il avait l'impression qu'ils formaient un triangle – lui et Lalla à chaque angle d'une base solide et jeune, leurs regards tournés vers l'avenir, et Geneviève trônant comme un accessoire élégant au sommet. Et bien qu'elle prétendît ne pas s'immiscer dans le cours quotidien de l'hôtel, sa présence était une menace constante pour lui parce qu'il savait mieux que personne qu'elle voyait en lui.

« Ça suffit, pensait-il souvent lorsqu'il était furieux. Je ne suis plus un enfant – j'ai vingt-cinq ans – je suis un homme – un baron ! »

Il avait la plupart du temps détesté son enfance, parce que les enfants n'ont guère la maîtrise des facteurs qui gouvernent leur vie. Ce fut une véritable délivrance pour lui lorsque son adolescence prit fin officiellement et qu'il fut appelé au service militaire. Là aussi il dut cependant lutter, car à la place de ses grands-parents, parents et professeurs, il y avait eu d'autres gens qui tenaient les commandes, des hommes qui osaient le commander et crier après lui, qui osaient le punir et l'humilier.

Cela aussi était fini à présent, et avec l'évolution des événements, une liberté toute neuve lui faisait signe, un sentiment d'indépendance qu'il n'avait jamais connu encore. Le temps venait où il pourrait prétendre à l'héritage qui lui revenait de droit, et déterminer son propre avenir.

— Elle a soixante-seize ans, pour l'amour du ciel, lança-t-il à Ella un jour d'automne 1970. Pourquoi ne se retire-t-elle pas ?

— Parce qu'elle n'est pas vieille, répondit Ella.

— Lalla ! Bien sûr que si, elle est vieille ! Nom de Dieu !

— Pas de juron devant moi, Ollie.

Elle fit une pause.

— Tu as absolument tort. Grand-maman est la personne la moins vieille que je connaisse et moi, je serais perdue sans elle.

— Tu ne serais pas perdue. Ni toi ni moi ne serions perdus. Nous aurions l'occasion d'aller de l'avant au lieu de stagner.

Ella le considéra avec embarras.

— Comment peux-tu associer de Trouvère avec une quelconque stagnation ? C'est une chose vibrante, vivante, et qui respire.

— Peuplée et dirigée par des vieux aux idées d'un autre âge.

— Ollie, dit-elle plus doucement, je ne comprends pas que toi, presque un obsédé des traditions, tu puisses avoir des pensées aussi absurdes.

— Ne me dis pas que je suis absurde !

— Toi, non, mais ce sont tes idées qui sont absurdes ! Nous sommes inscrits sur le Michelin comme « grand luxe et tradition » – et toi, on dirait que tu voudrais remplacer nos fauteuils rococo par des sièges en tube d'acier.

— Maintenant, c'est toi qui es absurde, Ella. Je parle des gens. D'accord, j'admets que Geneviève est en bonne forme, mais pendant combien de temps encore va-t-elle occuper l'aile ouest avec un invalide et une folle ?

— Grand-mère n'est pas folle ! Ella était scandalisée. « Elle est un peu sénile, la pauvre femme, c'est tout. »

— Ne faut-il pas être fou pour penser qu'on a dix-huit ans et que l'on habite la Hongrie alors que l'on en a quatre-vingts et que l'on vit en France depuis plus de deux décennies ?

— D'une certaine manière, c'est tout à fait normal, répondit Ella avec violence. Cela arrive à des millions de gens. Et puis, grand-mère n'est pas tout le temps comme cela.

— Ils devraient être envoyés ailleurs tous les deux, s'ils n'ont pas le bon goût de mourir.

— Olivier ! Elle dévisagea son frère avec horreur. «Tu ne penses pas vraiment ce que tu dis ?»

Il vit son expression intense et relâcha sa pression, ne s'acharnant jamais à la contrarier.

— Ça va, Lalla, ne te fâche pas, dit-il plus aimablement. Tu as raison – je ne le pensais pas.

— Alors, pourquoi l'avoir dit ?

— Parce que c'est une manière de te faire comprendre que vivant tous « sur la boutique », notre vie privée se reflète forcément dans la vie de l'hôtel. Tiens, par exemple, le vieux Sutterlin. C'est un vieux monument – on devrait plutôt en faire une statue, mais c'est toujours lui notre portier principal. C'est risible. Cet homme est une menace.

— D'abord, répliqua-t-elle calmement, il est en demi-retraite, comme tu le sais très bien, et malgré cela, il est vrai qu'il travaille plus qu'il ne devrait.

— Ne serait-ce pas formidable pour nos affaires si le concierge était terrassé par une crise cardiaque en voulant porter trop de clefs à la fois !

— Ensuite, poursuivit Ella en s'efforçant d'ignorer la méchanceté d'Olivier, c'est un membre hautement distingué de la Confrérie des Clefs d'Or.

— Je me fiche qu'il en soit même le président, en tout cas, il a dépassé les soixante-dix.

— Jean-Martin Lelouche n'est pas prêt à prendre la relève et nous ne sommes pas prêts non plus.

— Te voilà repartie ! Pourquoi as-tu si peu confiance en toi ? En nous ?

— J'ai confiance en nous, dit-elle avec dignité. Mais j'ai beaucoup de respect pour l'expérience, et je pense que rien ne la remplace. Que ferais-tu Olivier ? Tu congédierais tous ceux qui ont plus de cinquante ans ?

— Ça me semble raisonnable, dit-il sur un ton désinvolte.

— Et que penses-tu du travail supplémentaire que tu auras à faire s'ils ne sont plus là ? Où trouveras-tu le temps de faire la navette entre ici et Baden-Baden pour miser tout ton argent liquide à la roulette et au baccarat ?

— Voudrais-tu que je croupisse en Alsace sans arrêt, petite sœur ?

— Pas croupir, non. Mais tout simplement assumer tes responsabilités au lieu de te plaindre de ceux qui font le travail.

— On dirait que toi et grand-maman avez échangé vos griefs à mon égard, dit-il d'un air suspicieux.

— Ne sois pas idiot, Ollie, tu sais bien que non.

— Sois prudente, ma chérie, railla-t-il en lui tapotant le menton, sinon, tu seras vieille avant l'âge. Tu prends la vie trop au sérieux.

Ella passa ses doigts à travers ses cheveux épais et longs.

— Franchement, je ne te comprends pas. Tu veux écarter tous ceux qui ont contribué à faire du château ce qu'il est devenu, et tu veux en même temps la liberté et les plaisirs, mais sans les engagements ni les obligations que suppose un domaine comme celui-ci. Tu ne peux pas marcher sur deux voies à la fois, Ollie.

— Je peux toujours essayer.

— Tu échoueras. Pourquoi ne mets-tu pas cette période à profit ? Habitue-toi progressivement à être le patron — tire des enseignements des conseils de grand-maman et des gens comme André, qui n'a pas besoin qu'on lui dise à chaque minute ce qu'il doit faire.

— J'ai attendu trop longtemps. Je suis le baron de Trouvère depuis ma naissance, alors que depuis presque vingt-trois ans mes terres et ce château sont sous le contrôle de Hunter's.

— Grand-maman n'est pas une Hunter — et maman est bien souvent considérée comme la baronne. Ollie, tu es trop sensible à des choses qui ne le méritent pas.

439

— Je tiens cela de mon père, Ella, dit-il avec âpreté. Le dernier baron. Il est mort à trente ans, conduit à la tombe par des hypocrites.

— C'était un homme malheureux dans une période terrible, dit Ella qui savait combien Ollie avait été troublé en apprenant que son père s'était suicidé.

Dès son plus jeune âge, il avait posé des questions insidieuses, et l'attitude paradoxale de sa famille vis-à-vis de Laurent l'avait embarrassé ; on l'avait toujours encouragé à se rendre sur la tombe bien entretenue à chaque anniversaire, pour présenter ses respects à un homme qu'il n'avait jamais connu ; pourtant, il existait si peu de preuves de son existence physique ; une seule photo dans un cadre d'argent dans la chambre de sa grand-mère et une autre dans le salon rouge, reléguée parmi le désordre des souvenirs de famille. Les objets en or et en argent de même que les porcelaines étaient sous vitrine dans une pièce rarement fréquentée, et quand on prononçait le nom de son père, Olivier avait observé que les visages et les voix de sa mère et de Geneviève se voilaient d'un chagrin qui avait des racines plus profondes que celles d'un deuil normal éprouvé pour un être mort prématurément.

Il avait donc persisté à poser des questions, et il avait environ quinze ans lorsque Geneviève et Krisztina lui avaient révélé la vérité en s'efforçant de le faire avec tendresse et tact. Toutefois, leur franchise eut pour conséquence de faire resurgir un passé qu'il eût mieux valu oublier. Et plus Olivier en apprenait sur l'instabilité de Laurent et ses accointances avec les Nazis, plus le garçon était fasciné par son père.

Après son retour du service militaire, Olivier s'était enfermé pendant plusieurs jours dans sa chambre, refusant à tous d'y entrer, même à Ella. Lorsqu'enfin il l'avait fait entrer, elle avait remarqué ce qui paraissait être une espèce d'autel dédié au défunt baron. Un coin de la chambre était bondé d'albums en cuir contenant des coupures de journaux, des photos récemment encadrées, des trophées de championnats de danse, plusieurs médailles d'or remportées par Laurent avant son association avec Krisztina et, ce qui avait glacé Ella, l'instantané de Laurent en compagnie des deux Nazis, Bickler et Schlegel, le tout couronné d'une réplique en bronze spécialement coulée du blason de la famille de Trouvère.

— C'est beau, n'est-ce pas ? avait-il dit en souriant à sa sœur ébahie.

— Oui, avait-elle répliqué lentement, très beau.

— Tu n'en as pas l'air très sûre.

— Je suis... C'est une surprise, avait-elle dit en hésitant.

— C'était mon père, Lalla, avait dit tout bas Olivier, comme William est ton papa. N'ai-je pas raison d'être fier de lui ?

— Bien sûr que si, Ollie. Tant que cela te rendra heureux.

— Je suis heureux.

L'« autel » était toujours là à l'image de cet appétit pressant pour l'indépendance et le pouvoir, cette rancœur aussi qui le rongeait sans cesse à l'égard de ceux qui étaient sur son chemin.

— Je suppose que grand-maman envoie regulièrement à New York un rapport sur mes fredaines, dit-il ironiquement à sa sœur.

— Je ne crois pas qu'elle l'ait jamais fait !

— Elle leur a certainement parlé de Brigitte. J'ai reçu une lettre sévère, très britannique, de William, me spécifiant mes devoirs en tant que gentleman, même envers les servantes.

Ella fronça les sourcils.

— Pourquoi ne l'appelles-tu plus papa ?

— Parce qu'il n'est pas mon père, dit simplement Olivier.

— Grand-maman pense que tu devrais tenir compte de ce que dit papa au sujet de Brigitte. Ne trouves-tu pas qu'il est juste que tu t'inquiètes d'elle ?

— Brigitte a déjà subi deux avortements avant d'arriver ici, tu comprends ? Elle n'est pas innocente – elle connaît les ficelles, et en plus, elle a l'esprit et la constitution physique d'une vache. Je lui ai fourni les fonds nécessaires – elle est entrée en clinique, et voilà ; et maintenant, elle est en convalescence à Cannes.

— Je me demande si nous la reverrons.

— Dépend si elle trouve quelqu'un là-bas.

— Si elle revient, avertit Ella, nous devrons la garder. Nous ne pouvons pas priver une jeune fille de son travail sous prétexte que tu ne peux t'empêcher de flirter, Ollie.

— Pas de raison de la renvoyer. Elle sait travailler.

— Et toi, tu l'éviteras ?

— Me prends-tu pour un idiot ?

— Parfois, oui.

— On ne doit jamais boire deux fois à la même fontaine, ricana Olivier.

Ella secoua la tête et regarda l'heure à la pendule de son bureau.

— Oh ! Va-t-en vite, Olivier, que je travaille un peu. Tu me fais perdre mon temps.

— Bien.

Olivier se leva.

— Mais je n'aime pas que le moindre de mes péchés soit aussitôt rapporté à New York. Grand-maman n'en a pas le droit.

— En réalité, dit Ella déjà penchée sur ses papiers, elle a tous les droits.

La physionomie d'Olivier s'assombrit.

— Peut-être est-ce cela qui me gêne.

En fait, il était rare que Geneviève relatât les méfaits de son petit-fils à Krisztina ou à William. Elle avait décidé qu'Olivier méritait qu'on lui laissât une chance de trouver sa voie s'il en était capable, et s'il pouvait s'y tenir. Elle avait de sérieux pressentiments – il lui était impossible de ne pas se souvenir de Laurent lors de son retour à de Trouvère en 1938 ; il avait eu ses années de liberté, il avait disposé d'un vaste espace pour jeter sa gourme. Malgré cela, Laurent avait été désespérément déchiré intérieurement, déchirement encore amplifié par la guerre et l'annexion.

« Mais Olivier n'est pas Laurent, se disait-elle fréquemment. C'est un homme différent, il serait injuste de le mettre dans le même sac. Ne pas lui laisser la liberté du choix serait le condamner, le considérer comme irrécupérable. »

« En tout cas, se dit-elle tandis qu'elle reposait dans son lit sans trouver le sommeil, avec Ella à ses côtés et l'hôtel qui marche presque tout seul, quel dommage peut-il causer ? »

Alex Monselet, le chef de cuisine qui avait remplacé Luc-Alain Carême sept ans auparavant et qui avait porté à son zénith la réputation de l'hôtel, remit sa démission à Ella le dernier jour de janvier 1971.

— Je croyais que vous vous plaisiez bien ici, observa Ella, consternée.

— Je m'y plaisais bien. Monselet se tut, pesant ses mots.

— Je vous en prie, Alex, soyez franc avec moi.

Le chef fit une petite grimace.

— C'est votre frère.

— Le baron ?

— Oui, dit Monselet brièvement. Il ne comprend pas les règles fondamentales de la cuisine, madame.

— Quelles règles ?

— Principalement la règle souveraine – selon laquelle ma cuisine est une cuisine... *ma* cuisine – *mon* domaine.

Ella sourit doucement.

— Naturellement, Alex. Nous le savons tous, et nous respectons cette règle avec vous comme nous l'avons toujours respectée du temps du chef Carême.

— Pas votre frère.

Ella leva la tête vers lui. Il se dressait, comme pétrifié, derrière le bureau.

— Voulez-vous vous asseoir, je vous en prie, nous parlerons un peu ensemble.

— Il n'y a rien à dire.

— Qu'a-t-il donc fait qui vous offense à ce point ?

Monselet eut un rire discordant.

— Que n'a-t-il pas fait, plutôt ?

— Dieu ! s'exclama Ella alarmée.

— Eh bien, madame, puisque vous m'y forcez, je vais vous raconter.

— Je vous écoute.

— Non seulement votre frère a pris la manie d'envahir ma cuisine tous les jours pour vérifier mon travail – vérifier mon travail ! – goûter les potages, critiquer les méthodes de rangement de mon garde-manger – il a aussi tenté de brutaliser ma pâtissière en second – une jeune fille fort douée de Toulouse.

Ella écarquilla les yeux.

— Qu'entendez-vous exactement par brutaliser, Alex ?

Il ferma ses poings qu'il posa d'un coup sec sur le bureau, et il se pencha vers Ella.

— Je suis français, madame. Je comprends les délices de la séduction aussi bien que n'importe quel autre homme – mais pas dans ma cuisine !

— Mais qu'a-t-il fait concrètement... Elle s'interrompit et passa en revue dans sa tête la liste des employées de la cuisine. « Marguerite ? »

Le visage du chef s'empourpra.

— Il a essayé de lui faire l'amour ! Dans le garde-manger, pendant qu'elle cherchait la farine et le sucre ; et il a fait une nouvelle tentative lorsqu'elle était en train d'étendre une pâte.

Ella réprima un petit rire à ce tableau.

— Vous trouvez cela amusant, madame ?

Elle secoua la tête.

— Pas le moins du monde, dit-elle fermement. Et je vous assure, Alex, que je vais parler à mon frère immédiatement.

— À quelle fin ?

— Pour en apprendre davantage sur cette affaire.

— Vous ne me croyez pas ?

— Mais si, assura-t-elle. Mais il faut que j'entende ce qu'il a à dire.

— Pensez-vous qu'il va vous donner une explication ? Pour tentative de viol ?

— N'exagérez-vous pas un peu, Alex ?

Monselet se calma un peu.

— Vous avez raison, madame Hunter. Il n'y a pas eu viol en tant que tel, et s'il s'agissait d'un autre bomme, d'un homme aimant tout simplement la vie, la chose aurait été moins déplaisante.

Il prit sa respiration.

— Mais je suis désolé de vous dire que monsieur le baron n'est pas un jeune homme gai ni amusant – loin de là.

Ella demeura silencieuse.

— Quoi qu'il en soit, c'est votre frère, c'est mon employeur ; dans ces conditions, vous comprendrez qu'il m'est impossible de rester à de Trouvère.

Elle avala sa salive.

— Je comprends, Alex. Je suis extremement désolée. Elle se leva.

— Moi aussi, je suis désolé.

Elle se sentit fatiguée et furieuse.

— Nous vous regretterons beaucoup.

Monselet lui tendit la main.

— Vous aurez toujours des problèmes, madame, aussi longtemps qu'il aura carte blanche, dit-il franchement. Il n'est pas comme vous.

L'honnêteté empêcha Ella de nier – sa loyauté la retint d'acquiescer.

— Je mangerai plus souvent au restaurant pendant les deux semaines qui vous restent à travailler, Alex, dit-elle à voix basse.

— Alors, Je vais me dépasser.

Le 5 mars, le lendemain du départ de Krisztina pour New York après une visite de deux semaines, Olivier dicta des lettres de congédiement à André Sutterlin, Marthe Schneegans et deux autres membres du personnel qui venaient de dépasser leur soixante-dixième anniversaire.

— Tu ne peux pas faire cela ! explosa Ella quand elle en eut connaissance.

— C'est déjà fait.

— Grand-maman et moi allons tout annuler, Olivier.

Il sourit méchamment.

— Même si vous le faites, ils s'en iront tout de même – Marthe et André en tout cas – car leur fierté sera blessée.

Ella le regarda fixement.

— Réalises-tu le dommage que tu causes ?

— À notre hôtel ? Absolument aucun.

Elle secoua la tête sous le coup de la déception et de l'impuissance.

— Tu as tort. Tu te trompes grossièrement !

— Je ne le pense pas.

Ella s'assit dans le fauteuil en cuir, elle était blême.

— Tout ce que maman demande, c'est de maintenir l'excellence de notre établissement.

— Tu veux dire ; de nous contenter de ce qui existe.

— Non, il ne s'agit pas de cela ! Notre mère et notre grand-mère ont créé cet hôtel à partir de rien.

Il eut un rictus.

— Je ne dirais pas que le domaine de Trouvère n'est rien !

— ...et elles ne se sont jamais, au grand jamais, reposées avec négligence sur l'acquis.

Olivier se leva.

— Sutterlin et Schneegans n'ont pas toujours été aussi loyaux que tu le dis, Ella.

— Si, ils l'ont toujours été.

— Pas envers mon père. Les traits d'Olivier se durcirent. « Pas à la fin. En tout cas, il n'y a plus de place à de Trouvère pour le bois mort. »

— André et Marthe ne sont pas du bois mort, répliqua Ella. Ils sont peut-être moins forts qu'avant, mais tous deux sont encore énergiques et capables, et ils sont loyaux, quoi que tu en dises. Elle darda son frère du regard. « Je t'assure que lorsque grand-maman rentrera de Strasbourg, nous discuterons de cette erreur. »

Olivier sourit de nouveau.

— Sans doute. Mais n'attendez pas de moi que je me rétracte.

— Moi, je te le demande, et grand-maman te le demandera aussi.

— Eh bien, vous attendrez longtemps toutes les deux.

Il y eut une pause.

— S'ils s'en allaient, dit Ella d'une voix lente, as-tu des remplaçants en vue ?

— Nous n'avons pas besoin de remplaçant pour Sutterlin, n'est-ce pas, Jean-Martin est prêt à prendre la relève. Quant à Schneegans, j'ai une jeune femme que tu pourras interviewer quand tu voudras.

— Je ne veux pas.

— Comme tu voudras. J'établirai son contrat sans toi.

— Certainement pas !

Olivier se rassit et joua avec un stylo en or.

— Tu ne veux pas savoir qui c'est ?

— Sans doute l'une de tes petites amies.

— Pas encore, bien que je t'accorde qu'elle est assez jolie. Mais en la circonstance, petite sœur, je m'y suis intéressé pour ses autres qualifications.

— Où a-t-elle travaillé ? Probablement dans quelque chaîne de restauration ultramoderne.

Ella le défiait, plus rageuse que jamais.

— Et ne m'appelle pas petite sœur, Olivier – je suis ton associée.

— Elle se nomme Paula Müller. Elle est de Graz.

— Elle parle un peu français ?

— Elle parle cinq langues, couramment.

— Et elle veut être à l'économat ?

447

— Gouvernante principale.

— Cela va de soi, dit Ella sur un ton sarcastique. Et où a travaillé cette perle ?

— Elle a tenu deux emplois. Elle est restée près de quatre ans à l'hôtel Kempinski à Berlin.

Ella ne dit rien.

— Et ensuite, elle a travaillé trois ans au Brenner.

— Baden-Baden ?

Olivier sourit.

— Je t'en impose, hein ? dit-il doucement. Oui, au Brenner's Park.

— Pourquoi en est-elle partie ?

— Pour soigner son père à Graz.

— Tu t'es renseigné au Brenner's ?

Olivier se carra dans son fauteuil.

— Pour qui me prends-tu exactement, ma chérie ?

Ella attendit un moment.

— Je ne sais pas trop.

— Un cochon ?

Elle le regarda dans les yeux.

— Dans ce cas, un cochon et un imbécile.

Le téléphone sonna sur le bureau. Il décrocha, parla un moment, puis remit le récepteur en place. Sa voix était indéchiffrable.

— Il semble que grand-maman soit rentrée de la ville. Elle veut nous voir tous les deux.

— A-t-elle parlé à Marthe et André ?

— Je suppose.

Ella le regarda.

— Tu sais que tu es allé trop loin cette fois, Olivier. Je ne te soutiendrai pas – je ne le peux pas. Grand-maman va insister pour les reprendre tous – pas seulement André et Marthe.

— Et tu seras d'accord avec elle ?

— Absolument.

— Pour de Trouvère ou pour eux ?

— Pour la justice, Olivier.

— Ah ! bon. D'ailleurs, cela ne changera rien. Je t'ai dit que je ne retirerai rien, et de toute manière, ni Sutterlin ni Schneegans n'auront envie de rester.

— Ne fais pas cela, dit Ella en se levant d'un bond.

— Pourquoi pas ?

— Ne me pousse pas à te haïr, Olivier.

Il lui lança un regard en coin.

— Étrange. Je pensais n'avoir jamais prêté beaucoup d'attention aux leçons de Miss Herrick, et maintenant, je me souviens tout d'un coup d'une phrase tirée de son précieux poète Browning. Olivier se leva. « *Quand j'aime le plus, l'amour est déguisé en haine...* » Il plongea ses yeux dans ceux de sa sœur. Appropriée, n'est-ce pas, Lalla ?

— Peut-être, mais cela ne facilite rien.

L'après-midi où André et Marthe quittèrent l'hôtel, Geneviève et Ella pleurèrent franchement en les embrassant.

— Vous nous rendrez visite, n'est-ce pas, supplia Ella pour la dixième fois au moins. Marthe restait tout près, dans une maison que Geneviève lui avait achetée à Saint-Hippolyte, mais André partait chez sa sœur à Grenoble.

— Je viendrai quand je pourrai, assura-t-il.

Il s'adressa à Geneviève.

— Si jamais vous aviez besoin de moi, madame, prenez votre téléphone sans hésiter.

— Oh ! André, nous ne cesserons jamais d'avoir besoin de vous.

Sutterlin jeta un coup d'œil derrière lui, vers le grand comptoir de façade et vit Jean-Martin Lelouche en pleine action renseignant un client sur la Route du Vin, tout en prenant en même temps du courrier à expédier par avion et des clefs de chambres.

— Jean-Martin fait maintenant partie des Clefs d'Or. Il est fin prêt à prendre les choses en main.

— Oui, mais vous faites tellement partie de de Trouvère, dit Ella. De même que vous, chère Marthe. Elle pressa avec affection la main maigre de la vieille femme.

Marthe fit une grimace.

— Je voudrais être sûre que Fräulein Müller sera la gouvernante adéquate.

Sutterlin l'interrompit.

— Marthe, vous avez des préjugés. Cette jeune fille me semble des plus efficaces.

Marthe le foudroya du regard, puis elle se tourna vers Ella et Geneviève.

— Savez-vous ce que je regretterai le plus ?

— Quoi donc ? demanda Ella.

— La cuisine du chef Gérard.

— Vraiment ?

Geneviève était surprise.

— Il fait merveille, certes, mais vous n'avez pourtant jamais eu beaucoup de goût pour la grande cuisine, non ?

Marthe eut un petit sourire triste.

— Les chefs m'ont tenu éloignée de la cuisine pendant plus de vingt ans. À présent, je vais être forcée de faire ma cuisine moi-même.

— Marthe, vous étiez une cuisinière fantastique, dit Sutterlin. Je n'ai jamais trouvé de Schifela aussi délicieuse que la vôtre dans toute l'Alsace.

Ce fut au tour de Marthe d'être étonnée.

— Vous vous en souvenez encore ? Après toutes ces années ?

— André se souvient de tout. Les yeux de Geneviève étaient mouillés de larmes. « Moi aussi. »

Dans sa chambre de l'aile est, Olivier remplit un verre de champagne pour la blonde aux cheveux bouclés installée près de lui sur l'édredon.

— Il est seulement quatre heures de l'après-midi, murmura-t-elle. J'ai du travail.

— Chut, Paula. Il y a d'autres choses que le travail.

— Il y a le patron, gloussa-t-elle, admirant la mince silhouette d'Olivier toujours bien musclée malgré l'alcool. Mais je doute que votre sœur et votre grand-mère soient d'accord avec vous.

— Oh ! si, crois-moi. Toutes les deux sont très fortes en matière de sentiments.

— Puis-je demander ce que le sentiment vient faire ici ? Elle lécha la mousse du champagne, puis elle passa sa langue sur la poitrine d'Olivier.

— Absolument rien, dit-il ; puis s'allongeant lascivement, il regarda gravement son pénis durcir comme la pierre et s'ériger, tumescent et énorme.

— C'est bizarre, chuchota Paula, haletante, s'installant à califourchon sur lui, mais quand vous m'avez reçue, vous ne m'avez absolument pas donné à entendre que vous me désiriez. Elle ferma les yeux et sourit lorsqu'Olivier saisit ses seins. Vous étiez strictement en affaires.

— Je suis ainsi. Les affaires d'abord.

Paula eut un petit rire de gorge.

— En ce moment aussi ?

— Bien sûr. Ses seins étaient merveilleux dans sa main. Quel est le rôle principal d'une gouvernante ?

Elle souleva ses hanches puis, avec lenteur, elle descendit sur lui.

— Veiller au bien-être de chaque hôte, répondit-elle avec humilité.

— Ceci, Liebchen, expliqua Olivier en pinçant violemment ses deux seins dressés, n'est que la base du métier.

— Des récompenses pour les initiatives ?

— Possible.

— Alors, fermez vos yeux, monsieur le baron. Elle arqua son corps, arrondit son dos et rentra son estomac afin qu'il pût continuer à regarder ses propres parties génitales, puis elle fondit sur lui dans un mouvement subit, violent et houleux, telle une Japonaise pratiquant le *seppuku* rituel sur une épée.

Moins de cinq minutes après, le téléphone sonna sur la table de chevet d'Olivier.

— Oui ?

— Olivier, as-tu vu Paula Müller ?

— Tout récemment, oui.

— Sais-tu où elle est ? Ella paraissait irritée.

— Suis-je le gardien de notre gouvernante ?

— Probablement.

Olivier regarda Paula étendue près de lui et lui donna un coup rude dans les côtes, lui intimant vite du doigt l'ordre de se taire dès qu'elle ouvrit les yeux en gémissant.

— Cherche-la ailleurs, dit-il à sa sœur.

— C'est le moment de la journée où elle a le plus à faire. Dis à ta protégée que si elle se met à disparaître pour sa première soirée en solo, elle ne restera pas longtemps ici.

Olivier reposa l'appareil.

— Debout ! ordonna-t-il.

— Je suis trop bien ici, *Schatzl*.

Il s'assit et lui donna un coup assez violent sur les fesses.

— J'ai dit debout Fräulein Müller. Au travail !

Elle roula sur elle-même, le regard interrogateur.

— Qu'arrive-t-il à mon *Liebchen* ?

— *Liebchen* doit s'habiller.

— Et l'entraînement de base ?

— Terminé. Il la poussa. Vous êtes engagée, Paula, et vous avez intérêt à être parfaite.

— Je n'ai pas été parfaite, *Schatzl* ?

— Pas mal. Pas mal du tout. Il ricana. « Vous m'avez convaincu que vous saviez vous tenir dans un lit. Reste à savoir si vous savez le faire. »

XXVIII

En septembre de cette même année 1971, Ella tomba sur Olivier en train d'examiner devant son miroir ce qui lui sembla être une nouvelle veste de velours bordeaux.

— Fantastique, dit-elle en souriant. Pour quelle occasion ?

— Pourquoi devrait-elle être réservée à une quelconque occasion ?

— Tu ne t'habilles pas dans ce style-là habituellement ? commenta-t-elle en jetant un coup d'œil sur les lourdes soutaches dorées des revers et des épaules. On dirait un uniforme.

— C'en est un.

— Pourquoi portes-tu un uniforme ?

— Parce que j'en ai le droit.

Ella haussa les épaules.

— Si tu tiens à rester mystérieux, moi, je n'ai pas de temps à perdre.

Olivier se détourna du miroir.

— Je fais partie d'une confrérie à Paris.

— C'est vrai ? Laquelle ?

Il défit les boutons argentés.

— Les Confrères de La Fontaine ; uniquement parce que nous nous réunissons dans un appartement de la rue La Fontaine.

— Quelle sorte de confrérie ? Qui sont ses membres ?

Il fit glisser avec précaution la vareuse de ses épaules.

— Des jeunes hommes fiers de leur pays – de leur naissance.

— De leur naissance ? Ce sont tous des aristocrates ?

— Pas tous.

Ella sourit.

— Tu es bien mystérieux, Ollie.

— Pas vraiment – C'est une affaire privée, c'est tout.

Elle leva les sourcils.

— Une organisation secrète ?

Il secoua la tête.

— C'est privé.

La seconde fois qu'elle vit la vareuse, elle était partiellement dissimulée sous un trench-coat de chez Burberry ; c'était un après-midi de novembre et Olivier quittait l'aile est, portant une espèce de valise en cuir noir allongée et étroite.

— Qu'est-ce que c'est ? demanda Ella.

— Une rapière.

Elle ouvrit de grands yeux.

— Pourquoi faire ?

Olivier ne répondit pas. La voix d'Ella se fit plus aiguë.

— Ollie, à quoi va-t-elle te servir ?

Il sourit.

— C'est purement et simplement pour le décorum, Lalla, ne t'inquiète pas.

— Ta confrérie ?

— Une assemblée spéciale. Il se tut un moment. « La rapière fait partie de l'uniforme. »

— C'est tout ? Elle se détendit et l'embrassa sur la joue. « Amuse-toi bien. »

— Sans aucun doute.

Trois semaines plus tard, après une excursion de week-end qui se transforma en un séjour de six jours, Olivier rentra à de Trouvère avec un grand sparadrap sur sa joue gauche.

— Que t'est-il arrivé, mon chéri, demanda Geneviève le lendemain matin comme ils passaient à la réception de l'hôtel.

— Rien.

— Ça n'a pas l'air d'être rien.

— Un petit accident, dit Olivier avec indifférence. J'ai trébuché dans la salle de bains et je me suis coupé.

— Trop d'alcool, je suppose, dit Geneviève sur un ton sec.

— Si vous voulez.

Lorsque le pansement fut ôté une semaine après et qu'Ella vit la cicatrice, longue et fine comme une coupure faite avec le tranchant d'un rasoir, elle se rendit sans souffler mot à la bibliothèque et prit un livre.

Au bout d'une heure, repérant son frère au bar du salon bleu, elle le pria de passer dans son bureau.

— Eh bien, petite sœur, dit-il d'une voix paresseuse à son arrivée, une bouteille de vieux whisky dans la main droite, pourquoi m'a-t-on appelé ? Me suis-je encore mal comporté ?

— Je n'en sais rien. Qu'en dis-tu ?

Il ricana.

— Probablement. Il versa du whisky dans le verre qu'il tenait dans sa main gauche. En y réfléchissant bien, oui.

— Le casino ?

Il fit la grimace.

— Dieu, oui !

— Tu as perdu gros ?

— Pas plus que je ne pouvais me le permettre, dit-il avec un haussement d'épaules.

Ella s'assit à côté de lui sur le canapé.

— Tu as bu aussi ?

— C'est sûr. Il posa la bouteille sur le tapis. «Et le sexe. Tu oubliais le sexe.»

Ella le regarda en face.

— Et les combats singuliers ?

Olivier cilla.

— Quoi ?

— T'es-tu battu en duel ?

— Quelle question ! Bien sûr que non !

Elle ne le quittait pas des yeux.

— Oh ! tu veux parler de ça

Il pointa le doigt sur sa cicatrice.

— Le duel est illégal, Ella.

— Pas les duels d'étudiants, pas en Allemagne – ils appellent cela le *Mensur*.

— Je ne suis pas étudiant.

— Ollie, tu m'as menti quand tu m'as dit que la rapière était simplement destinée au décorum, n'est-ce pas ?

— Je t'assure que c'est vrai.

— Oh ! dis-moi la vérité au moins une fois dans ta vie, Olivier ! Ta petite confrérie pratique-t-elle le *Mensur* ?

— Non.

— Ah ? Il était clair qu'elle n'en croyait rien.

Il soupira.

— Les membres de La Fontaine n'ont jamais pratiqué le duel, ni même le *Mensur*. Par contre, nous faisons de l'escrime, en combinaisons protectrices et masqués.

— Comment t'es-tu fait cela alors ?

— Nous avons rencontré une confrérie associée à la fontière.

— Des étudiants ?

— Ils se contentent d'adopter certains aspects de la vie d'une fraternité d'étudiants.

— Comme le *Mensur* ?

— Oui.

Elle regarda la cicatrice en frissonnant.

— Quelle horreur !

— Pas du tout. Ce n'est pas comme le duel, Lalla – il n'y a pas d'ennemi, bien au contraire.

— Olivier, beaucoup de gens associent les groupes comme le tien avec le néo-nazisme.

— Ce qui est scandaleux.

— Vraiment ? demanda-t-elle tranquillement.

— Vraiment ? demanda-t-elle tranquillement.

— Absolument. M'associerais-tu donc à ces bandits de gauchistes ?

— Je parle de l'extrême droite, pas de la gauche.

Olivier vida son verre.

— Ceux qu'on appelle les néo-nazis ont bien plus d'affinités avec les communistes qu'avec les véritables nazis, Ella. Ils s'opposent au capitalisme, à la plupart des choses auxquelles je crois.

— Tu sembles en savoir long à leur sujet.

— Fontaine connaît les critiques dont elle est l'objet. Nous avons donc à nous défendre. Il se versa un double whisky. La plupart des néo-nazis sont d'anciens nazis – des fidèles vieillissants qui s'accrochent à leur passé avec des mentalités du Troisième Reich, et attendent la seconde venue de leur *Führer*. Leurs jeunes membres viennent des masses du football et des bandes des rues. Il fit une grimace méprisante. «Ce n'est pas notre genre. »

Ella n'était pas impressionnée.

— Que prétend représenter la confrérie La Fontaine alors ?

Olivier eut l'air agacé.

— Je te l'ai dit tout à l'heure. Ne transforme pas la vertu en vermine, veux-tu !

Elle se souvint de ses paroles.

— Des jeunes hommes fiers de leur naissance.

— Exactement.

L'un des téléphones sonna sur le bureau d'Ella, elle se leva pour répondre.

— Oui, Paula. Elle écouta un moment, répondit brièvement et reposa le récepteur. Un problème à la lingerie. Il faut que j'y aille.

— Que penses-tu de notre gouvernante, Ella ?

— Efficace et capable. Davantage depuis que tu as cessé de l'inviter chez toi.

— J'ai pensé que c'était mieux ainsi, à cause du travail.

— Peut-être ne suis-je pas tout à fait une cause perdue, dit-il sur un petit ton léger.

— Je n'ai jamais pensé que c'était ton cas. Elle alla à
la porte et se retourna vers lui. Cela ne veut pas dire que je
sois d'accord avec toutes tes façons d'agir.

— Fontaine, par exemple.

— Parfaitement.

Il lui sourit, ses yeux noirs brouillés par la boisson.

— Tu n'as pas a t'inquiéter, Ella.

— Fort bien. Elle ouvrit la porte, regarda encore une
fois en arrière et ajouta à voix basse ; «Je t'en supplie,
Olivier, sois prudent.»

Olivier leva son verre en guise de salut.

— Je le serai.

Le 11 janvier 1972, William et Krisztina étaient en Alsace
pour la célébration de leur anniversaire de mariage et le
vingt-troisième anniversaire d'Ella. Un mauvais rhume contracté par Ilona se compliqua en une pneumonie.

— Il faut que je reste, dit Krisztina à William après
une nuit pénible passée au chevet de sa mère. Ils avaient
prévu de rentrer à New York le jour suivant.

— Bien sûr. Il était inquiet. «C'est déjà diablement
ennuyeux que je sois obligé de rentrer.»

— Il le faut, dit Krisztina fermement, consciente des
pressions qui s'accumulaient sur lui dès qu'il était loin de
Hunter's. Le médecin dit que les antibiotiques devraient
faire effet bientôt. Je prendrai le premier vol qu'il me sera
possible d'attraper.

William la vit frissonner légèrement. Il alla mettre
une nouvelle bûche sur les braises dans la cheminée, puis
revint s'asseoir sur le canapé.

— Elle a quatre-vingt-deux ans, Kriszti, ma chérie,
dit-il gentiment en l'entourant de ses bras. Crois-tu qu'elle
surmontera ce coup-là ?

— Je ne sais pas. Désemparée, Krisztina le regarda
dans les yeux. Regarde Gabor, toutes ces années qu'il a

passées dans son fauteuil roulant, incapable de parler ou de faire quoi que ce soit par lui-même, et il vit toujours.

Elle soupira.

— C'est étrange, me voilà la mère d'enfants largement adultes et je sais que je devrais être capable d'affronter cela aisément en me disant que maman a atteint un grand âge et qu'elle est malheureuse depuis tant d'années.

— Je ne crois pas qu'elle ait été si malheureuse, contredit William doucement. Elle ne pouvait tout simplement plus communiquer ses sentiments comme elle avait coutume de le faire autrefois, et étant donné l'état de Gabor, peut-être une partie de son esprit est-elle restée définitivement ancrée dans le passé.

— Je me sens tellement coupable de la laisser seule. Les larmes montèrent dans la gorge de Krisztina. «Quand ils ont quitté la Hongrie, après la guerre, j'avais promis à maman que nous ne nous séparerions plus.»

— C'est ma faute, dit William. Pas la tienne.

Elle secoua la tête. Sa chevelure encore dorée et habituellement impeccable était en désordre après cette nuit de veille.

— Non, ne commence pas à te blâmer, William. C'est moi seule qui ai pris ma décision.

Elle eut un mouvement d'épaules pour souligner son désarroi.

— Nous aurions peut-être dû leur demander de venir avec nous. C'était peut-être trop dur de les laisser ici.

— Leur foyer était ici, à l'époque, Kriszti, insista William. Ils étaient dans un environnement qui leur était devenu familier, ils avaient leur confort, leurs médecins connaissaient leur histoire, ils avaient leurs petits-enfants.

— Je ne crois pas qu'Olivier leur ait été très utile.

— Ollie est un jeune homme égoïste, dit William sèchement. Mais Ella l'a remplacé fort avantageusement.

Krisztina sourit tristement.

— Notre fille. Sa voix était douce. «Elle a une allure fantastique, non?»

— Comme toi, Dieu merci – courageuse forte et avec cela, tendre comme de la guimauve.

— Cette description te conviendrait tout aussi bien, tu sais.

— Moi ? Vraiment ? Il lui caressa la joue.

— Je t'assure.

Trois jours après, Krisztina était assise dans la chambre de sa mère à huit heures du soir lorsqu'Ilona, qui avait dormi paisiblement pendant plusieurs heures d'affilée, se redressa subitement.

— Maman ? dit Krisztina en se penchant sur elle.

— Kriszti. La voix d'Ilona était rauque et étrange, son expression curieusement attentive.

— Maman, qu'y a-t-il ?

Les joues d'Ilona étaient d'un blanc fantomatique, ses yeux fiévreux étaient rivés sur sa fille.

— Te dire, dit-elle.

— Quoi ? Krisztina s'approcha et prit la main de sa mère. Tu as si chaud, maman. Dois-je appeler le médecin vendredi ?

— Non ! Pas de médecin. J'ai à te dire.

— Me dire quoi, maman chérie.

— La vérité. Ilona se mit à tousser, cette toux horrible qui la torturait depuis des jours. Krisztina lui donna une gorgée d'eau et la toux cessa, mais le souffle restait rocailleux. « Vérité », répéta-telle.

— Dois-je aller chercher père ?

— Non, Kriszti !

— Il est à côté, maman.

— *Nem* ! Pas Gabor. il ne doit pas entendre. Ilona cherchait son souffle, puis elle fit un effort énorme pour se calmer. C'est pour toi, *dragam,* uniquement pour toi.

Krisztina caressa les cheveux de sa mère en les rejetant vers la nuque.

— D'accord, maman, je comprends.

— Assieds-toi près de moi, Kriszti.

— Assieds-toi près de moi, Kriszti.

Elle s'assit sur le bord du lit.

— Plus près.

Krisztina vint aussi près que possible.

— Qu'est-ce que c'est ? Que veux-tu me dire ?

— Ce que j'aurais dû te dire il y a longtemps, très longtemps. La voix d'Ilona était plus claire et plus calme qu'elle n'avait été depuis de nombreux mois.

Krisztina attendit.

— Dans le tiroir du bas, dit Ilona.

— Quoi, maman ?

Ilona fit un geste insistant vers la commode à droite de son lit.

— Dans le tiroir du bas, Kriszti, tout au fond, sous les affaires. Une bourse.

Krisztina ouvrit le tiroir et au bout d'un moment, elle sortit la petite bourse en cuir. Étonnée, elle la mit entre les mains tremblantes de sa mère.

Les yeux d'Ilona se remplirent de larmes.

— J'ai péché.

Krisztina sursauta sous le choc.

— Tu veux voir le père Beurmann, maman ?

Ilona fit un léger signe de tête.

— Bientôt.

Krisztina allait se lever, mais Ilona la tira par le bras.

— Pas maintenant, protesta-t-elle. C'est pour toi, Krisztina, pour personne d'autre, dit-elle encore.

— D'accord, maman, d'accord. Elle se rassit. Ilona chercha à desserrer le cordon de la bourse. Veux-tu que je t'aide ?

Ilona secoua la tête en renversant la bourse sens dessus dessous. Un objet doré tomba sur le drap blanc.

— C'est à toi, dit-elle d'une voix étrange.

Krisztina se pencha sur l'objet.

— Prends, Kriszti.

— Qu'est-ce que c'est, maman ? Krisztina ramassa la chaîne fine et considéra l'étoile à six branches. Son front la

Les larmes se mirent à couler sur les joues ridées d'Ilona, des larmes de remords et de crainte emmagasinées depuis si longtemps autour de son secret.

— Elle est à toi, répéta-t-elle en suffoquant. Ton signe de naissance.

Krisztina avait le regard fixe, trop confuse pour parler.

— Elle était sur toi quand le père Jozsef t'a trouvée, sanglota Ilona. Les sanglots la firent tousser de nouveau, et étouffer. Krisztina lâcha l'étoile et donna de l'eau à sa mère au visage gris comme la cendre. La quinte se calma.

— Ça va ?

Ilona acquiesça d'un hochement de tête et se força à parler.

— Tu sais ce que c'est, Krisztina ? Tu comprends ce que cela veut dire ?

Krisztina reprit l'étoile, la déposa sur sa paume et son cœur se mit à battre fort, son souffle s'accéléra. Elle en toucha les pointes de ses doigts, elle sentit leur piqûre, et subitement, un sentiment complexe fait de respect, de compréhension et d'étonnement la parcourut, tandis qu'elle tenait ce lien fragile avec le passé, avec son passé. Beaucoup de choses s'éclaircissaient.

— Père ne savait pas ? Elle aussi tremblait. « Il ne sait pas ? »

Ilona secoua la tête négativement.

— J'avais peur pour toi. Ses lèvres frémirent.

Krisztina hocha la tête. Facile à comprendre. Oh, combien facile après les années qu'ils avaient tous traversées. Elle se torturait l'esprit.

— Tu as tenu cela caché pendant tout ce temps ?

Les larmes roulaient toujours sur les joues d'Ilona.

— C'est mon grand secret – mon grand péché.

— Pas un péché, maman. Ses yeux aussi étaient mouillés.

— Si, c'était un péché. Je savais. Jozsef savait. Mais que pouvais-je faire d'autre ? C'était comme une supplication à sa fille pour qu'elle comprenne bien.

462

— Tu aurais pu me le dire plus tard, quand j'étais plus grande. Les mots avaient glissé de sa bouche très vite, avant qu'elle ait eu le temps de réfléchir. Krisztina désirait tant réconforter sa mère, mais il lui était également impossible de ne pas dire ce qui la troublait. Dieu seul savait combien de tourments ce genre de silence avait coûté à sa mère depuis plus de cinquante ans. Elle s'efforça de s'expliquer. «Tu aurais dû me le dire quand j'ai découvert que j'étais une enfant adoptée.»

— Je le voulais – doux Jésus, je voulais te le dire – mais j'avais encore peur. Ta nouvelle vie – ton fils, le vingt-septième baron – comment aurais-je pu dire la vérité sans changer tout ?

Krisztina regardait toujours l'étoile ; elle remontait mentalement les années, et une voix retentissait dans sa tête, répétant sans cesse : «David.»

Ilona qui observait sa fille le comprit.

— Tu penses à David ?

Le cœur de Krisztina se contracta douloureusement.

— Si j'avais su... Elle s'interrompit.

— Qu'aurais-tu fait ? La voix d'Ilona était un peu plus forte. Tu te serais déclarée juive ? Te serais-tu condamnée à mort ?

Krisztina regarda franchement sa mère dans les yeux.

— J'aurais pu le faire. Ç'aurait été mon droit.

— Crois-tu que je ne sais pas cela ? Ilona se laissa retomber contre ses oreillers, la faiblesse s'emparait de nouveau d'elle.

— Maman ? s'écria Krisztina alarmée.

— Oh ! Kriszti. Elle s'accrocha à la main de sa fille. «Pourrais-tu jamais me pardonner ?»

Des larmes brûlantes roulèrent sur les joues de Krisztina.

— Il n'y a rien à pardonner, maman.

— Ces mensonges. Ces terribles mensonges qui font tant de mal.

— Par amour.

— Mon plus grand péché.

Les lèvres d'Ilona remuaient avec peine, tout son être était assailli par la culpabilité et l'ironie de son destin.

— Le père Beurmann attend pour m'accorder l'absolution au moment même où ma propre fille doit apprendre qu'elle est juive. Elle saisit les mains de Krisztina, la mine de plus en plus défaite. « Comment peux-tu me pardonner ? »

— Je le peux, maman, bien sûr que je le peux.

Ilona pressa les doigts de sa fille contre sa joue.

— *Koszonom, koszonom* !

— Pourquoi me remercies-tu, maman ? Les larmes l'aveuglaient. « C'est moi qui devrais te remercier. »

Ilona réussit à sourire.

— *Koszonom*, Kriszti, murmura-t-elle de nouveau.

— Pourquoi ? Parce que je t'aime ? C'est impossible de ne pas t'aimer, maman.

— D'être venue à moi venant de nulle part, souffla Ilona. D'être ma fille, mon enfant.

— Tu es ma mère, dit simplement Krisztina sans passion. Tu l'as toujours été et tu le resteras. Peu importe que je sois catholique ou juive.

Un bruit les surprit par derrière. Un bruit grotesque, à peine humain ; le gargouillement d'une gorge où l'air ne passe plus.

Ilona ouvrit des yeux immenses sous le choc.

Krisztina se retourna.

Gabor était assis dans son fauteuil électrique qui s'encadrait dans la porte. Il happait l'air de sa main gauche encore valide, comme s'il cherchait à saisir quelque chose ou quelqu'un. Ses lunettes pendaient de travers, ne tenant plus que par une oreille. De son œil gauche, celui qui était encore bon, il dévisageait Krisztina d'un air incrédule et avec une horreur absolue.

— Eh bien, maintenant, tu sais. La voix d'Ilona était affreusement sonore dans la paix du soir.

L'œil regardait toujours.

— Maintenant, tu connais enfin mon grand péché, Gabor Florian. Ilona se pencha en avant, usant ses dernières forces. «Et tu connais ton propre péché.»

— Maman, non, dit Krisztina en faisant un pas vers son père.

Mais Ilona ne pouvait plus s'arrêter.

— Maintenant, tu sais, Gabor Florian, que ta fille – ta fille que tu disais aimer et que tu as trahie de différentes manières — est une Juive.

Gabor n'avait pas parlé depuis plus de seize ans.

À présent, il luttait, se débattait, ses yeux roulaient, exorbités, la salive dégouttait sur son menton, sa poitrine se soulevait.

Il réussit à prononcer un seul mot ;

— Kriszti !

Et il mourut.

Le père Beurmann vint entendre la confession d'Ilona et lui donner l'extrême-onction. Puis il pria sur le corps recroquevillé de Gabor. Le docteur Freitag, Krisztina et Geneviève étaient près d'Ilona quand elle s'enfonça dans son dernier sommeil pour mourir à son tour à quatre heures du matin.

— Je ne sais pas si elle désirait que je révèle la vérité à toute la famille, dit pensivement Krisztina à William trois soirs après les obsèques étranges d'Ilona et Gabor. Ils étaient couchés dans leur lit du pavillon est.

William réfléchit un moment.

— Je suppose qu'elle voulait que tu prennes toi-même la décision quand tu serais prête.

— Mais toi, qu'en penses-tu ?

— Ce n'est pas mon secret, ma chérie.

— Mais je ne veux pas que ça reste un secret ! Krisztina se déplaça de côté pour regarder son mari en face.

— Je n'ai pas à avoir honte.

— Eh bien, dis-leur.

— Comme ça, sans préambule ?

— Comme ça, sans préambule ?

— Pourquoi pas ?

— Je ne sais pas... ça peut être un choc pour des catholiques convaincus.

— Es-tu choquée, toi, Kriszti ?

— Non.

— Eh bien alors, pourquoi cela ennuierait-il tes enfants ? Je suis certain que Geneviève ne se scandalisera pas.

— Tu as probablement raison, dit Krisztina en souriant. Bien que même Belle-mère... Sa religion est très importante pour elle.

— Tu m'as dit que ton catholicisme tiède ne l'avait jamais gênée. De plus, songe à ce qu'elle a fait pour David.

— Tu as raison, naturellement. Cela ne fera aucune différence pour elle. Peut-être ce fait nouveau expliquera certaines choses me concernant.

— De même que cela t'a éclairée toi-même. Il l'attira vers lui.

— Tu ne comprends pas vraiment pourquoi Maman ne m'avait jamais rien dit avant ? dit-elle après un silence.

— Non, pas vraiment, mais toi, tu le peux, et c'est cela qui compte.

— Oui, je le peux, dit-elle comme pour elle-même. Père et mon mari étaient farouchement antisémites et il y avait la guerre partout. Maman a compris tout de suite. Elle savait que j'avais trouvé le bonheur et la sécurité, et elle ne voulait pas me mettre en danger.

— Et à présent, tu te poses la même question qu'elle-même s'est posée à l'époque ; faut-il risquer une légère distorsion dans nos vies bien réglées, ou bien faut-il cacher encore cette Étoile de David dans un tiroir pour une cinquantaine d'années ?

Krisztina soupira.

— Oui.

— Sauf que, en la cachant encore, tu perpétues les actes monstrueux d'Adolf Hitler et de tous les antisémites qui l'ont précédé.

— Certain.

— Dieu !

— Pense aussi à cela, ma chérie ; ce serait absurde et quelque peu ironique dans un sens ! Pour l'amour de Dieu, pense à l'État d'Israël – pense à tout ce que ces gens ont souffert dans ces dix dernières années. Et dans quel but ? Pour qu'une femme de ton intelligence et de ta valeur morale en arrive à avoir honte d'être juive ?

— Mais je n'ai pas honte, William.

— Non, bien sûr que non. Je crois que tu en es fière en réalité, n'est-ce pas ? Il ne s'agit pas en l'occurrence de prendre une décision essentielle ; comme par exemple te convertir à la religion judaïque. Ce n'est qu'une simple question d'identité.

Elle demeura silencieuse.

— Regarde, mon amour. Il prit la bourse en cuir usé sur la table de chevet, du côté de Krisztina. Cela représente ce que tu es, ce que ta mère par le sang et probablement ton père étaient. C'est cela, la vérité, Krisztina. La vérité simple et nue.

Krisztina ne souffla mot pendant quelques moments encore, puis elle quitta subitement son lit et prit son peignoir.

— Où vas tu ?

— Rassembler la famille.

— Maintenant ?

Elle noua sa ceinture de soie en une boucle serrée et solide.

— Comment ai-je pu être aussi bête !

William se redressa.

— Kriszti, il est deux heures du matin !

Elle le regarda.

— C'est vrai ?

— Oh !

— Il me semble que tu devrais tout de même attendre le courant de la matinée, tu ne crois pas ?

Elle revint se coucher lentement.

— Je peux reprendre l'étoile, s'il te plaît ?

Ils éteignirent leurs lampes. Ils reposèrent dans les bras l'un de l'autre. Krisztina resta éveillée quelque temps, accueillant avec joie la paix nouvelle qui progressait lentement en elle. Elle s'endormit enfin, la petite étoile d'or bien serrée dans sa main.

Elle les mit au courant.

Comme prévu, Geneviève prit la nouvelle avec son calme habituel tandis qu'Ella, éloignée de plus d'une génération du climat qui avait nécessité ce genre de clandestinité, fut fascinée mais ne s'en trouva pas fondamentalement perturbée.

Olivier était comme pétrifié.

— Je n'y crois pas, déclara-t-il péremptoirement.

— C'est la vérité, mon chéri, assura doucement Krisztina.

— Quel en est le garant ?

— Un prêtre, le cousin de ma mère.

— C'est vraiment stupéfiant, dit Ella. Dieu soit loué qu'elle ait pu encore te le dire.

Elle sourit.

— Je n'ai jamais oublié l'histoire du chien ; c'est comme un conte fantastique.

— C'est bien cela, sans aucun doute, décida aigrement Olivier. Un mythe pur et simple. Regardons les choses en face. Grand-mère ne s'est pas montrée très sensée ces dernières années.

— Je t'assure qu'elle avait toute sa tête lorsqu'elle m'a fait son récit.

Les yeux d'Olivier étaient noirs.

— Je refuse d'y croire.

— Et ceci ? William prit la *Magen David* sur la petite table en marbre du salon de Geneviève où ils prenaient le café. Est-ce une affabulation sortie de l'imagination de ta grand-mère ?

— Elle n'était pas ma grand-mère, dit brutalement Olivier.

— Réponds à ma question, Olivier. Que dis-tu de ceci ? William mit l'étoile sous les yeux d'Olivier.

— Elle pouvait l'avoir trouvée.

— Ne sois pas puéril.

Olivier ignora William et reporta son regard coléreux sur Krisztina.

— Toi, une Juive ? Il secoua la tête avec véhémence. Impossible.

— Pourquoi ?

Elle sourit.

— À cause de mes cheveux ? De mes yeux ? Le cousin de maman lui a dit que ma vraie mère était blonde aussi.

— Ollie, y a-t-il du mal à être juif ? demanda William avec calme.

— Ne pose pas de question ridicule, rétorqua Olivier.

— Il me semble que c'est une question fort pertinente.

Olivier ignora de nouveau son beau-père. Il se sentait mal à l'aise, révulsé, et surtout, il se sentait trahi.

Il eut un rire amer.

— Qu'est-ce qui t'amuse ainsi ? demanda Geneviève.

— C'est que durant toutes ces années, durant toute ma vie, ce fut mon vrai père que la famille considéra comme une brebis galeuse, comme le pécheur.

— Ce n'est pas vrai, mon chéri. Krisztina était pâle.

— Bien sur que si, c'est vrai ! Et toi, toi surtout, qui dispensais généreusement ton pardon, alors que c'était lui qui valait cent fois mieux que toi sur bien des points, c'est certain.

— Olivier ! Ella était abasourdie.

— C'est différent pour toi, Lalla ; tu es ma sœur, et tu sais que je t'aime, mais tu n'as jamais porté le nom de Trouvère, de sorte que tu n'es pas concernée par cette souillure.

Les yeux d'Ella se remplirent de chagrin et de surprise.

— Je n'ai aucune idée de ce dont tu es en train de parler, Olivier.

— Ella, ma chérie, je crois qu'il est en train de parler de supériorité raciale. William avait la mine sombre.

Le silence tomba dans la pièce.

— Mais non, papa, souffla Ella. Ce n'est pas ce que tu veux dire, n'est-ce pas, Olivier ? dit-elle à son frère sur le ton de la supplication.

Olivier se leva et fit face à sa famille, les yeux pleins d'animosité.

— Ton père a raison, Lalla, bien qu'un peu trop mélodramatique. Je m'inquiète de la pureté de notre lignée, de la lignée de Trouvère. Ses lèvres ne formaient plus qu'une ligne fine. «Et jusqu'à ce que notre mère épouse mon père, nous étions purs, purs et sans tache.»

Geneviève fut debout d'un bond et le bruit de sa gifle résonna dans le salon frappé d'horreur où plus personne ne bougeait.

Olivier dévisagea sa mère et fit une courbette.

— Merci, grand-maman. La cicatrice de sa joue gauche s'accentua, menaçante.

Les mains de Geneviève tremblèrent, mais elle garda le menton dressé en regardant son petit-fils avec effroi.

— Parfois, Olivier, je pense que tu aurais fait un nazi de premier plan.

Ella était clouée dans son fauteuil, son regard horrifié rivé sur la cicatrice qu'Olivier avait expliquée à sa famille par un accident ; elle fit soudain la liaison avec l'uniforme aux soutaches dorées qu'elle savait suspendu dans la penderie.

— Ella ? Ma chérie ? William paraissait las et anxieux. «Te sens-tu bien ?»

Ella fit un signe de tête affirmatif, incapable de dire un seul mot, préférant chasser de son cerveau des pensées déplaisantes. Il y a des choses dans la vie sur lesquelles il est préférable de ne pas réfléchir, se dit-elle.

Krisztina demeura très calme, mais ses yeux étaient embués de larmes.

— Comment ne serait-elle pas troublée, William ? Comment pourrions-nous nous sentir à l'aise ? conclut-elle d'une voix faible.

XXIX

Olivier voulait sa revanche. Il désirait plus que jamais prendre le contrôle du domaine, et dorénavant, il était déterminé à l'obtenir à tout prix. William et Krisztina repartirent pour les États-Unis – heureusement, car chaque fois qu'il regardait sa mère, il se remémorait sa véritable origine et se trouvait confronté au fait qu'une moitié de lui-même était méprisable. Néanmoins, de Trouvère était toujours dominé par sa maudite et impérieuse grand-mère au sommet du triangle constituant la direction du domaine.

Au second week-end d'avril, les membres de la confrérie d'Olivier, Fontaine, et leurs associés allemands tinrent un « séminaire » à l'hôtel. Olivier avait détourné la désapprobation d'Ella en demandant à chaque participant de réserver lui-même sa chambre. Ainsi serait-il trop tard pour modifier quoi que ce soit lorsqu'elle apprendrait leur arrivée.

Le vendredi soir, à plus de minuit, Ella s'occupait dans son bureau de sa correspondance en retard ; elle fut appelée par un portier de nuit cramoisi, Louis Dettlingen.

    — Que se passe-t-il, Louis ? demanda-t-elle en le suivant presque en courant.

    Il marmonna quelques mots.

    — Pardon ?

    Le jeune homme s'arrêta tout à coup et se retourna vers elle.

— C'est une orgie, madame ! Son visage exprimait les affres de l'embarras.

— Quoi ?

— Une orgie, répéta-t-il.

— Où ?

Désespéré, il haussa les épaules.

— Partout !

Pour Ella, les deux heures qui suivirent furent atroces.

Le portier de nuit avait raison. Le dîner organisé pour les deux confréries dans le salon d'été et le salon fleuri avait sans tarder tourné en une beuverie effrénée qui avait débordé sur une grande partie du château pour se terminer en une bacchanale infernale.

— D'où viennent ces femmes ? demanda Ella après avoir trouvé deux couples à moitié nus sur le tapis persan du salon rouge.

— Elles n'étaient pas ici quand j'ai quitté mon service, se défendit Jean-Martin, descendu de sa chambre.

Elle s'adressa au plus jeune.

— Louis ?

— Elles sont arrivées dans la soirée, dit-il tout bas. Monsieur le baron a dit qu'elles étaient invitées.

— Des poules ! commenta Jean-Martin avec dégoût.

— Que pouvais-je faire ? plaida Louis en se tordant les mains. Comment pouvais-je savoir ?

— C'est justement votre travail, de savoir ! fustigea Jean-Martin.

— Ça va, intervint Krisztina. Occupons-nous plutôt à nettoyer cette saleté. Louis, y a-t-il d'autres clients encore debout ?

— Malheureusement, les Livorne étaient dans la bibliothèque, ils voulaient lire. Ils sont venus à la réception pour se plaindre du bruit.

Ella passa rapidement en revue la liste des clients ; elle s'aperçut que les invités d'Olivier avaient réservé quasiment la totalité de l'hôtel, ce qui était heureux dans un certain sens.

— Et Maître Galle ?

— Il est parti ce soir à Colmar pour affaires. Il n'est pas encore rentré.

Ella passa la main dans ses cheveux.

— Alors, mettons-nous au travail immédiatement.

— Dois-je réveiller madame la baronne ?

— Pourquoi faire ?

— Madame m'a dit de toujours l'informer en cas de crise.

— Vous ne la réveillerez certainement pas, répliqua Ella sur un ton crispé.

Jean-Martin eut l'air plus que jamais mécontent du portier de nuit.

— Au travail, mon vieux, pour l'amour du ciel !

— Oui, Monsieur Lelouche.

Ella n'avait jamais vu, ni même imaginé un tel spectacle. C'était une débauche effrayante, la dégradation intégrale de la personne, et elle n'était pas préparée à affronter une telle situation.

Or, elle fit face avec l'assistance de ses deux portiers. Ensemble, ils retirèrent des eaux glacées du bassin huit hommes de la confrérie ruisselants et à moitié déshabillés. Ils mirent fin à une compétition de lutteurs nus qui avait lieu en haut du grand escalier baroque. Ils mirent sous clef les bouteilles d'alcool qu'ils trouvèrent. Ils balayèrent la verrerie brisée et nettoyèrent les vomissures. Ils mirent neuf hommes au lit après avoir renvoyé en taxis et gratuitement sept prostituées mécontentes.

— Pourquoi ne pas réveiller Fräulein Müller ? demanda Louis avec bon sens tandis qu'il frottait des saletés rebutantes sur le tapis du bar. Je suis sûre qu'elle ferait cela mieux que moi.

— Je n'en doute pas, acquiesça Ella gentiment, mais ne pensez-vous pas qu'il vaut mieux mettre le moins de gens possible au courant de cette débauche. Elle s'agenouilla et l'aida un moment, puis s'interrompit. « Ce tapis-là exige un traitement par un professionnel, j'en ai bien peur. »

— Zut !

Ils levèrent la tête vers Jean-Martin qui entrait dans le bar.

— Quoi encore ? demanda Ella.

— Avez-vous vu la salle de la chasse, madame ?

— Pas encore.

— Alors, n'y allez pas, je vous en supplie. Il aida Louis à se relever. Venez vite, pressa-t-il.

Ella se leva.

— J'y vais aussi.

— Non, madame je vous en prie ! Il y a des choses qu'une dame ne doit pas voir, même à notre époque éclairée.

Ella le regarda dans les yeux.

— Il s'agit de mon hôtel familial, Jean-Martin, et il est sous ma responsabilité. Je ne dois rien ignorer de ce qui se passe dans cette maison.

— Pardonnez-moi d'être en désaccord avec vous, mais toutes les règles ont des exceptions.

— Oh ! pour l'amour du ciel, s'exclama-t-elle, agacée, nous perdons notre temps. Voulez-vous m'accompagner tous les deux ou dois-je y aller seule ?

— Nom de Dieu ! murmura Louis en ouvrant la porte.

La salle de la chasse était dans un désordre total, meubles retournés, deux vitrines brisées et une odeur épouvantable emplissait l'air. Mais ce qui pétrifia Ella et, dans une moindre mesure, Louis et Jean-Martin, ce fut la vue de deux jeunes hommes vêtus de leur chemise blanche déchirée, allongés sans bouger, leurs membres emmêlés dans les pattes d'Artémis, le chien-loup irlandais de cinq ans dont le corp était mou et apparemment sans vie.

La tête d'Ella se mit à tourner.

« Je ne dois pas me trouver mal, se dit-elle avec force. Je ne dois pas ! »

Dans l'autre coin de la salle, un troisième homme, à demi effondré contre le décor en trompe l'œil urinait dans un vase étrusque en terre cuite.

Le sang bourdonnait dans les oreilles d'Ella.

— C'est assez !

Le son de sa voix, net et autoritaire, stupéfia momentanément l'homme qui laissa tomber le vase sur le parquet où il éclata en mille fragments.

Ella ignora volontairement le chien, elle ne se rendait même pas compte que ses ongles s'enfonçaient jusqu'au sang dans la chair de ses paumes.

— Louis, s'il vous plaît, accompagnez cette personne dans sa chambre et enfermez-la à clef.

— Oui, madame.

La voix du portier avait un ton singulier qu'Ella entendait pour la première fois chez lui.

— Vous y arriverez ? dit-elle.

— Assurément, madame.

Il avança d'un pas rapide vers le malotru et prit son bras. L'homme refusa de se laisser faire.

— Ne me touchez pas !

— Ne soyez donc pas plus idiot, vous l'êtes déjà suffisamment, lança Louis. Il tenta de s'emparer de lui, mais l'homme était plus grand et plus fort ; il lui allongea un coup de poing dans la poitrine.

Il y eut un bref silence haletant pendant lequel Louis sembla reprendre son souffle. Puis, tout à fait inopinément, il inclina la tête vers Ella.

— Excusez-moi, madame, dit-il d'un ton plaisant, et aussitôt, tournant avec agilité sur ses talons, il brandit son bras droit, serra son poing et l'abattit avec précision sur le menton de l'homme. Louis le rattrapa tandis qu'il perdait l'équilibre.

— Merde alors ! dit Jean-Martin de nouveau.

— Désolé, dit Louis, la face rouge. Puis-je l'emporter maintenant, madame ?

— Je vous en prie, faites. Ébahie, elle regarda le petit portier jeter sur son épaule l'homme inconscient comme s'il ne pesait pas plus qu'un sac de pommes de terre. «Louis ?»

— Oui, madame ?

— C'était superbe.

De rouge qu'il était, il devint cramoisi.

— Merci, madame. Je reviens dans un moment.

Ella se raidit pour baisser la tête sur les deux autres hommes qui dormaient ; ils étaient écœurants, ainsi écartelés près de la belle Artémis.

Jean-Martin s'accroupit, les démêla l'un de l'autre et posa une main légère sur le flanc du chien.

— Elle est vivante. Il fronça les sourcils. Je crois qu'elle a été droguée.

Ella avait du mal à se contrôler.

Jean-Martin dévisagea les hommes.

— Eux aussi sont bien, je pense. Ils sont sous l'effet de la boisson et... Il s'interrompit.

Ella fermait les yeux.

— Madame ?

Elle les rouvrit.

— Ça va.

— Dois-je téléphoner à la police, ou souhaitez-vous que cette soirée soit oubliée ? Le visage du portier était impassible.

Elle ne répondit pas.

— Peut-être, risqua-t-il, préférez-vous attendre un peu avant de prendre une décision ?

Il fit tourner un peu l'autre homme de son pied gauche. L'homme roula dans son sommeil et montra une blessure rouge à sa cuisse droite.

— Artémis a dû le mordre.

Elle avala sa salive. Elle avait la nausée.

— Débarrassez-nous d'eux, Jean-Martin, pria-t-elle entre ses dents serrées. Pour l'amour de Dieu, débarrassez-nous d'eux ! Elle se laissa tomber sur le sol et toucha la fourrure hirsute de l'animal, les yeux remplis de larmes qu'elle repoussait violemment. « Je ferais mieux d'appeler un vétérinaire. »

— Je vais le faire, madame, dès que j'aurai enfermé ces deux monstres. Je peux les mettre au cellier ? Ils auront de quoi méditer quand ils se réveilleront.

— Excellente idée, mais nous ne pouvons pas nous permettre de prendre ce risque.

— Ils n'oseraient pas déposer de plainte.

Elle eut un haussement d'épaules ; elle était lasse.

— Nous sommes même obligés de les mettre au lit et en plus d'appeler le docteur Freitag pour les examiner et s'occuper de cette blessure.

— Ne fera-t-il pas un rapport officiel ?

Ella secoua la tête.

— Non, à moins qu'il n'y ait quelque chose de grave, ce dont je doute.

Louis revint en poussant un chariot à bagages.

— Pourquoi faire ? demanda Jean-Martin.

— J'ai pensé que ce serait assez bon pour transporter ceux-là, monsieur Lelouche.

Ella hocha la tête.

— Excellent.

— Comment va Artémis, madame ?

Elle sentit la respiration régulière de l'animal.

— Elle doit dormir, Dieu merci. Jean-Martin suppose qu'elle a été droguée.

Louis eut l'air horrifié.

— Avec quoi ?

— Dieu seul le sait. Le visage d'Ella était plus sombre que jamais. Mais je trouverai bien !

Quarante-cinq minutes plus tard, l'hôtel avait retrouvé un semblant de normalité, au moins superficiellement, et à trois heures moins dix minutes du matin, lorsque Maître Galle, un notaire parisien en vue, passa d'un air satisfait la porte d'entrée, Louis était à son poste vêtu d'un uniforme propre. Il offrit à l'hôte la clef de sa chambre avec un sourire aimable.

— La soirée a été calme, Louis ?

— Comme un tombeau, Maître.

— Bonne nuit, Louis.

Le portier de nuit s'inclina.

— Bonne nuit, monsieur.

Dans son bureau, Ella, un verre de cognac préparé par Lelouche dans le creux de ses mains, regarda Jean-Martin.

— Avez-vous vu mon frère ?

Le visage du portier était imperturbable.

— Non, madame.

— Le médecin est-il encore ici ?

— Il appellera en bas quand il sera prêt à partir. Il regarda Artémis qu'il avait posé sur une couverture sur le sol. Le vétérinaire est en route.

— Bien.

— Essayez de ne pas trop y penser, madame, dit gentiment le portier. Il faut chasser cette soirée de votre esprit aussi vite que possible.

La vision de la salle de la chasse, à présent fermée au public, passa en éclair dans son esprit et elle ferma les yeux en s'efforçant de l'écarter.

— Voudriez-vous aller vous coucher, madame ? Je pourrais attendre le vétérinaire.

Elle lui sourit.

— Non, merci, Jean-Martin. Je préfère l'attendre moi-même.

— Eh bien alors, je vais voir si le docteur Freitag a besoin de moi.

— Allez vous reposer ensuite. Il fera jour bientôt.

Le vétérinaire vint, et Ella fut heureuse d'apprendre qu'Artémis n'était pas en danger et n'avait pas été maltraitée. Elle se rendit dans le hall de réception pour voir Louis Dettlingen.

— Je tiens à m'assurer qu'il n'y a plus de prostituées dans la maison, Louis.

— Il n'y en a plus, madame, répondit-il avec emphase.

— Comment pouvez-vous en être aussi sûr ?

— Parce que je les ai comptées quand...

Il eut l'air de nouveau fort embarrassé...

— Quand elles sont arrivées.

Ella hocha la tête.

— Bien.

Il y eut un silence gêné.

— Madame ?

— Oui, Louis ?

— Je regrette beaucoup ce qui s'est passé cette nuit.

— Nous le regrettons tous, dit Ella, la mine harassée.

— Je dois vous demander d'accepter ma démission.

Il regardait par terre, l'air misérable.

— Pourquoi ? s'étonna-t-elle.

— Parce que c'est ma faute.

— Bien sûr que non, ce n'est pas votre faute.

— Je ne suis pas responsable de tout... mais les... (Il trébuchait sur le mot...) les prostituées. Monsieur Lelouche a tout à fait raison. J'aurais dû faire attention.

Ella sourit.

— Une nouvelle expérience pour vous, Louis. Chacun de nous commet des fautes, vous le savez bien.

— Oui, mais à quel prix ! Il paraissait tout à fait désemparé. Non, madame Hunter, je suis à blâmer et je dois m'en aller.

— Oh ! c'est ridicule, Louis, dit Ella brusquement. Ne soyez pas si dramatique. Vous avez fait montre d'une force extraordinaire durant ces dernières heures, et si vous avez commis une erreur tout à l'heure, je suis sûre que vous ne retomberez plus dans le même piège, n'est-ce pas ?

— Jamais !

— Eh bien, c'est arrangé.

— Vraiment ?

— Totalement. J'ai même l'impression qu'un jour, vous ferez un excellent réceptionniste en chef ; sinon ici, en tout cas quelque part ailleurs.

— Je n'ai pas envie de travailler ailleurs.

Ella sourit.

— Alors, il faudra que vous soyez très patient car Monsieur Lelouche est encore jeune.

— Je suis heureux de travailler sous ses ordres, madame, répondit Louis avec ardeur.

— Nous sommes ravis de vous garder, mais vous pourriez vouloir changer d'établissement un jour. Or, vous savez que vous devez servir comme réceptionniste en chef dans un hôtel de premier ordre pendant cinq ans avant de porter les clefs d'or.

Il hocha la tête.

— Juste une question, Louis, dit-elle, prise d'une arrière-pensée.

— Madame ?

— Où avez-vous appris la boxe ?

Il eut un petit sourire.

— À l'école.

— J'imagine que vous excelliez dans cet exercice.

— L'uppercut a toujours été ma spécialité, confia-t-il, arborant un sourire rayonnant.

— Je saurai m'en souvenir.

Après avoir parcouru tous les étages de l'hôtel, Ella se rendit dans l'aile est à la recherche d'Olivier. Il n'était pas dans sa chambre. Elle réfléchit un moment, puis revint dans le bâtiment principal, prit l'ascenseur jusqu'au sous-sol et se dirigea sans hésiter vers la chambre de Paula Müller.

Elle tapa à petits coups secs et sonores sur la porte. Il y eut un silence de mort suivi d'un bruit de pieds traînant sur le sol, puis elle entendit des voix.

— Fräulein Müller, ouvrez, je vous prie.

La porte fut entrebâillée. La gouvernante darda son regard sur Ella, les cheveux hirsutes, son mascara dégoulinant, une robe de chambre en satin passée sur ses épaules.

— Qu'y a-t-il ?

— Mon frère est-il ici ?

— Mais non, bien sûr que non.

— Je n'en crois rien, cria Ella.

Elle entendit Olivier à l'intérieur de la chambre.

— Laisse, Paula, ça va.

Paula haussa les épaules et ouvrit la porte plus largement. Ella vit son frère assis sur le lit, sa vareuse d'uniforme jetée sur ses épaules, en train de mettre son pantalon.

— Que veux-tu, Lalla ? Sa voix était pâteuse.

— Te parler, dit Ella calmement.

— En pleine nuit ?

— Oui.

Le visage de Paula Müller rougit.

— Je suppose que c'est moi qui payerai pour les autres, dit-elle avec colère.

— De quoi parlez-vous donc, Paula ?

— Vous n'allez pas me renvoyer ?

Ella sourit.

— Vous êtes beaucoup trop importante pour nous en ce moment pour que nous vous laissions partir.

L'Autrichienne eut l'air confus.

Ella regarda sa montre.

— Dormez plutôt un peu – bien que cela n'en vaille guère la peine étant donné que vous devez vous lever dans une demi-heure.

— Je ne prends pas mon service avant sept heures aujourd'hui.

Ella sourit de nouveau.

— Rectification. Vous serez à votre poste à cinq heures sonnantes. Monsieur Lelouche vous donnera ses instructions.

— Depuis quand dois-je recevoir mes ordres de lui ?

— Depuis aujourd'hui. Vous trouverez de quoi vous occuper dans les chambres ce matin, certains clients semblent avoir bu plus qu'ils ne pouvaient supporter.

Olivier les rejoignit à la porte.

— Qu'y a-t-il de si important qui ne puisse attendre ? demanda-t-il. Ella perçut une pointe d'appréhension derrière la bravade.

— Nous allons faire un petit tour ensemble dans l'hôtel, Olivier.

— Quoi ?

— Tu m'as bien entendu. Elle le tira par la main. «Bonne matinée, Fräulein Müller.» Ella referma la porte.

— Ella, pour l'amour de Dieu, qu'est-ce que cela signifie ? Comment oses-tu intervenir dans ma vie privée de cette manière ?

Le regard d'Ella se fit exceptionnellement dur.

— Je l'ose, Olivier, dit-elle tranquillement. Et dorénavant, j'oserai souvent.

Une demi-heure plus tard, de retour dans son bureau, Ella lui fit face.

— Eh bien, as-tu aimé ?

— Quoi ?

— Le travail de tes amis ?

Il ne répondit pas.

— Aimes-tu ce qu'ils ont fait ?

Il rougit.

— Bien sûr que non. C'est dégoûtant.

— Les Confrères de La Fontaine. Des aristocrates ?

Nouveau silence.

— J'ai un mot qui leur convient mieux. Un mot allemand, mais qui s'applique à tous.

Il fixa le mur.

— Untermenschen, dit-elle. Des sous-hommes.

Olivier releva le menton.

— Ne vas pas trop loin, Ella. Tu insultes mes amis.

— Tu les appelles encore tes amis ? Des hommes qui vomissent et défèquent dans les salons publics...

— Ils étaient ivres, c'est tout.

— Des hommes qui griffonnent des obscénités sur les murs de l'hôtel, sur tes murs, les murs de de Trouvère.

— Ils ne savaient pas ce qu'ils faisaient.

— J'en suis sûre ! Tout à fait maîtrisée, la colère la portait. Je suis sûre qu'ils ne savaient pas que les femmes que tu avais invitées dans cet hôtel, notre hôtel, étaient des putains !

Olivier était blanc.

— Cesse d'être prude à ce point, Ella !

— Prude ? Ella bondit de sa chaise. Tes prétendus amis ont brisé des objets antiques qui n'avaient pas de prix, détruit des tapis de valeur, se sont conduits comme des bêtes sauvages et ont terrorisé des gens décents !

Il se leva péniblement du canapé, sa peur fut subitement plus évidente.

— Ella, s'il te plaît...

La voix d'Ella se fit glacée.

— Ils ont entraîné une belle créature innocente dans leurs plaisirs – ils l'ont empoisonnée pour commettre Dieu seul sait quel méfait sur elle.

— Ce n'est pas ma faute ! Jamais je n'aurais permis cela !

— Le Seigneur soit loué pour cette modeste grâce !

— Pourquoi m'accuser alors ?

— Parce que c'est toi, Olivier, vingt-septième Baron de Trouvère, qui as invité ces vandales, ces sodomites dans notre hôtel ! Elle se laissa retomber sur sa chaise, subitement épuisée. Et à présent, c'est à toi de nous débarrasser d'eux.

— Je vais le faire, bien sûr.

— Ce matin même !

— Mais ils viennent d'arriver ! Je ne peux...

— Olivier, ils peuvent s'estimer heureux de ne pas se retrouver en prison ; qu'ils n'abusent donc pas, sinon...

— Okay, okay, dit-il en levant les mains défensivement. Je vais les faire partir.

— Et les dommages ?

— Quoi, les dommages ?

— Attends-tu que l'hôtel finance ce vandalisme ?

— Je paierai.

— Pourquoi ? demanda-t-elle.

Il eut l'air gêné.

— Parce que c'est à moi de le faire. C'est à peu près ce que tu as dit.

— Est-ce toi qui as brisé les sculptures et les vases ?

— Non, mais...

— Est-ce toi qui as vomi sur le tapis en soie du seizième siècle aux motifs cynégétiques ?

— Mon Dieu, bien sûr que non, ce n'est pas moi !

— Je ne le pensais pas d'ailleurs, dit-elle tranquillement. Je pensais qu'il te restait peut-être quelque vestige de ton éducation.

— Lalla, je t'ai dit que je paierai. Pourquoi ne pas en rester là ?

— Parce que tu es trop lâche pour demander réparation aux responsables de ces dégâts !

— Non ! s'écria-t-il violemment.

Ella étudia son frère.

— Tu vas au moins donner ta démission, n'est-ce pas ?

— Ma démission ?

— Tu vas te retirer du groupe La Fontaine.

Il hésita.

— Je n'en sais rien.

— Peut-être admires-tu leur conduite ? demanda-t-elle avec une ironie appuyée.

Il rougit fortement.

— Pas pour cette nuit, certainement pas.

— Cela est exceptionnel, n'est-ce pas ?

— Oui.

— D'ordinaire, ils agissent comme des aristocrates bien élevés et civilisés !

— C'est vrai.

— Sauf en cas de duel parfois.

Il demeura silencieux.

— L'un de ceux que nous avons trouvé dans la salle de la chasse, l'un des cochons qui a empoisonné Artémis, portait exactement la même balafre que toi, Olivier. *Schmiss,* c'est ainsi qu'ils appellent ça, non ?

Olivier était comme un poisson gigotant pour se débarrasser l'un hameçon.

Ella eut soudain les larmes aux yeux.

— Voilà des amis dont on peut s'enorgueillir, Olivier.

Il scruta son visage.

— Je suppose que ma chère grand-mère entendra parler de cela. Une note de défi était revenue dans sa voix.

— Je suppose que oui.

— C'est que tu la mettras au courant alors ?

Ella sourit tristement.

— Imagines-tu qu'elle aura besoin qu'on lui dise quoi que ce soit pour comprendre ? Toutes les salles publiques ont été souillées et endommagées. Il règne une puanteur consternante dans le salon rouge, le bar principal et l'hôtel seront à peu près vides à midi.

— Tu veux qu'ils partent, dit péremptoirement Olivier.

— Oui.

Il hocha la tête.

— Une seule raison m'a retenue d'appeler la police.

— La mauvaise presse ?

— Non, Ollie.

Elle se radoucit un peu.

— De Trouvère est suffisamment solide pour survivre à un petit scandale, bien que ce ne soit guère le genre de publicité que je recherche.

— Quoi donc ? Il semblait plein de ressentiment à présent.

— Toi, répondit-elle simplement. Olivier, Baron de Trouvère. Ton nom précieux.

Il y eut un autre silence.

— Quitteras-tu la confrérie ?

Une expression désolée passa dans le regard d'Olivier, mais il ne répondit pas.

— Tu ne le feras pas, hein ?

Elle attendit avant de reprendre;

— Pourquoi pas ? As-tu peur de leur colère ? Pourquoi ?

Il rougit.

Elle le considéra, pensive; elle commençait à comprendre.

— Cela a-t-il à voir avec le fait que tu es à moitié juif ?

Olivier releva le menton vivement et ses yeux lancèrent des éclairs.

— Ne te risque jamais à dire cela !

— Pourquoi pas ? C'est un fait. Que tu ne souhaites pas qu'ils découvrent parce que tu as peur de perdre leur estime. Comme si leur estime avait quelque valeur !

Il baissa les yeux vers le tapis.

Ella tremblait d'épuisement.

— Je vais dormir un peu. Elle se leva, un peu chancelante, et le regarda. «Fais-les partir, Olivier. Fais comme tu voudras, cela m'est égal, mais fais-les sortir.»

Geneviève, pensa Olivier, était comme un magistrat, dispensant une clémence assortie d'une rigueur extrême.

— Une chose pareille ne s'était jamais produite dans la famille.

— Pas même avec mon père, cette brebis galeuse ? demanda-t-il sur un ton arrogant.

— Ton père a vécu en des temps troublés, Olivier, mais il avait de la dignité ; il avait aussi le désir de protéger l'honneur de sa famille, trait qui semble curieusement absent de ton caractère.

Il darda son regard sur elle. Il était livide de rage de devoir supporter humblement les reproches de sa grand-mère, comme un gamin, en dépit de ses vingt-sept ans.

— Tout employé qui eût accumulé tant de honte sur l'établissement eût été congédié instantanément et poursuivi en justice.

— Quel dommage que je ne sois que ton petit-fils, dit-il sur un ton sardonique.

— C'est triste, mais c'est vrai.

— Écoute, grand-maman, j'ai accepté de prendre la responsabilité de tout ce gâchis, dit Olivier avec une légère touche d'humilité. J'ai dit que je rembourserai les dégâts, bien que je réalise que certaines choses ne peuvent être remplacées ; j'ai donné l'assurance que cela ne se reproduirait jamais. Ne pourrions-nous en rester là ?

— Nous le pouvons certainement, dit Geneviève d'une voix crispée. À une condition.

— J'aurais dû m'en douter.

Geneviève le fixa droit dans les yeux.

— Assieds-toi, Olivier. Ils étaient dans son bureau privé. Elle lui désigna une chaise à dossier droit. Il s'y assit. «Quelques faits simples.» Elle croisa ses mains sur ses genoux.

— Premièrement, la propriété de cet hôtel, ainsi que nous le savons tous, est partagée depuis presque six ans en trois parts égales ; ta mère, moi, et toi.

Olivier hocha la tête affirmativement.

— Deuxièmement, mon testament.

La pièce était absolument silencieuse.

— À ma mort, poursuivit Geneviève, ma part sera partagée à égalité entre Ella et toi. Je suppose que tu t'en doutais.

— Je ne suis jamais sûr de rien, grand-maman.

Geneviève leva légèrement les sourcils.

— À ma mort, les parts de ta mère et de ta demi-sœur seront égales à la tienne. Est-il juste qu'Ella ne possède qu'un tiers de la valeur de ta part ? C'est discutable, mais étant donné que j'avais pris la décision de créer un fidéicommis à ton avantage lors de ton troisième anniversaire, il ne m'appartient pas de plaider ce point, quel que soit le regret que j'en éprouve.

Olivier était impassible.

— Vous avez décidé que je serais un adulte responsable à mon vingt-et-unième anniversaire et pourtant, je suis encore soumis à votre autorité plus de cinq ans après, dit Olivier avec un rictus.

— N'exagère pas, Olivier. Tu sais très bien que tu n'accepterais aucune autorité si ta mère et moi ne tenions pas le contrôle de l'hôtel.

— Jusqu'à votre mort.

— Oui.

— Et vous me rappelez que votre testament, contrairement au fidéicommis, peut être modifié.

Les yeux gris de Geneviève étaient graves, elle se pencha légèrement en avant, tortillant du bout des doigts son collier de perles.

— C'est un détail que tu ferais bien de ne pas oublier, mon cher.

Olivier releva le menton en signe de défi.

— Vous ne pensez pas qu'il serait sage de le modifier maintenant, grand-maman ? Il la regarda dans les yeux. Après ce qui s'est passé ?

— Non.

— Pourquoi ?

— Parce que tu es mon petit-fils, répliqua-t-elle simplement. Parce qu'il me semble qu'en dépit de ton arrogance, tu sais que tu t'es conduit comme un imbécile. Et parce que je suis une incorrigible optimiste ; j'espère que tu peux encore apprendre.

— Apprendre quoi ?

— Au moins les préséances, à défaut d'autre chose.

Nul besoin pour Olivier d'avoir le sens des affaires ; une connaissance élémentaire de l'arithmétique lui suffit pour comprendre qu'il était en danger. S'il ne faisait rien de plus pour encourir la colère de sa grand-mère ou de sa mère, et si celle-ci vivait jusqu'à un âge raisonnable, il lui faudrait encore au minimum deux décennies avant d'obtenir le contrôle de de Trouvère.

Certes, Geneviève avait décidé de laisser son testament tel qu'elle l'avait déjà établi, mais Olivier soupçonnait la détresse de sa grand-mère à l'idée de savoir qu'après sa mort, chaque décision concernant l'établissement pourrait dégénérer en lutte, Krisztina et Ella devant former un front commun contre lui. Et que se passerait-il s'il commettait d'autres méfaits, ce qui pourrait bien se produire ?

Chaque jour, Olivier se surprit à observer sa grand-mère, à présent une vieille dame indomptable et remarquablement jeune pour ses soixante-dix-huit ans. Il cherchait des signes de fragilité, soit physiques, soit mentaux, mais il ne détectait rien d'autre que le ralentissement de son pas qui avait toujours été plus rapide que chez la plupart des gens, et le besoin de se coucher de bonne heure.

Combien de temps pouvait-elle continuer ainsi ?

Les femmes de ce type vivent jusqu'à cent ans, se disait-il, la mine découragée.

Si seulement elle n'était pas aussi vigoureuse.

Si seulement elle se couchait un soir pour ne plus se réveiller, tout simplement.

Si seulement...

Ce fut l'examen de santé annuel de sa grand-mère qui le décida.

Elle était rentrée de Strasbourg, toujours aussi élégante mais avec une lueur de plaisir dans les yeux, lueur absente depuis quelque temps.

Ce soir-là, au dîner qu'Olivier et Ella partagèrent avec elle à leur table du restaurant, Olivier avait fait un commentaire sur la gaieté retrouvée de Geneviève.

— Je suis de bonne humeur, admit-elle.

— Une raison particulière ?

Geneviève prit une gorgée de vin rouge.

— J'appréhendais un peu ma consultation chez le docteur Philippe Freitag aujourd'hui.

— Pourquoi, grand-maman ? demanda Ella avec anxiété.

— J'attendais le résultat de quelques tests.

— Je croyais qu'il s'agissait de votre bilan de santé régulier, s'empressa Olivier.

— C'était ce que je voulais vous faire croire.

— Et puis ?

Geneviève entama son chateaubriand.

— Et puis ? reprit Ella en écho.

Leur grand-mère sourit.

— Et tout va bien.

— Vraiment ?

Geneviève tapota la main d'Ella par-dessus la table.

— Oui, ma chérie.

— Qu'est-ce qui t'inquiétait ? demanda Olivier.

— Oh ! juste un symptôme qui m'ennuyait un peu.

— Quelle sorte de symptôme ?

— Rien qui vaille la peine que tu t'inquiètes, Olivier.

— Il est pourtant clair que vous vous inquiétiez.

— C'était mon symptôme, répliqua-t-elle doucement, et maintenant que je sais que c'était sans aucune importance, inutile de continuer à me faire du souci.

— Ainsi, vous êtes en parfaite santé.

Geneviève sourit de nouveau.

— Dieu soit loué, je suis en excellente forme.

Ella se pencha et embrassa sa grand-mère sur la joue.

— Voici une bonne nouvelle pour terminer une journée d'été parfaite.

Olivier leva son verre.

— N'est-ce pas ? dit-il.

L'effort qu'il fit pour être le petit-fils idéal – ou au moins le petit-fils raisonnable, car Geneviève eût été la dernière à trouver crédible un changement radical de sa personnalité – commençait à lui peser. Ces derniers temps en effet, il avait fait un réel effort pour vivre en paix avec Ella ; il n'allait plus aux réunions du groupe La Fontaine, il prenait les décisions qu'elle approuverait à coup sûr, il se montrait aussi tolérant que possible à l'égard de ses employés et associés. Mais il se rendit bientôt à l'évidence que cette situation pouvait durer un grand nombre d'années. Leur grand-mère était d'une constitution qui pouvait vraiment durer une centaine d'années. Même si elle ne survivait que jusqu'à quatre-vingt-dix ans, il en avait encore pour une douzaine d'années à faire le minet autour d'elle comme un lèche-bottes faible d'esprit !

Douze ans ! Intolérable !

L'occasion se présenta en septembre.

À cette époque, Olivier avait envisagé nombre de projets possibles, mais tous les moyens à sa portée avaient dû être éliminés.

Empoisonnement lent ? Geneviève était beaucoup trop observatrice et intelligente pour cela.

Une chute ? Elle n'avait jamais été une femme maladroite, pas plus aujourd'hui qu'autrefois – en outre, une chute n'était pas forcément fatale.

Suicide ? Ridicule, car même dans les moments les plus terribles, après les pertes d'Armand, de Laurent puis de Michael, Geneviève avait toujours considéré la vie comme sacrée, et elle n'avait aucune raison de souhaiter en finir actuellement avec la vie.

À la vérité, il ne désirait pas vraiment passer à l'acte. Il n'avait pas le désir de la blesser, rien ne le pressait de la tuer. Tout simplement, il désirait – il avait besoin qu'elle s'en aille.

Si seulement elle mourait – seulement cela – il réciterait volontiers des prières sur sa tombe, et il serait presque sincère.

Mais elle ne mourrait pas d'elle-même.

— Je vais à Paris jeudi prochain, annonça-t-elle lorsqu'ils se réunirent dans son bureau le vendredi matin.

— Pourquoi ?

— Pour le plaisir.

— Du lèche-vitrine ? demanda Ella en souriant.

— Bien sûr.

— Vous prendrez l'hélicoptère ? demanda Olivier.

— J'y suis bien décidée.

— Voulez-vous que j'appelle Paul Moritz ? proposa Ella.

Geneviève secoua la tête.

— C'est déjà arrangé, merci, chérie. Il arrivera ici la veille, pour dîner, comme à l'accoutumée. Elle se frotta les mains de joie. Je suis impatiente.

— Vous aimez vraiment cette horrible machine, n'est-ce pas, grand-maman ? s'émerveilla Ella.

— C'est une aventure, ma petite, répliqua Geneviève. Tu sais que j'adore toujours les aventures bien que je sois une vieille femme.

— Je ne pense pas que vous serez vieille un jour, dit Olivier ; il semblait si sincère que sa grand-mère sourit avec affection.

— Merci, Olivier – je crois que c'était un compliment ?

Il hocha la tête.

— Absolument !

Il serait relativement simple, pensa-t-il, de droguer la nourriture du pilote. Les deux seuls problèmes étaient le choix de la drogue, et le moyen de se la procurer.

La drogue idéale devait répondre à trois impératifs.

Avoir peu ou pas de goût.

Un effet à retardement.

Rendre inapte à toute action.

S'étant rendu en voiture à la librairie principale de Mulhouse où il ne risquait pas d'être reconnu, Olivier passa trois heures à lire attentivement des livres médicaux et à compulser une massive encyclopédie pharmaceutique. À tel point que son cerveau commençait à délirer de fatigue. Il écrivait note après note, les effaçait et recommençait. Puis il s'arrêta soudain.

Une image était passée comme un éclair dans son cerveau.

Des mots sur du papier.

Olivier secoua la tête. Il avait décidément lu trop longtemps, il était épuisé.

Mais l'image persistait. Il ferma les yeux, serra très fort ses paupières, se força à se concentrer. Un souvenir – quelque chose qu'il avait lu un jour, ailleurs...

Olivier rouvrit les yeux et frappa la table de son pouce pour exprimer son triomphe. Les mots qu'il se rappelait, il les avait lus dans l'un des innombrables romans policiers de sa grand-mère. Il y était question d'une drogue – ou plutôt d'un poison – sans goût ni odeur, et utilisé couramment comme raticide. Selon le livre dont Olivier se souvenait, il était possible de se procurer ce poison...

Thallium.

Excité par sa découverte, Olivier trouva la référence dont il avait besoin. L'empoisonnement violent au thallium, lut-il, provoque de fortes douleurs abdominales accompagnées de vomissements et de diarrhée – et dans les cas très sérieux, des tremblements, du délire, des convulsions et même la paralysie.

Olivier poursuivit sa lecture fébrilement, passant sur les détails maintenant qu'il savait ce qu'il voulait. Les symptômes se produisaient dans les douze ou vingt-quatre heures après une seule dose toxique. Dieu, et si le calcul s'avérait faux ?

Mais non. Il serait prudent, il testerait et ajusterait la dose. Et ça marcherait. C'était sa destinée de réussir, de même que de se souvenir du thallium au bon moment.

Il referma le codex et pensa aux symptômes. Tremblements, douleur, convulsions. Plus que suffisant pour faire de Paul Moritz un incapable.

Remarquable, pensa-t-il, la vitesse et la facilité grâce auxquelles il trouva le vieux bidon poussiéreux dans le premier des trois abris de jardiniers de de Trouvère. Le pas suivant, le test, se déroula également bien puisqu'il savait ce qu'il recherchait. Il fit cuire un petit poisson dans sa petite cuisine, il y ajouta une dose de mort-aux-rats et emporta le tout dans un bol en plastique fermé dans les écuries où se trouvaient plusieurs chats affamés. « Viens, mon petit, dit-il », pour attirer un petit chat maigre et roux qui vint vite vers lui, frotta sa tête contre sa cheville en flairant le bol.

Il retira le couvercle et le posa par terre. « Mange. »

Il enterra le chat au coucher du soleil.

Tout ce qu'il avait à faire pour empoisonner la nourriture du pilote, c'était de se reporter au temps de son enfance et de se souvenir des coups qu'il réussissait si bien. Puisqu'il avait réussi à ajouter de l'huile de foie de morue à un consommé sans être découvert, aujourd'hui qu'il avait accès aux cuisines, il pouvait s'assurer des plats destinés à Moritz en particulier. Car en définitive, il ne souhaitait pas faire souffrir sa grand-mère plus qu'il n'était nécessaire.

Tout se déroula parfaitement bien.

Dès qu'Olivier se réveilla le mercredi matin, assez tôt pour voir le soleil se lever sur ses vignobles à l'horizon, il sut avec une absolue certitude que tout irait bien.

Ce calme, ce sens de l'infaillibilité lui réussirent. Moritz et Geneviève arrivèrent au restaurant à l'heure qu'il avait calculée ; prenant pour guide le poids du chat de l'écurie, il en déduisit que Moritz devait prendre le poison dans son plat principal. Ce fut aussi son calme qui l'aida à créer suffisamment de diversion à la table du pâtissier pour que le saucier quitte sa marmite de sauce aux morilles commandée par le pilote assez longtemps pour qu'il y glisse le thallium, juste après que le chef Gérard eût goûté la sauce qui fut déclarée excellente. Et ce fut exactement le même sang froid qui permit à Olivier de rester dans la cuisine après que le serveur eût emporté les plats afin de vérifier que toute trace fût bien effacée par les plongeurs.

Dehors, après un petit déjeuner tardif sur la vaste pelouse bien propre où les limites d'atterrissage étaient régulièrement repeintes, Paul Moritz – plus pâle que la veille au soir, nota Olivier – chargea les bagages de Geneviève et s'installa aux commandes tandis qu'Olivier et sa grand-mère attendaient Ella.

— Elle a dû être retenue, dit Olivier au bout de quelques minutes, impatient de les voir enfin s'envoler. Il va falloir que vous partiez. Il jeta encore un coup d'œil au visage du pilote, puis il scruta le ciel. Ça s'assombrit, mieux vaudrait ne pas voler dans le mauvais temps.

Geneviève lui tapota le bras.

— C'est gentil de ta part de t'inquiéter de ma sécurité, Olivier.

— Je suis sûr que vous êtes en sécurité, grand-maman, mais je n'aimerais pas penser que vous volez en pleine tempête – ces machines ne sont pas aussi confortables que les avions à réaction, n'est-ce pas ?

— Tu as sans doute raison. En tout cas, merci, mon chéri.

Olivier se pencha et l'embrassa sur la joue.

— Combien ai-je de grand-mères ?

Les yeux de Geneviève clignèrent.

— Une de trop, as-tu sans doute pensé parfois.

— Pourquoi ? Parce que vous n'êtes pas d'accord avec tout ce que je fais ? Nos conflits peuvent être bénéfiques pour moi, grand-maman.

La matinée était fraîche, mais Geneviève sentit une vague de plaisir la parcourir.

— Je vais monter à bord, dit-elle. Si tu vois Ella, embrasse-la pour moi et dis-lui que je lui téléphonerai plus tard.

Il l'aida à monter sur son siège, il veilla à ce que la ceinture de sécurité soit bien bouclée, et il lui donna un baiser d'adieu.

— Bon voyage ! Il se tourna vers le pilote. Prenez soin d'elle.

Moritz eut un bochement de tête.

— Ma passagère favorite.

Redescendu à terre, s'écartant de l'hélicoptère, ses cheveux soufflés dans les remous des puissantes pales giratoires, Olivier vit Ella qui courait vers lui, Artémis galopant légèrement à côté d'elle, comme à son habitude.

— Zut, je l'ai manquée ! Elle était pantelante, elle agitait sa main frénétiquement tandis que l'engin s'élevait dans l'air. «Allait-elle bien ?»

— Pourquoi pas ?

Les joues d'Ella étaient toutes roses.

— Je ne sais pas – je suis toujours inquiète quand elle monte dans l'un de ces machins.

Olivier glissa son bras autour des épaules de sa sœur.

— Elle m'a demandé de t'embrasser. Elle a dit qu'elle te téléphonerait de Paris.

— Bien. Elle plissa le front. Il fait du vent.

— Ne t'inquiète donc pas, Lalla. Moritz est un bon pilote.

Ce fut une curieuse sensation. L'impression que son cerveau avait été coupé en deux tronçons séparés. Une partie capable de déterminer avec une assurance glacée, comme dans un état second, le moment où le pilote devait ressentir le premier malaise, celui où il réaliserait le péril, celui enfin où les symptômes auraient raison de lui. L'autre partie de son cerveau, plus petite, moins puissante, chargée d'un léger regret indéfinissable et d'un véritable chagrin.

Ella le trouva dans le salon bleu un peu plus de trois heures plus tard. Elle était blême, ses yeux étaient immenses et anxieux.

— Ollie, ils ne sont pas arrivés.

— Qui ?

— Grand-maman et Paul – ils n'ont pas été enregistrés au Ritz.

— Peut-être sont-ils d'abord allés ailleurs ? dit-il sur un ton léger.

— Avec ses bagages ? Ollie, elle a l'habitude de se rendre à l'hôtel et de se reposer avant de faire quoi que ce soit d'autre. C'est une partie de son plaisir, se rappeler qu'il existe d'autres grands hôtels en dehors de Trouvère et qu'elle n'en est pas responsable !

— As-tu appelé le terrain d'atterrissage pour savoir s'ils s'étaient présentés ?

Elle se mordit les lèvres.

— J'ai pensé que tu pourrais le faire.

Olivier se leva.

— Tout de suite.

Ce fut le contrôle du trafic aérien de Nancy qui entendit l'appel de détresse et vit l'hélicoptère disparaître des radars.

— Il semble qu'il y ait eu une tempête sur cette route, de sorte que les recherches n'ont pu être encore entreprises, relata Olivier brièvement.

— Il fait noir maintenant, dit Ella, les larmes aux yeux. Il va faire froid – il faut les retrouver !

Il la prit dans ses bras.

— Lalla, il faut que nous soyons courageux et patients. Ils pensent qu'ils ont pu descendre quelque part dans la forêt de Haye, à l'ouest de Nancy. Il est inutile de chercher avant le lever du jour.

— Même avec des lumières spéciales ? Ella s'accrochait à ses revers, son visage était impatient. Cela vaut certainement la peine d'essayer, Ollie ! Demande-leur d'essayer, je t'en prie !

— C'est ce que je vais faire, je pars pour Nancy maintenant. Les routes ne sont pas mauvaises à cette heure, je devrai rouler vite, et peut-être arriverai-je à les persuader de commencer les recherches.

— Je vais avec toi.

— Non, Lalla.

— Si !

— C'est inutile, ma chérie.

— Tout est utile ! Je veux retrouver grand-maman.

— Les autorités ne te permettront pas d'aller dans la forêt. Moi, je le peux, j'ai reçu un bon entraînement à l'armée, je ne gênerai personne. Il la tenait à bout de bras. «Et puis, pense à l'hôtel.»

— Qu'il aille au diable !

Olivier la secoua tendrement.

— Tu ne le penses pas, et grand-maman serait furieuse si elle t'entendait. Elle préférerait que tu restes ici,

Lalla, et je te jure que je ferai tout pour que tu sois informée de chacune de nos démarches.

La journée avait débuté avec cette certitude étonnante du but à atteindre, avec une tranquillité stupéfiante. Et elle se poursuivit pareillement. Si Olivier avait besoin d'une preuve pour croire qu'il était en train de pousser sa destinée devant lui, qu'il avait raison de prendre son destin entre ses mains et de courir avec lui, alors la succession des événements qui semblaient s'enchaîner d'eux-mêmes lui fournissait les pièces à conviction indubitables.

Ella était donc restée à de Trouvère, le visage gris, mais s'accrochant toutefois à un espoir. Olivier roulait vers Nancy sur les routes noires et mouillées, sa Jaguar dévorant les kilomètres tandis que son esprit toujours vif évaluait les risques qui l'attendaient.

« Le thallium peut ne pas avoir affecté Moritz, ou bien il a pu agir au mauvais moment. Mais il a agi, raisonnait-il, sans cela, il n'y aurait pas eu d'appel de détresse. »

« L'hélicoptère peut avoir atterri sans dommage, ou s'il s'était écrasé, ses occupants pouvaient avoir survécu. »

Les mains d'Olivier se crispèrent sur le volant, son visage devint indéchiffrable tandis que son cerveau travaillait.

« Même s'ils sont morts, s'il n'y a pas eu d'explosion, un examen médico-légal révélera la cause de l'effondrement du pilote. Le thallium provoque la chute des cheveux. Ils sauront. »

Olivier commença à transpirer lorsque les lumières de Nancy furent en vue. Il mit son clignotant à droite et la voiture quitta l'autoroute en rugissant.

« Si seulement, pensait-il, je pouvais les trouver le premier, arriver sur place avant les autres. De cette manière, je serais tout à fait sûr. La seule manière de m'en tirer. »

Le destin demeura avec lui.

Il quitta la route avant la première lumière éclairant un groupe d'hommes détachés de l'équipe de secours au complet qui longeait la forêt où l'on pensait que l'hélicoptère était descendu.

Après une heure de recherche, les quatre hommes tombèrent d'accord pour prendre chacun un chemin différent. Cette tactique serait plus efficace, d'autant que chacun d'eux était porteur d'une lampe a longue portée et d'un sifflet.

Olivier n'aurait su dire si ce fut par un réflexe acquis jadis dans l'armée, ou grâce à un pressentiment, ou plus simplement par pur hasard qu'il choisit de se diriger vers l'est.

Il fut certain de les retrouver lorsque l'odeur effleura ses narines.

Kérosène.

Il fit halte et ferma les yeux.

Fumée.

Il les trouva à quelques mètres l'un de l'autre ; Moritz, la face dans la boue, ses vêtements horriblement déchirés ; puis Geneviève, encore attachée à son siège, mais le siège lui-même avait été projeté de la cabine et s'était écrasé contre un arbre.

Il sut immédiatement qu'ils étaient morts.

Olivier demeura figé quelques moments à la vue de sa grand-mère affalée en avant à partir de la taille, telle une poupée de chiffon ; son chapeau parisien en soie beige curieusement accroché à ses mains croisées. Olivier se sentit pris de vertige, ses jambes se mirent à trembler, il crut qu'il allait vomir.

La queue de l'hélicoptère se trouvait un peu plus loin, dressée vers le ciel et soutenue par les grosses branches d'un arbre.

Puis, reprenant ses esprits, Olivier vit une large flaque, de ce qu'il supposait être du kérosène, répandue autour de la carcasse ratatinée de l'engin ; de la fumée s'élevait toujours du tableau de bord écrasé ; il supposa alors que la pluie violente de la soirée avait dû empêcher une explosion.

Il regarda en direction de Moritz.

« Médecin légiste », pensa-t-il.

Pas s'il y a un incendie.

Il s'immobilisa quelques instants pour écouter les bruits éventuels de l'équipe de secours. Mais il ne perçut aucun son particulier hormis le léger crépitement des gouttes de pluie et un chant d'oiseau.

Moritz était suffisamment près de l'hélicoptère pour brûler en même temps.

Sa respiration se fit subitement saccadée et rapide, son pouls se mit à battre à grands coups. Olivier prit dans la poche de sa grosse veste imperméable une petite boîte d'allumettes imprimée au nom de Trouvère.

« Combien de temps faudra-t-il ? se demanda-t-il. Ciel, combien de temps ai-je devant moi ? »

La reponse lui vint, calme et sûr.

« Assez longtemps si tu le fais maintenant. »

Silencieusement, rapidement, il alla vers la carcasse et chercha la source de la fuite de carburant. Il la trouva facilement, suintement lent et régulier qui ne tarderait pas à s'enflammer de toute manière puisque le tableau de bord était brisé et se consumait, projetant des étincelles çà et là.

« Cela pourrait exploser. Il faudra t'éloigner dès que tu auras jeté ton allumette », pensa-t-il.

Réfléchissant sans perdre un instant son sang-froid, il vérifia le périmètre, s'assurant qu'il n'avait laissé aucune trace de pas. S'il lui fallait proclamer qu'il ne les avait trouvés qu'après le début d'incendie, il ne devait rester aucune preuve qu'il était arrivé avant.

Le son lui arriva tellement étouffé d'abord qu'il ne l'attribua pas à une voix.

— Olivier.

C'était à peine une voix, à peine un chuchotement, mais ce fut suffisant pour figer le sang dans ses veines.

— Olivier.

Il tourna la tête lentement, les yeux fixes, secs et douloureux.

Elle n'était pas morte.

Pas morte.

Il riva son regard sur elle. Geneviève était toujours renversée en avant, elle ne remuait pas du tout.

C'était un tour de son imagination.

Et puis soudain, tranquillement, le chapeau glissa de ses doigts et roula sur le sol.

Olivier haleta.

Elle bougea sa main droite, ses doigts se redressèrent dans un effort pour s'étendre.

« Jésus-Marie, pria-t-il subitement, bien qu'il ne priât jamais. Oh ! Dieu, Oh ! Seigneur, aide-moi. »

Il trouva alors la force et le courage de s'approcher d'elle, de s'agenouiller près de son corps tordu et renversé, de mettre ses mains autour de sa tête et de scruter son visage tandis que son cœur battait à un rythme assourdissant.

Il y avait de la poussière sur sa joue droite et un peu de sang mêlé à de la boue sur sa joue gauche, mais son maquillage était aussi parfait que lorsqu'il lui avait dit au revoir, et ses cheveux d'un blond de miel étaient presque immaculés.

Un élan d'admiration parcourut Olivier. Mon Dieu, cette femme était vraiment indomptable.

Puis elle ouvrit les yeux.

Il fit un bond en arrière comme foudroyé, terrifié.

— Olivier...

Il avala sa salive. Sa gorge était sèche.

La main se tendit, comme pour atteindre quelque chose.

— Olivier.

Il s'humecta les lèvres.

— Grand-maman ?

Au prix d'immenses efforts, Geneviève réussit à bouger un peu la tête pour le regarder, et il comprit qu'elle avait vu les allumettes dans sa main gauche, et que ses yeux gris étaient toujours aussi attentifs à tous les détails.

Le bras d'Olivier tremblait, il toucha la joue de sa grand-mère. Elle était glacée. C'était la peau d'une morte. Il comprit alors que Geneviève, baronne de Trouvère, allait mourir.

Il lui caressa la joue et répéta d'une voix tendre ;

— Grand-maman.

Elle lui fit l'un de ses petits sourires en coin qui ne dura qu'une fraction de seconde, puis d'une voix plus forte qui arriva nette et claire aux oreilles de son petit-fils ;

— Une de trop !

Et elle mourut.

Olivier se leva.

Il se souvenait de leur conversation avant le départ.

« Une de trop, as-tu sans doute pensé parfois. »

Ainsi, elle savait. Il ne savait pas comment, mais il n'en douta pas un instant.

Il alla ramasser une chaussure sous un arbre. Il la prit dans la paume de sa main, petite et élégante, en daim souple beige et blanc avec un talon sans tache. Olivier ignora les larmes qui roulaient sur ses joues tandis qu'il glissait la chaussure au pied droit de Geneviève.

« Au revoir, grand-maman », dit-il d'une voix douce.

Il se redressa, revint en arrière, passa à côté de Paul Moritz et alla à l'endroit où le kérosène s'écoulait au sol.

Il alluma deux allumettes, il sentit l'odeur du soufre, puis il les jeta sur le carburant.

XXX

Il y avait eu de nombreuses funérailles à de Trouvère depuis que Krisztina était arrivée en Alsace. Chaque cérémonie funèbre avait été une source de chagrin, parfois insupportable, parfois adouci par de petits souvenirs qui la rendait moins intolérable.

Le service commémoratif célébré pour Geneviève de Trouvère ne ressembla à aucun autre, car il représentait bien plus que la disparition d'une femme étonnante aimée de tous ; il signifiait la fin d'une ère qui ne reviendrait jamais.

Ils vinrent de loin pour déposer leurs derniers hommages : Clémentine Hunter et ses filles vinrent de Londres, Alberto Giordano vint de Rome, Marthe Schneegans vint de Saint-Hippolyte, André Sutterlin vint de Grenoble et le chef Carême de Genève. Une foule d'amis se tint, silencieuse, à l'extérieur de la chapelle bondée, sous la pluie fine des premiers jours d'octobre tandis que le père Beurmann disait la messe et que William, Krisztina, Olivier et Ella parlaient de Geneviève et lisaient ou chantaient des psaumes, des hymnes et des poèmes spécialement choisis à son intention.

Krisztina et Ella étaient effondrées, car la baronne sans âge avait été bien plus que leur belle-mère et grandmaman. Elle avait été leur plus sage conseillère, leur partenaire loyale, leur meilleure amie. En leur for intérieur, elles protestaient contre cette chute violente qui avait entraîné une fin cruelle et solitaire, alors qu'elle aurait dû mourir paisiblement dans son lit, chez elle, entourée de ceux qu'elle aimait. L'accident avait été analysé et après enquête, les autorités avaient conclu à une « erreur probable de pilotage ».

Ella se sentit horriblement seule, plus que jamais ; elle ressentit sa solitude encore plus vivement que lors de sa séparation d'avec ses parents ; elle était plus qu'avant consciente des problemes posés par son frère au caractère impétueux et compliqué ; elle savait que son ancrage au château de Trouvère était plus que jamais compromis.

Olivier parut s'épanouir durant quelque temps après la catastrophe.

Ce fut comme si un ressort bloqué en lui s'était soudain détendu, comme si se réalisait enfin sa véritable destinée.

Son bonheur tout neuf transformait toute sa personne et ses relations avec son entourage devinrent plus aimables à mesure que grandissait son optimisme retrouvé.

Il observa tout cela lui-même chaque jour ; il prit plaisir à l'image que lui renvoyait son miroir ; il décida de changer ses manières et d'être à la hauteur de sa bonne fortune durement acquise. Il se montra particulièrement charmant, tendre et gentil avec Ella, sachant combien la perte de sa grand-mère l'avait touchée. Il pouvait maintenant se permettre d'être plus généreux, pensa-t-il, puisqu'il avait obtenu ce qu'il avait attendu depuis si longtemps.

Cela dura ainsi pendant quatre mois.

Puis tout à coup, le ressort se bloqua de nouveau et sa paix nouvellement trouvée se disloqua.

La raison en était simple.

Il commençait à avoir des cauchemars.

Chaque nuit, allongé dans son lit de l'aile ouest qui, d'un commun accord entre Ella et lui était devenue la sienne, le sommeil d'Olivier était hanté par des rêves terribles. Des images hideuses de Geneviève et Paul Moritz brûlés vifs, leurs yeux accusateurs rivés sur lui, leurs doigts carbonisés pointés vers sa personne. Il se réveillait baigné de sueur, haletant, terrifié à l'idée de se rendormir et de rêver encore.

Ils revenaient chaque nuit. Sa grand-mère et le pilote souffrant et agonisant le dénonçaient.

Et une autre petite forme aussi.

Un petit garçon aux cheveux roux et lumineux.

Olivier fit l'expérience de la culpabilité, et comme la plupart des émotions qu'il éprouvait, sa culpabilité était gigantesque, aiguë, omniprésente et le vouait à la damnation.

Épuisé et vidé, incapable de se confier à quiconque, même à Ella – surtout pas à elle – il se laissa glisser dans ses vieilles habitudes. Il prit de mauvaises décisions, il redevint discourtois et morne, grognant dès que quelqu'un éprouvait sa patience, engageant ou congédiant le personnel selon son humeur. Il retourna jouer à Baden-Baden, il organisa même des parties de poker privées à de Trouvère, au grand déplaisir d'Ella. Il sortit son uniforme du groupe La Fontaine qu'il avait suspendu dans une réserve après la mort de Geneviève et allait rejoindre la *Bruderschaft,* la confrérie allemande, dès qu'il le pouvait.

La vie devint de plus en plus difficile pour Ella.

Le seul moyen de maintenir l'hôtel en bon ordre était de se dresser contre son frère et d'arracher sa mère à William, situation fâcheuse pour tous, et sans profit pour l'hôtel.

— Je ne le comprends plus.

Ella se confia à Krisztina en octobre 1972, un an après le service commémoratif pour Geneviève et suite à une assemblée extraordinaire du conseil d'administration.

Si je ne le connaissais pas, je penserais qu'il s'acharne à détruire de Trouvère ; nous savons cependant toutes les deux que c'est ce qui compte le plus dans sa vie.

Krisztina soupira, encore fatiguée du voyage en avion et des heures de dispute avec son fils.

— Il est à lui-même son pire ennemi, ma chérie. C'est ainsi depuis sa plus tendre enfance, et je crains qu'il ne change jamais.

— Il était pourtant différent tout de suite après l'accident. Il était affligé, mais il savait de toute évidence que son temps était venu.

— Son temps ?

— Il avait l'impression que grand-maman le surveillait sans cesse.

Krisztina eut un sourire de regret.

— Dans un sens, c'est ce qu'elle faisait.

— Ollie avait l'impression que l'on faisait peu de cas de lui, il en voulait à tous ceux qui remettaient ses actes en question.

— Rien n'a beaucoup changé alors, dit Krisztina, pensant à leur querelle. Il regrette beaucoup sa grand-mère.

— Il te l'a dit ?

— Il n'a pas besoin de le dire.

Krisztina était pensive.

— Tu es plus intime avec lui que n'importe qui d'autre, Ella, mais tu ne t'appelles pas de Trouvère. Il est le seul à porter ce nom désormais, et je pense que cela l'effraie parfois, c'est ce qui le rend solitaire.

Ella s'enfonça dans son fauteuil.

— Il me semble que nous avons passé d'innombrables années à trouver des excuses au comportement d'Olivier, maman. J'en suis fatiguée quelquefois.

Krisztina examina sa fille.

— Peut-être as-tu besoin de vacances ?

Ella éclata de rire.

— J'en ai peut-être besoin, mais je ne peux pas en prendre.

— Pourquoi pas ?

— Parce que je ne peux pas quitter de Trouvère, c'est évident.

— Bien sûr que si, tu le peux.

— Laisser l'hôtel entre les mains d'Ollie ?

— Et entre les miennes ?

Ella eut l'air surpris.

— Les tiennes ?

— Inutile de prendre cet air consterné. J'ai dirigé plus ou moins cet hôtel depuis plus d'années que je ne peux en compter.

— Oui, c'est vrai, maman ; mais tu ne vis plus ici.

Krisztina sourit.

— Cela ne veut pas dire que je ne puisse pas rester quelque temps, n'est-ce pas ?

— Que dirait papa ? Il déteste que tu sois loin de lui.

— Que dirais-tu d'un échange ? Tu me remplaceras auprès de lui – il n'y trouvera rien à redire.

Le regard d'Ella s'illumina.

— New York ?

— Il serait temps, non ? Nous y habitons depuis quatre ans, et tu n'as jamais trouvé le temps de nous rendre visite. Etant donné les grandes ventes Hunter en perspective à Manhattan, ton père ne viendra pas ici avant plusieurs mois.

— J'aurais aimé que tu me fasses visiter la cité, dit Ella d'un air de vague regret.

— Ce sera pour la prochaine fois, ma chérie.

Ella se tut un moment.

— À quoi penses-tu ? demanda Krisztina.

— Qu'Ollie va être mécontent. Krisztina eut un petit rire ironique.

— D'avoir de nouveau sa brute de mère près de lui ?

— T'es pas une brute. Tu ne saurais même pas comment le malmener.

— Nous parions ? Krisztina avait bien attrapé l'accent new-yorkais.

Ella fit une grimace comique.

— Bonne chance !

— Alors c'est décidé, tu pars ?

— Si papa est d'accord.

— Il sera d'accord.

L'après-midi de son arrivée à Manhattan par la 59e Street Bridge, à l'arrière du véhicule le plus fantastique qu'elle ait jamais pris, Ella ne sut que regarder en premier : l'intérieur de la longue limousine que son père avait envoyée à son intention à l'aéroport Kennedy, ou les merveilles de la cité qui se déployaient sur sa gauche.

Ella était née dans le luxe, mais cette voiture la comblait. Elle se débarrassa de ses chaussures et enfouit ses orteils dans le tapis blanc étonnamment épais et doux, elle s'appuya au dossier de cuir blanc et admira le bar en noisetier contenant du champagne, du jus d'oranges fraîchement pressées, des petites bouteilles d'eau d'Évian, sans oublier deux petites jattes en argent contenant du caviar sur un lit de glace.

— C'était absolument scandaleux ! dit-elle à William après s'être jetée dans ses bras dans le bureau central de Hunter's de la Madison Avenue.

— Tu n'as pas aimé ?

— Oh ! si, j'ai aimé ! Elle le couvrit de baisers tandis qu'il la dirigeait vers l'ascenseur privé au fond du hall en marbre. Mais la télévision ! Qui en ce monde voudrait regarder la télévision à son premier trajet en voiture en Amérique ?

— Je voulais t'impressionner.

— C'est réussi.

Ils entrèrent dans l'ascenseur et les portes se refermèrent sans bruit dès que William eût touché le bouton supérieur.

— « P » ? lut-elle.

— Penthouse.

— Quarante-huitième étage ? Ses yeux s'écarquillèrent et son estomac se contracta.

— Ça n'est rien pour Manhattan.

Les portes s'ouvrirent.

— Les gens n'ont pas le vertige ici ?

— Pas s'ils tiennent à être new-yorkais !

Il lui fallut une semaine pour décider. Plus exactement, il lui fallut sept jours et deux heures et demie ; ce fut en effet à cet instant précis que le grand carillon de la cathédrale St-Patrick sonna la demie de cinq heures en ce mercredi du début novembre. Ella, qui descendait la cinquième Avenue au milieu de la foule, s'arrêta net.

Soudain, elle perçait le va-et-vient confus des gens et des voitures, elle voyait à travers les façades d'acier, de verre et de béton. Soudain, ses oreilles pénétraient dans la cacophonie des klaxons et le bourdonnement brouillé des voix. Et soudain, elle s'imagina avoir traversé la carapace de la cité pour trouver sa chair et son sang.

— Alors ? demanda William plus tard dans son bureau.
— Alors quoi ?
— Que s'est-il passé ?
Ella eut l'air stupéfait.
— Il ne s'est rien passé.
— Je veux dire : que s'est-il passé en toi ? Quand tu as découvert Manhattan. Est-ce que ce fut le coup de foudre ? Es-tu tombée amoureuse ?
— De la ville ?
Elle réfléchit un moment, puis elle secoua la tête.
— Non, si l'amour est, comme je le crois, irrévocable. Mais j'aime bien, oui. J'ai eu l'impression, au moins passagèrement, que je pourrais y avoir ma place, et même y survivre.
— Cela ne me surprend pas.
— Vraiment ? Moi, cela m'étonne. J'avais aimé Londres aussi – c'était comme un spectacle, mais pendant tout le temps que j'y suis restée, je sentais bien que ma place était ailleurs.
— Tu n'as pas cette impression ici ?
— Oh ! si – je crois qu'il en sera toujours ainsi où que j'aille. Mais Manhattan m'apparaît comme une telle jungle, si inquiétante que j'ai été étonnée de lui découvrir un cœur – une espèce de noyau tranquille. C'est cela qu'il

s'agit de trouver, mais il faut s'en donner la peine. Je suppose que même toi, tu ne le trouves pas toujours.

— Il faut avoir la force de vivre ici, dit William. Et cette force, tu l'as, Ella.

— Peut-être, oui.

— Mais de Trouvère te tient toujours.

— Évidemment.

Il la regarda.

— Cela ne semble plus aussi absolu que dans les années passées.

— Je suis un peu fatiguée, papa, dit Ella avec un haussement d'épaules.

— C'est pour cela que tu es en vacances.

— Je crois qu'il me faudrait plus d'une semaine ou même plus de deux pour soigner ce qui me fait souffrir, papa, soupira-t-elle.

— Ollie ?

Des larmes envahirent soudain les yeux d'Ella.

— Je l'aime, papa, autant qu'avant, et rien au monde ne saurait changer cela. Mais j'aime aussi de Trouvère, et je sais qu'Ollie l'aime aussi, plus que tout. Et pourtant, il est en train de faire sombrer son domaine, et je ne vois pas comment l'arrêter.

— Peut-être est-ce irréversible, dit William calmement.

— Tu veux dire : abandonner ? Jamais ! s'écria-t-elle en secouant la tête énergiquement.

— Jamais, c'est bien long, Ella... Tu veux le fond de ma pensée ?

— C'est... ?

— Je pense qu'il est temps que nous allions chez nous.

Ella était ébahie.

— Mais, je viens tout juste d'arriver.

— Je ne parle pas de l'Alsace, et Manhattan n'est pas un endroit pour se reposer. Je parle de notre foyer, à ta mère et à moi. Viens à Rhinebeck, ma chérie.

— J'avais prévu de rester au moins une semaine de plus dans la ville.

— Tu pourras toujours revenir, ce n'est pas loin mais c'est un monde entièrement différent. Nous pouvons prendre un bateau et remonter l'Hudson, nous ne sommes pas obligés d'y aller en voiture.

— Nous sommes en novembre.

— Eh bien, nous ne prendrons pas de bains de soleil. Tu as apporté des chandails, non ?

— Naturellement. Et des bottes, et des chaussures de marche.

— Parfait. Tu n'as pas besoin de tes vêtements de ville ; nous allons garder ta suite au St-Régis et tu n'as qu'à emporter un sac de voyage.

Elle partit d'un grand rire.

— C'est peut-être pousser un peu loin le côté naturel, merci. Mais j'ai besoin d'une valise et d'un sac.

William l'observait avec affection.

— Emporte un container si tu veux, mais viens.

— As-tu vraiment le temps pour cela, papa ?

— Non, mais je le prendrai tout de même. Je t'installerai là-bas, et puis je reviendrai.

— Tu vas me laisser seule ? Elle prit une mine dubitative.

— Tu ne seras pas seule. Alice fera ta cuisine et s'occupera des chiens.

Le visage d'Ella s'illumina.

— J'avais presque oublié les chiens. J'ai hâte de les voir.

— Ça va te plaire, dit William avec assurance. Tu pourras faire exactement tout ce que tu voudras, cela te changera. Repose-toi un moment là-bas, et puis tu décideras si tu veux revenir dans cette ville de cinglés.

La maison, à un mille environ de Rhinebeck, était délicieuse ; ce fut le mot qu'Ella prononça dans un souffle d'admiration. C'était à l'origine une petite ferme hollandaise du mi-

511

lieu du dix-septième siècle. Le bâtiment avait conservé nombre de ses caractéristiques originales comme les pignons, les murs épais de deux pieds, les carreaux de delft dans la cuisine et l'allée principale en coquilles d'huîtres brisées. Toutefois, quatre restaurations l'avaient pourvue des commodités et du confort sans attenter au charme ni à l'histoire.

Alice, la gouvernante des Hunter et en même temps la préposée au chenil, avait allumé le feu dans toutes les cheminées, une marmite mijotait dans le four, une chaude odeur de cuisson flottait dans l'air, et les deux créatures préférées de Krisztina se tenaient à côté d'elle.

— Janus ! Ella pouvait à peine résister à l'accueil frénétique du chien-loup, de sorte qu'elle ne prêta pas attention au petit chien noir qui jappait de joie derrière elle. «Oh ! et Titus aussi ! Comme vous m'avez manqué tous les deux. »

Alice, une grande et belle femme aux cheveux poivre et sel et aux yeux gris et limpides, leur sourit.

— Votre mère m'a dit que ces deux-là, plus que le luxe, vous donneraient l'impression d'être chez vous.

— Elle avait raison, et ces odeurs sont merveilleuses ! Ella était rayonnante.

— J'ai pensé que vous auriez faim tous les deux après votre voyage en bateau.

— Nous mourons de faim, affirma William en levant la tête de son courrier.

— Monsieur Hunter, je ne savais pas si je devais mettre la table dans la salle à manger...

— Nous mangerons dans la cuisine, Alice. D'accord, ma chérie ?

— Bien sûr ! Ella se laissa tomber avec joie dans l'un des fauteuils en rotin, près de la cheminée, la simplicité du train de maison lui faisant l'effet d'un baume apaisant.

William la regarda.

— J'avais dit que tu aimerais bien.

Titus sauta d'un bond sur ses genoux tandis que Janus posait sa tête hirsute sur sa cuisse et la regardait dans les yeux. Alice était occupée à ses fourneaux, chantonnant tout en s'activant. William mit une enveloppe dans sa poche tandis qu'il jetait les trois autres au feu.

— Bon pour le dépotoir. Pas d'évasion possible, même au paradis.

— Est-ce au paradis que nous sommes en ce moment ? demanda Ella sur le ton de l'amusement.

William alluma une cigarette.

— Ça pourrait presque l'être, si toute la famille pouvait s'y trouver rassemblée un jour.

— Cela vient de ce qu'il n'y a pas qu'un seul paradis, papa.

— J'ai peine à croire que la vie à Trouvère ait quoi que ce soit de comparable avec celle des Champs Élysées ces derniers temps.

Alice commença à poser l'argenterie, les verres et les serviettes en lin rouge sur la table en chêne.

— Cela ne m'empêche pas d'y être attachée, répondit Ella à mi-voix.

William lui caressa les cheveux. – «Je sais. »

William étant reparti pour la ville, Ella resta quatre jours à dormir neuf heures par nuit, se retirant à dix heures et se levant à sept heures. Chaque matin, elle passait une heure avec Alice dans le vaste chenil construit à proximité du jardin. Puis elle prenait son petit déjeuner, et ensuite, elle s'installait douillettement dans l'un des grands fauteuils du salon où elle lisait, écoutait de la musique, Vivaldi et Mozart, ou bien somnolait jusqu'au lunch.

— Faim ? demandait Alice chaque jour à midi.

— Pas vraiment, répondit Ella le cinquième jour.

— Cela ne me surprend pas. Vous êtes une femme active, votre métabolisme est perturbé.

— Trop de repos, pensez-vous ?

— Vous verrez bien quand vous en aurez assez, petite.

— De quelle manière ?

— Quand vous commencerez à vous redresser et à observer.

— Quoi ?

513

— Cette région, pour commencer. Si votre famille était ici, elle vous aurait montré tout ce qu'il y a à voir.

— Vous avez sans doute raison, dit Ella qui se sentait fautive.

— N'ayez pas honte d'être fatiguée maintenant ! se hâta d'ajouter Alice. Nous avons tous besoin de recharger nos batteries de temps en temps. Que lisiez-vous ?

Ella eut un rire étouffé.

— Irving Washington.

— « Sleepy Hollow ? »

— Évidemment. Je dois avouer qu'il m'a donné envie de regarder autour de moi. J'hésite seulement à faire le premier pas – j'ai l'impression que l'on va me voler la paix que j'ai trouvée ici pendant que je serai partie.

— Je vous jure que je ne laisserai faire personne. Alice posa un bol sur la table.

— Qu'est-ce que c'est ?

— Soupe aux palourdes.

— Encore du gavage ?

— Vous avez besoin de manger si vous voulez démarrer au quart de tour. À propos, la voiture est devant la maison, avec le plein d'essence.

Ella sourit.

— Où aller d'abord ?

— Ryn Beck.

— Pardon ?

— Je pense que les Hollandais disaient Rhinebeck, à moins que ce soit peut-être des colons allemands qui aient nommé leur bourg d'après leur fleuve d'origine. Je ne suis pas forte en histoire.

— Vous êtes née ici ?

— Non. Je suis venue de Washington DC pour faire du ski il y a une vingtaine d'années, je suis allée chez Hunter et chez Bobcat, j'ai aimé ce que j'y ai vu, et je suis restée. Alice se tut un instant. Mangez votre soupe pendant qu'elle est chaude.

Ella prit une cuillerée, c'était épais et délicieux.

— Ainsi, vous pensez que je devrais commencer par Rhinebeck.

Alice hocha la tête.

— Ce n'est en réalité qu'un village, mais il vaut la peine d'être vu. Allez voir la Maison Delameter, même si le reste ne vous intéresse pas. C'est une importante fabrique de pain d'épices.

— Quoi encore ?

Ella plongea une large tranche de pain maison dans la soupe.

— Je suis trop pressée pour rester longtemps dans un seul endroit, et je déteste les visites guidées.

— Faites un tour en voiture. Je vais vous donner une carte routière afin que vous ne vous perdiez pas. Et même si vous vous égarez, n'hésitez pas à demander, tout le monde ici est aimable. C'est une région plaisante et facile à parcourir, bien que le mois de novembre ne soit pas le meilleur mois pour la visiter.

— Je crois que l'on y fait beaucoup de vin ?

L'américaine sourit.

— Notre vin n'est sans doute pas un rival dangereux pour la France... mais assez réputé pour attirer les gens fortunés ; une belle brochette de grandes maisons et de manoirs ; mais venant de de Trouvère, je doute que cela vous impressionne.

— Vous n'avez jamais vu de Trouvère ?

— Seulement en photo, mais Mme Hunter m'en a décrit tous les recoins.

— Pensez-vous que le domaine lui manque ? demanda Ella.

— Mon Dieu, oui. Elle était toute rose de plaisir à l'idée de passer quelque temps là-bas.

— Et pourtant, elle semble aimer cette maison.

— C'est vrai. Alice sourit encore. On peut aimer plus d'un endroit à la fois, vous savez, Ella.

— C'est vrai ?

Alice répondit avec sagesse.

— Oh oui !

Ella roula tout l'après-midi, elle s'égara trois fois mais elle retrouva sa maison avec suffisamment de confiance pour repartir le lendemain matin de bonne heure en compagnie de Janus et d'un panier à pique-nique.

Elle partit vers le nord, elle revint en zigzaguant de long en large à travers l'Hudson, elle resta le plus souvent dans la vallée, ne faisant que quelques incursions dans les montagnes basses du comté de l'Ulster. Elle s'arrêta au bord d'un lac aux eaux turquoise vif et qui portait le nom enchanteur de Minnewaska. Elle mordit dans la cuisse de poulet rôti préparée par Alice et regarda Janus gambader comme un chiot tout en déployant la carte routière sur l'herbe. Les noms qu'elle y lisait la ravissaient – Shwangunk, Phœnician, Stone Ridge, Esopus...

Elle se remit en route, oubliant les indications de la carte, se perdant volontairement dans la campagne. Elle trouva un hôtel massif de style victorien plutôt délabré, la Mohonk Mountain House. Il s'étalait près d'un joli lac dominant l'Hudson. Puis elle poursuivit vers le nord, passant Kingston, contournant le réservoir de Ashokan jusqu'à Woodstock, un lieu encore agréable en dépit de sa commercialisation. Un peu plus loin, elle quitta l'Ulster pour le Greene County et s'arrêta pour prendre un café dans un wagon aménagé au bord de la route. Elle bavarda avec la serveuse qui donna un sandwich au canard à Janus et expliqua à Ella qu'elle n'était pas très loin de l'une des merveilles du monde.

— Catskill Mountain House, dit-elle sur un ton où perçait quelque chose comme de la vénération tandis qu'elle remplissait la tasse d'Ella pour la troisième fois et caressait la tête du chien. «C'était la station la plus fréquentée jusqu'au début des années quarante.»

— À quoi sert la maison maintenant ?

— Elle n'existe plus. On l'a incendiée en 1963.

— Pourquoi y aller dans ces conditions ?

— Le site est ce qu'il y a de plus beau au monde ! Elle essuya la cafetière en acier avec son chiffon, et un éclair rêveur passa dans ses yeux.

— Même en novembre ?

La serveuse eut un mouvement d'épaules.

— C'est peut-être pas la meilleure saison, mais quand Dieu décide de créer une merveille, je suppose qu'il ne pense pas à une saison en particulier. Allez voir cela, madame.

Le trajet lui-même valait qu'on lui consacre du temps. La route traversait le parc de Catskill State avec ses forêts, ses rivières torrentueuses, ses précipices fantastiques et ses cascades impressionnantes ; puis elle descendait dans un endroit plus calme avant de longer les Chutes de Haines et de tourner sur la droite en direction du North Lake où Ella dut laisser sa voiture et faire à pied le reste du chemin.

« Mon Dieu ! » murmura-t-elle en arrivant.

Janus s'assit près d'elle, surveillant calmement de ses yeux noirs le spectacle qui se déployait à leurs pieds. Pour une fois, Ella se contenta de regarder, essayant de capter le vaste panorama dans son entière majesté, incapable de penser, s'imprégnant de chaque particule qu'elle voyait, s'efforçant de retenir tant de beauté dans son regard.

Elle clignota des yeux au bout d'un moment, puis elle se remit en mouvement.

La carte.

Elle s'agenouilla à côté de Janus et prit quelques repères en s'aidant d'une autre carte trouvée chez le marchand de journaux des Chutes de Haines.

Ils étaient à South Mountain, le lieu s'appelait précisément Pine Orchard. L'Hudson était toujours visible, il coulait loin, très loin au-dessous, bleu, limpide, sous la lumière rasante du soleil de novembre. Droit devant elle, Ella vit les monts du Berksbire et les Green Mountains, l'Albanie et le Bear Mountain State Park. Elle essaya d'imaginer où finissait New York et où commençaient le Connecticut, le Massachusetts et le Vermont. Tout, sauf les montagnes, semblait un décor : des taches représentaient des maisons, des taches plus étendues des terrains forestiers, des points de petits lacs, quelques étincelles – et pourtant, l'effet d'ensemble était grandiose, ouvrant la voie à l'imagination et à d'intenses émotions. Pas étonnant que sa mère ait pu s'installer ici.

La serveuse avait raison. C'était une merveille.

Ella consulta le petit guide qu'on lui avait remis avec la carte ; elle se demandait quel genre d'hôtel avait bien pu se dresser en ce lieu unique. Il y avait une photo. Un spécimen de style néo-grec populaire dans toute l'Europe et en Amérique dans la première moitié du dix-neuvième siècle, comportant treize colonnes corinthiennes en façade, et trois cents chambres. Et quels hôtes ! Elle scruta la liste des clients avec des yeux d'hôtelière jalouse : Alexander Graham Bell, Jenny Lind, Henry James, Mark Twain, Oscar Wilde, Ulysses S. Grand... Ciel ! Qui n'avait pas séjourné ici ?

« La première station de montagne de l'Amérique du Nord, relatait le guide. Un symbole de la fortune de la région. L'un des lieux les plus romantiques de la terre. »

Cependant, l'établissement fut déclaré dangereux et et brûlé à l'aube d'une journée de janvier, au début des années soixante, après avoir été désaffecté pendant presque vingt ans.

Ella pensa à de Trouvère et frissonna.

Janu Jappa.

« Okay, mon garçon, allons-y. »

Elle remarqua alors deux autres visiteurs à peu de distance. Elle avait été trop absorbée pour les voir.

Elle sourit.

« De la magie dans l'air », pensa-t-elle.

— Oui, il était fort renommé, confirma Alice plus tard, après qu'Ella eût rendu justice à l'un de ses dîners plantureux.

— On dirait que c'était presque un monument national.

— Je crois que c'en était un, à l'époque. Toutes les célébrités qui comptaient firent un séjour à Pine Orchard – c'était un séjour obligé.

— L'hôtel a disparu avant que vous arriviez ici, n'est-ce pas ?

— Assez longtemps avant mon arrivée ; de toute manière, il n'en restait plus grand-chose : il était complètement délabré, mais comme les gens continuaient à y monter, il a été décidé de le démolir complètement.

— Ils ne l'ont pas démoli puisqu'ils l'ont incendié.

Alice sourit.

— Cela vous turlupine vraiment, hein ?

— Oui, c'est vrai.

— Je suppose que vous vous sentez plus concernée par ce genre de chose que la plupart des gens parce que vous possédez votre propre hôtel.

— Sans doute.

Ella fronça les sourcils.

— Je pense à l'homme qui l'avait construit – Erastus Beach. Il était mort et enterré lorsque l'on a incendié son hôtel.

Alice posa le tricot qui l'occupait tout en la distrayant et regarda Ella.

— Pensez-vous à de Trouvère en tant qu'hôtel ou en tant que demeure ?

— Les deux, dit hâtivement Ella, puis elle réfléchit. Peut-être plus en tant qu'hôtel puisqu'il existait déjà quand je suis née. Sans doute est-ce différent pour mon frère. Il est plus attaché au château en lui-même qu'à l'hôtel. Ce dernier est une affaire commerciale tandis que le domaine de Trouvère représente une part de lui-même... À moins que ce ne soit le contraire, et lui qui soit une part du domaine.

— J'ai entendu dire, avança Alice prudemment, que vous ne voyez pas tous les deux du même œil la direction de l'hôtel.

Ella eut un instant de surprise. Il était évident qu'Alice était beaucoup plus qu'une gouvernante ou même qu'un régisseur. Sans doute était-elle la confidente de ses parents.

— Pensez-vous que c'est un problème qui trouvera sa solution ? demanda encore Alice.

— Je l'avais toujours pensé, répondit lentement Ella.

— Mais ça ne semble pas fonctionner ainsi. C'était une constatation, pas une question.

— Non.

— Qu'allez-vous faire ? Alice reprit son tricot et le tic-tac régulier des grandes aiguilles fit un petit bruit réconfortant dans la pièce. Ella appuya sa tête avec lassitude contre un coussin en piqué.

— Je n'en sais rien.

Elle se réveilla le lendemain matin avec un besoin urgent de voir son père. Elle avait retrouvé suffisamment d'énergie pour résister à un nouveau coup de poing de la cité.

Elle ne s'arrêta pas en route, elle roula plein sud, avide et impatiente de la chaleur qui l'enveloppait dès qu'elle était près de son père. Le temps avait changé. C'était vraiment novembre subitement, sombre et triste ; de lourds nuages gris crachaient une bruine constante, irritante, car elle obligeait à maintenir les essuie-glaces en mouvement pendant le trajet entre Poughkeepsie et Yonkers.

Malgré le temps humide et froid, dès qu'elle aperçut Manhattan, sous ce nouvel angle, Ella éprouva un tel élan d'enthousiasme qu'elle braqua brusquement et quitta son couloir de circulation, évitant de justesse un accident. L'Empire State Building qui l'avait déçue quand elle l'avait vu de la rue lui parut si remarquable vu de l'autoroute qu'elle sentit sa gorge se serrer, exactement de la même manière que lorsqu'elle apercevait le château de Trouvère à travers les arbres depuis la route de Ribeauvillé.

—Que se passe-t-il ? demanda William lorsqu'elle arriva dans son bureau.

— Rien.

— Que fais-tu ici ?

— Tu me manquais, dit-elle simplement. Un large sourire s'épanouit sur son visage.

— Ah ! bon.

— Déjeuner, papa ?

Le sourire s'évanouit.

— Je ne peux pas, ma chérie, trop à faire. Deux ventes importantes dans la journée et demain matin.

— Que vend-on ?

— Des tapis et des tapisseries ce soir – des tableaux impressionnistes et contemporains demain. Pourquoi ne viendrais-tu pas ?

— Des tapis, dit Ella d'un air pensif, se souvenant des beaux tapis qui avaient beaucoup souffert du fait des amis d'Olivier à de Trouvère. Je pourrais voir cela sérieusement.

— As-tu une idée précise en tête ?

— C'est selon ce que je verrai.

— Alors tu ferais bien de jeter un coup d'œil à l'avance si tu as l'intention de participer aux enchères. Tes rivaux t'ont précédée. Il se leva. Je vais chercher un expert qui descendra avec toi.

Elle l'embrassa sur la joue.

— À quelle heure ce soir ?

— Sept heures quarante-cinq. Sois ici à sept heures, nous boirons le champagne.

Les couleurs étaient somptueuses, certaines avaient merveilleusement pâli, d'autres au contraire montraient un brillant extraordinaire, tout soie et laine, un éventail de périodes historiques allant du quinzième au dix-neuvième siècles, venant de Perse, d'Égypte, de Chine, de Turquie, d'Inde, de France et d'Espagne. La richesse des dessins et des styles comblait et troublait l'imagination. Tapis à médaillons, tapis à vases, tapis polonais, tapis à colonnes, tapis à oiseaux, tapisseries de la Savonnerie et d'Aubusson parsemées de lotus, de cyprès et de saules, de rossignols et de faisans, de paons, de lions, de guépards, d'ours, de renards, de dragons, de chevaux et chasseurs à foison. Il ne fallut pourtant que vingt minutes à Ella pour faire son choix ; un joli petit tapis turc en soie du dix-septième siècle à motif persan, nuages légers et oiseaux chanteurs voletant sur un fond rose pâle, émeraude et indigo.

— Voici, dit Ella à l'expert, un jeune homme à lunettes et en complet sombre.

— Il est splendide, madame Hunter – le vert émeraude surtout est d'une rare qualité.

— Pensez-vous que j'aie une chance ?

Il sourit.

— C'est une enchère. Chacun a sa chance.

— Sauf si c'est moi qui fais la première offre, dit-elle avec inquiétude. Les commissaires-priseurs ne prennent les offres que de deux personnes à la fois, n'est-ce pas ?

— C'est juste.

— Tout cela est si compliqué. Enchères commissionnées, réserves en dépôt. Il me faut quelqu'un pour me représenter.

— Cela peut se faire, madame Hunter.

Depuis la fenêtre du bureau de William, Ella observa l'arrivée du public, certains sortant de limousines conduites par des chauffeurs, d'autres descendant de taxis jaunes, d'autres encore se pressant sur le trottoir sous de grands parapluies noirs.

— Je devrais peut-être descendre pour trouver un siège ? demanda-t-elle à son père, la mine inquiète. N'est-ce pas important que le commissaire-priseur voie l'acheteur ?

— Un bon commissaire-priseur te verra, même si tu es tout au fond de la salle. Mais ne t'inquiète pas, je t'ai réservé une place. Il consulta le catalogue qu'il avait en main. Quel est ton lot ?

— Le lot douze.

Ella sourit. «Peut-être que personne d'autre ne le voudra.»

— Tu ne le sauras pas. David van Street, le commissaire-priseur, ne te le dira pas, de même qu'il n'a pas l'habitude de faire savoir si une pièce n'est pas vendue du tout. Dans une enchère, de nombreuses offres sont fictives, de même que les noms des acheteurs.

— Pourquoi compliquer tant les choses ?

— Ce n'est pas tellement compliqué, ma chérie, pas pour toi. Tout ce que tu as à faire c'est de savoir ce que tu veux et combien tu es prête à offrir. Il regarda sa montre. Il est temps d'y aller.

Ella posa sa coupe de champagne et examina son reflet dans le miroir du mur. Elle n'avait aucune idée de ce qu'elle devait porter pour une soirée comme celle-ci ; elle avait donc jeté son dévolu sur un pantalon en satin noir tout simple et un corsage blanc au col-cravate souplement noué au cou.

William l'examina.

— Tu es magnifique, dit-il avec une sincérité non feinte. Puis, comme saisi d'une arrière-pensée, il prit une rose d'un rouge profond dans un vase qui ornait un petit guéridon et la passa dans la boutonnière de son corsage. «Et maintenant, va acheter ton tapis.»

La vente débuta tellement subtilement qu'Ella s'en rendit à peine compte jusqu'au moment où David van Street fit retentir son marteau et annonça que le premier lot avait été vendu à quelqu'un dont elle ne comprit pas le nom.

C'était peut-être une fausse vente, pensa-t-elle en s'enfonçant sur son siège, fascinée par les visages qui l'entouraient – employés aux visages impassibles, rivaux visiblement énervés, deux hommes dont elle était certaine qu'ils représentaient des clients absents, une dame en vêtements grèges, au visage rond et mobile, qui semblait se réjouir curieusement à chaque opération, et de nombreux hommes et femmes plutôt détendus qui devaient être présents en simples observateurs.

Les quatre lots suivants furent adjugés rapidement. Ella agrippait solidement son catalogue quand ce fut le tour d'un charmant petit tapis persan brodé d'argent et d'or, non signé mais original. Elle commença à se concentrer sur les différentes méthodes mises en œuvre pour faire connaître les offres – certains faisaient un signe de tête, un homme tapait sur sa joue avec un stylo en or, plusieurs levaient discrètement la main et une femme levait même les épaules.

Le marteau retomba sur la tribune et Ella sursauta, s'apercevant qu'elle avait perdu le fil des enchères et que le lot avait été vendu. Le lot suivant fut annoncé, et elle tourna son attention sur le commissaire-priseur qui s'efforçait de maîtriser la montée des enchères, poussant au maximum le lot de valeur.

Les trois tapis suivants furent rapidement attribués, et Ella était rouge d'excitation. Une jeune femme du second rang se tapota le nez avec un mouchoir de dentelle blanc – faisait-elle une offre ou était-elle enrhumée ? Elle éternua subitement, ce qui fit sourire Ella.

Le lot onze était sous le marteau, un beau tapis caucasien en laine représentant un dragon. Après quelques brèves escarmouches, il fut vite vendu à un jeune homme plutôt élégant portant une moustache blonde, assis à trois places d'Ella, au premier rang.

— Lot douze.

Ella sentit sa nuque la picoter.

Deux des porteurs qui se tenaient derrière David van Street présentèrent le tapis turc aux tendres couleurs et Ella sentit son cœur battre très fort.

— Neuf mille dollars !

Qui ? Ella commença à lever la main.

— Neuf mille cinq cents !

Elle laissa retomber sa main, consternée. Autant dire qu'elle avait déjà perdu s'il y avait deux autres acheteurs intéressés.

« Mais non, reste calme et attends. Tu auras une autre chance. »

L'enchère monta rapidement à treize mille dollars et soudain, il y eut une pause – pas plus de deux secondes, mais elle était tangible.

— Treize mille dollars, répéta van Street.

Ella leva la main sans l'ombre d'une hésitation, comme un enfant dans sa classe.

— Treize mille cinq cents dollars – merci, madame.

Ses joues devinrent cramoisies, ses yeux étincelèrent – elle était enfin entrée dans le jeu !

— Quatorze mille.

Une main se leva.

— Quatorze mille cinq cents.

Elle regarda autour d'elle. Qui était son rival ?

Une autre pause. Cela signifiait que l'autre acheteur avait abandonné, n'est-ce pas ? Elle avait gagné !

— Quinze mille. Merci, sir.

Qu'il aille au diable ! La main d'Ella vola en l'air, comme animée de sa propre volonté.

— Quinze mille cinq cents. Brève pause. « Seize mille. »

Qui était-ce à présent ?

— Seize mille cinq cents – dix sept mille.

Du coin de l'œil, Ella vit l'homme à la moustache baisser sa main droite sur son genou.

Elle leva la main énergiquement.

— Dix sept mille cinq cents !

« Continue, goujat, je te défie ! »

Le silence régna.

— Dix sept mille cinq cents dollars.

Ella retint son souffle.

David van Street scruta la salle du regard, en quête du moindre geste.

— Dix sept mille cinq cents dollars.

« Par pitié, taisez-vous ! »

L'attention du commissaire-priseur se reporta sur elle, et sur elle seule.

— Adjugé ! dit-il.

Le marteau résonna.

Ils se rencontrèrent à l'extérieur de la salle, au bureau.

Son rival était très grand, ses cheveux étaient coupés court, ses yeux bleus étincelaient et sa bouche lui souriait au-dessous de la moustache.

— Félicitations.

Ella rougit.

— Merci.

— Vous avez été parfaite.

Elle se demanda un instant s'il ne la traitait pas avec quelque condescendance, puis elle décida qu'elle se trompait.

— Merci, répéta-t-elle.

— Jusqu'où seriez-vous allée ? demanda-t-il.

— Je n'en sais rien.

— Vous vous étiez pourtant fixé un chiffre, n'est-ce pas ?

Elle eut un petit sourire en coin.

— Je l'avais déjà dépassé avant que vous n'interveniez.

Sa victoire la rendait généreuse.

— Je suis désolée que vous ayez perdu. Le vouliez-vous vraiment ?

— Je n'en voulais absolument pas !

— Pardon ?

— Je ne désirais pas ce tapis. Il est très beau, mais j'ai eu ce pour quoi j'étais venu.

— Mais vous avez fait une offre de dix-sept mille dollars !

— Oui.

— Pourquoi ?

— Parce que je désirais vous rencontrer.

Elle demeura sans voix.

Il sourit de nouveau.

— C'est la vérité.

Elle le regarda fixement.

— Je ne vous crois pas.

— Si je m'étais abstenu, vous auriez eu le tapis pour quatorze mille cinq cents dollars, mais vous ne m'auriez jamais remarqué !

Elle ne sut que répondre.

— Êtes-vous fâchée ? demanda-t il.

— Êtes-vous en train de me dire que vous m'avez contrainte à dépenser trois mille dollars dans le seul but de vous faire remarquer ? demanda Ella.

— C'est à peu près cela.

— Dans ce cas, je suis fâchée.

— Ne le soyez pas.

— Il faut que vous soyez fou !

Il secoua la tête.

— Pas le moins du monde. Il pencha la tête de côté. Voyez-vous, il me serait facile de vous dire que je voulais ce tapis à tout prix, mais ayant vu qu'il vous plaisait beaucoup, je me suis retiré. Me prendriez-vous pour un gentleman fort courtois dans ce cas ?

— Possible.

— Mais la franchise n'est-elle pas la plus grande des qualités ?

— Pas toujours.

La foule commençait à se dissiper et Ella, rassemblant sa dignité, se prépara à prendre congé.

— Vous ne partez pas, n'est-ce pas ? demanda-t-il.

— Si.

— Vous n'avez rien oublié ?

— Je ne crois pas.

— Votre tapis.

Ella prit sa voix acide.

— Je n'avais pas l'intention de l'emporter à la maison.

— Où habitez-vous ?

— Cela ne vous regarde pas.

— C'est vrai. Ella plaça son sac à main et le catalogue sous son bras gauche.

— Bonsoir.

Il s'interposa entre elle et la porte.

— Voulez-vous dîner avec moi ?

Elle ouvrit de grands yeux.

— Sûrement pas.

— Pourquoi pas ?

— Parce qu'il n'y a pas de raison.

Ses yeux brillèrent.

— Parce que je voulais tellement faire votre connaissance que j'étais prêt à risquer dix-sept mille dollars ?

— Vous saviez que vous ne risquiez pas un penny ! répliqua-t-elle.

— Vous auriez pu vous retirer.

— Vous saviez que je ne l'aurais pas fait.

Il pencha la tête, simulant l'humilité.

— Je vous en prie, venez dîner avec moi.

— Non !

Il leva la tête.

— Excepté le fait que vous ne m'aimez pas, pourquoi refuser ?

Ella chercha un motif.

— Parce que j'ai horreur des moustaches.

Il eut l'air surpris.

— Vraiment ?

— Vraiment.

William surgit près d'Ella.

— Ah ! te voilà – je te cherchais.

— Bonsoir, papa. Elle l'embrassa sur la joue.

— On m'a dit que tu avais réussi.

Il regarda son rival.

— Bonjour, Harry. Ils se donnèrent une poignée de mains.

— Bonne soirée, William ?

— Excellente. Et pour vous ?

— Bonne et mauvaise.

— C'est la guerre, dit William sur un ton badin. Je vois que vous avez déjà fait connaissance avec ma fille.

Ella dardait son regard sur les deux hommes.

— J'ai l'impression qu'elle ne m'aime pas beaucoup.

— Pourquoi ? Qu'avez-vous donc fait ?

— Je me suis conduit comme un goujat.

— Oh ? Cela ne vous ressemble pas, Harry.

Ella commença à s'énerver.

— Cela ne vous ferait rien de ne pas parler de moi comme si je n'étais pas là ?

William sourit.

— Excuse-moi, chérie. Qu'a donc fait ce monsieur qui t'agace tant ?

— Vous devriez peut-être nous présenter, suggéra Harry.

William glissa son bras autour des épaules d'Ella.

— Voici Ella, ma fille. Ella, voici Harry Bogarde, un ami.

— Un ami à toi ?

— Parfaitement.

Bogarde fit la grimace.

— Ella ne veut pas dîner avec moi.

— Je pensais que nous pourrions dîner tous ensemble, dit William.

— Tu pensais cela ? Ella était de plus en plus irritée. Ce n'était pas dans les manières de son père de la traiter aussi cavalièrement.

— À moins que cela t'ennuie, évidemment.

— Il me semble que je n'ai guère le choix.

— J'ai aussi pensé que tu serais fatiguée, j'ai donc réservé au St-Régis. Okay, Harry ?

— Formidable.

— Dois-je m'occuper de mon tapis maintenant ? demanda Ella.

— On te connaît.

Il leur sourit à tous deux.

— Pouvons-nous y aller ?

— J'aurais besoin d'une petite demi-heure, dit Bogarde.

— Pourquoi donc ?

— Je dois m'occuper d'une affaire inattendue.

— Je peux vous aider ?

Bogarde éclata de rire.

— Je ne crois pas. Allez devant, vous deux, je vous rejoins à l'hôtel.

William et Ella sirotaient leur champagne dans le salon King Cole quand Bogarde se présenta à leur table.

— Un peu de champagne, maintenant.

Ella leva les yeux vers lui, la mine consternée.

— Votre... Elle cligna des yeux. «Votre moustache...»

— A disparu. Il s'assit.

— Pourquoi ?

— Vous m'avez dit que vous détestiez les moustaches.

William partit d'un grand rire.

— C'est vrai ?

— Oui, mais je ne voulais pas...

Bogarde se pencha vers elle gravement.

— Votre aversion était plus que je ne pouvais supporter. Arranger le reste eût pris plus de temps, mais la moustache, je pouvais m'en débarrasser tout de suite. Il frotta la peau au-dessus de sa lèvre supérieure. « Je dois avouer que j'aurais préféré le faire moins hâtivement, mais que ne ferait-on pas pour une jolie femme ? »

Ella rougit.

— Je ne savais pas que tu détestais les moustaches, dit William avec curiosité. Pourquoi donc ?

Elles cachent des choses, répliqua-t-elle prudemment.

— Quel genre de choses ? demanda Bogarde.

— Des lèvres minces. Des choses comme cela.

— Je n'ai pas les lèvres minces, n'est-ce pas ?

Sa rougeur s'accentua encore lorsqu'elle jeta un coup d'œil rapide et involontaire sur sa bouche. En fait, c'était une bouche bien dessinée, plutôt sensuelle à présent qu'elle était visible.

— Alors ?

— Non, admit-elle.

— Dieu soit loué. Voilà au moins un problème résolu.

Bogarde prit sa coupe et but une gorgée de champagne.

— Voyons le reste.

Il réfléchit un moment.

— Ella, je parie que vous prenez chaque mot que dit votre père comme parole d'évangile.

— Oui, peut-être.

Bogarde regarda William.

— Diriez-vous que je suis un homme que l'on peut aimer ?

William eut un petit rire narquois.

— Parfaitement.

— Digne de confiance ?

— Je m'en porte garant.

— Suis-je marié ?

— Pas que je sache.

— Sobre ?

— Au moins en public.

— Permettriez-vous à votre fille de me donner rendez-vous ?

— Si elle le voulait.

Bogarde se retourna vers Ella et vit, à son grand soulagement, qu'elle riait de bon cœur.

— Pensez-vous que vous pourriez cesser de me détester ?

— Je n'ai pas dit que je vous détestais, mais simplement que je ne vous aimais pas.

— Voulez-vous dîner avec moi ?

— Il me semble que c'est ce que je fais en ce moment, non ?

Il leva sa coupe.

— À notre premier rendez-vous, dit-il. Même si c'est avec un damné chaperon.

Dans le hall de l'hôtel, Bogarde et Ella se tenaient près de l'ascenseur. William était reparti dans son appartement du gratte-ciel Hunter.

— Au sujet de l'enchère, dit-il sur un ton paisible, et Ella remarqua de nouveau la cadence marquée de son accent chaleureux, purement américain. Si je n'avais pas su qui vous étiez, je n'aurais jamais joué ce petit jeu. Je savais que... Il s'interrompit, étonnamment timide tout à coup.

— Que je pouvais me permettre d'insister ? acheva Ella.

Il hocha la tête.

— Je ne veux pas que vous alliez vous coucher avec l'idée que je suis un vrai goujat.

— Goujat. Ella sourit. Quel joli mot suranné.

— Très anglais, accorda-t-il. Comme culotté, ou mufle. Je ne vois pas d'équivalent français.

— Nous n'en avons peut-être pas – goujat est un peu trop fort.

— Je suis heureux de vous l'entendre dire.

— Parlez-vous français ? demanda-t-elle, l'air intéressé.

— Nous sommes aussi instruits de ce côté-ci de l'océan, vous savez. Il l'examina un moment. « À quoi allez-vous penser ? »

— Quand ?

— En vous endormant ce soir.

Ella pressa sur le bouton d'appel. Les portes de l'ascenseur s'ouvrirent et elle y pénétra.

— À mon joli tapis de soie, cela va sans dire !

En haut, dans sa suite, Ella s'appuya contre le mur et ferma les yeux. L'image de Harry Bogarde dansa devant elle, grand, avec ses yeux intelligents et pétillants de bonheur. Elle rouvrit les yeux et se regarda dans le miroir.

« Dieu ! » dit-elle à voix basse.

Lorsqu'elle s'était regardée dans le bureau de son père, avant les enchères, elle s'était vue comme une jolie jeune fille élégante et excitée.

Et à présent, elle fut toute ébahie de voir une jeune femme d'une beauté incontestable, à la taille élancée et au regard rayonnant.

« Enfin ! » dit-elle.

Il était presque deux heures à New York, mais une heure matinale normale en France. Ella décrocha le récepteur près de son lit et appela sa mère au téléphone.

— Maman ?

La voix de Krisztina, légèrement décalée par l'écho, paraissait inquiète.

— Ella ? Quelque chose ne va pas ?

— Mais non. Je ne peux pas t'appeler si je n'ai pas de problème ?

— Il est tard, là-bas.

— Pas pour New York.

Krisztina se détendit.

— Comment s'est passée l'enchère ?

— Comment savais-tu que j'y allais ?

— C'est ton père qui me l'a dit.

— Comment ça va de ton côté ? demanda Ella.

— Bien.

— Je parle de l'hôtel.

— Je sais ce que tu veux dire. L'hôtel, le château, les hôtes, le personnel, et même ton frère – tout va bien.

— Ollie aussi ?

— Se comporte très bien, bien que je sois certaine qu'il a hâte de se débarrasser de moi.

Un peu de la tension qui avait quitté Ella depuis son départ de de Trouvère reparut insidieusement.

— C'est éprouvant, n'est-ce pas, maman ?

— Un peu, admit Krisztina, puis sa voix redevint plus vive. Mais ne pense pas à tout cela tant que tu es en vacances. Elle se tut un moment. « Et l'enchère ? »

— Excitante.

— As-tu eu ton tapis ?

— Y a-t-il quelque chose que tu ne saches pas ?

— Désolée. C'est papa qu'il faut blâmer. Dis-moi, ma chérie.

— Oui, je l'ai eu.

Ella hésita.

— Mais ce n'est pas cela qui était le plus excitant.

— Non ?

Les yeux d'Ella se rétrécirent.

— Maman, savais-tu avec qui nous avons dîné, papa et moi ?

— Tu veux sans doute parler de Harry Bogarde ? Je savais que vous deviez dîner un soir avec lui. Elle se tut un moment. Vous avez donc dîné ensemble.

— Oui.

— Et ?

— Maman, c'était une mise en scène ? Papa a-t-il joué le rôle de l'entremetteur ? Elle était incrédule.

Krisztina éclata de rire.

— Évidemment non... mais nous avons pensé tous les deux que toi et Harry pourriez vous entendre.

— Eh bien, vous vous trompiez ; je le déteste.

— Je ne te crois pas.

Ella eut un petit rire sous cape.

— Tu as raison. Son exultation intérieure commença à déborder. « Maman, parle-moi de lui : qui est-il ? Qu'est-il, lui ? À quoi ressemble-t-il ? »

— Il s'appelle Harry – pas un diminutif pour Henry ou Harold, non. C'est Harry. C'est ce que l'on appelle un magnat des biens fonciers, mais ses sociétés semblent fonctionner d'elles-mêmes car contrairement à la plupart des hommes d'affaires, Harry parle rarement affaires. Collectionner, c'est ce qu'il semble faire quotidiennement.

— Collectionner quoi ? demanda Ella, intéressée.

— Des objets précieux, et beaux. Des antiquités, des objets d'art, des maisons, des petites galeries. C'est ce genre de choses qui lui plaisent et l'excitent.

Ella était silencieuse.

— Eh bien ? risqua Krisztina.

— Eh bien quoi ?

— Il t'a demandé de sortir avec lui ?

— Non.

— Crois-tu qu'il le fera ?

— Je n'en sais rien.

— A-t-il paru intéressé ? demanda Krisztina patiemment.

— Je crois.

Ella eut un petit gloussement.

— Il a rasé sa moustache pour me faire plaisir.

— Quoi ? La ligne crépite, je crois que je n'ai pas compris ce que tu viens de dire.

— Mais si, tu as bien entendu.

— Pourquoi a-t-il rasé sa moustache, Ella ?

— Parce que je lui avais dit avoir horreur de cela !

— Toi ? Cela ne te ressemble pas.

— Non.

— Et il l'a rasée, sans plus de manières.

— Entre l'enchère et le dîner.

— Ella ?

— Oui, maman ?

— Tu l'intéresses.

Ella commençait à somnoler quand le téléphone la fit sursauter. Elle attrapa rapidement le récepteur.

— Oui ?

— Arrêtez de rêver à votre tapis persan et pensez un peu à moi.

Un large sourire parut sur le visage d'Ella.

— Qui est-ce ?

— Et cessez de papillonner à la ronde. Combien de soupirants malades d'amour vous téléphonent à trois heures du matin ?

— Trop nombreux pour les compter.

— Zut !

— Les soupirants ne jurent pas, Harry.

— Vous croyez cela !

— Harry Bogarde, que voulez-vous de moi à trois heures du matin ?

— Savoir si vous voulez prendre le petit déjeuner avec moi.

— Le petit déjeuner ? s'exclama-t-elle, épouvantée.

— Cela ne se fait pas en France ?

— La France est un pays civilisé.

— Je proposerai neuf heures, et pas six heures.

— Mettons dix heures, et je pourrai considérer favorablement votre invitation.

— Disons dix heures quinze, et j'aurai le temps de me raser.

— Où ? Ici ?

— Au Plaza. C'est plus romantique. Nous flânerons dans le Salon d'Édouard en nous tenant par le bras, et je m'imaginerai que nous avons passé la nuit ensemble.

— Harry !

— On peut rêver, non ?

XXXI

Ils prirent un petit déjeuner composé de bacon et d'œufs, de petits pains ronds et de café. Ils allèrent à Central Park où ils flânèrent pendant deux heures, visitant le zoo, soulevant de leurs pieds les feuilles détrempées, riant et bavardant. Puis ils se dirigèrent nonchalamment vers le bar Sherry-Netherland où Bogarde fut salué avec beaucoup de sympathie.

— Bloody Mary ? suggéra-t-il à Ella.

— Je ne peux pas boire avant le déjeuner.

— Pas même du champagne ?

— Je n'ai jamais essayé.

— On peut arranger cela. Virgin Mary ? C'est la même chose, mais sans vodka.

— Je sais. Je dirige un hôtel.

— Difficile à croire.

— Pourquoi ?

— Avec ce visage et cette chevelure, – il la regarda un long moment, comme fasciné – vous êtes comme une créature entre l'ange et le démon. Vous ne ressemblez absolument pas à une femme d'affaires.

Ella secoua la tête.

— Je n'en suis pas une non plus !

— Si vous dirigez le Grand Hôtel du Château de Trouvère, l'un des plus grands hôtels de France, le diable m'emporte si cela ne fait pas de vous une femme d'affaires.

— Cela fait de moi une hôtelière.

— Est-ce donc si différent ?

— Très.

— J'aimerais bien vous voir en action.

Ella ressentit un élan de bonheur.

— Peut-être en aurez-vous l'occasion.

Ils déjeunèrent au « 21 », retournèrent au Plaza pour le thé et ensuite, après un répit de deux heures pendant lequel Ella rendit visite à son père et acheta des bas de soie noire et un bâton de rouge à lèvres chez Bonwit Teller, elle rentra à son hôtel pour se laver les cheveux et changer de toilette. Elle choisit une robe duveteuse d'un rouge vif qui contrastait superbement avec sa chevelure éclatante.

Son maquillage refait, discrètement enveloppée de son parfum Chamade, elle s'examina en pied dans l'un des grands miroirs de sa chambre.

« Zut ! »

Bogarde avait dit qu'il y avait en elle une note démoniaque. Or, Ella réalisait subitement qu'elle s'était préparée pour ce rôle. Consciemment ? Le mélange de cachemire et d'angora moulait de manière séduisante ses petits seins ronds, son nouveau rouge à lèvres lumineux faisait paraître sa bouche plus charnue et même violemment sensuelle, le bleu-violet de ses yeux étincelait littéralement.

« Seigneur ! J'ai l'air d'une salope ! Il va croire que je cherche à le séduire. »

Affolée, elle saisit un mouchoir en cellulose et effaça le rouge à lèvres, mais bizarrement, sa bouche sans maquillage accentuait encore davantage sa nouvelle image.

« Ella Hunter, sois franche, grondait une voix intérieure, tu n'as jamais été aussi bien, et tu t'aimes bien ainsi. »

Le téléphone sonna.

— Vous êtes prête ?

— Non ! Sa voix était pointue.

— Faut-il que je monte ?

— Non !

538

— Okay. Vous faut-il encore quelques minutes ou quelques heures ? Dois-je attendre au bar ou revenir demain ?

Elle prit sa respiration.

— C'est bon, je suis prête. Je descends tout de suite.

Il y eut un sourire dans la voix de Harry.

— Je suis fou d'impatience.

Il se tenait à quelques pas de l'ascenseur quand les portes s'ouvrirent sur Ella.

Il fixa son regard sur elle.

— Seigneur ! dit-il tout bas, sa voix était à peine un souffle.

— Bonjour ! Elle se sentait étonnamment timide, mais en même temps, elle était scandaleusement heureuse de l'effet manifeste qu'elle venait de produire.

Bogarde vint enfin lui prendre la main.

— Je suis horriblement déchiré, dit-il.

— Pourquoi ?

— Parce que nous sommes invités à une soirée, et maintenant, je ne sais pas si je dois vous montrer ou si je ne devrais pas plutôt vous garder pour moi tout seul.

— Quel genre de soirée ?

— Si l'on note entre un et dix, je suppose que ce sera au moins un neuf.

Ella le regarda, inquiète. Elle n'avait jamais eu tellement de goût pour les soirées.

— Préféreriez-vous simplement dîner ? réussit-elle à lui demander sur un ton courtois.

Il porta sa main à ses lèvres et la baisa.

— Je veux surtout que vous soyez heureuse.

Ella n'avait jamais connu une telle ambiance.

Ils étaient dans un duplex au Dakota, à Central Park West, et elle avait l'impression qu'ils étaient passés par autant de contrôles de sécurité que pour un vol à haut risque au Moyen-Orient. Elle comprit pourquoi dès qu'ils eurent passé la porte d'entrée.

Luxe, fortune et art – d'une manière différente qu'au château de Trouvère – comme le citron est différent du sucre. Le moindre mur de chaque pièce du duplex était peint par un grand nom de l'art moderne. Serpentant parmi la foule des invités, Ella poussa un petit cri de ravissement en tombant sur des plâtres, des bois et des sculptures en verre portant les noms de Chagall, Picasso, Dali et Warhol, et sur deux collages de Robert Rauschenberg et un mobile de Calder.

— Et s'il y avait le feu ? s'écria Ella, les yeux exorbités. Ou une inondation ? Et s'il fallait démolir un jour le building ?

— Vous inquiétez-vous du Louvre ou du Métropolitain Opera ? Et de de Trouvère ? J'ai entendu dire que le château était rempli d'objets d'art. Avez-vous des cauchemars à cause de cela ?

— Tout le temps, dit-elle avec ferveur.

— Pauvre bébé, dit-il avec compassion, et il l'embrassa très délicatement sur la bouche.

Environ une heure plus tard, lorsqu'Ella se fut accoutumée à côtoyer des hommes et des femmes arborant une ressemblance étrange avec Beatty, Hoffman, Dunaway et Bacall, ils s'assirent sur d'immenses paniers à fèves recouverts de fourrure, une bavette en plastique écarlate autour du cou, et mordaient à pleines dents des pattes de homards grillées.

— C'est divin !

Ella soupira.

— Je n'étais encore jamais allée à une partie où il était de bon ton d'être sale !

— On dirait une petite fille, sourit Bogarde, dont le menton dégouline de beurre.

— Passez-moi une serviette chaude, s'il-vous-plait, dit-elle.

Mais elle l'écarta bien vite.

— Donnez-moi plutôt une autre patte – inutile de m'essuyer tant que je ne suis pas rassasiée.

Elle écarquilla les yeux de nouveau.

— Harry, est-ce vraiment celui que je crois ?

Bogarde leva la tête.

— Bien sûr, vous ne vous trompez pas.

Il était étonné.

— Je n'aurais jamais pensé que vous étiez une fanatique des stars. Êtes-vous aussi excitée quand des gens célèbres s'installent à de Trouvère ?

— Évidemment. Mais je préférerais mourir plutôt que de me trahir. Passez-moi une serviette chaude, maintenant, dit-elle en se léchant les doigts.

Le rythme de la musique disco venant de l'étage supérieur leur fit marquer la cadence de leurs pieds.

— Vous dansez ? demanda Ella.

— Vous me trouvez trop vieux pour cela ?

— Je ne sais pas votre âge.

— Trente-cinq ans.

— Les hommes d'âge mûr aiment-ils danser ?

La musique s'accéléra du rythme Beat plein de santé des années 60 au rock and roll des années 50 avec une Ella sauvage et insatiable dès qu'elle avait l'occasion de danser. Quand Charles Aznavour remplaça soudain Presley, Bogarde, absolument hors d'haleine, attira Ella contre lui avec un long soupir de soulagement.

— Loué soit le ciel, je pensais qu'ils allaient me tuer.

Ils se serrèrent l'un contre l'autre, se balançant doucement, laissant la voix française aux accents étranges les envelopper de nostalgie.

Et subitement, ce fut fini ; la musique les rejeta impitoyablement dans les années 70. Tout à coup, Ella et Harry s'immobilisèrent sans se toucher, ne sachant plus très bien où ils étaient mais ardemment désireux d'être ailleurs.

— Venez, dit Bogarde brusquement en lui saisissant la main.

— Où ?

— Hors d'ici.

— Oui.

Dehors, sur le trottoir, il la regarda, l'obscurité dissimulant leur expression.

— Si nous étions en été, je vous emmènerais à la plage ; et si nous étions en hiver je vous enlèverais dans un chalet de montagne. Mais nous sommes en novembre et tout ce que je peux vous offrir est un appartement avec un feu de bois et l'une des vues les plus fantastiques sur la ville, une vue unique au monde.

— Cela me semble parfait.

— Dieu soit loué !

Bogarde ferma les yeux brièvement.

— Maintenant, je sais que je suis l'homme le plus heureux de toute l'Amérique.

Ce ne fut qu'à cet instant, en constatant la joie réelle qui dansait dans ses yeux, qu'Ella comprit ce qu'elle venait d'accepter.

Pendant plusieurs secondes, alors que Bogarde courait chercher un taxi, la crainte barbouilla l'estomac d'Ella, et elle envisagea de s'excuser, ou même tout simplement de s'enfuir. Mais quand il resurgit à ses côtés, lui posant une main dans le dos pour la diriger vers le vieux taxi, sa peur disparut totalement et il ne lui resta plus que le désir de rester avec Harry, et aussi un drôle de petit tremblement dans les genoux.

La vue était splendide. Tandis qu'Ella se tenait sur la terrasse, agrippant de ses mains la rambarde glacée, regardant les millions de lueurs en attendant le champagne qu'Harry était allé déboucher, elle se surprit à penser à l'autre panorama qu'elle avait contemplé deux jours auparavant dans les Catskill Mountains.

— Devinez !

Bogarde apportait deux bols en terre fumants.

— Cela ne ressemble pas à du champagne.

Il lui tendit un bol.

— Cacao.

— Cacao ?

— Ce que tout être raisonnable, homme ou femme, devrait boire à cette heure.

— Vraiment ?

— N'ayez pas cet air soupçonneux. Je sais faire de l'excellent cacao – j'ai eu une nurse anglaise, vous savez.

— Moi aussi, Miss Herrick. Son cacao était épouvantable.

— En vérité, je n'ai pas l'ingrédient magique.

Ella respira, puis elle se risqua à goûter.

— Cognac ?

— Napoléon. Et en réalité, c'est du chocolat Suchard. Mais je trouve plus amusant de baptiser « cacao » cet étrange breuvage.

— Tricheur.

Le vent gonflait la chevelure d'Ella.

— Venez à l'intérieur. J'ai allumé le feu.

Il ferma la porte-fenêtre et posa son bol sur un guéridon en marbre.

— Maintenant, nous allons faire griller des marrons.

— À moins que ce ne soit des guimauves.

— Buvez votre chocolat.

— Je n'en ai pas très envie.

— Qu'auriez-vous envie de faire ? demanda-t-il.

Ella rougit violemment et se maudit en son for intérieur.

— Venez, dit Harry en la prenant par la main.

— Où faut-il aller maintenant ?

Il la conduisit dans le vestibule carré, puis dans un couloir et la fit entrer dans une pièce. Il fallut quelques secondes à Ella pour réaliser qu'il s'agissait d'une chambre à coucher, car le lit immense et recouvert d'un couvre-lit en satin gris pâle était encastré dans une alcôve, à l'autre bout de la pièce.

— Que diriez-vous d'un cognac ? Il la tira vers un vaste canapé moelleux en face d'une cheminée dont l'âtre était allumé.

— Sans chocolat ?

— Assurément. Il ouvrit une belle vitrine ornée d'émaux et en sortit une bouteille de Delamain. Le cacao n'était que pour vous faire sourire.

Ella s'assit sur le canapé.

— C'est vous qui me faites sourire.

— C'est aimable.

Il remplit deux verres à dégustation en cristal.

— En dehors de cela, quel effet ai-je sur vous ?

Ella savait que cette question l'aurait fort embarrassée venant de la plupart des hommes ; elle se serait aussi sentie très gênée de se retrouver dans leur chambre à coucher. Mais avec Harry, tout semblait naturel – même sa question qui semblait surgir d'une curiosité sincère, d'un besoin de savoir ce qu'elle pensait de lui.

Elle prit l'un des verres qu'il tenait et l'enferma fermement entre les paumes de ses mains.

— Je ne sais pas exactement quel effet vous faites sur moi, Harry, commença-t-elle avec une franchise nouvelle qui la détendait agréablement. Je sais seulement que j'ai passé plus de temps avec vous au cours de ces dernières vingt-quatre heures qu'avec n'importe quel autre homme, je sais qu'il est minuit et que je n'ai pas encore envie que ce soit fini.

— Pas la peine d'en finir, dit-il en s'asseyant près d'elle.

Ils regardèrent pendant un moment les flammes s'élever dans la cheminée tout en sirotant leur cognac. Et puis Ella sentit une nouvelle tension s'insinuer peu à peu et s'emparer d'elle.

— Posez votre verre, dit-il tout à coup à mi-voix.

Surprise, elle posa le verre par terre, à ses pieds, et leva sur Harry un regard interrogateur.

— Ella, vous me rendez confus.

— Pourquoi ?

— Je vous regarde, je vois l'une des plus jolies femmes qu'il m'ait été donné de contempler et croyez-moi, j'en ai vu quelques-unes.

Ses yeux bleus lui dévoraient le visage.

— Je vois devant moi un être étonnant, presque félin – une peau fantastique, presque translucide, un corps vivant et chaud, sensuel jusqu'à l'insupportable et qui me donne envie de hurler pour avoir le droit de le toucher.

Il s'interrompit, les lèvres serrées. Ella ferma les yeux quelques instants, subitement épuisée par les sensations étranges et les frémissements que provoquait en elle la mélodie troublante de sa voix.

— Mais en même temps, poursuivit-il, je vois en vous une telle pureté, une telle innocence confiante – que le désir lascif que j'ai ressenti pour vous durant la soirée, puis dans la rue et à l'arrière du taxi me semble mal venu... si vous voyez ce que je veux dire.

— Non, dit Ella, d'une voix basse mais nette. Je ne vois pas.

— C'est parce que vous ne pouvez pas vous voir.

— Je vous vois, vous, Harry.

Il ne souffla mot.

Le tremblement la parcourait toujours, lui donnant une force émotionnelle bizarre et agissant sur elle comme un vin aux vertus extraordinaires.

— Je vois un bel homme grand et vigoureux, avec des cheveux blonds comme les blés et des yeux d'un bleu électrique cernés de lignes sinueuses ; cet homme serait probablement aussi beau s'il était enlaidi par une personnalité et un charme parfaitement écœurants.

Bogarde la regardait, abasourdi.

Ella reprit son souffle.

— Je vois aussi un homme saisi par la frousse parce qu'il a fait monter chez lui la fille d'un ami.

— William n'a rien à voir là-dedans, croyez-moi.

— Alors, ce doit être parce que je suis vierge.

— Vraiment ? dit-il avec respect.

— Oui, répliqua-t-elle vivement. Mais je suis vierge parce que j'ai choisi de l'être, parce que je n'ai pas encore rencontré l'homme avec qui j'aurais eu envie de faire l'amour – de sorte qu'il n'y a pas lieu d'en faire une affaire ! Elle se tut haletante.

— Parce que vous n'avez pas encore rencontré l'homme idéal.

— Quoi ? Et après tout cela, voilà qu'elle rougissait de nouveau. Elle aurait voulu s'enfoncer dans le sol, disparaître sous le grand tapis qui s'étalait sous leurs pieds.

— Vous n'avez pas encore rencontré l'homme avec qui vous auriez eu envie de faire l'amour, insista Bogarde.

Elle avala sa salive.

— Non.

— Et maintenant, vous l'avez rencontré ?

Ella hocha la tête affirmativement.

— Halleluiah, dit-il avec ferveur, et il la prit dans ses bras.

Leurs bouches se touchèrent, leurs lèvres d'abord closes s'effleurèrent à petites touches délicates, puis leurs langues s'élancèrent et explorèrent. Ella sentit une douce fièvre descendre dans son dos à partir de sa nuque, engloutissant chaque particule de son corps et de ses membres.

Bogarde s'écarta légèrement, un peu haletant, et se redressa. Il l'entraîna lentement, tendrement, vers le lit où il rabattit le couvre-lit en satin et le laissa tomber sur le sol.

— Ella ? murmura-t-il.

Elle eut un hochement de tête silencieux.

Il la fit se retourner et défit la fermeture éclair de sa robe ; il sentit le tissu duveteux tout chaud du contact de sa peau, de sa chair, de ses épaules gracieuses, de ses bras tendres et soyeux. Et puis il posa ses mains sur son corps : elles cheminèrent du nombril au ventre, passèrent le porte-jarretelles en dentelle couleur d'abricot, puis les fines jarretières en satin...

Ella frissonna. Elle se retrouva soudain en ce terrible après-midi de son enfance, en ce jour où prirent racine nombre de ses cauchemars.

Harry perçut sa peur, il sentit le changement qui s'était fait en elle et il ne bougea plus.

— Ella ?

Elle était incapable de parler.

— Ella, qu'y a-t-il ?

Son visage était rempli d'inquiétude. Puis, elle revint à la réalité, le passé s'effaça, et disparurent ses blocages à la seule pensée de mains sur son corps et de doigts envahisseurs. Ce soir, c'était différent, enfin. C'était Harry Bogarde, et elle désirait que ces mains-là touchent son corps.

Elle lui prit alors les mains et lui fit mettre ses bras autour d'elle, l'accueillant avec un soupir de plaisir et de soulagement. Il défit alors son soutien-gorge de ses doigts pressés ; Ella se raidit de nouveau un bref instant, puis elle s'approcha de lui et se blottit contre sa poitrine comme un petit animal cherchant abri et chaleur.

— Je veux te regarder, murmura Bogarde, et comme elle reculait timidement, il prit le temps de l'admirer, car elle était encore plus exquise qu'il se l'était imaginée. Ses seins étaient petits, mais pleins et parfaits, des seins rêvés par les poètes, les peintres et les sculpteurs. Harry sentit son désir l'envahir ; il ouvrit la boucle de sa ceinture et ôta sa chemise et son pantalon, ne gardant que son slip. Ils se dressèrent alors face à face tels deux innocents retardant la nudité totale et irrévocable.

— Veux-tu coucher avec moi ? demanda-t-il sur le ton de la supplication, la voix secouée de désir.

— Oui, s'il-te-plaît, murmura Ella, fascinée par sa minceur, sa souplesse et sa carrure athlétique.

« Il est beau », pensa-t-elle quand ils furent allongés ensemble sur le grand lit. Harry tira légèrement l'édredon neigeux sur eux, puis il ôta à Ella son porte-jarretelles et libéra sa propre nudité. Une excitation indicible l'envahit alors ; on eût dit un oisillon s'élançant vers le ciel pour la première fois. Des larmes de bonheur lui montèrent aux yeux.

— Ça va, Ella ?

Elle fit un signe de tête et l'embrassa sur le front, puis elle ne s'arrêta plus, elle baisa ses joues, son nez droit, ses paupières, ses cheveux blonds ébouriffés et les ridules qui surgissaient de ses narines et aboutissaient aux commissures de ses lèvres.

Bogarde commença également à bouger, il ne pouvait plus se contenir plus longtemps. Il caressa Ella avec ses doigts, ses paumes, sa bouche, et même ses pieds, baisant, léchant et titillant, explorant toujours plus loin. Et ce n'était pas dans le but d'éveiller le corps d'Ella, car il fut immédiatement, scandaleusement vivant – Ella s'était abandonnée de toute son âme, elle avait banni toute inhibition ; elle savait que son corps était pour lui tout entier, elle voulait qu'il le connaisse dans sa totalité...

Il enfouit ses doigts dans la toison pubienne, et Ella se sentit devenir folle de désir, son corps en était tout frémissant ; elle était à peine consciente que chaque fois qu'il touchait son clitoris dressé, elle gémissait pour qu'il n'arrêtât pas, elle écartait un peu plus ses cuisses et s'ouvrait à lui, incapable de tolérer cette attente prolongée.

— Attends ! dit Harry subitement.

Ella ouvrit les yeux et vit son visage, elle vit son expression presque douloureuse de concentration violente, et elle le vit s'écarter d'elle...

— Non ! Ne t'en va pas, pria-t-elle en s'accrochant à lui, sachant qu'elle était entièrement prête à le recevoir, qu'il était essentiel de ne pas laisser passer cet instant.

— Une chose dont je dois faire usage, marmonna-t-il, et Ella comprit tout à coup ce qu'il était en train de faire, et elle ressentit un flot de gratitude et de soulagement.

Il roula sur lui-même et revint dans ses bras, il l'embrassa avec autant de tendresse que de passion, ému et ravi de son ardeur, et puis le désir les emporta tous les deux, elle se retrouva sous lui, et puis aussitôt il fut en elle, il la pénétrait, il la faisait sienne. Ella éprouvait bien la douleur, mais ce n'était rien comparé au bonheur qui était le sien de se sentir si totalement attachée à lui, de bouger avec lui, en cadence jusqu'à ce que la douleur régresse et laisse la place à des milliers d'autres sensations. Elle criait son nom tandis que Harry répétait encore et encore d'une voix sauvage qu'il l'aimait, qu'il la désirait pour toujours, toujours...

Ils dormirent blottis l'un contre l'autre jusqu'à l'aube, puis ils firent encore l'amour, et ils sommeillèrent ensuite jusqu'au petit déjeuner que Harry prépara lui-même et apporta à Ella sur un plateau en même temps que le champagne qu'il lui avait promis la veille. Ils mangèrent des croissants, les trempèrent dans le Dom Pérignon, laissèrent tomber des miettes sur les draps et envoyèrent au sol le plateau ; ils refirent l'amour. Il en alla ainsi jusqu'à midi. Harry se souvint alors d'un rendez-vous. Il se leva, la fatigue le fit vaciller. Il s'habilla pendant qu'Ella s'endormit dans son lit jusqu'à quatre heures de l'après-midi. Elle était heureuse.

— Tu as l'air fatiguée, dit William quand elle passa le voir à six heures du soir.

— Ah ?

Il tambourina du doigt sur le bloc qui était sur son bureau.

— Comment va Harry ?

— Fort bien, je crois.

— Tu l'aimes un peu plus maintenant, d'après ce que je crois comprendre.

— Un peu... Tu es occupé ce soir, papa ?

— Malheureusement, oui.

— Je vais sans doute retourner à ta maison, dans la campagne.

Il sourit.

— Tu en as assez de la ville ?

— Pas exactement. Je pense simplement que cela me ferait du bien.

— Harry est-il au courant ?

— Pas encore.

— Tu as l'intention de le prévenir.

— Je n'en suis pas certaine.

— Je comprends.

— C'est vrai, papa ?

— Je crois comprendre, en tout cas. Il se leva, fit le tour du bureau et l'étreignit très fort. « Sois prudente sur la route. »

— Ne t'inquiète pas pour moi.

William lui releva le menton pour la regarder dans les yeux.

— Je ne le suis pas.

Elle arriva à neuf heures. Alice l'accueillit à la porte en compagnie d'un Titus tout frétillant de joie.

— Janus ?

— Il est avec Vénus et les chiots.

— Parfait.

— Faim ?

— Je mangerais volontiers.

— Omelette ?

Ella posa un baiser sur le bout de ses doigts.

— Très bien.

Elle resta debout jusqu'à minuit, bien qu'elle refusât de s'avouer à elle-même qu'elle attendait la sonnerie du téléphone. Puis elle se décida à aller se coucher avec un livre.

Ce fut le rugissement du moteur qui la réveilla, puis l'éclat violent des phares avant qu'ils ne s'éteignent en même temps que le moteur.

Toute vacillante, elle sortit de son lit et alla regarder par la fenêtre, cherchant à trouer l'obscurité. La forme noire de l'homme émergea d'une longue voiture sport surbaissée, et un rayon de lune fit ressortir une lueur dorée captée dans ses cheveux avant qu'il ne disparût sous le porche. La sonnette retentit alors.

Ella, dans sa joie, poussa un petit cri aigu, alluma la lumière et chercha frénétiquement sa brosse à cheveux tandis que les chiens se mettaient à aboyer et que la porte de la chambre d'Alice s'ouvrait violemment.

— Ça va, Alice ! cria Ella en se précipitant sur le palier, vêtue de son pyjama.

— Il est deux heures du matin !

— C'est pour moi... je suis désolée.

— En êtes-vous sûre ?

— Parfaitement.

La sonnerie retentit de nouveau pendant qu'elle dévalait l'escalier.

— Cesse de sonner ainsi, tu vas réveiller les voisins !

Les doigts tremblants, elle repoussa les verrous et ouvrit la porte d'un coup sec.

Harry était sur le pas de la porte, l'air en colère.

— Il n'y a pas de voisin, dit-il sans ambages.

— Vous troublez la paix.

— Je me fiche pas mal de la paix.

— Pourquoi n'avoir pas passé un coup de fil d'abord ?

— Et vous, vous auriez pu le faire aussi ?

— Je ne savais pas où vous trouver.

— Fadaises !

— Eh bien, je n'ai pas téléphoné, en effet, dit-elle piteusement.

— Vous auriez pu laisser un billet... les hôteliers savent écrire, non ?

— En quatre langues. Ella frissonna de froid. « Vous pourriez peut-être entrer. »

— Si je ne vous dérange pas.

— J'aimerais que vous entriez !

Dans le salon, il la regarda fixement.

— Pourquoi as-tu fait cela ?

— Je ne sais pas trop. Je ne crois pas que je voulais paraître énigmatique à ce point.

— Mensonge !

— Je ne sais pas, Harry. Je t'en prie, ne sois pas fâché.

Il prit un air soupçonneux.

— Tu voulais me tester ?

— Le crois-tu ?

— Tu voulais jauger la valeur que je t'accordais ?

— Mais non. Je voulais seulement sortir de la cité.

— Voulais-tu que je te suive ou non ?

Ella rougit.

— Je le voulais.

— Bien. Et maintenant ?

Elle tenta de sourire.

— Nous allons nous coucher ?

— Je n'ai pas fait tout ce chemin pour te faire l'amour, dit-il sans périphrase.

— Oh ! Sa déception était visible.

Harry soupira.

— Je suppose que c'est ce que je mérite pour avoir défloré une vierge sage de vingt-quatre ans. Une friponne intrigante et sans pudeur.

— C'est ce que je suis ? demanda-t-elle, surprise.

— Apparemment.

— Merci.

— Ça ne voulait pas être un compliment !

— Sans importance. Pouvons-nous aller nous coucher maintenant ? demanda Ella gentiment. J'ai sommeil et je gèle ici.

— Dans ce pyjama de soie bleu ? Il l'appréciait du regard.

— Tu l'aimes ?

— Très chaste.

— Se retire facilement. Elle le vit regarder sa montre. « Tu restes ici, n'est-ce pas », demanda-t-elle anxieusement.

— Peut-être ai-je autre chose à faire qu'à errer dans la campagne ?

— Tu m'as dit que tu aimais la campagne.

Harry la considéra pensivement.

— Ce que je devrais faire, c'est te renverser sur mes genoux et te flanquer une bonne vieille fessée campagnarde !

— Tu oserais !

— Tout de suite.

— Je vais mettre les chiens à tes trousses.

— Je suis effrayé à en mourir. Il regardait Titus, étendu de tout son long, ses oreilles noires alternativement dressées et couchées, battant aimablement de la queue.

— Il y a six chiens-loups irlandais derrière la maison.

— Je sais – quatre chiots et leurs charmants parents.

— Tu ne me donnerais pas vraiment une fessée, n'est-ce pas ? minauda Ella en s'approchant de lui.

— Je le pourrais.

— J'aimerais mieux que tu fasses cela. Doucement mais fermement, elle lui prit les mains, en retira les clés de sa voiture et pressa ses paumes contre sa poitrine.

Harry ferma les yeux.

— Zut ! gémit-il.

— Tu as dit que j'étais une friponne, elle riait sous cape, ravie de l'effet qu'elle produisait sur lui. Il faut donc que je m'adapte à ce nouveau rôle.

— Tu as réussi.

— Parfait, ronronna-t-elle. Et maintenant, allons nous coucher.

Harry et Alice s'entendirent à merveille et après le petit déjeuner, tandis qu'Alice composait un pique-nique à leur intention, Harry et Ella allèrent se promener dans le grand jardin derrière la maison et poussèrent jusqu'au chenil.

— Bien. Où allons-nous aujourd'hui ? demanda Harry en grattant doucement les oreilles poilues de Vénus.

— Je voudrais te montrer quelque chose de spécial.

— Quoi ?

— Tu verras... Quelque chose que j'aimerais partager avec toi.

D'une certaine manière, en quittant Pine Orchard quatre jours plus tôt, elle se doutait qu'elle s'y sentirait attirée de nouveau, car ce lieu exerçait un magnétisme certain.

— Qu'en dis-tu, demanda-t-elle à Bogarde lorsque, bras dessus bras dessous, ils plongèrent leurs regards en bas du site. J'ai vu des tas de panoramas superbes avant...

Il secoua la tête.

— Pas beaucoup comme celui-ci. Sa voix était à peine audible. C'est très particulier ici, tu avais raison.

— Mais il y a plus que le simple spectacle.

Ella s'efforça de trouver les mots justes.

— Sais-tu ce qu'est une chambre obscure, Harry ?

— En latin, on appelle cela « camera obscura » – une espèce d'ancêtre de la photographie ?

— J'en ai vu une un jour, au sommet d'une colline. Cette « camera obscura » réussissait à capter tout le paysage environnant, et l'image était réfléchie sur une espèce de plaque. On aurait dit une grande carte, la seule différence était que c'était vivant. À y regarder de plus près, on voyait les gens en miniature, de même que les voitures et les points représentant des animaux, tout un monde qui vaquait à ses tâches quotidiennes sans se douter qu'il était surveillé. C'était une sensation bizarre, extraordinaire.

— Et c'est ce que tu ressens ici ?

— Un peu, oui.

— C'est probablement l'une des raisons qui faisait que la Mountain House attirait tant de personnages fortunés et influents. Sans doute aimaient-ils, eux aussi, cette sensation ; ils se sentaient un peu chez eux.

— Cela me rend triste, dit-elle.

— Pourquoi ?

— Parce que l'édifice a disparu sans laisser de traces.

Soudain, de grosses gouttes de pluie commencèrent à tomber.

— Viens, dit Harry. Retournons à la voiture.

— Je voulais voir les chutes de Kaaterskill – il paraît que la cascade est plus longue que le Niagara.

— Nous allons être trempés.

— Es-tu un homme ou une souris ? gronda Ella.

— Un New-Yorkais avec une belle Aston Martin sèche qui nous attend.

— Harry, je ne reviendrai peut-être jamais ici – tu vas à ta voiture, et moi je vais aux chutes toute seule.

Bogarde soupira lourdement.

— William m'a dit que Krisztina pouvait être têtue. Facile de voir de qui tu tiens ton hérédité.

Ils suivirent la route qui menait aux chutes, puis ils tournèrent dans une piste étroite qui descendait. Ella trébucha et s'accrocha à Bogarde.

— Embrasse-moi, dit-il d'une voix enrouée.

Leurs lèvres se rencontrèrent pendant un long moment. Les gouttes de pluie s'agrandirent, s'écrasèrent sur eux, imprégnant leurs cheveux, transformant la piste en un fleuve de boue. Lorsqu'ils se séparèrent pour reprendre leur souffle, Bogarde plongea son regard dans les yeux d'Ella en la tenant toujours par les épaules.

— Épouse-moi, dit-il.

— Pardon ? Elle était fort surprise.

— Tu as bien entendu.

— Tu veux m'épouser ?

— Oui.

— Mais... nous venons de faire connaissance, haleta-t-elle.

Harry regarda sa montre.

— Nous nous connaissons depuis soixante-deux heures. Il leva les yeux vers elle. « Veux-tu m'épouser, Ella ? »

Elle n'aurait su dire si ses yeux étaient mouillés de larmes ou de pluie. Elle le regarda amoureusement.

— Je ne peux pas.

— Pourquoi ?

Ses yeux étaient d'un bleu encore plus vif.

— Tu ne peux pas rester plantée là à me regarder ainsi et...

— Comment est-ce que je te regarde ?

— Comme si tu étais... comme si tu m'aimais.

— Mais je t'aime.

— Eh ! bien alors ? Il était très tendu. Tu ne veux pas m'épouser ?

— Mais si, oh, Dieu ! Bien sûr que si !

— Alors, pourquoi ne le peux-tu pas ?

— Parce que j'habite en France.

— C'est tout ?

— Cela me semble très important, non ?

— Bien sûr que non !

Il éclata de rire, soulagé.

— Tu peux déménager. Bien des gens le font, tu sais.

— Pas moi.

— Pourquoi pas toi ?

— Parce que ma place est là-bas.

— Ta mère en est bien partie.

— C'est vrai.

— Eh bien alors ? répéta-t-il.

— Ne sois pas fâché, Harry, plaida-t-elle.

— Je ne suis pas fâché. Je ne comprends pas.

Ella lui caressa le visage.

— Tu es Américain, n'est-ce pas ?

— Et après ?

— Viendrais-tu vivre en Alsace ?

— Possible.

Elle secoua la tête, ses cheveux trempés lui collaient au visage.

— Non, tu ne viendrais pas.

— J'ai des maisons partout. Pourquoi pas une de plus.

— Où sont ces maisons ?

— Long Island, Manhattan, Chicago, San Francisco.

— Toutes en Amérique.

Il changea de stratégie.

— D'après ce que tu m'as raconté dans le parc l'autre jour, les choses ne sont pas spécialement réjouissantes sur les terres de Trouvère.

— Non, c'est vrai, concéda-t-elle.

— Je t'offre donc une alternative.

— Et si je ne veux pas d'alternative ?

— Peut-être en cherches-tu une, mais tu ne le sais pas encore.

— Tu ne sais rien de moi, Harry, dit Ella entre ses dents.

Il la lâcha et passa une main à travers ses cheveux humides.

— Je ne comprends pas, c'est tout, répéta-t-il.

— Comment le pourrais-tu ? Elle s'était radoucie.

— Qu'est-ce que cela veut dire ?

— Tant que tu n'as pas vu le domaine, comment peux-tu comprendre quoi que ce soit à mon sujet ?

— N'oublie pas ces trois derniers jours, Ella.

— Comment le pourrais-je... Ce sont les jours les plus merveilleux de ma vie.

— Alors, ne dis pas non.

— Harry, je...

— Dis-moi plutôt que tu vas réfléchir.

Elle était silencieuse.

— Je t'en supplie !

Sa voix était désespérée, ses yeux implorants.

— J'ai trente-cinq ans, Ella et c'est la première fois que je trouve une femme que j'ai envie d'épouser. Dis-moi seulement que tu vas y penser.

Ella secoua la tête dans son désarroi.

— Je ne pourrai pas m'empêcher d'y penser.

— Dieu soit loué, au moins pour cela.

Une semaine plus tard, Ella reprit l'avion pour rentrer en Alsace. Elle se sentait triste et extrêmement pitoyable. Au château, Krisztina l'accueillit à la réception de l'hôtel.

— Que je te regarde un peu.

— Bonjour, maman.

— Tu as les yeux rouges et ton maquillage a coulé, mais tu as une mine formidable.

— Toi aussi.

C'était vrai, sa mère semblait être au meilleur de sa forme dans son tailleur gris de chez Balmain. Elle rayonnait de beauté.

— Tu es allée dans les magasins ?

— Juste deux jours à Paris. Tu ne voulais tout de même pas que j'en sois si près et que je n'en profite pas.

— Non, bien sûr.

— Viens, ma chérie. Allons nous asseoir. Elle prit sa fille par le bras. D'abord, parle-moi de ton papa, ensuite, tu m'expliqueras pourquoi le fait de tomber amoureuse de Harry Bogarde t'a fait pleurer pendant toute la traversée de l'océan.

Plus tard, Krisztina caressa la main d'Ella.

— Crois-tu qu'il va venir ?

— Oui. Enfin, j'espère.

— Peut-être aurais-tu mieux fait d'accepter tout de suite. C'est un homme généreux.

— Je sais, maman. Mais comment faire ? Je ne veux pas abandonner de Trouvère.

— Tu le devrais peut-être.

Ella se tut.

— Où donc est Ollie ?

— Quelque part dehors – je n'en sais rien. Je pense qu'à mon arrivée, il a décidé qu'il n'y avait pas de place pour nous deux en même temps.

— Il n'a donc rien fait.

— Pas grand-chose.

Ella s'enfonça dans son fauteuil.

— Maman, que dois-je faire ?

— Au sujet de ton frère ? de de Trouvère ? ou de Harry ?

— Les trois vont ensemble.

— Mets le dernier au premier rang, ma chérie. Dis-moi une chose – préférerais-tu ne l'avoir jamais rencontré ?

— Non !

Krisztina sourit.

— Que tu décides dans un sens ou dans l'autre, tu seras forcément déchirée. À toi de choisir quel sens tu préfères.

Ella réfléchit un moment en silence.

— Rencontrer Harry a été l'expérience la plus fabuleuse de ma vie.

— Alors, ne le laisse pas s'échapper, *dragam*. Ne te dérobe pas.

Le regard de Krisztina était grave.

— J'ai éprouvé ce même sentiment un jour ; je n'ai pas pu faire autrement que l'écarter, et j'ai épousé l'homme que j'aurais dû rejeter.

— Tu as trouvé papa ensuite.

— Toutes les femmes n'ont pas cette chance, Ella.

— Penses-tu que Harry est l'homme qui me convient ?

Krisztina rit de bon cœur.

— Ne te débarrasse pas ainsi sur moi, ma chérie. Ton père et moi connaissons Harry Bogarde depuis quelques années et nous l'aimons beaucoup. C'est un homme d'honneur, généreux, courtois, aimable. Mais c'est à toi de décider si Harry Bogarde convient à Ella Hunter.

— Oui, mais admettons qu'il me convienne, comment abandonner cet hôtel, mon foyer ?

— Ella, le problème, c'est que ce n'est pas tout à fait ton foyer, dit Krisztina lentement.

Ella se montra fort surprise.

— À cause d'Ollie ?

— Oui, à cause d'Ollie. Ce domaine porte le nom de de Trouvère. C'est le nom d'Ollie, pas le tien.

— Mais nous sommes frère et sœur.

— Il est ton demi-frère. Cela fait une différence. D'autant plus que ton nom à toi, c'est Hunter.

Krisztina parlait doucement.

— Olivier t'aime plus que tout au monde, Ella, je n'en doute pas un instant, mais il ne te respecte pas suffisamment.

— Je ne pense pas que ce soit vrai.

— Il se sert de toi, ma chérie. Il te manipule.

— Je ne suis pas facilement manipulable, se défendit Ella.

— Tu ne te laisses pas manipuler par la plupart des gens. Mais nous avons tous nos points faibles.

— Il dépend de moi, maman, c'est incroyable. Tu ne vis pas ici. Tu ne vois pas comme il semble perdu parfois.

— Je ne doute pas qu'il compte beaucoup sur toi parce qu'il n'est pas stupide. Mon fils est fou, orgueilleux, profondément malheureux, mais pas stupide.

— Quel portrait terrible !

— Je suis sa mère, dit tristement Krisztina. Je ne dis pas que c'est un homme terrible, Ella, mais je vois ses défauts plus clairement que n'importe qui d'autre. Elle prit la main de sa fille. Il y a trop de différences entre toi et Olivier pour les énumérer ma chérie, mais il en existe une qui est fondamentale. Tu peux quitter de Trouvère et rester encore heureuse, peut-être même plus heureuse que jamais. Olivier, lui, ne le pourrait pas. Il est persuadé que lui et son domaine ne font qu'un, que le château et les terres sont nécessaires à sa survie.

— Mais si je le quitte – si je l'abandonne – je crains qu'il ne détruise de Trouvère, et lui avec. Ella était déconcertée.

— Olivier avait un père suicidaire, les marques de cette hérédité sont présentes chez son fils. Le visage de Krisztina était crispé de chagrin. Cela prendra peut-être du temps, mais il se détruira un jour, il le fera avec ou sans toi. Elle laissa passer quelques instants. Peut-être est-ce ta bonne étoile qui a fait entrer Harry dans ta vie à ce moment précis.

— Je ne veux pas le prendre comme une échelle de secours, maman.

— Non, bien sûr que non. Ce serait fonder ton union sur une base désastreuse.

Elle examina sa fille.

— Je crois que nous quittons le sujet, parce que tu es amoureuse de Harry, n'est-ce pas ?

— Je crois.

— Je me doute de ce que tu éprouves à propos du domaine, Ella, moi plus que tout autre je peux le savoir, reprit Krisztina. Tu sens que ce lieu a une vie propre, que c'est une extension de notre famille et qu'en le quittant, tu trahirais cette famille, et pas seulement Olivier.

Ella acquiesça de la tête.

— Surtout grand-maman.

— Tu as tort. Belle-mère et moi ressentions la même chose, et nous avons aussi senti que le temps était venu pour moi de m'en aller.

— Il y a des gens qui passent leur vie entière dans un seul lieu. Des générations d'une même famille vivent et meurent dans la même maison, soutint Ella. Es-tu en train de dire que ce n'est pas bon ?

— Je n'ai jamais voulu dire une chose pareille. La destinée de Laurent était liée à de Trouvère, de même que celle de son fils. Telle n'était pas ma destinée ; je n'ai jamais cru que j'étais irrévocablement liée à de Trouvère. Je crois que c'est la même chose pour toi, conclut Krisztina en observant intensément sa fille.

XXXII

En dépit de leur séparation, Harry et Ella bavardaient ensemble chaque jour et s'écrivaient de longues lettres d'amour, ou de brèves missives très romantiques. Elle l'avait persuadé d'attendre Noël pour s'envoler vers l'Alsace, d'abord parce que l'animation du Jour de l'An battait son plein à de Trouvère, et ensuite, cela lui donnait le temps dont elle avait besoin.

Ella ne nota l'absence de ses règles qu'une quinzaine de jours avant Noël. Ils avaient été tellement occupés, et son voyage en Amérique l'avait tellement désorientée par rapport à la vie qui avait été la sienne jusque-là, qu'il lui fallut éprouver quelques nausées pour qu'elle réfléchisse à son état.

Sa première réaction fut la terreur.

Puis la confusion. Comment était-ce possible puisqu'ils avaient fait usage de préservatifs ? Et puis elle se souvint de Rhineheck – la première fois de cette première nuit – cette unique fois – tellement emportés dans la chaleur du moment, tous deux avaient oublié... Et puis ce fut le ravissement. L'enfant de Harry Bogarde dans son corps !

Excitation, panique renouvelée, et un désir ardent et intense de partager son secret.

Avec qui ? Pas avec Harry qui ne serait ici que d'ici une quinzaine de jours. Ni avec sa mère ou son père qui ne feraient que s'inquiéter pour elle.

Si seulement Geneviève était encore en vie...

Il ne restait qu'Ollie.

Elle ne savait pas trop pourquoi elle tenait à lui raconter ce qui lui arrivait, ni pourquoi elle pensait pouvoir se confier à lui après tant de déceptions. Mais il restait son frère envers et contre tout, n'est-ce pas ?

Elle sut qu'elle s'était trompée dès qu'elle eut fini son récit.

— Je n'y crois pas, dit-il crûment.

— C'est pourtant vrai.

— Combien de mois de retard ?

— Un. C'est suffisant.

— Et ensuite ?

— Malade le matin – Ollie, je suis enceinte.

Olivier resta silencieux pendant un long moment. Puis il leva soudain la tête.

— Que comptes-tu faire ?

— Faire ?

— Pour t'en débarrasser.

— Je n'ai pas l'intention de m'en débarrasser.

— Tu le veux ? Son expression était franchement incrédule.

— Certainement.

— Tu es folle !

— Non, je ne suis pas folle.

Un rictus parut sur les lèvres d'Olivier.

— Ma sœur la chaste, mon innocente petite Lalla, engrossée comme une vulgaire souillon. C'en est presque comique.

Elle darda son regard sur lui.

— J'aurais mieux fait de me taire !

— Tu sais bien que tu finis toujours par tout me dire. Et le père ? Il est au courant ?

— Pas encore.

— Ah ! c'est un cadeau de Noël à son intention – un joli cadeau. Il veut t'épouser ?

— Tu sais bien qu'il le veut.

— Ça, c'était avant que tu ne sois enceinte.

Les yeux d'Ella brillaient.

— J'aurai cet enfant, qu'il m'épouse ou non.

— Ce sera bien pour les affaires.

— Moins néfaste que bien des choses que tu fais toi-même !

— Ne joue pas à la petite prétentieuse avec moi, Ella – pas maintenant. Tu ne vaux pas mieux que moi, tu viens de le prouver. Il se pencha et lui tapota l'estomac. Tout le monde le saura d'ici peu.

Les larmes n'étaient pas loin.

— Je regrette de t'en avoir parlé, dit-elle. J'aurais dû avoir plus de jugeotte.

— Si tu crains que je sois indiscret, tu te trompes. Je ne veux pas que la honte tombe sur notre famille.

— Hypocrite ! Après ce que tu as fait ici même.

— Je suis chez moi ici.

— Moi aussi.

— Ce n'est pas certain.

— Pardon ?

— Ce n'est pas la maison de ton père.

— Pour l'amour de Dieu, Olivier !

— Au moins, notre mère a eu le bon goût de partir lorsqu'elle apprit la vérité.

— Quelle vérité ?

— Touchant ses parents.

— Qui font partie de tes ancêtres, je te le rappelle !

Olivier la considéra avec mépris.

— Tu es pâle, Lalla. Tu devrais peut-être t'allonger. Dans ton état, il ne faut pas prendre de risques.

Il sortit de la pièce à grands pas. Ella porta la main à sa joue. Elle était mouillée de larmes. Ce même soir, Ella reposait dans son lit sans trouver le sommeil ; on frappa à la porte.

— Oui ?

Olivier s'encadra dans la porte sur un fond lumineux venu du couloir.

— Va-t'en ! dit-elle.

— Lalla. Il entra et ferma la porte.

— Je n'ai pas envie de parler avec toi.

— Je t'en prie.

Ella alluma sa lampe de chevet et regarda son réveil.

— Il est presque trois heures du matin, Olivier. Que veux-tu donc à cette heure ?

— Me faire pardonner. Il vint plus près d'elle, et elle vit ses yeux rougis.

— Laisse-moi tranquille.

Il s'assit sur le bord de son lit. Elle sentit l'odeur de whisky dans son haleine.

— Lalla, je suis désolé. Je n'aurais pas dû dire ce que j'ai dit tout à l'heure.

— Là, tu as tout à fait raison.

— Je ne le pensais pas. J'étais sous le choc.

— Tu sais très bien que tu pensais chacune de tes paroles.

— Non ! Je t'aime, tu le sais.

— Tu prends des chemins étranges pour me prouver ton affection.

— Ne sois pas méchante, Lalla, pour l'amour du ciel.

Il tenta de lui prendre la main, mais elle s'esquiva.

— Je t'aime. J'ai besoin de toi, tu le sais. Tu es la seule personne qui compte pour moi. Il avait une expression sauvage, désespérée.

— Tu es ivre, dit-elle avec écœurement. Tu me parleras de ton affection quand tu seras dégrisé.

— Lalla, je t'en prie, pardonne-moi ! Les mots sortaient de lui comme si on les lui eut arrachés, ils étaient presque des sanglots.

— Sors de ma chambre.

— Lalla...

— Immédiatement !

Harry arriva à l'heure du déjeuner la veille du réveillon de Noël. Il avait trois malles, deux contenant ses effets personnels, la troisième remplie de cadeaux.

— Tous ne sont pas de moi – deux viennent de tes parents, et un de la part d'Alice.

— Comme c'est gentil de sa part.

Ella regarda dans la malle.

— Harry, il y a au moins vingt paquets !

— Tous pour toi.

— Tu es fou.

— Seulement amoureux.

— Je n'ai pas eu le temps d'acheter quelque chose pour toi.

— C'est bien – j'ai déjà tout ce que je désire.

Il l'attira contre lui. Ils se tinrent enlacés pendant un long moment.

— Mon Dieu, comme tu m'as manqué.

Ella avait demandé à ses parents l'autorisation de faire usage du petit abri particulier que William avait offert à sa femme lors de leur mariage, exactement vingt-six ans plus tôt.

— C'est une idée on ne peut plus charmante, avait dit sa mère après une brève conversation avec William. J'ai souvent pensé qu'on utilisait trop rarement cet endroit et cela m'attristait.

— Vous êtes sûrs que ni l'un ni l'autre ne serez fâchés ?

— Nous sommes tous deux ravis.

— Je pense qu'il n'existe pas beaucoup de parents qui prêteraient un nid d'amour à leur fille, assura Ella avec un petit sourire en coin.

— C'est qu'il n'y a probablement pas beaucoup de parents qui ont une fille comme toi, dit Krisztina avec chaleur. Transmets toute notre affection à Harry, et amusez-vous bien.

— Nous y comptons bien.

Le petit chalet était rarement utilisé, bien que scrupuleusement entretenu mais l'atmosphère romantique qui avait accueilli Krisztina pour la première fois – il y avait si longtemps – restait toujours aussi présente, comme si les murs en bois de pin doré l'avaient retenue pour cette occasion précise.

Ella et Harry passèrent deux heures mémorables dans cette intimité bénie. Elle dut ensuite reprendre ses occupations à l'hôtel après lui avoir promis qu'ils dîneraient en tête à tête à la table Hepplewhite, même s'il leur fallait attendre minuit.

Lorsqu'ils s'endormirent dans la chambre douillette chauffée au feu de bois, vers trois heures du matin, Ella n'avait pas encore parlé du bébé à Harry. Elle s'était réservée vingt quatre heures de répit afin de s'assurer que les choses étaient toujours les mêmes entre eux. De plus, le réveillon serait de bon augure pour annoncer une telle nouvelle.

Le téléphone la fit sursauter et sortir brutalement d'un rêve heureux. Elle saisit le récepteur rapidement, ne voulant pas déranger Harry.

— Pardon, madame.

— Louis ? Que se passe-t-il ?

— Un problème. Un petit incendie...

— Le feu !

— Ne vous mettez pas en peine, il est presque éteint.

— Où cela ?

— La cuisine – dans le vestiaire. Je viens de vous le dire, nous l'avons éteint.

— Qui, nous ?

— Moi et Christine Vernier, l'une des femmes de chambre. Elle a senti la fumée avant même que l'extincteur automatique soit mis en marche.

— J'arrive tout de suite.

— J'étais sûr que vous voudriez vérifier, madame, bien qu'il y ait peu de dommages.

— Vous avez eu raison, Louis.

Elle reposa le récepteur. Harry remua près d'elle.

— Qu'y a-t-il ?

— Rien de grave.

Ella baisa ses cheveux.

— Un petit problème à l'hôtel. Il faut que j'aille voir.

— J'ai bien entendu le mot feu ?

— Un tout petit feu, il est éteint. Rendors-toi. Je ne serai pas longue.

— Je t'accompagne, marmonna-t-il, à demi réveillé.

— Mais non. Tu es fatigué. Il faut que tu sois en forme pour Noël.

Harry s'assit tout de même.

— Nous sommes au milieu d'une forêt. Tu ne devrais pas conduire toute seule.

Ella sourit.

— Nous sommes en Alsace, pas à Manhattan. Ça va aller. Rendors-toi.

Elle était partie depuis une dizaine de minutes et Harry reposait sur le dos, complètement réveillé à présent, lorsqu'il perçut un bruit venant de la porte.

— Déjà de retour ? cria-t-il tout heureux.

Il n'y eut pas de réponse.

— Ella ?

Il y eut un grincement, et très lentement, la poignée de la porte bougea, luisante dans la lumière des flammes.

Harry s'immobilisa instantanément.

— Ella, c'est toi ?

La porte s'ouvrit avec la même lenteur sinistre.

Un homme se dressa dans l'encadrement, immobile.

Harry alluma.

L'homme portait un uniforme en velours bordeau orné de soutaches et de boutons dorés, et un pantalon immaculé.

— Bon sang ! Qui êtes-vous ? La voix de Bogarde déchira le silence.

Il vit alors la rapière.

— Je n'ai pas compris qui il était jusqu'au moment où il se mit à divaguer comme un enragé à propos de sa sœur, raconta-t-il à Ella entre deux gorgées de cognac. Tu m'avais dit qu'il rentrerait tard demain.

— C'est ce qu'il m'avait dit, dit-elle calmement.

— J'ai cru un moment que j'étais en train de rêver. Il avait l'air tellement... tellement absurde, comme quelqu'un d'un autre âge. J'aurais voulu pouvoir rire, mais j'ai eu peur sur le moment. Et puis, j'ai vu l'épée.

— La rapière.

— Ella, ma chérie, il m'a bel et bien semblé qu'il s'agissait d'une épée, et comme je n'avais même pas de caleçon sur moi, et encore moins de revolver, disons simplement que je me sentais en état d'infériorité.

Elle sourit malgré elle.

— Ce n'était pas drôle.

— Je sais. Elle se leva et fit les cent pas, essayant de mettre ses idées au clair. «Tu dis qu'il ne t'a pas attaqué?»

— Non, ma chérie, je t'ai dit qu'il m'a provoqué en duel. Un duel !

— Il faut qu'il ait été ivre.

— Ivre-mort, je dirais ! Mais moi aussi il m'est arrivé bien des fois d'être ivre, mais je ne me rappelle pas m'être jamais revêtu d'un déguisement pour pénétrer en titubant dans la chambre d'un parfait inconnu et demander réparation par un duel !

— Je veux bien te croire.

Harry regarda Ella d'un air narquois.

— Tu penses que c'est un comportement normal pour Olivier ?

Ella secoua la tête.

— Pas plus pour Olivier que pour n'importe qui. Sa voix fut subitement très triste.

— Ivre ou non, poursuivit Harry, il me semble totalement déséquilibré.

Ella ne dit rien.

— Viens t'asseoir, dit-il doucement.

Elle posa la tête sur son épaule, elle avait envie de pleurer.

— Comment savait-il que tu n'étais pas avec moi à ce moment précis ? demanda Harry.

Ella n'osait pas parler.

Harry hésita.

— Crois-tu qu'il aurait pu allumer le feu lui-même en manière de diversion ?

Il laissa passer quelques instants.

— Tu dis que c'était un petit incendie. Un incendie véritable peut-il être délibérément limité ?

— Non, si personne ne le découvre à temps.

— Vous êtes équipés d'extincteurs, n'est-ce pas ?

— Il savait bien que vous vous en serviriez.

— Je le suppose.

Il lui releva doucement le visage.

— Pourquoi ne m'as-tu rien dit ?

— À propos du bébé.

Ella se raidit.

— Tu sais ? C'est Olivier qui te l'a dit ?

— Pour quel motif, à ton avis, voulait-il se battre en duel ? demanda Harry. Il extravaguait à un tel point qu'il lui fallut du temps avant d'en arriver au fait. J'avais abusé de sa sœur, je lui devais donc réparation, selon ses dires. J'ai d'abord cru qu'il parlait de ta virginité, mais ensuite, il m'a accusé de t'abandonner avec ton enfant.

— Oh ! mon dieu !

— Alors pourquoi ne m'as-tu rien dit ?

— J'attendais demain.

— Je vois.

— Mais non, tu ne vois rien.

— Non, acquiesça-t-il. Quelque chose à voir avec Noël ?

— En partie. Et aussi en partie parce que je voulais être sûre que cela marchait toujours entre nous.

— Je vois, répéta-t-il.

— C'est vrai ?

— Je crois, oui. Tu n'es pas le genre de femme à épouser un homme sans raison.

— C'est cela.

— Et si tu connaissais mon sentiment profond à propos du bébé, cela ferait-il une différence ?

— Évidemment, dit-il se tournant vers lui.

— Je suis submergé, dit-il.

— Oh !...

— De joie.

Elle sourit.

— Oh !

— Je n'arrive pas à croire que j'ai réussi à avoir tout ce que je désirais d'un seul coup. Tout, en l'occurrence, c'est toi et notre enfant.

— Merci, dit-elle tout bas.

— Et toi ? Quelle impression te fait ton nouvel état ? Te voilà enceinte... tellement rapidement !

— La même chose que toi, répliqua-t-elle. Submergée.

— Et si tu décidais de ne pas m'épouser, voudrais-tu tout de même cet enfant ?

— Absolument. Je ne voudrais jamais me faire avorter.

— Parce que tu es catholique ?

— Non. De toute manière, je ne le suis pas vraiment.

— Kriszti et William m'ont expliqué... au sujet de l'adoption.

— Eh bien, quelle impression ça te fait d'épouser une Juive ?

— Cela ne fait aucune différence pour moi. Il réfléchit un moment. Veux-tu m'épouser à la synagogue ?

Ella se mit à rire.

— Je crains que cela ne soit un peu compliqué étant donné que ma mère a passé la plus grande partie de sa vie persuadée qu'elle était catholique.

— Et la chapelle du château ? Aimerais-tu que notre mariage y soit célébré ?

— Harry, je n'ai pas encore dit que je voulais me marier !

— C'est vrai, excuse-moi.

Il ne put retenir un sourire.

— C'est seulement que puisque tu m'aimes et que je t'aime, et que nous allons avoir un bébé que nous voulons tous les deux... Il s'arrêta, un peu confus.

Ella se leva et se dirigea vers la cheminée où elle s'immobilisa un moment pour réfléchir.

— Oh ! d'accord, dit-elle enfin.

— Ce qui veut dire ?

— Oh ! d'accord, je t'épouserai.

Harry se renversa sur le canapé et l'observa.

— Surtout, que personne ne t'accuse d'être trop romanesque, Ella Hunter !

Elle se retourna, un sourire sur les lèvres.

— Excuse-moi !

— Eh bien ?

— Eh bien quoi ?

— Viens ici et fais les choses correctement, de façon que je puisse te voir. Je veux que tu pleures de joie, ou au moins un baiser. Elle s'approcha et noua ses bras autour de sa taille. Il l'embrassa longuement, ne s'interrompant qu'une seconde ou deux pour dire :

— Ella Bogarde. Cela sonne bien.

Il hésita un peu.

— À moins que tu ne veuilles garder ton nom.

Ella sourit.

— Cela ne te ferait rien ?

— Ce n'est pas cela qui me ferait divorcer.

— Il se trouve que j'aime bien Ella Bogarde aussi.

Harry reprit le baiser interrompu, puis il leva encore la tête.

— Nous avons oublié l'hôtel. Il eut l'air inquiet subitement.

— Je ne l'ai pas oublié.

— Et alors ?

— Nous trouverons bien une solution, dit-elle. Il m'apparaît à présent que ce n'est pas une raison suffisante pour nous empêcher d'être mari et femme.

— En effet.

Il l'observa toute la journée du lendemain, travaillant dans le cadre qu'elle aimait, merveilleusement intégrée à son rôle à la direction de l'hôtel. Au déjeuner, il s'assit seul à une table du restaurant pendant qu'Ella parlait soit avec les clients, soit au personnel, et lorsqu'elle revenait un moment vers lui, il lui disait qu'elle ne lui avait jamais semblé plus jolie.

— Merci, souriait-elle.

— Ton travail ajoute à ta beauté, Ella. On dirait qu'il complète ta personnalité.

Une lueur de chagrin traversa le visage d'Ella, mais elle ne dit rien, se contentant de s'asseoir pour manger son fromage et boire une goutte de vin.

— Je vais au chalet, dit Harry après le déjeuner, pour réfléchir un peu.

— À quel sujet ?

— Une idée qui me trotte dans la tête.

Ils quittèrent le restaurant.

— Aucun signe d'Olivier aujourd'hui ? demanda Harry.

— Probablement en train de soigner sa gueule de bois.

— En te laissant tout le travail de Noël.

— Pas si terrible, dit-elle très vite. La plupart des hôtes sont arrivés et sont satisfaits de leurs chambres.

— De sorte que tu n'as plus qu'à t'occuper des festivités de ce soir, dit Harry sur un ton ironique.

— Nous avons un chef merveilleux.

— Je sais.

Il l'enlaça brièvement, sachant qu'elle ne tenait pas aux démonstrations de tendresse dans les endroits publics.

— Si tu as besoin de moi, je suis au chalet.

— J'ai toujours besoin de toi, dit Ella, prise de regret. Mais c'est le temps qui me manque.

Les festivités se déroulèrent superbement. Ella avait revêtu une robe moulante en velours écarlate, sachant qu'elle ne pourrait plus porter de tels modèles pendant quelque temps. Elle réussit à jouer son rôle d'hôtesse et à se distraire en même temps avec Harry qui parut adopter son rôle de second temporaire avec une aisance remarquable.

Olivier apparut peu avant minuit dans la salle de bal éclairée aux chandelles vêtu d'un smoking et arborant son plus charmant sourire. Il salua Harry et Ella comme s'il ne s'était rien passé la nuit précédente.

— Il ne se souvient peut-être pas ? suggéra Harry à voix basse.

— Il se souvient fort bien. Ella était devenue pâle.

— Eh ! fit-il en lui secouant légèrement la main. Ne le laisse pas gâcher ta soirée. Tu es l'hôtesse triomphante de la plus grandiose soirée à laquelle il m'ait été donné d'assister.

Elle esquissa un pauvre sourire.

— Ce n'est pas une réception, Harry.

— Pour toi, certainement pas.

Il secoua la tête.

— Je ne sais pas comment tu peux contrôler une affaire comme celle-ci.

— Il y faut surtout de l'organisation et un personnel adéquat. C'est un peu comme une production théâtrale – il faut trouver les acteurs qui conviennent.

— Et la mise en scène.

Elle hocha la tête.

— Dans ce cas, le décor, c'est tout.

Il était quatre heures du matin quand ils purent enfin se débarrasser de leurs chaussures et enfouir leurs pieds dans le tapis moelleux du chalet.

— Il faut que nous parlions, dit Harry, mais je suppose que tu es près de t'effondrer.

— Pas tout à fait. Voici des heures que j'attends d'en savoir plus sur ton idée.

— Peut-être vaut-il mieux attendre que tu aies dormi un peu ?

— Tant que je ne saurai pas ce que tu as concocté, je serai incapable de m'endormir.

Il lui fit boire une grande tasse de café avant de commencer.

— En Amérique, quand nous avons grimpé sur cette montagne, tu m'as dit que je ne te comprendrai pas tant que je n'aurai pas vu de Trouvère.

— Je me souviens.

— Eh bien, j'y suis enfin. Je t'ai observée, et tu avais raison. Ce serait une erreur de t'éloigner de l'hôtel. C'est une part de toi. Il te prend ton énergie, sans doute, mais il te la restitue différemment.

— Mais toi, tu ne serais pas heureux.

— Attends que j'aie fini mon numéro.

— D'accord.

— Je ne veux pas vivre en Alsace, Ella, tu avais raison aussi sur ce point. C'est un endroit merveilleux, mais comme tu l'as souligné avec bon sens, je suis trop américain pour cela.

— Bien. Alors qu'allons-nous faire ?

— Nous emportons l'hôtel.

— Quoi ?

— Laisse de Trouvère à Olivier, pour le meilleur ou pour le pire, et construis un second hôtel – identique en tous points si tu le souhaites ; je pense toutefois qu'il devrait être plus vaste, ton second hôtel à New York.

Ella en resta bouche bée.

Harry riait sous cape.

— Qu'en penses-tu ?

Elle était trop abasourdie pour parler.

— Je crois que c'est la solution parfaite, dit-il ; et qui plus est, cela pourrait marcher.

Ella posa sa tasse de café, craignant de la renverser.

— C'est impossible, dit-elle d'une voix enrouée. Le château de Trouvère est ancien – on ne peut pas le copier, la copie ne ressemblera jamais à l'original.

— Avec suffisamment de fonds, tu peux faire une tentative.

— Voilà précisément une autre raison – la plus importante – l'argent.

Harry sourit.

— Je suis riche, Ella. Immensément riche.

— Personne ne serait suffisamment fortuné. Un tel projet coûterait des millions.

— Une vingtaine de millions probablement, acquiesça-t-il sans embarras.

— Oui. Et après ?

— Je te le dis, je suis riche, riche à millions.

— Oui, mais tu ne fais rien !

— J'ai hérité d'une fortune, ma chérie. Quoiqu'il ne soit pas tout à fait juste de dire que je ne fais rien – je n'en parle jamais, c'est tout.

— Eh bien, tu devrais en parler. Une épouse doit savoir comment son mari gagne son argent. Car enfin, tu pourrais être un criminel !

— Je n'en suis pas un.

— Je sais.

— Alors ?

Harry fit une pause.

— Ella, je peux procurer l'argent. Nous pouvons retrouver le type qui a transformé le château en hôtel – comment se nomme-t-il ?

— Alberto Giordano. Mais c'était il y a trente ans !

— Il est vivant. Tu m'as dit qu'il t'avait envoyé des fleurs.

— Il doit avoir au moins soixante-dix ans.

— Aucune importance s'il est en bonne santé. En tout cas, il pourrait au moins superviser.

— Harry, par pitié, arrête.

— Pourquoi ?

— Tu vas trop vite.

— Excuse-moi, bébé.

— C'est impossible, dit-elle en secouant la tête.

— Rien n'est impossible. Tu ne m'as pas demandé où se situerait cet hôtel.

Ella le dévisagea et elle lut dans son esprit. Elle en eut une espèce de choc.

— Il me semble deviner.

— C'est le lieu rêvé.

Ella ferma les yeux et, immédiatement, se présenta à son esprit la vue qui l'avait tant captivée. Elle s'abandonna quelques moments, imagina Pine Orchard et la montagne au printemps, en été, et mieux encore en automne, alors que les couleurs se déploient somptueusement jusque dans la vallée.

Elle rouvrit les yeux.

— Il ne peut pas exister un autre domaine de Trouvère. Pas sans histoire, pas sans la suite des générations.

— Certainement pas, dit Harry sans hésiter. Mais tu pourrais faire naître un nouveau de Trouvère. Qui sait même si le nouveau ne serait pas mieux encore.

Reprenant soudain pied dans la réalité, Ella posa une main sur son estomac plat.

— Je vais avoir un bébé, Harry. C'est une chose de diriger un hôtel qui existe déjà tout en étant enceinte – c'en est une autre d'en construire un dans sa totalité.

— Je trouve que ce serait l'idéal pour toi. Ce ne serait pas comme pour ta mère qui a dû supporter un bataillon d'ouvriers au milieu d'un tintamarre épouvantable. Toi, tu n'aurais qu'à donner les ordres, puis à surveiller ensuite. Notre enfant sera sur ses jambes à l'époque ou les portes s'ouvriront.

— Notre enfant, reprit Ella en écho, prise de vertige à cette pensée. Un château à New York.

— Trop de choses à la fois, n'est-ce pas ?

Cependant, la réalité ne la lâchait pas.

— Et Olivier ?

— Olivier ?

— Il ne nous laissera jamais copier de Trouvère.

— Tout dépend de la manière dont on lui présente la chose. S'il y voit un chemin pour acquérir une plus grande autonomie, je doute qu'il résiste beaucoup.

— Tu réalises que tout mon capital est lié à cet hôtel alsacien, Harry ?

— Oui.

— Cela ne t'inquiète pas ?

— Je vois surtout que sous la direction d'un homme aussi instable que ton frère, cet hôtel doit être considéré comme perdu. Achèterait-il tes parts ?

Ella secoua la tête.

— Je ne suis pas prête à les lui offrir. Même si je peux envisager de me retirer de l'affaire, je dois à ma mère et à ma grand-mère de ne pas abandonner complètement.

— Pas encore, du moins, ajouta Harry calmement.

— Non, pas encore. Ella bâilla. Une immense lassitude l'envahissait enfin.

— Tu devrais te coucher. Harry l'aida à se lever du canapé en la tirant par les mains.

— Dans une minute.

Elle se frotta les yeux, brouillant son maquillage.

— Te rends-tu compte de l'absurdité, de la folie de notre situation ? Nous discutons en pleine nuit du projet le plus extravagant qui soit – et moi, je finirais presque par y croire.

— Mais il faut prendre cette idée sérieusement, ma chérie. Cesse de réfléchir, et tu verras que ce n'est pas un projet fou.

Ella défit le chignon que son coiffeur avait confectionné onze heures auparavant, et sa chevelure descendit en cascade sur ses épaules.

— Dieu, c'est merveilleux, murmura Harry.

— Je suis incapable de penser davantage cette nuit ; je suis trop fatiguée.

Elle allait se glisser sous l'édredon quand Harry lui mit un petit écrin dans la main.

— Qu'est-ce que c'est ?

— Quelque chose qui ne peut attendre.

Elle l'ouvrit de ses doigts nerveux et en perdit le souffle. C'était une bague en diamant incrusté d'une émeraude au centre et serti de platine au moyen de fines tiges groupées.

Harry la lui prit.

— Je vais te la passer au doigt. Elle convenait parfaitement.

— Comment as-tu fait ? demanda Ella.

— Kriszti m'a prêté l'une de ses bagues – vos mains sont à peu près identiques.

— Que je t'aime, dit-elle faiblement.

— Je sais.

— C'est seulement... (Elle se renversa contre ses oreillers.) ...que j'ai tellement sommeil... Ses yeux se fermèrent.

Harry la contempla longuement avant d'éteindre la lumière.

— Joyeux Noël, dit-il.

Harry repartit le cinq janvier 1974 dans l'intention de consulter des hommes de loi, des banquiers et les autorités locales sur la construction éventuelle d'un nouvel hôtel, un château français, dans les monts Catskill.

— Je ne veux plus y penser à moins que toutes les réponses soient positives, insista encore Ella avant le départ de Harry.

— Elles le seront.

— Je n'en suis pas si sûre.

Harry la scruta du regard.

— Tu souhaites vraiment que le plan aboutisse, n'est-ce pas, ma chérie ? Tu en es bien certaine – tu n'as plus de doutes ?

— Des doutes, j'en ai des millions, sourit-elle. Mais finalement, oui, je voudrais que cela réussisse. Étant donné les circonstances, je serais idiote de ne pas tenter.

Harry lui prit les mains.

— Je vais faire en sorte que cela réussisse, Ella.

Elle leva la tête vers lui.

— Je te crois presque.

Il revint un mois plus tard.

— C'est fait, dit-il négligemment alors qu'il était assis dans le salon d'Ella après qu'ils se furent embrassés. C'est d'accord. Nous pouvons construire.

— Je ne te crois pas !

— Mais si !

Les yeux d'Ella étaient brillants de larmes.

— Comment as-tu fait ?

— Je t'avais bien dit que je ferais aboutir ce projet. As-tu pensé à un nom ?

— Et toi ?

— C'est ton hôtel, Ella.

Elle n'hésita pas une seconde.

— Château Bogarde.

Harry sourit.

— Château Bogarde. Il le dit lentement, étirant les syllabes, les laissant rouler comme s'il dégustait un vin fin.

— Tu aimes ?

— Bien sûr, mais c'est ton hôtel, pas le mien.

— Au cas où tu l'aurais oublié, nous porterons bientôt le même nom.

Un grand sourire s'épanouit sur le visage de Harry.

— Quand ?

— Dès que tu le voudras.

— Ici ?

Elle aimait leur façon de converser, dans une espèce de sténo verbale. Ils n'avaient pas tellement besoin de conversations prolongées ; en effet, depuis le début de leurs relations, il s'était établi entre eux une communication intime et naturelle qui allait au-delà des mots.

— Si maman et papa pouvaient venir.

— Ils attendent que tu les appelles.

— Est-ce que ce sont mes parents ou les tiens ?

— Tu ne peux pas m'empêcher de parler à mes amis.

Une ombre passa sur le visage d'Ella.

— Qu'est-ce qu'il y a ?

— Ollie.

— Dois-je comprendre que tu n'as pas encore abordé le sujet avec lui ?

— Cela me paraissait inutile, dit-elle en secouant la tête.

Harry plissa le front.

— Tu ne devrais pas avoir peur de ton frère.

— Je n'ai pas peur. Je n'aime pas faire de la peine à ceux que j'aime.

— Dommage que monsieur le baron ne partage pas ta délicatesse sur ce point.

Ella rétorqua sur une note sévère.

— Peut-être ne me connais-tu pas aussi bien que tu le crois, Harry – en tout cas, tu ne sais rien des sentiments d'Olivier à mon égard.

— Tu as peut-être raison, dit Harry sur le ton de la fermeté. Et je me refuse à présumer quoi que ce soit. Je ne te blâme pas de t'occuper de ton frère, ma chérie. Seulement, je ne veux pas que tu souffres plus qu'il n'est nécessaire, et tu me pardonneras de m'inquiéter davantage de toi que de ton frère.

Olivier prit l'annonce de son mariage avec calme, sinon avec indifférence. Mais quand Ella lui parla des projets du nouvel hôtel, on eût dit qu'elle lui avait asséné un coup sur la tête.

— Il faudra me passer sur le corps !

— Moi aussi j'ai été surprise quand Harry m'a présenté son idée. Jusqu'au moment où j'y ai vu clair.

— Cet homme est un barbare, il te fait divaguer.

— Je ne pense pas, dit-elle doucement.

— Tu ne ferais tout de même pas fabriquer des copies du mobilier, n'est-ce pas.

— Tu sais bien que non.

— Cependant, tu es d'accord pour faire construire une reproduction du château. C'est obscène ! Je suppose que toi et ton philistin espérez voler les objets antiques, ou les vases – et pourquoi pas aussi dépouiller le château de tout son contenu ?

— Personne ne prendra le moindre objet dans cette maison, Ollie. Je n'ai jamais fait de tort au domaine. Je l'aime autant que toi.

— C'est pour cela que tu veux t'en aller ?

— Je me marie avec un Américain, dit-elle simplement.

— Eh bien, épouse-le, railla Olivier amèrement. Fais-lui ses rejetons s'il le faut et mène ta vie à ta guise, mais je ne te laisserai pas voler les biens qui appartiennent à ma famille.

— Je n'ai pas l'intention de voler quoi que ce soit, dit-elle froidement. Et peut-être que si tu n'étais pas à ce point obsédé par ce que tu appelles ta famille – tu sembles toutefois oublier que nous partageons la même mère, ce qui t'arrange bien – je ne souhaiterais pas quitter ce domaine, peut-être ne sentirais-je pas que la seule issue possible pour moi est de m'en aller. C'est la seule chose raisonnable et sûre que je puisse faire.

— Que veux-tu dire quand tu parles d'une chose raisonnable et sûre pour toi ? Ses yeux étaient remplis de colère.

— Ollie, je n'en peux plus de me colleter avec toi, dit-elle avec lassitude. Avec ce que tu es en train de faire de notre hôtel, de nos vies.

— J'aime de Trouvère, explosa-t-il passionnément, et je t'aime toi aussi, Lalla ! Est-ce un crime ?

— C'est pour cela que tu joues ? Que tu bois ? Que tu prends des décisions catastrophiques concernant l'hôtel sans même demander l'avis de maman, sans me consulter ?

— Non !

— Pourquoi alors ? Explique-toi !

Le visage d'Olivier était tordu d'angoisse.

— Parce que je suis malheureux !

— Mais pourquoi, Ollie ? Pourquoi es-tu malheureux ?

Ella était consternée et confuse.

— Tu as tout ce qui est important pour toi — ton titre, tes terres, la jeunesse, l'argent — et tu as encore des gens qui t'aiment en dépit de tout.

Il eut un rictus.

— On ne m'aime pas.

— Tu n'es peut-être pas digne d'être aimé, mais tu sais très bien que l'on t'aime.

— Pourquoi t'en vas-tu alors ?

Les épaules d'Ella s'affaissèrent.

— Peut-être est-ce parce que je t'aime qu'il faut que je parte. Si je restais, je pourrais te mépriser un jour.

Il la dévisagea.

— Tu me méprises ?

— Non, Ollie, pas encore, Dieu merci. Tu m'as écœurée bien des fois, j'ai eu souvent honte de toi, mais tu restes mon frère. Rien au monde ne peut changer cela.

Il la saisit subitement par les mains et il s'y agrippa comme un forcené.

— Ne pars pas, Lalla ! Je t'en prie, pour ma sauvegarde, ne t'en va pas !

Elle avait les yeux brûlants, mais elle savait qu'elle ne verserait pas une seule larme.

— Je m'en vais, Ollie, pour *ma* sauvegarde.

Il laissa retomber ses mains et le ressentiment reparut, dur comme pierre.

— Va-t'en donc. Épouse ton barbare, mets ses enfants au monde et essaie de reproduire de Trouvère. Son regard se fit encore plus dur. « Mais ne te sers pas de mon nom, sinon je te traînerai devant toutes les cours de justice de France et d'Amérique. »

— Nous baptiserons notre hôtel Château Bogarde, répliqua--telle tranquillement.

— Comme c'est touchant !

— Ne raille pas.

Son rire devint terrible.

— Je raillerai encore plus quand ta nouvelle création et ton mariage se révéleront être désastreux ; quand tu reviendras ici en rampant sur tes genoux.

Ella maîtrisa sa colère, sachant qu'il lui faisait du mal parce qu'il était peiné.

— Essaie donc de te rendre compte que nous construisons cet hôtel parce que je suis une hôtelière – je fais mon métier.

— Tu es ma petite sœur.

Sa voix craquait.

— Je croyais que je pouvais compter sur toi.

— Tu le peux toujours. Je voudrais même que tu le comprennes.

— Je ne comprends qu'une chose, tu t'en vas.

— Oui.

— Tu échoueras, dit-il.

— Tu as tort, répartit Ella en se dirigeant vers la porte. Je vais réussir.

Ella et Harry furent unis deux semaines plus tard devant le magistrat de New York. Ils avaient finalement renoncé à la chapelle car le plaisir et la paix qu'elle avait espéré y trouver étaient anéantis. D'une certaine manière, Olivier avait déjà pris sa revanche sur Ella car la joie qu'elle avait toujours eue à de Trouvère s'était à jamais enfuie.

Elle portait une robe courte blanche, un modèle de chez Givenchy, et elle était voilée. William l'accompagna, Krisztina pleura de ravissement et Saül, le frère de Harry, qui avait fait le voyage à moto, pendant cinq jours, depuis sa maison du bord de mer de Santa Monica, fut son témoin. Il fut le seul membre de la famille Bogarde, les parents étant morts depuis longtemps, fauchés par un chauffeur ivre sur l'autoroute de Californie.

Alice vint de Rhinebeck, Alberto Giordano de Rome et Annabelle Herrick, qui avait maintenant les cheveux tout blancs, vint du Devon. Tandis que le juge parlait, Ella regarda tous ces visages, y compris ceux qui n'y étaient pas, mais qui étaient gravés dans sa mémoire. Comme toujours, elle regrettait la sagesse de Geneviève et les rires de Mischa.

Puis sa vision s'éclaircit ; elle sentit – ou crut sentir – les mouvements de l'enfant enraciné profondément en elle. Elle leva alors la tête vers Harry, grande silhouette élégante au visage grave. Et bien qu'affligée au-delà de toute expression par l'absence d'Olivier, un sentiment de calme et de tranquillité descendit sur elle comme un voile tendre et protecteur.

— Tu as été fâchée ? lui demanda Harry un peu après la cérémonie, lorsqu'ils furent enfin seuls.

— Fâchée ?

— Que la séance ait été si brève et si peu religieuse ?

— Ce fut simplement intemporel, dit-elle, surprise. La ferveur n'était nullement absente.

— C'est aussi ce que tu as ressenti ?

— Oh ! oui.

Un premier groupe se réunit dans la maison de Harry à Long Island, une vaste demeure que les gens des environs surnommaient par euphémisme « le cottage » de Southampton.

Krisztina s'était jetée comme prévu dans le projet avec autant de plaisir qu'un enfant s'élançant dans une chute d'eau. Si Ella le voulait, dit-elle, rien ne lui plairai plus que de partager le fardeau de sa fille. Or, Ella avait besoin d'elle.

Louis Dettlinger, le portier de nuit de de Trouvère, arriva à l'improviste à New York le jour où les Bogarde rentrèrent de leur voyage de noces à Hawaï. Ce qui surprit bien tout le monde.

— J'ai donné ma démission, expliqua-t-il à Ella.

— Mais, pourquoi donc, Louis ?

— Parce que j'espère travailler pour vous, madame.

— Mais vous ne pouvez pas. Elle était fort embarrassée. Je ne peux pas employer le personnel du château de Trouvère.

— C'est pourquoi j'ai donné ma démission. Personne ne peut vous accuser de marcher sur les brisées de l'autre hôtel, madame. Je suis un homme libre, en fin de compte. À moins que vous ne me jugiez pas apte à remplir ma tâche.

— Nous savons que vous êtes compétent. Là n'est pas le problème.

Il sourit.

— Si vous ne voulez pas de moi, Madame Bogarde, je ne retournerai pas à de Trouvère. Cela vous convient-il ?

— Qu'allez-vous faire ? L'hôtel n'est pas construit — il ne sera pas prêt avant deux ans au moins. Il faut que vous travailliez ailleurs en attendant.

Dettlinger hocha la tête.

— C'est pourquoi je souhaite demander à votre père s'il ne pourrait pas m'employer entre-temps, peut-être comme portier. Je suis habitué aux objets précieux, vous savez que j'ai une bonne poigne. Il plia et déplia ses doigts pour en donner une preuve.

Ella éclata de rire.

— Je crois me souvenir aussi que vous savez distribuer des uppercuts.

— Voulez-vous réfléchir, madame ? Son regard était sincère.

— Vous allez avoir besoin de papiers — vous serez un émigrant.

— Je suis sûr que M. Hunter peut arranger cela.

— Votre confiance est grande, Louis.

— Ma mère m'a enseigné la patience. Elle m'a aussi appris à saisir une occasion dès qu'elle se présente.

— Considérez donc cette occasion comme saisie.

Ella eut une autre surprise heureuse au cours des premières semaines de planification. Ce fut un appel d'Alex Monselet, le chef qui avait démissionné trois ans auparavant sur un coup de colère contre Olivier. Lui aussi désirait travailler pour Ella. Il avait entendu parler de ses projets, et lui aussi était prêt à attendre si l'on voulait encore de lui.

— C'est un chef étonnant, dit-elle à Harry.

— Eh bien, retiens-le.

Tous se présentèrent à Southampton début avril. Alberto Giordano leur communiqua son premier projet. Alberto était âgé de soixante et onze ans, ses cheveux étaient blancs, mais son regard et son cerveau étaient aussi aigus qu'avant, de même que son sens esthétique.

Ce fut une période bouillonnante, une période de rêves et d'espoirs, une période où les idées rétrogrades et la crainte de l'échec n'avaient pas leur place.

— Si seulement la baronessa était là, soupirait Alberto, dévorant avec bonheur les spaghetti qu'Ella avait stockés à son intention pour la durée de son séjour, sur la demande pressante de Krisztina.

— Grand-maman aurait approuvé, n'est-ce pas ? avait demandé Ella à sa mère avec anxiété. Je me reposais toujours sur elle quand j'avais besoin de conseils.

— Si elle aurait approuvé ? souligna Krisztina dans un grand rire. Elle aurait probablement insisté pour poser elle-même la première pierre.

Ella et Harry montaient régulièrement à Rhinebeck pour être plus près du site. Chaque jour, quel que soit le temps et malgré la demi-heure de marche à effectuer à partir de North Lake – les travaux de la route projetée n'ayant pas encore débuté – Ella insistait pour passer une heure à Pine Orchard. Il n'y avait pourtant pas encore grand-chose à voir, mais elle avait subitement perdu confiance, et elle avait besoin d'être sur place, il lui fallait voir sans cesse s'affirmer la merveille dans le seul but de se rassurer elle-même.

— Tu exiges trop de toi, ma chérie, lui disait Harry qui s'inquiétait. Tu oublies que tu es enceinte.

— Don Kleinman dit que la marche et l'air frais me font du bien.

— Il ne t'a jamais conseillé de grimper chaque jour à flanc de montagne !

— Je ne lui ai pas posé la question. Ella se mordit les lèvres. En tout cas, c'est un obstétricien, pas un psychiatre. Il ne comprendrait pas que j'aie besoin de venir ici pour me convaincre.

— Te convaincre de quoi, pour l'amour du ciel ?

— Que j'ai bien fait – que je n'ai pas commis une erreur terrible.

— Cela concerne-t-il l'hôtel uniquement, ou bien suis-je aussi inclus dans tes doutes ? demanda-t-il ironiquement.

— Tout sauf toi.

— Explique-moi.

— J'ai quitté ma maison, Harry, dit-elle vivement, ma belle maison, et maintenant, nous essayons de remplacer l'Alsace – une belle région de vignobles vallonnée – par une montagne !

— Ma chérie, tu ne remplaceras jamais l'Alsace, dit-il d'une voix douce. Tu commences à zéro – tu ne fais que prendre les bons côtés d'une maison qui n'avait jamais été faite pour devenir un hôtel, et tu rejettes les aspects négatifs.

— Quels étaient les aspects négatifs de de Trouvère ?

— D'abord, c'était trop petit. Je ne comprendrai jamais comment tu as pu rendre cet hôtel commercialement viable avec si peu de chambres.

— L'argent, dit Ella sur un ton dégoûté. Il y a d'autres choses bien plus importantes dans l'existence.

— D'accord, dit-il aimablement, mais si nous dépensons une vingtaine de millions de dollars à la ronde, nous pouvons tout de même essayer d'en récupérer un peu.

— Excuse-moi, mon chéri, dit-elle d'un air contrit.

Harry entoura Ella de son bras protecteur.

— Ça va marcher, mon amour. Ça va être merveilleux, crois-moi.

Ella s'appuya contre lui.

— Je te crois.

Les contractions commencèrent dans la nuit du 20 juin, presque neuf semaines d'avance sur le temps normal. Les parents d'Ella étaient à Manhattan.

Ella dut subir une césarienne dix heures après à l'hôpital de Northern Dutchess. Ce fut une fille.

Ella se réveilla brièvement de l'anesthésie et vit vaguement une femme en blanc debout près de son lit.

— Vous êtes en salle de réveil, madame Bogarde, et vous avez une petite fille. Ella voulut bouger, mais la douleur l'en empêcha.

— Elle va bien ? murmura-t-elle.

— Tout à fait bien, répondit la femme sur un ton apaisant. Ella aperçut une seringue hypodermique dans sa main. « Cela va calmer la douleur et vous permettre de dormir encore un peu. »

— Où est-elle ? Je veux la voir.

— Bientôt, madame Bogarde, dit la femme.

— Mais je...

— Très bientôt.

Ella se rendormit.

Elle se réveilla de nouveau dans la soirée. Harry était assis sur une chaise à côté de son lit.

— Bonjour, ma chérie.

Il se leva et l'embrassa.

— Te souviens-tu ? Nous avons une belle petite fille.

— Où est-elle ?

— Elle est toute minuscule, alors ils gardent l'œil sur elle, mais ne t'inquiète pas, elle n'a besoin de rien, elle a tous ses doigts et tous ses orteils, elle a même tes cheveux.

Ella essaya de s'asseoir, mais la douleur la fit gémir et elle s'allongea. Elle remarqua un grand vase de roses rouges sur la table, près de la fenêtre.

— Je veux la voir, Harry. Demande qu'on me l'amène !

Il lui caressa tendrement la joue.

— Elle est en couveuse, ma chérie.

— Pourquoi ? Tu m'as dit qu'elle allait bien.

— Et c'est vrai, je te le jure. Mais elle ne pèse que quatre livres et demie, de sorte qu'elle a du retard à rattraper.

— Maman et papa sont au courant ?

— Ils sont en route.

Dans un autre effort, Ella essaya de repousser le drap qui la couvrait.

— Je veux voir notre bébé.

— Attends un peu, ma chérie. Harry la retint doucement. Tu ne dois pas marcher pour le moment.

— Alors trouve-moi un fauteuil roulant.

— Il faut que je demande la permission.

— Demande la permission ! dit-elle, agacée. Je n'ai pas l'intention d'attendre plus longtemps.

Harry sonna l'infirmière qui semblait contrariée.

— Votre fille va bien, madame Bogarde. Elle est seulement très menue, comme vous le savez, de sorte que nous devons l'aider à respirer...

— Que voulez-vous dire ? demanda Ella, angoissée.

— Elle est sous respirateur artificiel, répliqua l'infirmière avec calme. Mais c'est seulement afin qu'elle n'ait pas à fournir un effort trop important pour respirer. Elle peut respirer elle-même et elle avale toute seule.

— Je veux la voir.

— Nous devons consulter le médecin, madame Bogarde.

— Je veux la voir tout de suite !

Harry parla à la nurse.

— Je ne pense pas que ma femme se reposera vraiment tant qu'elle n'aura pas vu notre bébé, comprenez-vous ?

L'infirmière regarda Ella assise toute droite dans son lit et bien décidée à ne pas céder.

— Je vais chercher un fauteuil roulant.

On les laissa seuls près de la couveuse surveillée par une infirmière vigilante.

Ella regarda fixement à travers la vitre.

— Mon Dieu, elle est encore plus petite que je l'imaginais, murmura-t-elle.

Harry, bien qu'il l'ait déjà vue, demeurait muet devant ce menu paquet qui était sa fille.

Ella lui saisit la main en le dévisageant.

— Ça va ?

Il hocha la tête, les larmes lui montèrent subitement aux yeux.

— Elle est incroyable, murmura-t-il.

— Je veux la tenir.

Il avala sa salive.

— Bientôt, ma chérie, très bientôt.

— Nous devrions peut-être la changer de lieu ? dit Ella sur le ton de la conspiration. L'enlever pour l'emporter à la ville ?

Harry secoua la tête.

— J'ai demandé à Don – il assure que cette unité de soins est excellente et que puisqu'elle se maintient par ses propres forces, nous lui ferions plus de mal que de bien en la transférant ailleurs.

— Est-ce normal qu'elle respire si vite ? Ella se penchait au-dessus de la couveuse, ignorant sa douleur. Elle inspectait chaque centimètre de la chair du bébé.

— Chérie, regarde tous les autres.

Mais Ella ne voyait que son propre enfant, elle refusait de se laisser détourner de la créature qu'elle avait portée en elle.

— Son nom ? Sommes-nous toujours d'accord ? murmura-t-elle.

— Danielle. Harry considéra le bébé d'un air pensif.

— Ce qui donnera « Dani » comme diminutif. Ella fronça les sourcils, elle imaginait l'effet. « C'est joli. J'aime bien Dani. C'est doux et féminin, mais sans fioritures. »

— Moi, je l'appellerai Danielle, dit Harry.

Ella sourit.

— Prérogative du père.

— Je t'aime, Ella Bogarde.

— Je t'aime, Harry Bogarde, chuchota-t-elle.

Il vit qu'elle faiblissait et l'entoura d'un bras ferme pour l'aider à se réinstaller dans son fauteuil roulant.

— Nous allons te remettre au lit.

Elle saisit le poignet d'Harry.

— Elle va être normale, n'est-ce pas ?

— Elle va être parfaite.

Ella se sentit frissonner, mais elle était heureuse.

— Temps heureux en perspective, dit-elle tout bas.

Harry poussa le fauteuil vers la porte.

— Très heureux.

CINQUIÈME PARTIE

ELLA : New York, 1983-1984

XXXIII

En sept ans, ils devinrent une espèce de légende.

Château Bogarde, presque trois fois plus important que son prototype alsacien, avait ouvert ses portes dans la première semaine de juin 1976. Il pouvait accueillir deux cents hôtes à la fois dans soixante-douze chambres à deux lits et vingt suites. Giordano, ayant travaillé en heureuse harmonie avec un cabinet d'architectes new-yorkais et une main-d'œuvre triée sur le volet, avait construit en deux ans un véritable miracle de luxe moderne reposant sur la tradition la plus noble. Il avait réussi à créer une harmonie unique ainsi qu'il avait su le faire au château de Trouvère, où les clients se sentaient chez eux.

Le nouvel hôtel de Pine Orchard offrait toutes les commodités pour les vacanciers, quelle que soit la durée de leur séjour. Les chambres étaient personnalisées, le sybarite y était satisfait autant que l'ascète – ou le presque-ascète. Château Bogarde comportait une piscine à l'intérieur et une autre à l'extérieur, une salle de gymnastique, des courts de tennis utilisables quel que soit le temps et un club équestre. Son immense terrasse était équipée d'une dizaine de barbecues où les hôtes étaient servis à moins qu'ils ne préfèrent griller eux-mêmes leurs viandes, sans avoir toutefois à allumer eux-mêmes le charbon de bois ni à nettoyer l'appareil après utilisation. On trouvait également un cinéma, une salle de distractions insonorisée pour les jeunes, une salle de bal éclairée aux chandelles, une bibliothèque, deux bars, un salon de beauté et un unique restaurant au décor simplement élégant. Ella, fermement soutenue par Alex Monselet, avait opposé son véto à la suggestion de deux salles de restaurant séparées. Elle avait aussi rejeté avec détermination l'idée d'une cafétéria. Si les hôtes souhaitaient parfois un repas leger et informel, ils avaient la possibilité de profiter du snack aménagé près de la piscine, ou bien de l'un des bars, ou même du service d'étage. Cependant, le restaurant créé par Alberto – une salle toutes saisons dont une grande paroi vitrée pouvait être manœuvrée électriquement pendant l'été, ce qui permettait aux clients de dîner sous le ciel étoilé dans un jardin clos – ce restaurant représentait, comme il se devait, le cœur de l'hôtel.

— Tout y est, avait dit Ella avec anxiété avant l'inauguration, mais comment pouvons-nous être certains que ça va marcher ?

Harry sourit.

— Pense à Danielle – elle a une mère jolie et brillante, et un père raisonnable et très heureux. Regarde-la et que vois-tu ?

Ella regarda leur fille de presque deux ans aux cheveux dorés.

— Une pêche. Mais quel rapport avec notre hôtel ?

— Avec le château de Trouvère pour mère et la vieille Mountain House pour père – un lieu que l'on nommait « la merveille de la vallée » – comment cette nouvelle création ne serait-elle pas une réussite ?

Ella doutait cependant. Harry reprit la parole :

— Tu m'as dit un jour qu'organiser un grand hôtel, cela ressemblait à une production théâtrale – il y fallait le décor convenable et la distribution adéquate.

— Et une petite chose en plus, Harry. Il y faut un ingrédient magique.

— C'est toi !

— Moi ?

— Tu ne te vois pas de la même manière que les autres, Ella. Je t'ai observée en action à de Trouvère, et j'ai compris alors que c'était toi la clef du succès, la source.

— Ma mère et ma grand-mère ont été la source.

— Cela, c'est ton héritage, insista-t-il. Tu m'as dit qu'il n'y avait guère d'emplois que tu n'aies pas tenus à un moment ou à un autre – allumer la chaudière, faire les lits au carré, nettoyer les salles de bains jusqu'à ce qu'elles brillent comme de l'argent. Tu connaissais les noms et l'histoire de chaque individu et de chaque bouteille de vin du cellier. Tu es une hôtelière consommée, Ella Bogarde – tu es l'ingrédient magique, et crois-moi, c'est toi, et toi seule, qui feras la réussite de ce lieu.

L'affaire marcha, et même Harry n'avait pas mesuré toute l'étendue du succès, bien qu'il ait parfaitement perçu l'impact fantastique qu'exerça immédiatement le label euro-américain de l'hôtel. Ella et Krisztina s'étaient mises d'accord pour conserver le souvenir de l'ancien hôtel Catskill par des peintures et quelques mots imprimés. Elles recréèrent aussi l'un des rituels qui avaient fait la célébrité de Mountain House. Chaque samedi soir, les projecteurs puissants de Château Bogarde balayaient la rivière, tout au fond de la vallée, tandis que les bateaux de toutes dimensions renvoyaient vers les murs couleur crème du château la forte lumière de leurs phares. Pendant ce temps, regardant le spectacle depuis la terrasse, les clients sirotaient le champagne ou des grogs chauds et épicés, selon la saison.

— Tu sais qu'ils avaient coutume de se lever avant l'aube, pour voir le soleil se lever, expliqua Ella à Harry.

— J'espère que tu ne songes pas à reprendre cette vieille coutume, dit-il en faisant une petite grimace. Je doute que nos voyageurs de luxe d'aujourd'hui considèrent qu'un lever de soleil vaille la peine de se lever si tôt.

— C'était bon pour les présidents, les généraux, les artistes et les écrivains de l'époque, dit-elle avec hauteur.

— Peut-être voyaient-ils là une mode amusante. Quant à nous, nous préférons nous assurer que nos lits sont confortables. Dieu sait qu'un bon matelas est une rareté dans les hôtels de nos jours.

— Tu ne penses qu'au lit !

— Tu ne devrais pas prendre trop à cœur cette fichue énergie yankee – je parie que les Européens séjournant à de Trouvère n'ont jamais su que l'aube existait.

— Eh bien...

— Encore une chose, ajouta Harry, si tu tiens à les faire lever tôt, n'oublie pas que toi aussi tu devras te lever, tu devras leur sourire aimablement, et moi, je suis assez égoïste pour désirer que ma femme se pelotonne plutôt contre moi à cette heure maudite.

— Toujours le lit.

— Toujours.

Ella ricana.

— Les couchers de soleil feraient aussi bien l'affaire.

— Veux-tu parier ?

Harry transféra son domicile fixe de Southampton dans la nouvelle maison que Giordano avait construite sur les terres du château. C'était une petite villa ne comportant que cinq chambres et une suite réservée aux invités, souvent utilisée par Krisztina quand elle était trop fatiguée pour redescendre à Rhinebeck. Elle disposait certes de tout le confort, mais d'un commun accord, Ella et Harry l'avaient voulue simple car ils se sentaient saturés de luxe toute la journée à l'hôtel. Ils avaient souhaité que cette maison soit tout simplement un foyer.

Le personnel domestique des Bogarde avait également diminué depuis le mariage. Dans sa résidence de Long Island, Harry avait employé un chauffeur, trois jardiniers, un cuisinier, deux femmes de chambre et une secrétaire. À présent, il était heureux de passer son temps dans une propriété beaucoup plus exiguë, son propre hôtel étant tout près ainsi que son Aston Martin toute neuve que personne d'autre que lui ne devait conduire. Nul besoin donc d'un personnel en surnombre, de sorte qu'Ella et lui ne gardèrent qu'une femme de chambre et une secrétaire.

Il n'y avait guère qu'une personne dont Harry n'envisageait pas de se séparer : Lin Tsung. Il avait commencé sa vie avec la famille Bogarde comme valet personnel du père de Harry. Après la mort de Joshua Bogarde, il avait décidé de rester auprès de Harry parce qu'il avait eu l'impression que Harry avait davantage besoin de lui que son frère, Saül.

Dès leur première rencontre, Ella avait été fascinée par Lin Tsung, surtout après avoir vu plus d'une douzaine de caisses de livres dans sa nouvelle chambre de leur villa.

— Serez-vous heureux de vivre sur une montagne américaine avec des gens qui n'ont pas votre degré de culture ? lui avait demandé Ella.

— Supériorité et infériorité n'existent pas pour moi, lui avait dit Lin Tsung. Un étudiant chinois ne souhaite rien d'autre que d'être capable de converser avec autrui, et il devrait être capable aussi de parler de tout. C'est avec votre mari que j'ai eu les conversations les plus stimulantes ; peu d'hommes, étudiants ou autres, peuvent en espérer autant. Et maintenant qu'il vous a fait entrer dans mon univers, vous et la petite Dani, et aussi vos chers parents, ma vie est comblée.

Ils devinrent amis, et il lui enseigna beaucoup de choses. Bien que les journées et les soirées d'Ella fussent très chargées, elle prit l'habitude de se réserver chaque jour au moins quinze minutes pour converser avec lui. Ils s'asseyaient parfois dans leur jardin clôturé de murs, et Lin Tsung nommait les insectes, les fleurs, les oiseaux et les arbres ; il identifiait les nuages d'après leurs formes et prévoyait le temps avec une grande précision. D'autres fois, ils s'asseyaient à la grande table en chêne de la cuisine et regardaient jouer Dani ; il racontait des histoires de petites filles, ou bien de l'Amérique moderne, ou encore de la Chine ancienne. En d'autres occasions, quand Ella disposait de plus de temps, elle allait avec Harry dans la chambre de Lin Tsung, ils buvaient son thé spécial, puis ils parlaient de politique, de la vie, des gens, de peinture, de musique ou de littérature ; ils parlaient de Danielle, de leur philosophie personnelle, de tout, sauf de l'hôtel et autres affaires d'argent.

Grâce à Lin Tsung, Ella apprit lentement et avec bonheur beaucoup de choses ; coutumes et arts orientaux, usage des herbes, médecines naturelles, acupuncture. À mesure que se développait leur amitié, à mesure que passaient les mois et les années, Lin Tsung s'efforçait de lui enseigner la patience, l'indulgence et le calme. Lorsqu'il s'aperçut qu'Ella et Harry étaient troublés de l'absence d'une nouvelle grossesse, il lut à Ella quelques extraits de ses livres de philosophie et de poésie pour lui indiquer la voie de la détente et de l'acceptation de ce que le destin avait préparé à son intention.

— Il n'y a aucun empêchement d'ordre physique, n'est-ce pas ? demanda-t-il à Ella, car Lin Tsung était avant tout un pragmatique.

— Absolument aucun.

— Dans ce cas, sourit Lin Tsung, détendez-vous et soyez heureuse. Vous avez Dani, vous avez une vie bien remplie et enviable ; vous porterez un jour un autre enfant ; ou peut-être pas.

Il scruta son visage.

— Ce n'est pas une source de désespoir ni pour l'un ni pour l'autre, non ?

— Oh ! non, nous sommes très heureux dans l'ensemble et je pense que nous sommes raisonnablement bien assortis.

— Dans ce cas, laissez le Seigneur vous montrer sa voie.

Sous la surveillance de Lin Tsung, Danielle apprit à marcher, à courir et prit des forces. Elle devint ensuite une adepte du *tai chi*.

— Il dit que Dani a un excellent équilibre et que ses muscles sont forts, dit Ella à sa mère.

— Qu'il n'oublie pas que ses os sont encore tendres, s'inquiéta Krisztina.

— Maman, personne ne connaît ces choses mieux que Lin Tsung. Tu n'as pas à t'inquiéter. Ella sourit. Il dit aussi qu'elle a hérité de ton talent pour la danse – il pense qu'elle devrait commencer à prendre des cours de ballet dès que possible.

— Elle n'a que quatre ans.

— À quel âge as-tu commencé ?

— À cinq ans.

— Tu pourrais lui enseigner ?

— Moi ?

— Pourquoi pas ?

— D'abord, je suis trop vieille.

— Ridicule.

— Et je ne suis pas qualifiée. J'ai abandonné le ballet à douze ans.

— Tu as quand même appris les rudiments.

— Beaucoup plus que cela.

— De sorte que tu pourrais la faire démarrer.

— Oui, je suppose.

— Bien.

Les deux femmes étaient assises côte à côte sur un muret de pierre près du potager, le soleil déclinant de juillet réchauffant leurs jambes et leurs bras nus.

— Que fait Harry en ce moment ? demanda Krisztina en changeant de position.

— Pas grand-chose. Il est trop intéressé par Château Bogarde pour désirer s'engager dans d'autres grands projets.

Krisztina plissa le front.

— Il devrait conserver ses centres d'intérêt. Il a toujours voyagé, il touchait à tout. Il va s'embourgeoiser !

— Entre l'hôtel et notre fille, je crois qu'il est fort occupé, maman, et très satisfait.

— Il collectionne toujours les objets d'art ?

— Plus autant qu'avant. Il en a rempli l'hôtel, et notre maison ne peut pas en contenir davantage.

— William dit qu'on ne l'a guère vu à la firme Hunter depuis des mois.

Ella regarda sa mère.

— Pourquoi ce souci à propos de Harry ?

Krisztina réfléchit un moment.

— Je n'aime pas voir quelqu'un, homme ou femme, trop exclusivement absorbé dans une entreprise qui n'est pas la sienne.

— Mais c'est son entreprise, maman. C'est son argent qui l'a rendue possible.

— Il t'a donné Château Bogarde comme une espèce de cadeau de noces. C'est ton affaire, c'est toi qui l'as créée, c'est toi qui la diriges – certains ont même commencé à l'appeler Château Ella.

Ella éclata de rire.

— Des gens de la région.

— Ce surnom se répand également parmi les clients !

— Je ne pense pas que cela trouble Harry. Bien au contraire, il est fier de moi.

— Je ne peux pas dire que je sois vraiment troublée, tenta d'expliquer Krisztina. Je ressens simplement une espèce de gêne. Tu es mariée depuis environ cinq ans, et ton mari semble avoir tissé un cocon autour de vous trois.

— N'est-ce pas merveilleux d'avoir un mari heureux et de l'avoir près de moi la plupart du temps ? On dirait que tu souhaiterais me voir l'envoyer ailleurs, ce que je n'ai aucunement l'intention de faire.

— Il n'est pas question de cela non plus, ma chérie.

— Que veux-tu dire alors ? demanda Ella avec impatience.

— Qu'Harry t'as mise sur un piédestal avec Dani, et qu'il n'a rien d'autre dont il puisse s'occuper – l'hôtel n'est qu'un jouet merveilleux, il ne lui importe vraiment que dans la mesure où il te rend heureuse.

— Et ce n'est pas suffisant, dit Ella.

— Le Harry que tu as rencontré il y a cinq ans était un homme différent. Toujours en mouvement, courant d'une maison à l'autre, de ville en ville, faisant quelques affaires ici et là, négociant, collectionnant ses trésors. Je crois – et ton père est d'accord avec moi — qu'il est persuadé d'avoir trouvé son ultime trésor quand il t'a connue. C'est pour cela qu'il a perdu toute curiosité. Et il est encore trop jeune pour ne plus rien chercher, tu ne penses pas ?

— Vu sous cet angle, dit Ella lentement, je suppose que tu as raison.

— Alors ?

— Alors, il faut le pousser un peu.

— C'est ce que je pense, dit Krisztina en hochant la tête.

Ella le poussa donc. Harry reprit sans enthousiasme les rênes de quelques affaires ; il voyagea un peu ; il vérifia quelques-uns de ses biens ; il visita à l'occasion quelques ventes aux enchères à New York ou San Francisco. Mais rien de tout cela ne l'excitait vraiment. Sa journée terminée, Château Bogarde et sa maison étaient les seuls lieux où il aimait rester – rien ne pouvait changer cela, et Ella ne souhaitait d'ailleurs pas que cela changeât.

Les années passèrent agréablement, de belles années. L'hôtel devint l'endroit où il fallait séjourner, il attirait une clientèle très variée – des gens d'affaires, des jeunes mariés, des congressistes, des citadins en quête d'air frais, des retraités et des célibataires, des jeunes et des vieux. Certains cherchaient la paix, d'autres venaient pour l'atmosphère conviviale qu'ils ne trouvaient qu'ici. Certains étaient convaincus que Château Bogarde était devenu le nec plus ultra de la société mondaine ; d'autres cherchaient le plaisir physique des compétitions organisées à l'extérieur du château. Et enfin, la majorité des hôtes ne désirait rien d'autre que profiter jour et nuit du luxe offert à profusion.

Et puis le temps passa. Krisztina atteignit la soixantaine et William approcha de ses soixante-dix ans – à peine croyable pour tous ceux qui le connaissaient. Ella fêta son trentième anniversaire et Harry gémit sur la fin de sa quarantaine. Lin Tsung se rendit en Chine pour visiter des parents, il y demeura trois mois et revint regénéré, comme s'il s'était rechargé spirituellement. Alberto Giordano mourut en mangeant des spaghetti dans son restaurant préféré de Milan. Krisztina et Ella assistèrent à ses obsèques à Rome. Le château de Trouvère, ainsi que tous l'avaient prévu, était en difficultés financières. Ella attendit qu'Olivier se manifeste pour demander de l'aide, mais il était devenu un étranger. Ils avaient des nouvelles de lui, bien sûr ; c'est ainsi qu'ils apprirent qu'il s'était marié avec une certaine Marianne Dubois, une jeune femme qui avait été sa secrétaire ; mais cette union fut de courte durée. Selon Alex Monselet, qui restait en relation avec le personnel de de Trouvère, Olivier avait mis Marianne enceinte – comme bien d'autres jeunes femmes avant elle – mais contrairement aux autres, Marianne ne l'avait pas laissé s'enfuir. Le bonheur conjugal – si bonheur il y eut – se dissipa rapidement ; l'enfant, une fille nommée Claudette, partit vivre avec sa mère chez les parents de celle-ci. Ni Krisztina ni Ella ne virent jamais le bébé. Lorsqu'Ella retourna à de Trouvère, six mois après la naissance de Claudette, elle eut l'impression que ni le bébé ni sa mère n'avaient jamais existé.

Danielle, pendant ce temps, fréquentait une école privée à Rhinebeck et se rendait à deux séances de ballet chaque semaine à Woodstock. Elle s'entraînait presque chaque jour avec sa grand-mère avec un élan et une joie inépuisables qui encourageaient sa famille à croire qu'elle était une future étudiante de l'École des arts du spectacle.

— J'espère que vous n'avez pas accordé un congé prolongé aux Sanderson, dit Ella à Chris Logan, son directeur, à dix heures dix du matin, le 6 août.

— Jusqu'à une heure, comme d'habitude. Pourquoi, madame Bogarde ?

— Parce que nous attendons un hôte de marque pour cinq heures, et je veux que la salle bleue soit aussi nette que possible.

— Qui est-ce ? Logan n'était nullement surpris que la réservation n'ait pas été faite par la voie normale car certains clients réguliers préféraient parler directement à Ella, s'imaginant – à tort – donner ainsi une importance accrue à leur réservation. En fait, la règle de la maison voulait que chaque client soit traité royalement.

— Sandor Janos, répondit Ella.

— Le chef d'orchestre ? Il séjourne pourtant à la Pierre.

— Oui, lorsqu'il répète ou qu'il donne un concert. Mais il dispose de quatre jours avant de débuter au Lincoln Center, et comme il arrive au bout de sa tournée aux USA, je suppose qu'il est épuisé et qu'il cherche un oasis.

Janos arriva dans l'hôtel comme un tourbillon.

— Quel rustre ! murmura Lorna Trivett, la gouvernante en chef, après avoir fait sa brève visite de bienvenue habituelle dans la suite de Janos.

— Quel morceau ! souffla Justin Browne, le masseur de l'hôtel, tandis que Janos essayait l'équipement nautique du club de santé, faisant étalage d'une souplesse et d'une musculature impressionnantes communes à nombre de chefs d'orchestre.

— Un homme extrêmement séduisant, commenta Krisztina qui l'observait au dîner.

— Tu trouves ? Je n'avais pas remarqué, dit Ella.

Harry, prenant une gorgée de Vichy, leva la tête.

— Typiquement Hongrois.

— C'est vrai ? demanda Krisztina. Il ne me ressemble pourtant pas.

— Pas beaucoup ! Cheveux et yeux noirs, nez aquilin, bouche mince.

— Pommettes étonnantes, ajouta Krisztina.

— Tu as les mêmes, maman, intervint Ella.

— L'homme ressemble à un gigolo, dit Harry.

— C'est pourtant l'un des chefs d'orchestre les plus en vue de par le monde actuellement, sourit Krisztina.

Janos, s'apercevant de l'attention qu'on lui portait, leva son verre de vin et fit une courbette.

— Vaniteux, en plus, dit Harry avec aigreur.

— Pourquoi es-tu aussi désagréable, mon chéri ? demanda Ella, toute surprise.

— Il est jaloux, répliqua William.

— Jaloux ?

— De quoi Harry pourrait-il se montrer jaloux ? s'informa Krisztina.

— De la manière dont Janos regarde Ella.

— Papa, ne dis pas de sottises.

— Je ne vois pas ce qu'il y aurait de si extraordinaire à cela, ma chérie, dit William à mi-voix. En fait, il regarde ta mère de la même manière. C'est un homme de goût.

— Il a surtout du culot ! rétorqua Harry.

— Oh ! laisse tomber tes préjugés, dit Ella avec un petit rire.

Janos se révéla un client difficile, se plaignant de tout et insistant pour présenter la moindre de ses réclamations directement à Ella.

— Il a peut-être beaucoup de talent, dit Ella à Krisztina, certains le considèrent peut-être comme un bel homme, mais...

— Ce n'est pas ton avis ? Les yeux de Krisztina étincelaient.

— Pas tout à fait, non. En tout cas, c'est un casse-pieds.

— Tu es en train de devenir une vraie Américaine, soupira Krisztina.

— Je serai heureuse quand il partira.

— Tu assisteras tout de même au concert, n'est-ce pas ?

— Évidemment. J'aime Mahler.

— Et moi je l'aime bien.

— Mahler ?

— Non, Janos !

— Tu lui as parlé.

Krisztina hocha la tête.

— Nous avons un peu bavardé. Lui aussi est originaire de Buda, tu sais. Son père et son grand-père ont été assassinés par les *Nyilas*.

— Qui ?

— Une bande de voyous lâchés dans les rues de Budapest par les nazis.

— Qu'est-il arrivé à Janos ?

— Des amis de sa mère l'ont caché. Il est sorti de Hongrie fin 56.

— Cela explique peut-être qu'il cherche querelle à tout le monde, dit Ella.

— Sais-tu qu'il a débuté comme violoniste ? Puis il est tombé amoureux du piano, mais les doigts de sa main gauche ont été brisés durant les émeutes qui ont suivi l'entrée des Russes à Budapest ; sa main n'a pu être remise en état qu'à son arrivée dans un camp anglais en Autriche. Il savait qu'il ne pourrait plus jamais jouer du piano sérieusement, mais cela ne l'empêcha pas de diriger une formation de musiciens réfugiés comme lui dans ce camp.

— Tu as beaucoup bavardé avec lui n'est-ce pas ? s'étonna Ella.

— Tu sais bien que je parle volontiers avec les gens qui m'intéressent.

Lorsqu'elle le vit sur le podium du Lincoln Center, Ella dut admettre que Sandor Janos était un bel homme.

L'auditoire était de qualité, des robes de soirée, des bijoux, des parfums, une ambiance scintillante, lorsque Ella et Harry prirent place en compagnie de Krisztina et William.

Bavardages à mi-voix, instruments accordés, partitions et livrets bruissants sous les doigts des musiciens et des chœurs en attente. Le régisseur de l'orchestre, cheveux blonds et petites lunettes, entra sous les applaudissements polis. Puis l'orchestre entier se leva quand Sandor Janos surgit des coulisses et marcha d'un pas assuré vers le podium où il se mit en place et salua les solistes.

Dans le cadre de l'hôtel, Ella n'avait vraiment rien trouvé de spécialement impressionnant dans le personnage. Mais sur le podium, cerné par le halo de lumière, englouti dans le silence, sa baguette levée, Janos lui apparut comme un géant resplendissant aux cheveux de jais. Il resta un long moment immobile, son geste comme suspendu, et il était comme un montreur de marionnettes plus grand que nature tenant entre ses doigts violonistes, violoncellistes, sopranos et tous les autres. Puis subitement, il abaissa son bras droit tel une épée et les cinquante musiciens se lancèrent à corps perdu dans le premier mouvement dramatique de la symphonie « Résurrection » de Gustav Mahler.

— Je ne t'ai jamais vue attentive à un concert comme ce soir, dit Harry plus tard tandis qu'il observait Ella effaçant les dernières traces de son maquillage.

— Que veux-tu dire ?

— D'ordinaire, quand tu écoutes de la musique, tu as une expression distante, vague.

— Et ce soir ?

— Ce soir, tes yeux étaient rivés sur le chef.

Elle jeta son tampon dans le panier.

— C'est un artiste fascinant.

— Sans aucun doute, acquiesça Harry. Mehta, Muti et Bernstein également.

— Je suis sûre que je les ai regardés avec autant d'attention.

— Pas de la même manière. Tu regardais à travers eux – c'était bien la musique qui t'absorbait.

— Elle m'a aussi absorbée ce soir.

— Je sais. Tu étais immergée – mais autant dans Janos que dans Mahler.

Elle se tourna sur sa chaise pour faire face à Harry.

— Je viens de te le dire, je trouve que c'est un artiste excitant. Trouves-tu cela répréhensible ?

— Franchement, oui.

— Pourquoi ?

Harry enfila son pyjama.

— William avait peut-être raison. Je dois être jaloux.

— De quoi, pour l'amour du ciel ? Janos ne me plaît même pas.

— Moi non plus, je ne te plaisais pas lorsque nous nous sommes rencontrés.

Ella parut exaspérée.

— Tu sais que tu es idiot, Harry.

— Je sais.

— Alors tais-toi.

— Okay. Il se mit au lit, remonta l'édredon, puis le repoussa, nerveux. Ella ôta son peignoir et vint s'allonger près de lui.

Harry respira.

— Tu viens de te parfumer ?

— Non.

— Tu sens bon.

— Merci.

Elle se tut un moment puis reprit :

— Selon toi, pourquoi es-tu jaloux de Janos ?

Il prit une mine circonspecte.

— Je suis un idiot, tu as raison.

— Je ne comprends pas ce qui t'arrive.

— C'est un Hongrois.

— Oui.

— Et il est Juif.

— Oui. Elle attendit la suite.

Harry haussa les épaules.

— C'est cela.

— Alors, pardonne-moi de te demander : et alors ?

— Eh bien... toi aussi.

— Quoi ?

— Hongroise et Juive.

— Tu t'imagines qu'à cause de cela, je dois obligatoirement éprouver une passion profondément ancrée en moi pour Janos.

Elle eut un petit rire narquois.

— Il doit se trouver une masse de Juifs hongrois de par le monde, Harry – je risque d'avoir fort à faire.

— Tous ne sont pas de célèbres chefs d'orchestre, souligna-t-il, et tous ne séjourneront pas dans ton hôtel, saisissant toutes les occasions possibles pour être seuls avec toi.

— Il n'a jamais fait cela.

— Tu as dit qu'il l'avait fait.

— Même si cela était vrai, il a résilié sa suite, tu n'as donc plus à t'inquiéter.

— Il va revenir.

— J'espère – c'est un client de choix.

— Tu as dit à Krisztina qu'il était casse-pieds.

Ella eut l'air peinée.

— Vous avez l'habitude de parler tous les deux de moi quand j'ai le dos tourné ?

— Tout le temps, dit-il effrontément.

— Eh bien, abstenez-vous dorénavant.

— Ta mère est mon amie. Préférerais-tu me voir parler à quelqu'un d'autre ?

— Certainement pas.

— Alors, tais-toi.

— À condition que tu te taises à propos de Sandor Janos.

— Embrasse-moi alors.

— C'est tout ce que tu demandes ?

— Pour commencer, dit Harry en lui caressant la nuque, juste derrière l'oreille.

XXXIV

Olivier, qui n'avait pas repris contact avec sa sœur et sa mère depuis plus d'un an, téléphona à Ella au cours de la deuxième semaine de septembre.

— Je peux te rendre visite ?

— Bien sûr, dit Ella, manifestement surprise.

— Merci. J'arriverai vendredi.

— Ce vendredi-ci ?

— Y a-t-il un inconvénient ?

— Non, c'est simplement plus tôt que je ne m'y attendais. Seras-tu seul ?

— Oui.

— Je te réserve une suite, et je préviens maman et papa.

— Si tu veux.

— Ollie, ils désirent te voir.

— Ton mari sera-t-il là ?

— Je doute de son enthousiasme.

Il n'avait que trente-huit ans, mais il en paraissait au moins dix de plus avec son ventre de buveur et son allure mollasse.

— Que veut-il ? demanda Harry le lendemain de l'arrivée de son beau-frère.

— Je ne sais pas s'il veut quelque chose, répondit Ella.

— Ne t'en laisse pas conter. Seigneur, il a une mine horrible.

— Il semble fatigué, concéda Ella.

— Il était plutôt beau garçon avant. À présent, il ressemble tout à fait au dégénéré qu'il est.

— Ne sois pas méchant.

— Excuse-moi, bébé, mais tu sais que je n'aime pas cet homme, et que je n'ai aucune confiance en lui.

— Il a des ennuis, Harry. Nous savons tous que de Trouvère est en difficulté.

— Surtout avec lui aux commandes.

— On ne peut s'empêcher de s'inquiéter pour lui, quelles que soient ses erreurs.

— Je sais, dit Harry avec un peu plus d'aménité. Je comprends aussi que tu ne peux pas le renvoyer. Combien de temps reste-t-il ?

— Je ne sais pas.

Ella lança un regard plein de reproche à Harry.

— Je t'en prie, fais un effort, pour l'amour du ciel.

Il soupira.

— Je veux bien, ma chérie, mais franchement, je ne sais pas si je tiendrai longtemps.

— Parle-moi de ton mariage pria doucement Ella tandis qu'elle était assise dans son salon privé en compagnie d'Olivier, au rez-de-chaussée de l'hôtel. Ollie était à Pine Orchard depuis trois jours.

— Rien à en dire.

— Je suis toujours ta sœur, Ollie, nous avions l'habitude de partager nos secrets.

— Il y a bien longtemps de cela.

— Le divorce a dû être pénible pour toi.

— Oui.

Ella abandonna.

— Un autre armagnac ?

— S'il te plaît.

Elle remplit son verre et se rassit.

— Il y a bien un sujet dont tu voudrais parler, non ?

Olivier but une gorgée.

— Je suis en difficulté.

— Quel genre ?

— L'argent.

— Désolée.

Ne prends pas tes airs supérieurs.

— Je n'y songe pas le moins du monde. Es-tu venu chercher conseil, Ollie, ou ton but est-il plus... intéressé ?

— Je suis venu ici parce que je ne vois personne d'autre qui puisse me cautionner, répliqua-t-il franchement.

— Qu'as tu en tête ?

— J'ai apporté des chiffres et des faits. J'ai tout mis dans le coffre, en bas, mais j'ai sur moi les lignes essentielles. Il sortit de sa poche une feuille de papier pliée et la tendit à Ella.

Ella considéra le papier. Elle en avait la nausée.

— J'attends, dit-il.

— Quoi ?

— Que tu réagisses. « Je te l'avais dit. »

Ella ne quittait pas la feuille des yeux.

— Eh bien ?

Elle reporta son regard sur lui.

— Tu dois savoir que je ne peux pas t'aider, Olivier. Pas comme cela. C'est hors de mon pouvoir. Elle eut un rictus au coin des lèvres. C'est hors du pouvoir de la plupart des gens.

— Je sais.

— Eh bien alors ? Pensais-tu à Harry ? demanda-t-elle, visiblement incrédule.

— Évidemment non. Cet homme me déteste et je n'accepterais pas un franc de lui !

— La question n'est pas là. Même s'il désirait t'aider, il a des conseillers financiers qui lui demanderaient des comptes. On ne peut pas dire que tu sois une valeur sûre.

— Je ne pensais pas à Harry, dit Olivier tranquillement.

— À qui alors ?

— À William.

— Papa ?

— Pourquoi pas ?

— Pour la même raison !

Olivier but le reste de son armagnac.

— Veux-tu lui poser la question ?

— Pourquoi ne lui parles-tu pas toi-même ?

— Je ne lui ai pas adressé la parole depuis plus d'un an.

— Cela, c'est ton problème, non ?

Un muscle ténu se tordit près de la tempe d'Olivier.

— Tu as changé, Lalla. Toi qui étais si douce autrefois.

— Je suis devenue adulte.

Il changea de tactique.

— C'est de Trouvère qui se meurt, Ella. Cela ne veut-il plus rien dire pour toi ?

— Si, de Trouvère signifie encore beaucoup pour moi.

— Alors, aide-moi, je t'en prie.

— Je ne vois pas comment, dit-elle tristement.

— Je mourrais si je perdais le domaine.

— Mais non.

— Pourquoi m'abandonnes-tu ?

Ella soupira.

— Tu le sais bien.

Olivier lui prit la main.

— Aide-moi, Lalla, je t'en prie. Dis-moi au moins que tu vas réfléchir.

— Je ne vois aucun moyen, j'aurais beau y réfléchir...

— Il y a toujours un moyen, dit-il sur le ton du désespoir. C'est ce que disait grand-maman, non ? Il y a toujours une solution à chaque problème.

Ella réfléchit un moment.

— Il faudrait que je voie tous les chiffres.

— Tu les auras dans cinq minutes. Il se leva sans plus attendre.

— Pas ce soir. Donne-les moi demain matin. Harry et moi les examinerons quand nous aurons le temps.

— Je ne veux pas que Bogarde s'en mêle.

— Bogarde, comme tu dis, est mon mari et mon associé, dit Ella froidement. Si tu ne souhaites pas lui faire partager tes problèmes, autant t'en aller immédiatement.

— D'accord, excuse-moi. C'est simplement que je préférerais que tu en parles avec William plutôt qu'avec Harry.

— J'en parlerai à tous les deux.

Ella se leva également.

— Je suis fatiguée, Ollie, et j'ai encore des choses à régler avant d'aller me coucher. Elle le précéda vers la porte. Ollie ?

— Oui ?

— Si tu as l'intention de boire sérieusement, je te prie de le faire dans ta suite. Le garçon d'étage t'apportera tout ce que tu souhaites.

— L'hôtelière parfaite !

Ella secoua la tête.

— Pas parfaite, non. Je n'ai pas envie de gâcher la seconde occasion qui m'a été donnée de me lancer.

Olivier lui jeta un regard noir.

— Je ne ferai rien qui compromette cet endroit, je te le promets.

Elle lui rendit son regard sombre.

— Je l'espère bien.

— Réalises-tu que ton frère est devenu un néo-nazi ? demanda Harry.

Ella le dévisagea, horrifiée.

— Que veux-tu dire ?

— Confrères de La Fontaine.

Elle fut soulagée.

— Fontaine n'est pas un groupe néo-nazi, Harry. C'est une association orientée à droite, je n'ai pas de sympathie pour elle, mais elle ne repose que sur une troupe d'étudiants vieillissants qui ont pris de mauvaises habitudes.

— Je ne parle pas du groupe Fontaine d'autrefois, dit Harry d'un air sombre. D'après ce que l'on m'a dit, ils ne se contentent plus de jouer de mauvais tours.

— Comment sais-tu cela ?

— J'ai fait une petite enquête.

— Qu'en ressort-il ?

— Rien qui soit passible d'une cour de justice.

— J'espère bien que non !

— Il y a eu une évolution sur le front néo-nazi européen durant ces quelques dernières années, Ella. Rien qu'en France, plusieurs groupes ont surgi.

— Qu'ont-ils à voir avec la confrérie d'Olivier ?

— Pas grand-chose, hormis que Fontaine imprime de temps en temps une lettre d'information dans laquelle ils prennent acte de l'existence de ces groupes nouveaux.

— Oui, mais les membres de Fontaine ne sont pas eux-mêmes des activistes ? Elle leva la tête, une peur glacée la parcourait. «Dis, ils ne sont pas actifs ? »

— Je n'en sais rien. Il hésitait visiblement.

— Harry, dis-moi !

— Il existe un autre groupe, une confrérie allemande.

— Je les connais.

— Sais-tu que leurs membres profanent parfois des tombes juives ? Ils griffonnent des messages sur les pierres, ils menacent d'exercer des représailles pour Nuremberg, et autres insultes de ce genre.

Ella frissonna.

— Excuse-moi, ma chérie, mais il me semble qu'il y a des choses qu'il faut que tu saches.

Elle eut un hochement de tête, n'osant pas parler.

— Ça va ? dit-il en l'entourant d'un bras protecteur.

— Non.

— Désolé.

— Tu... Tu as eu raison de m'en parler. Sais-tu s'il a donné de l'argent à Fontaine ?

— Pas que je sache. Bien que ce soit possible étant donné qu'il en manque.

Les yeux d'Ella s'embuèrent de larmes.

— Parfois, murmura-t-elle, je le déteste.

Elle ferma les yeux.

— Et pourtant, il m'est impossible de ne plus l'aimer, de ne plus me faire de soucis pour lui.

Elle rouvrit les yeux.

— C'est peut-être idiot, mais je me sens responsable d'Olivier.

— C'est idiot, en effet. Je comprends le reste, mais tu n'es absolument pas responsahle de ce que fait ton frère... ton demi-frère.

— Je sais. Mais je ne sais pas quoi faire.

— Je te suggérerais de l'envoyer promener, mais je suppose que tu ne le feras pas. En tout cas, tu as un enjeu de taille à de Trouvère, et tu dois prendre cela en compte. Mais... Il s'interrompit brusquement.

— Quoi ?

Il eut l'air gêné, puis il secoua la tête.

— Ce n'est pas facile de te dire cela. Ella, je ne peux pas rester ici en même temps qu'Olivier.

Elle écarquilla les yeux.

— Que veux-tu dire ?

— Ce que je dis. J'ai essayé – vraiment – d'être courtois, mais je ne sais pas combien de temps je pourrai résister à l'envie de lui envoyer mon poing sur le nez.

— Je comprends, dit-elle.

— Non, tu ne comprends pas.

Harry était désemparé.

— Je ne peux pas m'en empêcher, ma chérie. Je ne l'aime pas, mais il n'y a pas que cela. Je le méprise ! Je vais m'efforcer de rester calme jusqu'à mon départ, pour l'amour de toi et de Kriszti, mais il n'y a vraiment pas de place ici pour nous deux.

Ella le dévisagea froidement.

— Où vas-tu ?

— Je n'en sais rien. Peu importe. Il faut seulement que je quitte cette montagne avant d'exploser.

— Tu ne reviendras pas tant qu'il ne sera pas parti ?

Harry laboura ses cheveux de ses doigts nerveux.

— Je ne peux pas, Ella. Cet homme me rend fou chaque fois que je le regarde. Il voulut l'attirer à lui, mais elle était figée. Chérie, si tu as besoin de moi, si tu as un problème avec Danielle ou quoi que ce soit de ce genre, je reviendrai à toute vitesse, mais...

— J'ai un problème.

— Tu veux dire... Olivier ?

— C'est cela.

— Je ne peux t'être d'aucun secours en ce cas.

— Ou bien : tu ne veux pas m'aider. Elle releva le menton. « Quand pars-tu ? »

— Demain si tu es d'accord.

— Je n'ai rien a voir là-dedans, Harry.

Il sourcilla.

— Ella, je n'ai pas le droit de jouer au mari autoritaire et de t'ordonner de larguer ton frère. Ce ne serait pas juste non plus, et ce n'est pas dans ma nature.

— Non.

Il lui jeta un regard malheureux.

— Il y a autre chose. Si moi j'ai pu trouver ces renseignements concernant Olivier et ses amis, combien de temps faudra-t-il, à ton avis, pour qu'un autre en fasse autant ?

Ella pâlit.

— La presse, dit-elle d'un air morne.

— Exactement.

Elle s'efforça de rester calme, au moins en apparence.

— Il ne me restera plus qu'à me débrouiller le moment venu. Après tout, c'est mon problème, pas le tien, dit-elle durement.

— Que vas-tu faire ? demanda Krisztina.

— Je ne cesse de réfléchir, maman. Ella n'avait rien dit à sa mère de ce qu'Harry avait appris au sujet de Fontaine.

— Il est ici depuis presque trois semaines. En dehors du fait qu'il a fait fuir ton mari, je suis effrayée à l'idée de ce qui se passe à de Trouvère.

— Quand je suis venue ici, nous savions que nous abandonnions de Trouvère à Olivier.

Elle s'efforça de prendre un ton léger.

— De toute façon, le personnel s'en sort sans doute mieux sans lui.

Krisztina secoua tristement la tête.

— Il continue à me traiter presque comme une étrangère, tu sais.

— Il est fou.

— Ce doit être dur d'avoir des préjugés contre sa propre mère – peut-être même contre soi-même. Il ne m'a plus jamais parlé normalement depuis le jour où il a su que j'étais juive. C'est une chose affreuse pour moi de savoir que mon fils est un fanatique.

Ella se taisait.

— Tu veux l'aider encore, n'est-ce pas, *dragam* ?

— Excuse-moi, maman, mais j'essaie.

— Ne sois pas désolée. Je ressens la même chose que toi. J'ai rejeté son père quand il est arrivé au bout de ses forces – je ne ferai pas la même chose à son fils.

Ella attendit encore un moment avant de prendre la parole à son tour.

— À vrai dire, dit-elle lentement, j'ai imaginé une solution, si tu es d'accord.

— Je t'écoute.

Ella respira profondément avant de s'élancer.

— Je ne vois qu'une issue pour Ollie et de Trouvère. Il faut vendre.

Krisztina demeura silencieuse.

— Je suis désolée, maman.

— Tu as tout à fait raison, Ella, dit Krisztina sur un ton tranquille.

— Olivier ne possède que la moitié des parts. Je lui abandonne ma part, comme cadeau.

Ella scruta le visage de sa mère.

— J'ai suffisamment d'argent, maman. De cette manière, Ollie pourrait sauver sa peau, et de Trouvère pourrait passer dans des mains responsables au lieu de se lézarder peu à peu en attendant la décadence totale.

Krisztina était pâle.

— Qu'est-ce qui te fait croire qu'il sera d'accord pour vendre ?

— Il n'aura pas le choix.

— William l'aiderait, tu sais, si je le lui demandais.

— Ce serait de la folie pure et simple.

— Il ne sera pas facile de trouver un acheteur.

— Pas facile, mais pas impossible.

Krisztina considéra sa fille.

— Tu n'as pas de question a poser !

— À quel propos ?

— Je n'en ai pas le droit, maman.

Krisztina se redressa.

— Je ne la donnerai pas à Olivier.

Elle fit une pause.

— Je ne lui barrerai pas la route s'il trouve l'acheteur adéquat, mais je ne te priverai pas de ce qui doit te revenir de droit un jour.

— Je n'ai besoin de rien.

Krisztina lui caressa la main.

— Ella, tu as veillé sur de Trouvère pendant de nombreuses années. Tu as maintenu le domaine dans sa beauté, tu l'a dirigé sainement et tu as fait sa renommée. Ton frère est un gaspilleur et un idiot. Je ne souhaite pas sa ruine, mais que l'on ne m'en demande pas plus.

— Tu penses que j'ai tort ? demanda Ella.

Krisztina sourit.

— Oui, dans un sens. Mais tu as toujours protégé Olivier – La chose la plus dure que tu aies jamais faite, ce fut de le quitter.

Le silence retomba.

— À quoi penses-tu, maman ?

— À la chapelle, répondit Krisztina à mi-voix. Et au cimetière. À Michael, à belle-mère, à maman et aux autres.

Ella prit la main de sa mère.

— Maman, nous pouvons encore lutter pour sauver tout… retourner là-bas, lancer un défi, redresser l'affaire.

Krisztina secoua la tête tristement.

— Tu ne peux pas diriger avec succès deux hôtels à la fois, ma chérie. Pas notre genre d'hôtel en tout cas. Tu as emporté avec toi tout ce qu'il y avait de merveilleux à de Trouvère. Il restera donc toujours quelque chose de là-bas, grâce à toi et à Harry.

— Harry, dit Ella pensivement.

Krisztina lui caressa la main.

— Ne t'agite pas. Il sera bientôt de retour.

— Il n'aurait pas dû partir.

— Il reviendra quand Olivier s'en ira.

Ella changea délibérément de thème.

— Que va faire Ollie, à ton avis ? Sans de Trouvère ?

— Il achètera probablement un appartement splendide avec vue sur le Bois de Boulogne, il fera la tournée des casinos et ne manquera pas de faire état de son titre à tout vent.

— Est-il aussi frivole que cela ? demanda Ella avec tristesse.

— Je ne sais pas, conclut Krisztina en hochant la tête.

La première mention parut deux jours plus tard sous la forme d'une question brève et concise dans l'un des journaux à sensation de New York ; elle fut aussitôt reprise par un journaliste indépendant avide d'informations sordides.

NOUVEAU NID D'AIGLE À CATSKILL ?

— Dis-moi que ce n'est pas vrai, supplia Krisztina après avoir lu l'article qui occupait une demi-page.

— C'est exagéré, répondit Ella.

— Mais il y a un grain de vérité ?

— Je le crains. À contrecœur, Ella raconta à sa mère ce qu'Harry avait découvert.

Krisztina devint livide.

— Le fils de son père.

Elle se mordit les lèvres.

— William l'a vu aussi, évidemment.

— Deux couples ont demandé leurs notes, maman.

— Tu ne les as pas rassurés ?

— J'ai essayé, bien sûr, mais ils pensaient de toute évidence qu'il n'y avait pas de fumée sans feu. Ella parlait sur un ton calme, mais elle était loin d'être aussi tranquille en son for intérieur. Je m'attends à des annulations.

— Olivier doit partir, Ella, dit Krisztina avec force.

— Je sais.

— Il faut que tu lui parles de la vente de de Trouvère. À moins que tu n'aies changé d'avis.

— Non.

— Alors, dis-lui clairement qu'il n'y a rien d'autre à faire. Il n'y a pas d'alternative. Et fais-le partir avant qu'il ne détruise aussi Château Bogarde.

Olivier se montra choqué, mais Ella tint bon.

— C'est la seule issue Olivier. Tu es incapable de diriger l'hôtel ou le domaine, et personne n'est prêt à te procurer le moindre sou.

— Merci de ta confiance.

— Je n'ai plus confiance en toi, Ollie.

— Ton père non plus, je suppose ?

— Qu'as-tu fait pour éviter d'en arriver à ce point ?

Olivier ne répondit rien.

— En tout cas, je te serais reconnaissante de bien vouloir t'en aller le plus tôt possible.

Olivier rougit.

— Tu ne crois tout de même pas les fadaises qu'ils ont osé imprimer ?

— Que tu voudrais transformer Château Bogarde en Berchtesgaden ? Bien sûr que non. Après tout, tu es aussi un demi-Juif toi-même.

Elle vit son visage s'assombrir.

— Mais je connais le genre de gens avec qui tu t'es associé, et je te dis tout net que cela doit cesser.

— Ou bien ?

— Non seulement je retirerais mon offre concernant ma part, mais maman et moi nous opposerions à la vente. Tu serais déclaré en faillite et ce serait le déshonneur pour toi.

— Et dans ce cas, vous sombreriez avec moi.

— Non. De toute manière, nous ne portons pas le poids de ton nom, n'est-ce pas ? Réfléchis à cela. Pense à ton père, à ton grand-père – à tous les barons de Trouvère.

Ses paroles eurent l'effet désiré.

— Je vais démissionner du groupe Fontaine.

— Es-tu sûr qu'ils te rendront ta liberté ?

— Ils ne peuvent pas me retenir de force.

Son débit devint précipité.

— Je jure que je vais démissionner – sur ce que j'ai de plus sacré au monde.

— Qu'est-ce qui est sacré pour toi, je me le demande !

Elle leva la main.

— Non, plus de mensonges, cela ne ferait qu'empirer les choses.

Elle eut l'impression qu'une masse de plomb la tirait dans un précipice, la faisant suffoquer.

— Tu as juré que tu te dissocierais de ces gens, il faut donc que j'essaie de te croire.

— Et tu m'aideras ?

— À condition que tu t'en ailles dès aujourd'hui.

Olivier se leva lentement.

— Tu m'as demandé ce que je tenais pour sacré.

— Oui, y a-t-il encore quelque chose à quoi tu tiennes ?

— Toi. Ses yeux noirs lancèrent des éclairs. «Toi encore – toi toujours. Et Danielle, maintenant que je la connais.»

— Oui Dani. Je comprends au moins cela.

— Elle est à ton image, tu sais, Lalla. Tu étais comme elle à son âge – de l'or pur, du courage, de la tendresse.

Il y eut un bref silence. Un peu de douceur flotta dans l'air.

Ella redevint brusque.

— J'ai des gens à consulter. Cela prendra du temps. Maman et moi tenons à assister à toutes les négociations concernant la vente.

— Naturellement.

Ella se leva à son tour.

— Et tu t'en vas aujourd'hui ?

— Oui.

Quand il fut à la porte, il dit, la mine chagrinée.

— Je sais que j'ai tout détruit. J'ai tout gâché.

— Oui, c'est bien vrai. Elle se tut, puis reprit plus gentiment. «Peut-être n'as-tu pas pu t'en empêcher.»

— Que vais-je faire quand de Trouvère sera vendu, Lalla ?

— Maman dit que tu achèteras un grand appartement à Paris et que tu gagneras ta vie en jouant.

Un rictus parut au coin de sa bouche.

— Elle a peut-être raison.

— Veux-tu la voir ? Elle est à Rhinebeck, mais je suis certain qu'elle serait contente si tu t'y arrêtais en redescendant à la ville.

— Peut-être irai-je la voir.

— Mais tu n'en as pas envie, hein ?

Olivier secoua la tête.

— Certainement pas.

Harry téléphona le matin suivant.

— Je suis avec William, à Manhattan.

— Alors, tu sais qu'il est parti ?

— Oui.

— Ce qui signifie que tu rentres ?

— Si tu veux bien de moi.

— Pourquoi ne voudrais-je plus de toi ?

— Parce que je t'ai fait mal en fuyant loin de toi.

— C'est bien mon avis.

— Me pardonneras-tu jamais, Ella ?

— Ne sois pas idiot, Harry, dit-elle avec lassitude. Bien sûr, je te pardonnerai.

— Mais ce n'est pas encore fait.
— Pas tout à fait.
— Que faudra-t-il que je fasse ?
— Je n'ai pas encore décidé.

XXXV

Le jour de l'Action de Grâces était une véritable corvée à Château Bogarde. Alors que la plupart des familles se réunissaient chez elles pour manger la dinde, à Château Bogarde, il fallait partager le dîner avec deux cents inconnus, et Danielle s'en plaignait beaucoup.

— Maman, j'aime cet hôtel, déclara-t-elle trois semaines avant la fête, mais ne pourrions-nous pas passer ne serait-ce que quelques heures entre nous ?

— Vous autres, vous le pourriez, ma chérie, répondit Ella, mais moi, je ne pourrai pas être avec vous tant que le service du restaurant ne sera pas terminé. De cette manière, nous ne serions pas tout à fait en famille, mais nous pourrions au moins passer quelques heures ensemble.

— Peut-être, dit Danielle, songeuse.

— Tu disais toujours que tu trouvais amusant de voir tant de gens aller et venir.

— J'étais un bébé quand je disais cela.

Ella sourit.

— Je comprends.

Danielle réfléchit.

— Maman, Je pourrai rendre visite à la famille de Janey cette année ?

— Le jour d'Action de Grâces ? Non, ma chérie, c'est un jour où la famille se retrouve.

— Je veux dire après dîner, dit l'enfant avec passion. La maman de Janey a dit qu'elle aimerait m'avoir chez elle – et je pourrais passer la nuit.

— Cela dépend.

— De quoi ?

— De ce qu'en pensera ton père d'abord, et ensuite, cela dépendra du temps.

— Du temps ? reprit Danielle en écho, extrêmement surprise.

— Nous avons déjà eu de la neige à cette période certaines années, et tu sais que les routes peuvent être très mauvaises.

— Bon. Mais je pourrai y aller si les routes sont bonnes ?

— Sans doute.

— Oh, formidable ! Merci, maman.

La première tempête d'hiver frappa trois jours avant le grand événement, coupant l'hôtel du reste du monde ; trente-six heures plus tard, les nuages descendirent sur la vallée et Château Bogarde se dressa, tel un mirage flottant, baigné de soleil, tandis que charrues et hommes équipés de chasse-neige et de pelles se mettaient au travail, et que ceux qui avaient la chance de jouir de la sécurité de l'hôtel étaient installés douillettement autour des cheminées ou glissaient joyeusement le long des pentes.

— Nous avons assez de provisions maintenant ? demanda Krisztina à Ella.

— Jusqu'à présent, ça va.

Le matin du jour de l'Action de Grâces, Harry se réveilla avec un méchant rhume de cerveau et sans la moindre envie de faire la fête. Les clients, de même que la famille, se régalèrent du repas traditionnel – dinde, patates douces, céréales, sauce aux canneberges et tarte au potiron, le tout accompagné de champagne et de bordeaux et ensuite, porto et cognac. Harry, dans l'espoir de se soutenir, but fermement pendant tout le repas. En vain.

On leur servait le café lorsqu'Ella fut appelée au téléphone.

— Qui était-ce ? Harry attendait son retour à l'entrée du restaurant.

— Olivier.

Il fronça les sourcils.

— Que voulait-il donc encore ?

— Rien de spécial.

— Il voulait simplement parler, dit-elle posément.

La mauvaise humeur de Harry augmenta.

— Ne sait-il pas que tu as autre chose à faire que de bavarder avec lui au milieu d'un repas de d'Action de Grâces ?

— En fait, il nous transmet ses meilleurs vœux à chacun de nous, et spécialement à Dani.

— Exactement ce dont elle a besoin – l'affection particulière d'un nazi.

— Harry, pour l'amour du ciel, qu'est-ce que tu as aujourd'hui ?

Il arrêta un serveur qui passait et demanda un autre cognac.

— Tu ne crois pas que tu as assez bu ? demanda Ella doucement.

— Tu t'inquiètes de ton vaurien de frère, mais tu ne t'occupes guère de moi ! Je suppose que nous devons nous estimer heureux de ne pas le voir surgir en personne pour nous faire bénéficier d'un peu de publicité gratuite.

— Tout cela n'était que du vent, Harry, tu le sais très bien.

Danielle arriva en courant.

— Quand puis-je aller chez Janey, maman ?

— Je crains bien que tu ne puisses pas y aller, dit Ella.

— Mais, tu m'avais dit que je pouvais.

— Pas tout à fait. Je t'ai dit que cela dépendait du temps.

— Il ne neige pas en ce moment, souligna Danielle. Et puis, j'ai préparé mon sac toute seule.

— Eh bien, tu le déferas toute seule très facilement.

— Oh, maman !

— Pourquoi ne peut-elle pas y aller ? demanda Harry.

— Parce que les routes sont mauvaises.

— Janey habite à Palenville, non ? Ce n'est pas si loin. La voix de Harry était forte.

— Maman, il faut que j'y aille, intervint Danielle. C'est mal élevé de dire au dernier moment que je ne peux pas y aller, c'est toi qui dis toujours cela.

— Je vais l'emmener, dit Harry.

— Non !

— Et pourquoi pas ?

Ella s'efforça de garder un ton égal.

— Parce que tu as trop bu.

— C'est parce que tu refuses de regarder la vérité en face dès qu'il s'agit de ton sale frère ! Cela ne veut pas dire que c'est moi qui ai trop bu.

— Harry, je t'en prie, ne parle pas si fort.

— Je vais t'emmener, ma chérie, dit-il à sa fille.

— Non, tu ne l'emmèneras pas !

Ella trouva bien vite un compromis.

— Dani, va chercher tes affaires. Lin Tsung va te conduire.

— Oh, formidable ! Danielle disparut.

— Lin Tsung n'a bu qu'un verre de vin, précisa Ella tranquillement. Peut-être ferais-tu bien d'aller te reposer un peu. Ton rhume te fait visiblement déraisonner.

— Au diable ! Il tourna les talons.

— Où vas-tu ?

— Je sors. Il lui jeta un regard amer. «Puisque tu préfères parler à ton frère qu'à ton mari, je ne te manquerai guère.»

— Tu ne vas pas avec Dani !

— Non. Pas avec Dani. Je pars tout seul. Je vais me saouler proprement – comme un pochard !

Ella lui posa la main sur le bras, subitement anxieuse.

— Harry, je t'en prie, ne conduis pas dans cet état.

Il secoua son bras pour se débarrasser de la main d'Ella.

— Occupe-toi de tes clients et fiche-moi la paix !

Deux heures plus tard, lorsque Louis Dettlinger, blême, vint la trouver, Ella comprit immédiatement.

— Mon Dieu, murmura-t-elle. C'est Harry, n'est-ce pas ?

— Non, dit Louis.

Elle fut soulagée.

— Qu'y a-t-il donc ?

— C'est Dani – et Lin Tsung.

Ella le regarda fixement.

— Ils ont eu un accident, madame.

Lorsqu'Ella, William et Krisztina arrivèrent au Memorial Hospital de Catskill, Lin Tsung était debout, dans la neige.

Ella sauta de la voiture en marche.

— Où est-elle ?

— Dans la salle des urgences.

Il avait pleuré.

— Ils n'ont pas voulu que je reste près d'elle.

Ella s'élança à l'intérieur de l'hôpital. William et Krisztina approchèrent en hâte.

— Que s'est-il passé, Lin Tsung ? demanda William.

— Un camion, dit-il sur un ton morne. Le chauffeur a perdu le contrôle de son véhicule et nous a heurtés.

— Comment va Dani ? La voix de Krisztina tremblait de crainte.

Lin Tsung la considéra d'un air piteux.

— Je ne sais pas. « Blessures à la tête. »

Les mots résonnèrent comme un glas dans le couloir blanc au sol recouvert d'un linoleum.

— Graves ? Ella reconnaissait à peine sa propre voix.

— Impossible à dire tant que nous n'aurons pas terminé tous les examens.

— Quand ?

— Bientôt.

— Elle va très bien pour autant que nous puissions en juger pour le moment.

— Mais elle est inconsciente.

— Il n'y a pas de fracture, il n'y a pas eu d'hémorragie interne non plus.

— Et les... dommages? Même William était incapable de prononcer le mot qui leur brûlait les lèvres à tous.

— Le cerveau a-t-il été touché? Pour dire les choses sans brutalité, il ne semble pas. Nous le saurons définitivement quand elle se réveillera.

— Dans combien de temps?

— Je ne saurais vous le dire.

Ella, Krisztina, William et Lin Tsung étaient tous dans la chambre lorsqu'elle ouvrit les yeux.

— Maman?

Une joie indicible et fantastique gonfla tous les cœurs.

— Oui, ma chérie, je suis là.

Un mince sourire fragile incurva les lèvres pâles de l'enfant.

— Où est papa?

— Il va arriver bientôt, ma chérie.

Une expression étrange, quelque chose comme de l'étonnement passa sur le visage de Danielle.

— Où est papa? demanda-t-elle de nouveau.

Ella se pencha un peu plus.

— Il sera là bientôt – ne t'inquiète pas, Dani.

La confusion se transforma en peur.

— Où est mon papa?

Ella caressa le petit front bandé.

— Il viendra dès qu'il pourra, mon amour.

— Maman, pourquoi parles-tu aussi bas.

— Quoi, ma chérie?

— Je ne t'entends pas, maman.

Ella était figée.

— Maman, je ne t'entends pas!

— Elle est sourde, Docteur!

Florence Cain, la spécialiste appelée d'urgence en consultation par le médecin de l'établissement, considéra avec calme la femme agitée qui se tenait en face d'elle.

— Pas nécessairement, madame Bogarde.

— Elle n'entend pas ! Pas un son !

— Cela ne me semble pas tout à fait vrai. Danielle se plaint que les gens parlent trop bas, n'est-ce pas ?

— Oui, admit Ella avec vivacité, mais elle est tout de même incapable de former un mot avec ce qu'elle entend.

— Vous savez que son cerveau n'a pas été endommagé, n'est-ce pas madame Bogarde ? demanda le docteur Cain.

— Oui, Dieu merci, mais qu'est-ce que cela veut dire ? Sa surdité n'est que temporaire, c'est ce que vous voulez dire ?

— Cela veut dire que l'accident a pour résultat un certain degré de surdité. Quel degré a atteint cette surdité, ne sera-t-elle que temporaire ou sera-t-elle définitive, c'est cela que nous avons à découvrir.

Ella hocha la tête sans souffler mot.

Danielle a réclamé son père.

— Oui.

— Lui a-t-on parlé de l'accident ?

— Je ne sais pas où il est – il est parti juste avant Dani et...

Le médecin se montra compréhensif.

— Pourquoi ne pas aller voir votre fille ; vous pourrez ensuite rentrer chez vous et passer une bonne nuit.

— Je vais rester avec Dani.

— Elle aussi va dormir, vous savez.

— Je préfère ne pas la quitter, insista Ella.

Le docteur Cain hocha la tête.

— Je vais faire mettre un lit de secours dans sa chambre.

— Merci.

Harry arriva à six heures du matin, complètement défait. Il berça Danielle dans ses bras pendant une heure, il lui écrivit des billets drôles et l'assura que personne n'était fâché contre elle.

— Elle croit que nous pourrions la gronder parce qu'elle a insisté pour aller chez Janey, raconta-t-il à Ella dans la salle d'attente.

— Pauvre bébé, dit Ella.

Il la regarda, puis il s'affala sur une chaise en bois et enfouit son visage dans ses mains.

— Seigneur, quel gâchis !

Ella attendit un moment.

— Où étais-tu, Harry ?

— À Tannersville, dans un bar.

— Toute la nuit ?

— J'ai dormi dans ma voiture.

Il y eut un silence.

— Il m'a fallu être très forte hier soir, dit Ella d'une voix blanche, et j'aurais eu besoin de t'avoir près de moi.

— Et je n'étais pas là.

— Non.

Elle soupira.

— Nous devrions retourner dans sa chambre maintenant. Je ne veux pas la laisser seule trop longtemps.

Harry se leva lentement, il tremblait.

— C'était pourtant le moment ou jamais d'être là. Je suis désolé.

Ella lui donna la main.

— Je sais.

— Nous avons trois problèmes différents, expliqua Florence Cain à Harry et à Ella quelques jours plus tard.

— Trois ? répéta Harry.

Ella était assise les poings serrés sur ses genoux.

— Voyons d'abord le plus grave. Le docteur Cain tira de son porte-documents un schéma net et en couleurs qu'elle leur mit sous les yeux. « Le conduit auditif de l'oreille gauche de Dani a été gravement endommagé par le coup qu'elle a reçu à la tête. »

— Peut-il être réparé ? demanda Harry.

Ella retint son souffle.

— Je crains que non.

— Entend-elle encore un peu de cette oreille-là ?

— Très peu.

— Et l'oreille droite ?

— C'est notre second problème. Le docteur Cain prit un crayon et le pointa sur le diagramme. « Vous voyez ces trois osselets minuscules. Ils forment une chaîne qui transmet les vibrations sonores du tympan au fluide contenu dans l'oreille interne. Dans le cas de Dani, ces osselets se sont séparés par suite du coup violent qui a frappé sa tête, d'où une perte considérable d'audition. »

— Que peut-on faire ? demanda Harry.

— Nous pouvons opérer pour remettre les osselets en place. Le médecin sourit. « L'opération a de fortes chances de réussir. »

Ella se détendit légèrement.

— Elle pourra donc entendre de nouveau ?

— Si l'opération réussit.

Harry voulut savoir quel était le troisième problème.

— Il est à craindre que les organes qui assuraient l'équilibre de Dani aient été également touchés.

Ella et Harry pâlirent.

— Ce qui ne signifie pas que Dani sera infirme, ou incapable de marcher ou quelque chose de ce genre, mais vous constaterez une perte de son sens de l'équilibre quand elle pourra quitter son lit. Il est important de nous préparer à cette éventualité mais surtout il est essentiel d'y préparer Dani elle-même.

Ella serra fortement ses mains.

— Qu'y a-t-il à faire pour cela ?

— Je crains que nous ne puissions pas réparer ce dommage-là, mais c'est Dani elle-même qui trouvera sa propre thérapie, avec l'aide d'un professionnel, cela va de soi. Le médecin s'appuya au dossier de sa chaise. « Dans le cas d'adultes, ces troubles peuvent être la source de bien des difficultés, mais nous savons que les enfants trouvent rapidement le moyen de compenser leur déséquilibre. Il existe d'autres repaires pour nous aider à nous équilibrer – les sensations qui nous viennent de la plante de nos pieds par exemple, et très certainement notre vue. »

— Ainsi, Dani pourra s'en sortir sans ces nerfs-là ? dit Harry.

— Pas immédiatement, et pas dans toutes les situations. Elle aura sans doute toujours du mal à marcher sur une surface inégale, ou sur une surface molle – un tapis épais ou de l'herbe. Elle aura aussi des difficultés dans l'obscurité, mais même là, elle trouvera une issue. Cela deviendra une seconde nature chez Dani de marcher avec plus de précaution et d'utiliser ses mains et ses bras pour se soutenir.

Le docteur Cain relata ensuite à ses collègues qu'à ce point de l'entretien, le chagrin fut si profond et si intense qu'elle aurait pu le couper au couteau. Elle leur avait offert un pronostic optimiste, mais elle était parfaitement consciente qu'en peu de mots, elle avait anéanti un idéal.

— Elle fait de la danse, dit Ella à voix très basse. C'est une étudiante très prometteuse.

La gorge de Florence se noua.

— Je suis désolée.

Harry prit la main de sa femme.

— Dani est solide, lui rappela-t-il d'une voix enrouée. Lin Tsung ne cesse de dire qu'elle est douée d'un sens extraordinaire de l'équilibre, jamais il n'avait encore constaté cela chez un enfant.

Les yeux d'Ella se brouillèrent.

— Elle *était* douée, murmura-t-elle.

La première fois qu'ils virent Danielle faire quelques pas sans aide, titubant comme si elle eut été ivre et retenant de toutes ses forces ses larmes, Ella pleura abondamment et

Harry s'enfuit dans la salle de bains où il resta enfermé, comme pétrifié, pendant une heure, sans dire un seul mot.

De toute la famille, ce fut Harry qui réagit le plus mal. Et ce ne fut pas plus facile pour lui après la réussite de l'opération sur l'oreille droite de Danielle, ni même après qu'elle fut rentrée à la maison.

— Il pense que du moment qu'elle est en train d'apprendre à lire sur les lèvres, on peut parler d'échec, dit Ella à Krisztina. Puisqu'elle peut entendre, pourquoi la traiter comme une enfant sourde comme un pot ? Et lorsqu'il oublie de lui parler du bon côté et qu'elle ne répond donc pas, je vois sur ses traits à quel point il est tourmenté. Je ne sais pas quoi faire, maman.

— Je crois que son état présent tient en partie à ce que je t'ai déjà dit il y a bien longtemps. Quand il t'a épousée et quand vous avez eu Dani, il a eu l'impression d'atteindre au bonheur absolu et définitif. Et à présent, il sent que cette situation idyllique se fissure. Je crois aussi — mais je me trompe peut-être — que Harry s'imagine que tu le blâmes pour cet accident.

— Pourquoi ?

— Tu ne voulais pas que Dani aille à Palenville pour ce jour de fête. Il a fait pression sur toi, et puis il a disparu et s'est enivré grossièrement alors qu'il aurait dû être près de toi.

— Je ne lui ai jamais fait de reproches.

— N'y as tu jamais songé ?

— Seulement le premier soir, parce que j'avais peur, et que j'étais en colère.

Il se sent coupable. Il voit Dani souffrir, et toi avec elle.

— Mais Dani va s'en sortir ! Il y aura forcément une période difficile ; en tout cas, elle ne souffre pas.

— Toi et moi le savons, Ella.

— Mais pas Harry.

La tension entre Ella et Harry était encore trop élevée pour résister à l'arrivée inopinée d'Olivier à Château Bogarde après Noël.

— Que vient-il faire ici ? demanda Harry à Ella.

— Il est venu voir Dani et lui apporter des cadeaux. C'est un peu tard, mais je sais qu'il s'est fait du souci pour elle.

— Ce bon vieil oncle Ollie, ironisa Harry.

Ella soupira.

— Donne-lui une chance, Harry, je t'en prie, juste pour cette fois.

Une semaine plus tard, Olivier était toujours là.

— Je veux qu'il s'en aille, dit Harry à Ella. Dis-lui de partir.

Ella secoua la tête.

— Pas cette fois.

— Qu'y a-t-il de différent cette fois ? En dehors de mes sentiments personnels, qui ne semblent d'ailleurs pas t'intéresser, si la presse apprend qu'il est ici, elle va en faire un événement sensationnel.

— Voici le journal d'hier, dit Ella posément. Et puis, Olivier n'est pas venu pour nous ennuyer. Il est venu pour Dani, et non pour quelque motif caché ; Dani l'aime bien. Il a même fait un effort avec maman et papa.

Harry serra les mâchoires.

— Je n'aime pas voir Danielle passer son temps avec lui.

— Il est son oncle – il ne lui fait pas de mal.

— Comment peux-tu être à ce point aveugle.

— Dans cette situation particulière, je ne crois pas être aveugle.

— Ella, ma chérie, pour l'amour de Dieu... tu ne comprends donc pas que je ne peux pas vivre sous le même toit que cet homme !

— Il n'est guère à la maison, Harry. Il est à l'hôtel.

— Cela revient au même, et tu le sais fort bien.

— Et que fais-tu, toi ? s'écria Ella amèrement. Tu nous fuis encore une fois ?

— Ce n'est pas de ma propre volonté, crois-moi ! dit-il désespérément.

— Vraiment ? C'est devenu une habitude alors – tu t'en vas dès que les choses ne vont pas exactement comme tu voudrais.

— Ella, pourquoi refuses-tu de voir qu'Olivier est dangereux ?

— Seulement pour lui-même.

Elle fit une pause.

— Tu veux le fond de ma pensée ? Olivier n'est qu'un prétexte – tu détestes son audace, sans doute, et tu as peut-être raison ; après tout, il n'est pas ton frère.

Ses yeux se rétrécirent.

— Mais il y a plus que cela à présent. Harry, tu es un bien triste individu depuis l'accident de Dani. Dieu sait si j'ai essayé de te parler, mais tu gardes tout à l'intérieur de toi et maintenant, tu te figures que la fuite est une réponse possible.

Sa voix tremblait.

— Mais tu as tort, terriblement tort.

— Je ne fuis pas, Ella, dit-il doucement. J'ai simplement besoin de passer quelques jours loin d'ici.

Il hésita.

— Peut-être as-tu raison – peut-être Olivier n'est-il pas seul en cause. Mais l'avoir sous les yeux, c'est la goutte qui fait déborder le vase. Il me rend fou.

Trois jours après, Harry fit deux valises et les déposa dans le vestibule de leur maison en attendant que Lin Tsung avance la voiture devant la porte. Ella et Danielle étaient avec lui.

À pas lents mais fermes, ses pieds nus silencieux sur le parquet – depuis l'accident, la plupart des tapis de la maison avaient été remplacés par des carreaux de céramique ou du plancher — Danielle alla mettre ses mains dans celles de son père.

— Papa, pourquoi t'en vas-tu ?

— Je te l'ai dit, ma chérie. Le visage de Harry était hagard. «Je vais ouvrir une galerie d'art à Zürich.»

— Pourquoi ne peux-tu pas faire cela ici ? Le visage de Danielle était levé vers celui de son père, elle se concentrait fortement pour ne pas perdre une syllabe de son explication, bien qu'elle l'eût déjà entendue plusieurs fois.

— Parce que Zurich est une ville plus favorable pour le genre de galerie que j'ai en tête, Dani.

— Pourquoi ne pouvons-nous pas y aller avec toi ?

Ella fit quelques pas de façon à se trouver du bon côté de Danielle.

— Il faut que je m'occupe de l'hôtel, ma douce. Et tu sais que tu as beaucoup à faire ici.

La porte d'entrée s'ouvrit, et Lin Tsung parut, le visage sombre.

— C'est l'heure.

Harry hocha la tête.

— Je viens, Lin Tsung.

— Papa ?

Danielle lui tenait toujours la main.

— Combien de temps seras-tu parti ?

— Je ne sais pas exactement, répondit Harry avec sincérité.

— Tu as deux valises. La voix de la fillette était accusatrice. D'habitude, tu ne prends qu'une valise.

Ella vint au secours de Harry.

— Papa emporte une masse de papiers cette fois.

Lin Tsung se baissait pour prendre les sacs, mais Harry l'arrêta.

— Je les prends.

— Je vais attendre dans la voiture, dit Lin Tsung.

Harry, le regard désolé, regarda Ella.

— Je te téléphonerai... pour te dire que je suis arrivé.

— Si tu veux, dit-elle, les lèvres pincées.

Il posa ses lèvres froides sur son front.

— Papa ? Des larmes étouffaient subitement la voix de Dani.

— Oui, ma chérie ? Harry la prit dans ses bras.

— Reviens vite.

— Bien sûr, Dani, je vais revenir vite. Il pressa son visage contre son cou tout chaud et se souvenant soudain qu'elle n'entendait pas et ne pouvait pas voir ses lèvres, il redressa la tête et la regarda gravement dans les yeux. Tu ne crois pas que je pourrais rester longtemps loin de toi, si ?

Les lèvres de Danielle tremblèrent.

— Je ne sais pas.

XXXVI

Olivier partit deux semaines plus tard.

Harry resta à Zürich.

Sandor Janos revint à Château Bogarde.

— Je suis heureuse de vous revoir, monsieur Janos.

Il lui lança un regard taquin.

— Vraiment, madame Bogarde ?

— Bien sûr, dit Ella sans hésiter. C'est un honneur de vous avoir ici.

— Merci. Où est votre charmante mère ?

— À New York, où elle passe quelques jours avec mon père.

— Et votre mari ?

Ella s'efforça de dissimuler son irritation devant cet interrogatoire.

— Lui aussi est absent.

— Ah ! oui, en Suisse.

— Si vous le savez, pourquoi le demander ?

Les yeux noirs de Janos étincelèrent.

— Sans doute l'avais-je oublié momentanément.

Ella regarda en direction du bureau de Louis Dettlingen.

— Votre suite est prête, monsieur Janos.

Il s'arrêta pour prendre un petit attaché-case.

— Seriez-vous libre ce soir par hasard, nous dînerions ensemble, madame Bogarde ? J'ai hâte de bavarder avec vous.

— Ce soir ? répéta Ella tout en cherchant une excuse.

— Je vous recommande la nourriture de cet établissement, sourit Janos. Enfin, si M. Monselet est toujours votre chef.

— Il l'est toujours.

— Parfait. Il fit une courbette. « À huit heures ? »

— D'accord, dit-elle distraitement.

— Un apéritif au bar pour commencer ? Ella acquiesça de la tête.

— Au bar Kaaterskill.

À l'étonnement d'Ella, il arriva pourvu de sa propre bouteille.

— L'une des rares choses que je ne m'attends pas à trouver même dans le bar le mieux approvisionné, expliqua-t-il en lui faisant lire l'étiquette.

Ella sourit.

— *Barack.*

— Pour après dîner, évidemment, si vous me parlez encore.

— Pourquoi ne vous parlerais-je plus ?

— On ne sait jamais, avec les femmes.

Après le dîner – huîtres, loup de mer en croûte et pêche Bogarde, simple mélange de pêches fraîches et de glace au champagne – Janos devint loquace et se fit tout miel. Ella nota que c'était le premier soir depuis le départ de Harry qu'elle ne se sentait pas pitoyable.

Ils allèrent passer quelques moments sur le belvédère. Leur silence était amical. La lune était presque pleine, la visibilité excellente et le panorama encore voilé de la neige de ce début de mars brillait doucement ; chaque champ, chaque forêt et chaque pignon scintillaient naturellement.

Un avion ronronna très haut au-dessus d'eux, et Janos leva la tête.

— Je n'aime pas particulièrement les avions, dit-il, mais un soir comme celui-ci, on dirait des étoiles mobiles, et ils sont presque beaux.

Ella frissonna.

— Je déteste cette période de l'année.

— Vraiment ?

— Février est le pire des mois, mais mars n'est guère mieux. Le printemps devrait être là, la vie devrait recommencer – mais tout est étouffé sous cette couverture de glace.

Janos sourit.

— C'est merveilleux ici. Vous êtes déprimée parce que vous vous sentez seule.

— Personne ne m'a quittée, se défendit-elle.

— Ce n'est que temporaire, certainement, mais vous vous sentez solitaire, n'est-ce pas ?

— Un peu, peut-être, concéda-t-elle.

Il la prit doucement par le coude.

— Rentrons boire un peu de Barack.

— Je crois que j'ai bu suffisamment ce soir.

— Ridicule. D'ailleurs, il faut que je vous parle.

— Voilà trois heures que nous parlons.

— Mais pas de cela.

— De quoi ?

— Venez, je vais vous expliquer.

Janos lui dit que cette fois, il était venu à Château Bogarde avec une arrière-pensée. Il désirait la coopération d'Ella sur un nouveau projet qu'il avait en tête, une série de concerts pour les enfants handicapés.

— Pourquoi êtes-vous venu chez moi en particulier ?

— Parce que j'ai pensé que vous voudriez bien m'apporter votre aide. Parce que vous êtes en position de le faire.

— De quelle manière ? Par une donation ?

— Vous disposez d'une vaste salle de bal dont l'acoustique est excellente, et vous êtes une merveilleuse organisatrice.

— Pas d'autres raisons ? La voix d'Ella était glaciale.

— Vous voulez parler de l'accident de Danielle ?

— Je ne permettrai jamais que l'on exploite ma fille, monsieur Janos.

— Je vous en prie, protesta-t-il, nous nous sommes appelés par nos prénoms pendant tout le dîner – faut-il que nous revenions aux conventions à présent ? Je n'ai nullement l'intention d'exploiter qui que ce soit, et votre fille moins que tout autre. J'aimerais seulement donner un peu de joie à quelques enfants dont la situation est bien pire que celle de Danielle, et je pensais simplement que vous souhaiteriez participer à mon projet.

— Je comprends. Ella but une gorgée de liqueur d'abricot. C'était chaud et délicieux.

— Eh bien ? insista Janos.

— Il me semble que la patience n'est pas votre vertu première.

— Ça ne l'a jamais été. Il versa du *Barack* dans son verre.

— Essayez-vous de m'enivrer ? demanda-t-elle courtoisement.

— Oui.

— Vous ne réussirez pas.

— Je n'y prétends pas.

Le regard d'Ella devint plus amical.

— Dans quel but vouliez-vous m'enivrer ?

— À votre avis ?

— Vous aggravez votre cas.

— C'est-à-dire ?

— En répondant à une question par d'autres questions.

— C'est une particularité de l'esprit juif.

— Ah oui ?

— Ella, voulez-vous m'aider ?

— Je le peux.

— Bien.

Puisqu'ils avaient des détails à discuter, il leur parut tout naturel de dîner ensemble durant la plus grande partie de la semaine suivante. Ils mangèrent parfois à la villa Bogarde en compagnie de Danielle et de Lin Tsung.

Janos et Danielle semblèrent très bien s'entendre. Le Hongrois avait un comportement remarquablement détendu avec elle ; il s'adapta rapidement à l'écoute monaurale de l'enfant sans tomber une seule fois dans le piège des périphrases pour désigner son incapacité, manie d'adultes dont Danielle se plaignait souvent.

— Tu n'as jamais dansé depuis l'accident, il me semble, lui dit-il un jour qu'ils étaient attablés devant une glace.

— On m'a dit à l'hôpital que je ne pourrais probablement plus jamais danser.

— Mais tu ne les crois pas.

— Non. Danielle avalait sa glace à la guimauve avec voracité. « Mais tous les autres y croient, sauf Lin Tsung. »

— Je ne l'en empêche pas, dit Ella. Mais j'apprends à ne pas prendre d'initiative à ta place, ajouta-t-elle pour sa fille.

— Maman était folle l'autre jour parce que je marchais dans la neige, confia Danielle à Janos.

— Ce n'est pas bien de ta part, Dani, dit Ella. Comme tu le sais très bien, j'étais folle parce que tu es sortie toute seule, tu aurais pu tomber et te faire mal.

— Les enfants tombent sans arrêt, maman.

— Je dois admettre qu'elle a fort bien réussi, confirma Ella avec beaucoup de fierté. Elle a fait une chute...

— Seulement parce que tu as crié après moi.

— Tu avais déjà fait un faux pas et tu étais en train de glisser bien avant que je crie.

— Évidemment, maman, dit Danielle dédaigneusement. Tu sais bien que mes organes d'équilibre sont endommagés, et c'était la première fois que je sortais seule.

— Et tu as continué ensuite.

— Peut-être.

— Dani, avertit Ella.

— Elle sera raisonnable, assura Lin Tsung, sinon, elle sait que j'arrêterai de lui enseigner le *tai chi*.

— Un peu de chantage à la chinoise ? taquina Janos.

— Certainement.

— Cela ne peut pas faire de mal, n'est-ce pas ?

— Nous pouvons discuter de la date du premier concert, dit Ella plus tard, quand elle fut seule avec Janos. Je vous suggérerais trois dates possibles.

— Je ne veux pas discuter de cela.

— Oh ? De quoi voulez-vous parler alors ?

— De vous.

— De moi ?

Janos se pencha vers elle, le visage soudain grave.

— J'ai un problème depuis mon arrivée sur cette montagne.

— Quel genre de problème ?

— Un problème sérieux, mais délicieux.

— Ah oui ? Ella devint suspicieuse.

— J'ai envie... je désire ardemment... vous embrasser.

Ella rougit légèrement.

— Vraiment ?

— Êtes-vous offensée ?

— Le devrais-je ? dit-elle en souriant.

— Scandalisée ?

— Un peu seulement.

— Ça va mal, dit Janos, déconcerté. Ça n'est pas romantique. J'aurais dû vous emmener dehors, sous les étoiles, et vous enlacer tendrement.

— Je vous aurais giflé.

— C'est vrai ?

— Probablement. Ella tenta de s'excuser. « Sandor, je suis une épouse heureuse. »

— Sans mari.

Elle rougit violemment.

— Mon mari est en voyage d'affaires.

— Je sais. Il ouvre une galerie d'art.

— C'est juste.

— Et vous n'êtes pas fâchée contre lui ? demanda Janos d'une voix douce.

Ella le regarda dans les yeux.

— J'aime mon mari.

— Je ne vous demande pas de cesser de l'aimer. Je vous demande d'avoir une affaire de cœur avec moi. Une chose n'empêche pas l'autre.

Ella devint cramoisie pendant un instant, puis elle se détendit. On ne pouvait pas rester longtemps fâché contre cet homme, et puis, ceci n'était guère plus qu'un badinage anodin, n'est-ce pas ?

Elle avait servi un calvados pour chacun, et à présent, elle le humait, jouissant davantage de son parfum que de son goût.

— Je n'ai jamais eu de liaison, dit-elle simplement.

— J'aimerais pouvoir changer cela.

Ella éprouva une agréable sensation. C'était bon de flirter en cette période, alors qu'elle pleurait avant de s'endormir depuis plus de cinq semaines.

— Sandor, si je devais avoir une affaire de cœur avec quelqu'un, ce serait très probablement avec vous, dit-elle avec chaleur. Mais je ne peux pas. Elle prit une gorgée de calvados.

— En êtes-vous certaine ?

— Je crains bien que oui.

Il soupira, puis il sourit.

— Je pense que je vais rester un peu plus longtemps, au cas où vous changeriez d'avis.

— N'avez-vous donc rien à faire ?

— N'ai-je pas le droit de prendre des vacances ?

Il parut réfléchir...

— Ce qui me rappelle... Quand en avez-vous pris vous-même pour la dernière fois ?

— Il y a bien longtemps.

Janos eut l'air écœuré.

— À quoi sert d'être riche si vous ne faites que travailler ?

— Je m'amuse aussi, se défendit Ella.

— Ce n'est pas un véritable amusement.

Ella soupira.

— Vous avez raison – j'aurais besoin de m'arrêter.

— Je vais à Saint-Moritz en partant d'ici.

— Vous avez de la chance.

— Venez avec moi.

Elle éclata de rire.

— Quelle idée charmante.

— Alors, venez avec moi.

— Ne dites pas de sottises. Je ne peux aller nulle part.

— Pourquoi ?

— D'abord parce que j'ai un hôtel à diriger.

— Votre mère est à Manhattan. Je suis certain qu'elle reviendrait immédiatement si elle savait que vous voulez partir.

— Et Dani ?

— Elle peut venir aussi.

— À Saint-Moritz ?

— Pourquoi pas ? répéta-t-il.

— Parce qu'elle va à l'école. Et, ce qui est encore plus important, elle va passer son temps à tomber.

— Vous avez dit tout à l'heure qu'elle s'était bien débrouillée dans la neige.

— Pendant quelques minutes, et parce qu'elle s'est fortement concentrée, mais cela ne serait pas des vacances pour elle ni pour moi, il faudrait toujours avoir l'œil sur elle.

— Si vous excluez la neige, vous excluez aussi le sable. Allez-vous obliger Danielle à ne prendre ses vacances que sur des trottoirs bétonnés ?

— Il est encore bien tôt. Je veux qu'elle reprenne confiance sur un terrain qui lui est familier.

— Alors, remettez en place quelques tapis.

— C'est plus facile pour elle sur des surfaces dures.

— Elle a besoin de difficultés à vaincre.

— Elle en trouve tous les jours !

Ils se turent, et Janos lui sourit.

— Venez donc à Saint-Moritz.

— Je ne peux pas.

— Sans doute pouvons-nous débuter notre liaison ici, dit-il, l'œil étincelant.

— Non, Sandor. Nous ne le pouvons pas.

— Peut-être demain alors, conclut-il en haussant les épaules.

— Êtes-vous déjà allé aux chutes de Kaaterskill ? demanda Ella à Janos le lendemain matin.

— Pas encore.

— Elles sont restées à peu près désertées jusqu'à ce que nous ouvrions le château ; bien que dans le passé, particulièrement lorsque l'autre hôtel existait encore, les chutes étaient ouvertes au public, et elles étaient même une attraction très prisée.

— Elles gèlent ?

— Bien sûr. Voudriez-vous les voir ?

— Vous m'y conduisez ?

Elle consulta sa montre.

— D'accord.

— Comment s'habille-t-on pour cette aventure ? demanda-t-il.

— N'importe comment.

Ils approchaient des chutes quand l'œil d'Ella fut attiré par une petite tache rouge à une centaine de mètres, à droite, tout près du bord de la cascade gelée.

— Qu'est-ce... Ella mit sa main en visière au-dessus de ses yeux pour les protéger des rayons puissants du soleil. Elle blêmit. «Oh, mon Dieu !»

Danielle, revêtue de son anorak écarlate, ses cheveux flottant dans le vent comme une bannière, avançait et reculait, mains et bras étendus, le visage froncé sous l'effet d'une concentration intense.

Ella accrocha le bras de Janos.

— Le rebord derrière elle est glacé ! dit-elle frénétiquement. Si elle tombe...

— Elle ne tombera pas, dit Janos à voix basse. Restez calme, parlez tout bas. Tout ira bien.

— Je vais la chercher.

— Non. Le ton de la voix était sec, et Janos saisit Ella par les épaules.

— Que faites-vous ? Laissez-moi y aller ! Si elle glisse... Ses lèvres étaient blanches.

— Vous restez ici, dit-il tranquillement. J'y vais.

— Ne soyez pas ridicule. Je suis sa mère !

— Et si elle vous voit et prend peur parce qu'elle s'imagine que vous êtes en colère ? Il la tenait toujours fermement. «Je ne la laisserai pas se faire de mal, je vous le jure.»

Ella hocha la tête, elle claquait des dents.

Janos regarda autour d'eux.

— Allez derrière ces buissons, elle ne vous verra pas.

— Qu'allez-vous faire ?

— Je vais suivre le bord de manière à ne pas être dans sa ligne de vision.

Il lui désigna le chemin du doigt.

— Je vais ensuite attendre qu'elle se trouve normalement face à moi, de sorte qu'elle ne sera pas surprise.

— D'accord, mais dépêchez-vous.

— Allez derrière les buissons.

Ella obéit en silence et observa la scène avec terreur. Danielle, avançant et reculant, s'obstinait à déposer les empreintes gelées de ses bottes terriblement près du rebord glacé. Ella commença à prier.

Cela sembla une éternité jusqu'à ce que Janos parût dans la clairière, derrière Danielle. Il attendit sans bouger qu'elle eût achevé une ligne droite et lorsqu'elle se retourna, il se mit à marcher lentement, normalement, comme un homme qui se promène.

Danielle le vit, elle s'immobilisa et fit un signe de la main.

— Ohé ! cria-t-elle.

— Ohé là-bas ! répondit Janos en continuant à marcher tranquillement.

— Vous m'avez vue ? demanda Danielle avec excitation.

— Oui, Dani.

Ils étaient séparés d'une cinquantaine de mètres.

— Regardez, Sandor ! Regardez-moi ! cria Danielle.

— Non, Dani, attends-moi, je viens.

Mais Danielle, dans sa hâte de montrer ce dont elle était capable, avait déjà fait demi-tour et ne l'entendit pas.

— Danielle ! Janos accéléra le pas.

Elle exécuta avec facilité les trois premiers pas, mais ensuite, peut-être parce qu'elle avait un spectateur, elle vacilla sur le quatrième ; elle se maintint toutefois en compensant avec ses bras, mais au sixième pas, le talon de sa botte ripa et elle glissa sur ses fesses.

— C'est bon, ne bouge pas, Dani ! cria Sandor.

Danielle voulut se dresser sur ses pieds, elle battit des bras encore plus violemment, puis elle dérapa brusquement vers le rebord glacé...

— Non ! hurla Ella en surgissant de derrière le buisson enneigé...

Janos exécuta un plaquage en s'élançant de toutes ses forces, il saisit Danielle par les jambes et les immobilisa à quelques centimètres du rebord.

— Oh ! Dani, Dani, sanglota Ella lorsqu'ils furent tous trois étendus sur le sol, s'agrippant les bras les uns les autres. Dieu soit loué, tu vas bien. Dieu soit loué.

Le visage de Danielle était tout cramoisi. Elle ne comprenait pas pourquoi on la traitait ainsi.

— Je ne vois pas pourquoi il a fait cela, se plaignit-elle. J'étais à des kilomètres du rebord !

— Tu en étais à deux centimètres ! hurla Ella dont l'émotion était intense ; elle pointait son doigt ganté et tremblant vers le rebord gelé.

— Cela me semble très solide, dit Danielle.

Janos bougea avec précaution, fléchissant les bras à tâtons. Il n'avait heureusement mal nulle part. Il réussit enfin à se mettre sur ses jambes.

— Debout, dit-il sévèrement à Danielle, tout en aidant Ella qui tremblait encore comme une feuille.

Il les dirigea en les éloignant du rebord, puis il regarda autour de lui. Il trouva une pierre de taille moyenne qu'il lança d'un geste puissant sur la glace qui se craquela aussitôt en surface, et une pluie de fragments s'abattit dans la crevasse.

— Tu vois ? dit-il brièvement.

Danielle écarquilla les yeux.

— Oh !

— Oh ! répéta Ella. Oh ? C'est tout ce que tu trouves à dire ?

— Excuse-moi.

— Tu peux t'excuser, en effet ! Tu m'as fait une peur folle – tu nous as horrifiés tous les deux !

La bouche de Danielle se mit à trembloter.

— Je suis vraiment désolée, maman, dit-elle. Puis elle pleura.

Janos eut pitié.

— Tu n'as pas réalisé, dit-il à la fillette sur un ton réconfortant. Ella, elle n'a pas compris la situation réelle, sinon, elle n'aurait jamais fait une chose aussi stupide.

— Il a raison, maman, pleura Danielle en levant son visage afin de mieux entendre ; les larmes ruisselaient le long de ses joues. Je suis venue ici parce que c'était tellement beau, et je ne...

— Tu veux dire que tu es déjà venue ici avant ?

Ella redevint blanche.

— Quand ? Il y a toujours quelqu'un avec toi.

— Non, pas toujours.

— J'ose penser qu'elle n'est pas toujours avec quelqu'un, dit Janos. Chacun a droit à un peu d'intimité, hein, Dani ?

— Occupez-vous de vos affaires ! répliqua Ella sans réfléchir ; puis elle eut l'air consternée. Oh ! je suis désolée, Sandor. Mon Dieu, combien je suis désolée... me pardonnerez-vous jamais ?

— À l'instant, sourit-il. À une condition.

— Tout ce que vous voudrez.

— Que nous retournions à votre bel hôtel douillet où nous serons tous en sécurité, et que l'on nous offre à boire.

Ella le regarda.

— Est-ce tout ce que vous désirez ? demanda-t-elle à mi-voix, franchement.

— Non, répondit-il sur le même ton. Mais pour le reste, c'est à vous de décider.

— Vous avez été magnifique, murmura Ella, allongée au creux du bras de Sandor dans la chambre d'ami de sa maison.

Il était trois heures de l'après-midi.

— Vraiment ? Il eut l'air satisfait.

— Je ne parle pas seulement du moment présent.

Elle eut un petit sourire.

— Ou plutôt si, bien sûr, mais en réalité, je parlais de ce que vous avez fait ce matin.

— Oh ! Le ton était solennel, mais les yeux noirs pétillaient.

— Vous auriez pu vous tuer.

— Sans doute. Ou pire encore, j'aurais pu me blesser au bras.

— Vous allez bien, n'est-ce pas ? Elle se redressa. «Je ne supporterais pas que vous vous soyez fait du mal pour nous.»

— Mais si, vous le supporteriez, étant donné l'enjeu de la situation.

Ella frissonna à ce souvenir.

— Ne pensons plus à cela, dit Janos.

— Plus facile à dire qu'à faire.

— Il y a toujours des accidents avec les enfants, *edesem*.

Elle se rallongea.

— Peut-être est-ce ma faute. Je l'enveloppe dans un cocon moelleux.

— Peut-être avez-vous un peu tort. Il se tut un instant. «Elle sera plus avisée à l'avenir.»

— Vous croyez ?

— Elle a eu une peur bleue. Quand j'ai jeté la pierre et que la glace a éclaté, elle a mieux compris ainsi qu'en la grondant.

Le silence tomba sur eux, le tic-tac de la vieille horloge était seul audible dans la chambre.

— Vous sentez-vous bien ? lui demanda Sandor tendrement au bout d'un moment.

— Je ne sais pas trop.

— Un peu gênée ? À cause de ce qui vient de se passer ?

Ella ferma les yeux. L'image de Harry surgit. Elle les rouvrit aussitôt.

Sandor caressa son bras.

— Ne gâchez pas un beau moment en vous sentant coupable, dit-il posément.

Ella secoua la tête et ravala des larmes menaçantes.

— Je ne peux pas m'en empêcher.

— Vous n'êtes nullement coupable.

— Vous croyez ?

Le regret se peignit un instant sur les traits de Sandor, puis il fut remplacé par de la résignation.

— Nous savons pourquoi nous avons fait l'amour aujourd'hui.

Ella ne dit rien.

— Pour moi, reprit-il, c'était du désir. De votre côté…

Il hésita.

— De votre côté, ce fut la conséquence de votre état de choc pour une part, et de votre gratitude pour l'autre part.

— C'était beaucoup plus que cela, protesta Ella.

— Peut-être un peu plus, mais ce petit supplément n'était pas l'essentiel. Il se tut, puis eut un petit sourire narquois. «L'amour comme récompense.»

— Sandor, ne dites pas cela !

— Ne prenez pas cet air scandalisé. C'était superbe, tout au moins pour moi.

— Pour moi aussi.

— C'est bon.

Il glissa son bras sous les épaules d'Ella.

— Je suis simplement réaliste en ce qui vous concerne, madame Bogarde, parce que je sais maintenant qui vous êtes, que cela vous plaise ou non. Vous êtes l'épouse de Harry, et vous l'aimez beaucoup. Vous et moi étions attirés l'un vers l'autre, et j'ai sauvé la vie de votre fille. C'est tout.

— Ce n'est pas la raison qui m'a fait coucher avec vous.

— Mais si, c'est cela, et il n'y a pas de honte à cela. Nous n'avons fait aucun mal – au contraire – c'est une façon de sceller notre amitié.

— Est-ce vrai ?

Il la considéra avec une tendresse non dissimulée.

— Absolument.

Ella tourna la tête et l'embrassa doucement et chaleureusement sur la joue.

— Merci. Merci pour tout, murmura-t-elle.

Très lentement, en soupirant, Sandor s'écarta d'elle et quitta le lit. Il la regarda.

— Ella chérie, nous ne recommencerons sans doute plus jamais cela, mais nous resterons amis, n'est-ce pas ? De bons amis ?

Ella se redressa.

— J'en suis heureuse.

Il s'habilla.

— Savez-vous ce que vous devriez faire maintenant pour prouver à Danielle que vous avez confiance en elle ?

— Quoi ?

— L'emmener à Saint-Moritz.

— Oh ! Sandor, elle va tomber sans arrêt.

— Tout le monde tombe dans la neige, Ella. Pensez au plaisir qu'elle aurait. Elle sera beaucoup plus en sécurité sur les pentes aménagées pour les enfants qu'ici, sur le bord d'une montagne.

— Je n'en sais rien.

— Il y a une autre raison pour que vous alliez là-bas.

— Laquelle ?

— Votre mari est en Suisse.

Ella se durcit.

— Vous avez envie de le voir, n'est-ce pas ?

— Je n'en sais rien... Oui, bien sûr, mais...

— Il est temps qu'il revienne, il me semble. Il se tut un moment pour enfiler son chandail. «Deux suites séparées, à l'hôtel Suvretta.»

Ella commença à faiblir.

— Venez à Saint-Moritz, insista encore Sandor. Vous et Dani. Faites de ces vacances un drapeau qui marque la fin d'une mauvaise période et le début de quelque chose de mieux.

Ella sortit du lit et se couvrit avec un coin de l'édredon. Elle le rejoignit de l'autre côté de la chambre.

— Si je vous disais que je crois vous aimer, me croiriez-vous ?

Dans ses yeux passa une expression de regret et de plaisir mêlés.

— En tant qu'amie, oui. Les plus helles amitiés ont leur fondement dans l'amour, n'est-ce pas, *edesem* ? Il sourit.

Ella rit franchement pour la première fois.

— Vous aviez raison, l'amour comme récompense !

Janos ricana.

— C'est tellement mieux qu'une médaille !

XXXVII

Ella et Danielle marchaient la main dans la main le long de la Banhofstrasse ; elles venaient de la vaste Paradeplatz tendue de drapeaux. Cheminant sous les tilleuls dénudés, elles passèrent devant le Café Sprüngli, devant le grand magasin Grieder et devant les immenses édifices en pierre des établissements bancaires dont les vitrines discrètes étaient animées d'écrans électroniques clignotants.

— Maman, pouvons-nous prendre le tram ?

— Plus tard, ma chérie.

Elles marchaient toujours, passant devant Bucherer et Cartier et d'autres joalliers encore, devant l'hôtel Baur et une grande boutique de jouets. Puis elles tournèrent à droite dans l'Augustinergasse. De là, elles se mirent en quête de la galerie d'art parmi les charmantes rues latérales en pente et au sol pavé.

— Nous tournons à gauche dans la Widder-Gasse, puis à droite dans la Glockengasse, expliqua Ella.

— C'est ici ! s'écria Danielle avec excitation.

C'était une grande galerie impressionnante avec deux grandes vitrines – un Miro et un Max Ernst à droite, un Monet, un Pissaro et un Sisley à gauche. Le nom de la galerie était inscrit en italiques dorées au-dessus de la porte : *Galerie Bogarde*.

Ella s'arrêta.

— Viens, maman !

Ella ressentit subitement des picotements chauds dans ses mains et ses pieds, son cœur se mit à battre fortement.

Elle prit sa respiration et s'efforça de se maîtriser tandis qu'elle laissait Danielle la tirer vers l'entrée.

— Ça ne s'ouvre pas. Danielle triturait vainement la poignée.

Un bourdonnement sourd se fit entendre.

— Essaie encore une fois, dit Ella. La porte s'ouvrit.

Une femme, la cinquantaine, les cheveux châtains et brillants fixés par des peignes de manière à dégager l'ovale du visage, leur sourit.

— *Gruezi miteinand.*

— Herr Bogarde, *bitte,* dit Ella en lui retournant son sourire.

— *Ihren Namen, bitte ?*

— Frau Bogarde.

Sans ciller, la femme s'excusa et traversa la galerie, elle disparut par une porte en bois ciré au fond de la salle. Ella et Danielle regardèrent autour d'elles avec intérêt. Une belle sculpture en bronze représentant une femme de Alexander Archipenko était disposée sur un socle au centre de la première salle, et tout un mur était occupé par une série de peintures abstraites fort singulières d'un artiste suisse dont le nom n'était pas familier à Ella.

La porte du fond s'ouvrit de nouveau, sans bruit, et Harry parut.

— Papa ! cria Danielle d'une voix perçante. Elle accourut vers lui presque sans trébucher du tout, même sur le tapis velouté ; elle faillit faire un faux pas à mi-chemin, mais elle arriva saine et sauve dans les bras tendus de son père.

— Oh ! Dani, Dani, bébé, comme tu m'as manqué. Harry la souleva et tourna avec elle, puis il enfouit son visage dans les cheveux de la fillette.

Ella les regardait, les yeux brûlants de larmes, un sourire dont elle était à peine consciente sur les lèvres.

Après avoir ainsi embrassé sa fille, Harry regarda Ella.

— Bonjour.

— Bonjour, Harry.

— Vous n'allez même pas vous embrasser ? s'écria Danielle.

Harry devint cramoisi, et ce fut Ella qui vint lui frôler la joue de ses lèvres.

Elle recula et le scruta, cherchant des changements, bien qu'ils n'aient vécu séparément que depuis moins de deux mois. Ses cheveux étaient un peu plus longs, peut-être cela convenait-il mieux à un propriétaire de galerie, et de nouvelles ridules s'étaient creusées autour de ses yeux, minuscules plis qui enchâssaient les yeux et s'étendaient aussi aux coins de la bouche.

Il devient rocailleux, pensa Ella avec une satisfaction véritable, car il était bon de voir un visage aimé s'améliorer avec l'âge.

— Je sais, dit-il d'une voix troublée, j'ai un aspect terrible !

Elle secoua la tête.

— Au contraire, je pensais que tu étais beau.

Il la dévisageait.

— Et moi ? demanda-t-elle Comment me trouves-tu ?

Il la contempla encore un moment et dit :

— Magnifique !

Ella éclata de rire.

— Comment décrire autrement une vision superbe que l'on craignait ne jamais revoir ? dit encore Harry.

— Tu savais que tu me reverrais, Harry.

Il secoua la tête.

— Papa, cet endroit est impeccable ! dit Danielle. Bien que son père ait été un grand collectionneur toute sa vie, et bien que Château Bogarde et la villa abritent de nombreuses œuvres d'art d'une valeur inestimable, cette galerie toute simple mais attrayante la charmait et lui en imposait. « Tous ces tableaux sont-ils à toi ? »

— Certains m'appartiennent, d'autres ne sont qu'empruntés.

— Montre-nous ceux que tu aimes, Dani, suggéra Ella.

— Okay.

Danielle commença à faire le tour de la galerie, désignant les tableaux.

— J'aime celui-ci. Je n'aime pas celui-là. Ceux-ci sont amusants. Celui-ci est beau. Elle s'arrêta net devant une petite lithographie signée Chagall. «C'est mon préféré. Il t'appartient, papa ?»

Il fit un signe de tête affirmatif.

— Oh ! fantastique. Tu peux le rapporter à la maison ?

Ella dut l'aider à répondre.

— Un jour, lorsque la galerie n'en aura plus besoin, papa le rapportera peut-être chez nous.

— Okay.

Harry tira Ella à l'écart.

— Que faites-vous ici toutes les deux ? Ton télégramme n'expliquait rien – et tu ne m'as pas indiqué ton vol, autrement, je serais allé vous chercher à Kloten.

— Nous nous sommes débrouillées, dit-elle avec désinvolture.

— Je vois cela. Il regarda Danielle. «Elle a l'air en pleine forme – j'en crois à peine mes yeux.»

— Pourquoi ? Elle était déjà très bien quand tu es parti ; elle a eu encore six semaines pour s'améliorer.

— Six semaines et deux jours.

— Tu comptes les jours, toi aussi ?

— Que veux-tu dire ?

— Dani aussi les compte, dit Ella non sans cruauté. Elle a confectionné un calendrier et raye chaque jour en attendant ton retour.

Harry ferma les yeux.

— Alors ? dit Ella, prévois-tu rentrer un jour ? Mon frère est parti depuis plus d'un mois... mais tu le sais, n'est-ce pas ?

Il rouvrit les yeux.

— Il fallait que je m'éloigne pendant quelque temps, Ella.

— Je le sais. Je sais aussi que quand tu t'en vas quelque part, tu laisses un trou qui se referme d'autant plus mal que tu restes plus longtemps absent.

Harry tourna la tête vers Danielle qui bavardait avec la femme aux cheveux châtains qui était rentrée dans la salle en silence par la porte du fond.

— Je sais que tu n'es pas venue uniquement pour me voir. Où vas-tu ?

— À Saint-Moritz.

— Pourquoi ?

— Nous avons besoin de quelque détente.

Il fronça les sourcils.

— C'est sans doute le lieu le moins adapté à l'état actuel de Dani.

— J'y ai beaucoup réfléchi, dit Ella sans s'énerver. Elle a parcouru un long chemin au cours de ces dernières semaines. Elle peut marcher dans la neige, elle dérape souvent, mais elle réagit bien. Tu connais notre fille.

— Lin Tsung est avec vous ?

— Non.

— Je suppose que c'est Krisztina qui s'occupe de l'hôtel.

— Évidemment.

Danielle s'impatientait et vint les rejoindre.

— Pouvons-nous aller nous promener quelque part ?

— Vous restez ici ? demanda Harry à Ella.

— Une nuit. Au Dolder Grand.

— Parfait. La tension se relâcha légèrement.

— J'ai promis à Dani les meilleurs gâteaux et les meilleures glaces du monde que l'on trouve au Café Sprüngli. Je lui ai aussi promis un parcours en tram.

— Eh bien, qu'attendons-nous ?

— Toi, papa.

Danielle étant épuisée à huit heures du soir, ils la mirent au lit sous un grand édredon douillet, ils engagèrent une nurse suisse au visage plaisant, puis ils allèrent dîner à la Kronhalle, sur la Bellevueplatz.

— C'est incroyable le nombre de grands restaurants que l'on peut trouver dans cette petite ville, dit Harry lorsqu'ils furent installés à leur table, buvant un café et dégustant une fine Napoléon.

— Je ne suis pas surprise que tu aimes la Kronhalle, sourit Ella. Toutes ces peintures en plus de la nourriture.

— Comment marchent les affaires chez nous ?

— Bien. Ils restèrent silencieux. Toute la soirée fut émaillée de pauses gênées.

— Encore un peu de café ? demanda Harry.

— Non, merci. Brusquement, Ella posa son cognac sur la table. Harry. « À quoi jouons-nous ? Ne sommes-nous pas saturés à présent de ces bavardages insipides ? »

— Tu as raison. Je suis désolé.

— Je ne suis pas venue jusqu'ici pour jouer les épouses éplorées, tu sais. Je suis venue parce que tu me manques, et parce que je ne crois pas que chacun de nous puisse encore douter que nous nous aimons toujours. Sa voix trembla légèrement. « As-tu des doutes ? »

— Non. Harry lui prit la main et l'agrippa comme une bouée. « Mon Dieu, non ! »

— Je crois que l'accident t'a mis en état de choc, poursuivit Ella plus doucement. Franchement, je ne crois pas qu'Olivier soit vraiment la cause de ton départ cette fois. D'ailleurs, je suis sûre que ce que tu as fait a été excellent pour toi – il y a longtemps que tu aurais dû ouvrir une galerie Bogarde.

— Je regrette seulement de l'avoir fait de cette manière.

— Et maintenant, quels sont tes projets ?

— Mes projets ?

— Vas-tu rentrer à la maison – ou souhaites-tu rester en Suisse ?

Il sourit avec un air de regret.

— Non, je ne désire pas rester ici, bien que l'endroit soit merveilleux.

— As-tu quelqu'un pour diriger la galerie ?

— La femme que tu as vue cet après-midi, Frau Maria Hämmerli. Je la crois tout à fait capable de diriger cette affaire toute seule.

Il attendit quelques secondes.

— Es-tu allée chez Hunter's ?

— Non. Je pense montrer le lac à Dani demain matin si nous en avons le temps. J'y passerai en même temps.

Harry remua le sucre dans son café.

— Comment comptes-tu te rendre à Saint-Moritz ?

— Par le train.

— Dani va être contente.

Ella commençait à se sentir exaspérée.

— Harry, tu n'as pas répondu à ma question. Rentres-tu chez nous ?

— Tu le souhaites ?

— Qu'est-ce que c'est, cette question idiote ? Évidemment, je veux que tu rentres, il me semble que j'ai été claire sur ce point.

Le regard d'Harry était sombre.

— Je pensais que tu me méprisais... que tu ne me pardonnerais jamais.

— Je t'aime trop pour ne pas te pardonner, répondit Ella en toute franchise. De plus, tu n'as jamais été méprisable.

— Alors, il ne reste plus qu'un problème, dit doucement Harry.

— Lequel ?

— Je ne me suis pas pardonné, moi.

— Il serait peut-être temps que tu le fasses !

— Je suppose, dit-il, les yeux brillants.

Il passa la nuit avec elle. Tant qu'ils firent l'amour, peau contre peau, s'étreignant, bouches assoiffées, cœurs battants, ils oublièrent toutes craintes et appréhensions. Mais après, quand ils reposèrent en silence, immobiles et sans trouver le sommeil, les doutes revinrent, et tous deux comprirent que les choses ne reprendraient pas leur cours ancien tant qu'ils ne se retrouveraient pas en sécurité dans leur maison.

— J'aurais bien voulu que tu viennes avec nous.

— Moi aussi, crois-moi. Mais je m'en irai bientôt. Il faut d'abord que Frau Hämmerli et moi prenions nos dispositions, et j'ai une brochette d'acheteurs et de négociateurs à voir au cours des deux prochaines semaines.

— Tu téléphoneras ? Je sais que c'est très important pour Dani.

— Bien sûr, je téléphonerai, mais pas seulement pour Dani.

Ils s'enlacèrent brièvement, avec émotion, puis Harry porta Danielle par-dessus les marches et aida Ella à monter derrière elle.

— Prenez bien soin l'une de l'autre.

— Tu vas me manquer, papa, cria Danielle à son père d'une voix aiguë et anxieuse.

— À moi aussi, tu vas me manquer, à en devenir fou ! Harry regarda Ella. «Ça va aller toutes les deux ?»

Les yeux d'Ella étaient plus brillants et limpides que d'ordinaire.

— Qui a dit que nous allions être seules ?

Ce fut le quatrième jour que Harry surgit à Saint-Moritz.

C'était en début d'après-midi. Sandor, Ella et Danielle glissaient en se tenant par la main le long de la pente d'apprentissage, à la sortie de l'hôtel Suvretta.

— Voilà papa ! hurla Danielle qui tomba aussitôt en entraînant les deux adultes dans sa chute.

— Eh bien voilà, dit Janos en se relevant et en ôtant la neige de sa combinaison noire.

— Dani, tu restes ici avec Sandor, ordonna Ella. N'essaie pas de skier sans moi.

— Amène papa !

Ella skia à la rencontre de Harry ; il était élégant dans son long manteau en fourrure de loup et ses bottes.

— Quelle bonne surprise ! dit-elle en s'arrêtant le plus près possible de lui pour l'embrasser.

— Vraiment ?

— Évidemment ! Pourquoi ne nous as-tu pas prévenues de ton arrivée ?

— J'aurais dû ?

— Nous aurions été te chercher... Pour quelle autre raison sinon celle-là ?

Son visage était sombre.

— Peut-être te serais-tu alors débarrassée de lui.

— Lui ? Ella leva la tête vers le haut de la pente. «Pourquoi me débarrasser de Sandor ?»

— C'est *Sandor* à présent, dit-il en exagérant ironiquement la prononciation d'Ella. Tu as opportunément omis de me dire qu'il était ici.

— Je ne pensais pas que c'était important.

— C'est vrai ?

— Oui.

Danielle, trop impatiente pour attendre encore, descendit la pente au petit bonheur, Janos plus en remorque que servant de guide.

— Papa, tu es venu ! Gênée par ses skis courts, elle voulut l'embrasser, rata son geste et tomba à plat. Harry la souleva pendant que Janos détachait les bottes de ski de l'enfant.

— Merci, Sandor. Rayonnante, elle se laissa aller dans les bras de son père. Papa, c'est formidable, non ! Et tu as vu, je sais skier !

— Monsieur Bogarde, dit Janos en tendant la main.

— Monsieur Janos. Harry secoua sèchement la main tendue. Vous vous amusez bien avec ma famille ?

— Magnifiquement, merci.

— Oh ! Papa, c'est un skieur formidable, je voudrais que tu le voies ! C'est lui qui m'a appris ; évidemment, je ne suis pas encore très forte à cause de mes oreilles stupides, mais je m'améliore, n'est-ce pas, Sandor ?

— Tu as appris à skier dès l'âge de cinq ans, ma chérie lui rappela Harry.

— Oui, mais c'était avant. Il faut que je recommence depuis le début, comme pour la marche et la danse. Lin

Tsung dit que je *dois* danser de nouveau ! babilla-t-elle encore gaiement, excitée par l'air vif et pur comme du diamant, le chaud soleil et dans l'euphorie de la présence de son père et de sa mère réunis.

— Vous êtes ici depuis longtemps ? demanda Harry à Janos.

— Cinq jours.

— Un jour de plus que ma femme et ma fille.

Danielle tira la manche de Harry.

— Papa, nous prenons le thé chez Hanselman, c'est un lieu fantastique où les gens se rencontrent après avoir skié.

Sandor consulta sa montre.

— C'est presque l'heure d'y aller.

— Vous ne verrez certainement pas d'inconvénient à ce que je suive le mouvement ? demanda Harry sèchement.

— Quelle question idiote ! Ella détachait ses skis. Elle les mit debout et en secoua la neige.

— Vous semblez former un clan tellement heureux.

— Je vais peut-être rester un peu à l'hôtel, intervint Sandor avec diplomatie. Vous devriez rester un peu ensemble tous les trois.

— Absolument pas, monsieur Janos. Je ne voudrais pas gâcher votre journée. Si quelqu'un doit rester en arrière, c'est manifestement moi puisque je suis le retardataire.

— Oh ! Papa, bien sûr que tu viens avec nous, s'écria Danielle, mettant ainsi fin à cet échange ridicule. Mais dépêchons-nous, sinon, nous n'aurons plus de place près de la fenêtre.

Le reste de la journée se passa plutôt bien, bien que Harry ait eu hesoin de tout son sang-froid pour ne pas exploser lorsqu'il découvrit qu'Ella et Janos occupaient deux suites contiguës. « Si seulement il s'était extériorisé et m'avait demandé simplement si Sandor et moi couchions ensemble, raconta Ella à sa mère quelques jours après, nous aurions

668

chassé les nuages. Mais il ne le fit pas. Il est resté face à nous comme un bloc de glace, à nous regarder fixement. »

Chacun dormit séparément cette nuit-là.

Le lendemain matin, l'aube était nuageuse, il y aurait de la neige fraîche vers l'heure du déjeuner. Sandor se réveilla et trouva un billet sous sa porte.

Pourquoi ne pas aller au Piz Noir si vous le voulez bien ?

Je serai au funiculaire de Corviglia à neuf heures. Bogarde.

Sandor eut un petit rictus au coin des lèvres, il froissa le billet, le jeta au panier et s'habilla.

Un peu avant midi, Ella, buvant un verre d'eau minérale dans le petit salon avec Danielle, les vit passer par les portes automatiques.

— Zut, dit-elle à mi-voix.

— Pardon, maman ?

— Rien, ma chérie. L'enfant tournait le dos à l'entrée de l'hôtel. Tu restes ici quelques minutes, je reviens tout de suite.

Dès le premier regard, il était évident qu'ils s'étaient battus. Sandor boîtait et s'appuyait sur le bras de Harry ; ce dernier avait une large ecchymose déjà bleuissante sous l'œil droit.

— Que s'est-il passé ? Ou bien est-ce une question superflue ?

— Nous allons bien, dit Harry, tout honteux.

— Effectivement, tu as l'air fantastique ! Et vous, Sandor, qu'avez-vous à la jambe ? Voulez-vous un médecin ?

— J'en ai déjà vu un. Ce n'est rien – je me suis tordu la cheville. Je suis tombé.

— Sur l'œil de mon mari, je suppose, dit-elle sur un ton sarcastique. Où avez-vous attrapé cela ? Sur une piste de ski ? Vous avez eu un bon public ?

— Il n'y avait pas beaucoup de monde.

— Je crois me souvenir que tu désapprouves les duels, Harry ? Ou ne les désapprouves-tu que chez les autres ?

Sandor tenta de la calmer.

— Ce n'était qu'un malentendu, Ella. Nous avons aplani notre différend maintenant, n'est-ce pas, Harry ?

— Alors vous êtes amis maintenant ? Ella les dardait tous les deux du regard.

Harry jeta un coup d'œil circonspect autour de lui.

— Nous commençons à attirer l'attention.

— Oh, Dieu, j'ai oublié Dani ! dit Ella.

— Où est-elle ?

— Elle est assise là-bas, dit Ella en regardant derrière elle. As-tu pensé à ce qu'il fallait lui raconter ?

— J'imagine qu'elle aimerait qu'on lui dise la vérité, dit Sandor.

— Qui est ?

— Que son père défendait la vertu de sa mère.

— Danielle est trop jeune pour savoir quoi que ce soit sur la vertu, affirma Harry.

Ella esquissa un sourire.

— N'y crois pas trop.

— Que se passa-t-il ensuite ? demanda Krisztina le lendemain du retour de Suisse d'Ella et Danielle.

— Nous nous sommes bien amusés – mais ce fut tout de même épuisant.

— Quand Harry compte-t-il rentrer ?

— Dans une semaine environ.

Krisztina sourit.

— Vos relations vont s'améliorer quand il sera là, ma chérie, une fois que vous aurez repris votre vie normale.

Ella avait envie de pleurer.

Il y avait une raison à cela.

Ce matin-là, s'essuyant après son bain, elle avait découvert une petite boule suspecte.

— Il faut prévenir Harry, dit Krisztina immédiatement.

670

— Quand je ne pourrai plus faire autrement.

Ella tapota la main de sa mère.

— Ne t'inquiète pas trop, ce n'est peut-être rien du tout. Elle fit une petite grimace. «Mais je sais ce que Don va faire — il va me faire faire une biopsie avant que j'aie eu le temps de dire ouf, et il faudra alors prendre une décision.»

— Il faut que tu en parles à Harry, insista Krisztina. Tu n'as pas le choix.

— Étant donné qu'il n'est pas là, j'ai le choix. Je ne veux pas lui faire porter cette charge précisément au moment où les choses semblent aller mieux. Si j'attends, peut-être n'y aura-t-il rien à lui dire.

— C'est ton mari, ma chérie; il a le droit de savoir.

— Et c'est de mon corps qu'il s'agit, s'obstina Ella.

Krisztina soupira.

— Appelle au moins Don tout de suite. Ce n'est peut-être qu'un kyste anodin; peut-être ne te fera-t-il pas hospitaliser.

— Peut-être, dit Ella sans conviction. En tout cas, je l'appelle demain, c'est promis.

— Pourquoi pas aujourd'hui?

— Parce qu'aujourd'hui, j'ai autre chose à faire.

— Il n'y a rien de plus important que ta santé.

— Un jour de plus ne changera rien, maman.

Ella et Sandor dînèrent au Café Pierre. Elle lui avait raconté brièvement et succinctement ses doutes et ses craintes sans faire de grandes phrases.

— Comprenez-vous pourquoi j'ai préféré en parler avec vous plutôt qu'avec Harry? lui demanda-t-elle simplement.

— Parce que vous avez besoin de parler à un homme qui n'est pas le plus important dans votre vie, mais qui est aussi foncièrement conscient de votre beauté.

Ella rougit.

Sandor devint grave.

— Vous voulez savoir comment je réagirais s'il fallait vous faire l'ablation d'un sein.

Elle hocha la tête affirmativement.

Sandor lui toucha la main en un geste de réconfort.

— Ella, la réponse est simple. Pour tout homme qui vous aime – et croyez-moi il est facile de vous aimer – vous resterez aussi belle, avec ou sans votre sein gauche.

— Je vous en prie, Sandor, interrompit Ella. Pas de platitude, soyez franc avec moi.

Janos sourit.

— Vous savez que j'ai une réputation d'amateur de femmes. J'admire la beauté, c'est vrai. J'y prends plaisir. L'idée – il baissa le ton – ...qu'un chirurgien pourrait ôter la plus infime particule de votre corps me fait mal, me met en rage. Savoir en outre qu'il s'agit d'une partie de votre corps que vous considérez comme essentielle à votre féminité me plonge dans la détresse. Mais pas un seul instant je ne peux éprouver ce que vous semblez tant craindre. c'est-à-dire de la répulsion ? Il secoua la tête. «Non. Aucune trace de cela.»

Ella était incapable de parler.

— Sortons d'ici, dit Sandor. Je veux vous prendre dans mes bras et c'est impossible au milieu de tant de gens, pour votre sauvegarde.

Elle refoula ses larmes en battant des paupières.

— Merci.

— De rien. Il sourit. Voulez-vous bien parler à Harry maintenant ?

— Je n'ai pas encore décidé.

— Vous avez encore peur.

— Je suppose. Et j'espère encore que ça ne sera pas nécessaire.

Sandor signa son chèque.

— Vous remontez là-haut ce soir ?

— Inutile. J'appellerai le médecin demain matin.

— Vous ai-je au moins aidée un peu, *edesem* ?

Elle serra sa main par-dessus la table.

— Beaucoup.

Il la regarda dans les yeux.

— Vous ne devriez pas rester seule demain.

— Je ne le serai pas. Maman va venir.

— Vous devriez parler à Harry.

— Peut-être avez-vous raison, admit-elle comme à regret.

— Mais vous ne le ferez pas.

— Non.

— Elle ne me pardonnera jamais d'avoir fait cela, dit Sandor à Krisztina une demi-heure plus tard au téléphone.

— Je crois qu'elle vous en remerciera.

— Cela dépend de Bogarde. Elle doit rentrer à l'hôpital à midi demain, souligna Sandor. Il faut qu'il prenne l'avion immédiatement à Zürich, sinon, il ne sera pas là à temps.

— Je vais parler à Kleinman, dit Krisztina. Il verra s'il peut faire en sorte qu'Harry soit là à l'heure dite.

Sandor parla nettement.

— S'il ne vient pas, s'il la trahit une nouvelle fois, je vous promets, Krisztina, que je serai près d'Ella à son réveil et que je ferai de mon mieux pour qu'il n'ait plus aucune chance auprès d'elle.

Krisztina comprit la nuance contenue dans sa voix.

— Vous avez vraiment beaucoup d'affection pour elle, n'est-ce pas, Sandor ?

— Qui resterait insensible ?

— Je crois que Harry va réagir.

— J'espère bien, pour la sauvegarde d'Ella.

Harry arriva au moment précis où Ella était emmenée en civière roulante dans la salle d'opération.

— Dieu soit loué ! Il était pâle et hors d'haleine.

Ella, un peu étourdie par la préparation à l'anesthésie, ne comprenait pas très bien sa présence.

— Comment es-tu arrivé jusqu'ici ? Elle voulut se redresser, mais elle eut un vertige et retomba. Qui t'a prévenu ?

— Ne t'occupe pas de cela. Il marcha à côté de la civière en lui tenant la main. Comment te sens-tu, bébé ?

Elle s'accrochait à lui.

— Harry, tu sais qu'ils pourraient me... Elle se tut, incapable d'en dire davantage.

— ...te faire l'ablation du sein ? Sa voix était ferme. «Je sais.»

Ella se mit à pleurer.

— Ne pleure pas, ma chérie. Il y eut un arrêt devant l'ascenseur ; il lui caressa les cheveux et lui parla doucement. «J'ai parlé avec Don, il dit que ce n'est pas inéluctable. Mais même s'il fallait en passer par là, comment peux-tu t'imaginer que cela changerait quoi que ce soit à mes sentiments pour toi ?»

— Une petite boule bénigne ! dit-elle deux jours plus tard à Krisztina dans son bureau de l'hôtel. Dieu tout-puissant ! Comment se peut-il que la vie soit si belle ?

— Tu la trouvais intolérable il n'y a pas longtemps.

— Je sais. Ella fit le tour des murs familiers, son regard s'arrêta sur les peintures et les photos, sur le petit tapis qu'elle avait acheté aux enchères chez Hunter's plus de dix ans auparavant et dont les nuages rêveurs et les oiseaux s'étaient estompés sous les semelles du personnel et des clients qui les foulaient en un flot incessant.

— Apprendrai-je jamais quelque chose ? Quand j'ai compris jadis qu'il me faudrait quitter de Trouvère, j'ai cru ne pas survivre — je n'imaginais pas pouvoir être heureuse ailleurs que là-bas. Et maintenant que je suis ici, je suis tellement satisfaite de rentrer chez moi, à Château Bogarde.

Krisztina sourit.

— *Dragam,* c'est parce que tu en as fait quelque chose de très beau. Moi aussi, je ressens la même chose.

— Je n'aurais jamais réussi sans toi, maman.

— Que va faire Harry maintenant ? Combien de temps passera-t-il en Suisse ? Il aime vraiment cette galerie, tu sais.

— Oh ! oui, il l'aime. C'est exactement ce qu'il lui faut. C'est pourquoi je me suis réveillée ce matin en sachant enfin comment lui rembourser l'hôtel, d'une certaine manière.

— Je suis sûre qu'il n'a jamais songé à se faire rembourser.

— Je sais, mais néanmoins, il est temps que je lui donne quelque chose.

— Qu'as-tu en tête ?

— Une seconde galerie Bogarde, mais plus près de chez nous – à Rhinebeck par exemple. Il donnera ainsi encore plus de prestige à la ville, ce qui attirera les citadins, qui pourront séjourner ici quand ils ne seront pas à la galerie.

— C'est une bonne idée. Et ton papa approuvera certainement.

Ella observa sa mère un moment.

— Qu'est-ce qui ne va pas, maman ?

— Ce qui ne va pas ?

— Tu as l'air préoccupée.

Krisztina répondit au bout de quelques secondes.

— Olivier a téléphoné pendant que tu étais à New York.

Ella comprit immédiatement.

— Ils ont trouvé un acheteur ?

— Oui.

Le visage de Krisztina était impassible.

— Et je dois admettre que l'affaire semblait bonne.

— Financièrement, ou pour de Trouvère, demanda Ella inquiète.

— Aussi surprenant que ce soit, l'affaire paraît bonne sous tous les rapports.

— Ce n'est donc pas une association, pas une chaîne ? Ella avait longtemps craint que de Trouvère ne tombe entre les mains d'un groupe et ne perde ainsi sa personnalité.

— Non. C'est-à-dire, les gens en question possèdent deux autres hôtels – l'un à Aix-en-Provence et un autre à

Annecy, mais c'est une grande famille avec quatre enfants adultes, et il semble qu'ils soient tombés amoureux de de Trouvère.

— Comment sont les deux autres hôtels ?

— Celui d'Aix est classé *Très confortable* dans le Michelin, avec une étoile pour le restaurant ; Annecy a deux étoiles depuis l'année dernière.

— Crois-tu qu'ils puissent diriger un *grand luxe* ?

— Probablement mieux que belle-mère et moi à nos débuts.

— Les temps ont changé.

Krisztina sourit.

— Ella, ma chérie, ces acheteurs éventuels sont examinés comme le sont les autres propriétaires d'hôtels, mais s'ils sont seulement à moitié aussi bons qu'ils le paraissent, nous pouvons dire que nous avons de la chance de les avoir trouvés.

— Au moins, dit Ella d'une voix lente, de Trouvère restera un hôtel. J'avais peur que nous ne soyons un jour obligés d'accepter une solution horrible, des appartements par exemple, ou même pire.

— Il y a encore des détails à mettre au point ; évidemment, nous n'aurons qu'à approuver, mais d'après ce que j'ai compris – même s'ils ont l'intention de refaire la plomberie…

— Il est temps.

— ...et je suis sûre qu'Olivier lui-même a négligé les décorations annuelles – en tout cas, tout ce qu'ils désirent, c'est avoir les clefs et poursuivre l'exploitation dans les mêmes conditions.

— *L'ordre ancien change, cédant la place au nouvel ordre,* cita Ella à mi-voix.

Krisztina sourit de nouveau.

— C'est étrange, dit-elle. C'est fou ce que tu peux ressembler à belle-mère parfois, et pourtant, tu n'as pas une seule goutte de son sang en toi.

— J'ai vécu avec elle pendant plus de vingt ans. Je suis heureuse d'avoir hérité certains de ses traits de caractère. Et Olivier, comment t'a-t-il paru ?

— Très bien, ce qui me surprit. Tout à fait raisonnable. Sans doute triste, mais résigné. Les yeux de Krisztina s'assombrirent et elle regarda Ella avec anxiété. « Et l'autre problème ? J'ose rarement y penser. »

— Fontaine ? Ella soupira. Il m'a juré qu'il avait démissionné, je suppose que je me suis fait plaisir à moi-même en y croyant. Pour être franche, j'ai découragé Harry d'enquêter plus à fond parce que je ne veux pas le savoir.

— Tu sais, ma chérie, poursuivit Krisztina pensivement, perdre de Trouvère permettrait peut-être à Olivier de suivre une nouvelle voie. Peut-être qu'en s'éloignant du passé et de tous les défunts barons et en s'installant à Paris...

— Il t'a dit qu'il allait à Paris ?

— Il est déjà en train de chercher un appartement.

— Dieu soit loué !

— Pourquoi ce soulagement ?

— J'avais peur qu'il ne traverse la frontière, confessa Ella.

— Pour aller en Allemagne ?

Krisztina secoua la tête avec conviction. Jamais.

— Il est trop français pour cela, ma chérie. Il ne trahirait jamais le nom de ses ancêtres.

La vente du château de Trouvère fut conclue trois mois plus tard, le 30 juin 1984.

Le soir qui précéda son départ définitif, Olivier s'assit seul dans l'une des pièces de l'aile ouest, l'œil rivé sur une petite pile d'objets qu'il hésitait à retirer de leur place habituelle.

Des albums en cuir, des trophées d'or et d'argent, des médailles et des photos. La collection qu'Ella avait un jour considérée comme un autel à son père, Laurent de Trouvère.

Olivier tenait une photo dans sa main – Laurent riant en compagnie des nazis.

« Désolé, père, dit Olivier à haute voix. »

Désolé. Était-ce le mot juste pour décrire ce qu'il ressentait à présent – misère, avilissement, échec total ?

Il avait fait tant de choses pour en arriver là. Des choses dont personne n'eut jamais connaissance. Des méchancetés.

Et maintenant, il avait tout perdu.

Il avait envisagé le suicide – l'idée de marcher dans les pas de son père avait quelque chose d'ironique en soi. Mais cela eût été l'aveu de son échec – une humiliation publique de plus – et la fin absolue et irrévocable de la lignée des de Trouvère.

Toutefois, que lui restait-il ? Sa famille. William, insupportablement tolérant bien qu'Olivier sût depuis longtemps qu'il avait abandonné tout espoir à son endroit. Sa mère, rappel constant de la part de lui-même à laquelle il lui était impossible de penser sans répulsion ni haine. Ella, devenue plus avisée et plus dure qu'autrefois, mais qui ne se lassait pas d'aimer et de pardonner, et Danielle, la douce et tendre petite Dani qui le ramenait à son enfance et à ce qui aurait pu être.

Quoi d'autre ?

Olivier regarda encore une fois la photo qu'il tenait dans sa main, puis il la rangea avec les autres.

Des amis. Des gens qui l'acceptaient, qui le comprenaient. Il se leva, il marcha lentement vers la penderie incorporée et ouvrit la porte.

Il n'y restait plus qu'un seul vêtement encore suspendu.

L'uniforme de cérémonie en velours bordeaux de la *confrérie de La Fontaine*.

SIXIÈME PARTIE

ELLA : New York, 1986

XXXVIII

Subitement, après s'être concentrée pendant des mois sur l'élaboration d'une stratégie raisonnable, Ella se laissa tomber sur le sol de sa salle à manger transformée en centre d'opérations, et elle leva la tête vers son mari et ses parents en s'écriant d'une voix horrifiée :

— Ça va être un désastre !

Krisztina leva la tête du bout de la table.

— Qu'y a-t-il, ma chérie ?

— Le début, le milieu et la fin.

— C'est tout ? dit Harry avec légèreté en rejoignant Ella et son chien-loup favori, Aphrodite, sur le tapis. Tu nous as fait peur.

— Tu as beau plaisanter, dit-elle sévèrement, mais tu riras jaune quand tu te rendras compte que nous sommes la risée de la nation.

— De toute la nation ? demanda William avec placidité. Sûrement pas.

— Ce n'est pas drôle, papa.

— Bien sûr que non, ma chérie. Je pense seulement qu'il existe une réponse toute simple à cet accès d'angoisse.

— Laquelle ?

— La panique.

— C'est normal, ma chérie, approuva William en posant un bras autour des épaules d'Ella. Nous nous engageons dans l'épreuve la plus importante, la plus grandiose et la plus compliquée qu'un hôtel de ce genre ait jamais tentée.

— C'est justement cela ! Ella s'accrocha à la chemise de Harry, les yeux écarquillés. Tu dis que je suis saisie de panique ? Eh bien c'est le sentiment le plus raisonnable et le plus normal que j'éprouve enfin !

Ce devait être l'événement le plus grandiose qu'ils aient jamais célébré, parce que jamais auparavant ne s'était présentée une telle occasion. Le mois de juin de cette année-là verrait le dixième anniversaire de l'ouverture du Château Bogarde, le douzième anniversaire de Danielle et – surprise – le mariage d'Olivier à une Héloïse Lefèvre, une Parisienne divorcée de trente-trois ans avec qui il vivait depuis un an.

«Ella, tu es cinglée, » avait déclaré Harry sans ambages lorsqu'elle suggéra d'organiser le mariage de son frère en guise de cadeau de mariage. «Et ton père est d'accord avec moi. »

Ella ne voulant pas laisser Olivier créer de nouveau un fossé entre elle et son mari, leur union n'ayant jamais été aussi heureuse, elle avait expliqué calmement et posément à Harry que c'était la première fois depuis tant d'années que son frère exprimait le désir sincère de leur faire partager à tous son bonheur. Il lui était par ailleurs impossible de lui claquer la porte au nez dans ces circonstances.

«De plus, avait souligné Krisztina, il semble s'être calmé depuis qu'il a perdu son domaine, et quel que soit le genre de cette Héloïse, elle a l'air de faire de mon fils un homme plus heureux. »

Harry n'eut pas le courage de les décevoir.

Dans les derniers jours de mai, alors que les pistes environnantes se peuplaient de randonneurs perchés sur les éperons pittoresques tels que l'Artist's Rock, le Bear's Den et l'Inspiration-Point, puis empruntaient le sentier Van Winckle, les premiers clients de l'hôtel commencèrent à arriver à Château Bogarde pour le jamboree dont une bonne partie des bénéfices était destinée à quelques œuvres de charité en faveur des enfants.

Il y aurait plusieurs déjeuners et dîners gastro-
nomiques, deux présentations de mode patronnées par des
géants généreux de la haute-couture, de Maryll Lanvin à
Ralph Lauren, un concert pour les enfants handicapés et
une représentation du ballet de Aaron Copland, *Appala-
chian Spring,* dirigé par Sandor Janos et dansé par des étudiants de l'école de ballet de Danielle. En outre, et ce serait
un cauchemar vu sous l'angle de la sécurité, il était prévu
une exposition du joaillier Van Cleef & Arpel. Le tout cul-
minerait le soir du 7 juin par un prodigieux bal de gala.
Cette idée de mêler événements familiaux et festivités
touchant plus spécialement l'hôtel avait provoqué bien des
migraines chez Ella et Krisztina, mais enfin, les projets
trouvèrent leur forme définitive. Olivier et Héloïse seraient
unis à midi le 7 juin, et leurs hôtes assisteraient au bal du
soir.

— Ils sont arrivés, dit Harry à Ella le 1er juin en fin d'après-
midi.

— Qui ? Ollie ? Elle se leva de son bureau et vérifia
sa coiffure et son maquillage dans le petit miroir ancien
fixé au mur derrière elle. Comment est-elle ?

— Sortie tout droit d'un fichier d'acteurs.

— Que veux-tu dire ?

— Grande, teutonique, charmante mais glaciale.

— Teutonique ?

— Si Héloïse est française, mois je suis japonais !

— C'est une Allemande ?

— Pas une Allemande normale, ma chérie, dit Harry
avec un regret évident. En fait, il ne s'agit pas tant de la
dame que de son père.

— Mon Dieu !

— Il se nomme Franz Winzler, et c'est une beauté,
une véritable peinture à l'huile. Des yeux de belette, une
bouche épaisse et vilaine, et il a tout à fait l'âge d'avoir
joué un rôle central dans l'Holocauste.

Ella avait pâli.

— Qui d'autre ?

— Avec eux ? Harry réfléchit. «Le frère d'Héloïse, Gerhard, un autre type sympathique et les deux enfants du premier mariage d'Héloïse – ceux-là ont l'air bien – et...» Harry se tut.

— Et ?

— Sa mère, bien sûr.

— Et ? insista-t-elle, comprenant que ce n'était pas fini.

Il prit un air gêné.

— Une brochette d'amis de ton frère.

— Fontaine ?

— Difficile à dire exactement, bien sûr, mais deux d'entre eux portent la même cicatrice que lui. Il s'interrompit un instant. «Plus ça change...»

Ella en avait la nausée.

— Oh ! Harry.

— William va être fou quand il va les voir, et ta mère... Il fit un hochement de tête. «Pauvre Kriszti, ce sera le plus pénible pour elle.»

Ella retomba sur sa chaise.

— Que faire, Harry :

— Leur dire de s'en aller.

— Comment le pourrais-je ? Crois-moi, je le voudrais bien, mais j'ai promis à mon frère de célébrer son mariage, et en outre, la cérémonie s'imbrique avec le reste. Si je me mets à jouer la sœur pudibonde, je suis sûre de provoquer un véritable scandale.

— T'inquiètes-tu pour l'hôtel ou pour Olivier ?

— Je suis surtout inquiète pour maman et Dani, répondit-elle, en proie à la détresse. Et aussi pour l'hôtel. Mon frère a déjà anéanti un lieu que j'aimais et je ne suis pas prête à le laisser recommencer.

— Veux-tu que je lui parle ?

Ella secoua la tête.

— Cela ne ferait que dramatiser les choses. Non. Il va falloir que je lui parle, que j'en appelle à ce qui reste en lui de décence, conclut-elle en soupirant.

Elle téléphona à Olivier qui était dans sa suite, et elle l'invita à se rendre à la villa.

— Comment as-tu pu faire cela ?

Il prit un air ébahi.

— Faire quoi ?

— Ne prends pas cette mine innocente. Comment as-tu pu amener une horde de nazis dans mon hôtel – chez moi ? Comment as-tu pu me faire cela, à moi ? Et à maman ? Ou même seulement à toi-même ?

Elle s'était attendue à l'expression d'une surprise outragée, à une volonté défensive et à une colère blessée. Elle n'avait nullement prévu ce qui semblait être un remords sincère.

— Je ne voulais pas, crois-moi. Je n'ai jamais voulu que les choses prennent ce cours.

— Tu admets donc que ce sont des nazis ?

Olivier avait beaucoup maigri depuis qu'elle l'avait vu pour la dernière fois, et lui qui avait toujours eu l'air intelligent avait à présent une expression lugubre et hagarde.

— Olivier, ces gens sont-ils des nazis ?

— Le père d'Héloïse était capitaine de SS.

— Et les autres ?

Olivier était très pâle.

— Ne me demande rien, Ella. Tu n'as pas à savoir quoi que ce soit sur eux.

— Néo-nazis ? Non, tu as raison, ne réponds pas car je ne veux rien savoir. Tu n'as pas l'air tellement heureux de leur présence.

— Heureux ? Il eut un rictus ironique.

— Tu épouses bien une femme qui sort de leurs rangs ?

— Héloïse n'a rien à voir là-dedans. Elle n'est pas responsable de ce que son père a fait il y a tant d'années.

— C'est vrai, admit Ella posément. Mais tu as invité son père et tous les autres à ton mariage. Puis-je me permettre de te demander pourquoi ?

— Ce sont mes amis, répondit-il presque en chuchotant.

— Alors, pourquoi cet air tellement pitoyable à leur propos ? Si ce sont tes amis, pourquoi ne pas en être fier ? Pourquoi ne pas avoir le courage d'admettre que tu fréquentes des rats, que tu te complais dans la lie ?

— Je peux avoir à boire, s'il te plaît ?

Elle lui versa un whisky et lui tendit le verre.

— Tu ferais mieux de t'asseoir. Elle désigna le canapé.

Il prit place et but rapidement.

— Eh bien ?

— Tu n'aurais jamais dû faire cela, Ella.

— Faire quoi ?

— Faire ce geste, organiser le mariage.

— Je souhaitais pouvoir te faire confiance, dit-elle simplement.

— Et j'avais besoin de ta confiance. Plus que de toute autre chose.

— Alors, pourquoi en es-tu arrivé là ?

— Parce que je n'ai pas eu le choix.

— Il y a toujours un choix possible, Ollie. On appelle cela le libre arbitre.

— Pas toujours.

— Que veux-tu dire ? Que le groupe Fontaine a refusé de te laisser partir ?

— Il ne s'agit plus seulement de Fontaine, Lalla.

— Es-tu d'une certaine manière sous leur emprise ? demanda-t-elle plus gentiment, de plus en plus inquiète pour lui. De quoi s'agit-il ? D'argent ? Après la vente du domaine, tu as dû pouvoir régler toutes tes dettes. Ou bien joues-tu toujours ?

Il hésita avant de hocher affirmativement la tête.

— Oui.

— Oh ! Ollie. Et ces gens, leur dois-tu de l'argent ?

— Je leur en dois, oui, avoua-t-il après une pause.

Ella s'assit en face de lui.

— Et Héloïse ? L'aimes-tu ?

Il rencontra le regard de sa sœur.

— Oui.

— Et elle, elle t'aime.

Il sourit pour la première fois, l'air lointain.

— Je crois, oui.

— C'est au moins quelque chose de positif. Elle se leva. Olivier, je ne veux pas embarrasser qui que ce soit en mettant tes invités à la porte. Mais s'il y a le moindre trouble – ne fût-ce qu'un début de scandale pendant qu'ils sont ici...

— Ils ne sont pas venus pour susciter des troubles, Ella, je te le jure. Ils sont ici pour Héloïse.

Ella considéra son frère avec intensité.

— Et fais en sorte que pas un seul d'entre eux ne s'approche de Dani, ou bien ils seront tous dehors sans avoir même le temps de faire leurs valises. Est-ce clair ?

— Évidemment.

— C'est tout. Elle regarda l'horloge sur la cheminée. «Tu voudras bien m'excuser, j'ai beaucoup à faire.»

Olivier but le reste de son whisky et mit la main dans sa poche de veston.

— J'ai quelque chose pour toi.

— Oh ?

Il se leva à son tour.

— J'ai pensé que maman ou toi seriez heureuses d'avoir ceci.

Ella baissa les yeux et vit dans la paume de sa main une grosse clef fortement rouillée.

— C'est la clef de la porte de la chapelle de Trouvère, expliqua-t-il. Elle n'est plus utilisée en tant que telle depuis des années, mais les nouveaux propriétaires ont accepté qu'elle reste un lieu privé. Ils ont pensé que nous devions y avoir accès à tout moment.

Ella le regarda fixement.

— Tu leur en as parlé ? Ni maman ni moi ne l'avons fait car nous supposions que la chapelle était perdue pour nous, en même temps que le reste du domaine.

Olivier se raidit.

— Je ne suis pas entièrement insensible, Lalla. Le cimetière signifie beaucoup de choses pour nous tous, mais je sais que la chapelle contient des souvenirs particuliers très importants pour notre mère.

— Pourquoi ne pas lui donner la clef toi-même ?

— Je préfère que ce soit toi qui le fasses, si cela ne te fait rien.

— Si tu veux, merci, Ollie. Elle prit la clef et ressentit profondément son poids glacé. «Maman sera reconnaissante.»

— Je suis heureux, dit-il d'une voix bourrue, de vous apporter quelque chose d'autre que du chagrin.

— Quelque chose sonnait faux, dit plus tard Ella à Harry.

— Tu as bien dit qu'il paraissait sincère.

— Oui. En fait, il avait vraiment honte pour la première fois de sa vie, mais de quoi ? Elle essaya de se remémorer exactement leur conversation. Quand j'ai fait mention du jeu, sa réponse est venue plus facilement. Il a tenu à me faire croire que tous ses problèmes venaient de ce qu'il devait de l'argent à ces gens.

— Tu penses qu'il a menti ?

Elle hocha tristement la tête.

— Et tu es épouvantée pour lui, c'est cela ?

— Je sais que je ne devrais pas. Je sais que cette fois, je devrais le laisser mijoter, mais...

— Mais tu ne peux pas.

— Veux-tu bien commencer à comprendre, Harry ? supplia-t-elle.

— Je comprend surtout que les gens que tu aimes ont bien de la chance, Ella. Tu veux que j'essaie de découvrir ce qui se passe en réalité ?

— J'aimerais bien. Mais attendons que le mariage ait lieu. Ils semblent s'aimer réellement ; en dépit de ce que son père a pu faire jadis, Héloïse a fait du bien à Ollie.

— Je me demande... Il n'acheva pas.

— Quoi ?

— Rien.

— Quoi ? insista-t-elle.

— Je me demande seulement si Olivier a mentionné à sa future épouse ou à ses beaux-parents ce petit détail : que sa mère est juive.

Harry quitta la pièce un peu plus tard ; Ella s'assit à sa coiffeuse et se regarda dans son miroir.

Elle avait été sur le point de le mettre au courant ce soir même. En effet, elle avait reçu le coup de téléphone de Don Kleinman une demi-heure avant qu'Harry l'ait prévenue de l'arrivée d'Olivier. Elle avait déjà commencé à réfléchir sur la manière de lui annoncer la nouvelle et s'était déjà imaginé l'expression de son visage.

Ils espéraient ce bébé depuis plus de dix ans.

Et à présent, ce moment de l'annonce était gâché. Ella ne voulait – ne pouvait – pas parler à Harry tant que ces gens n'avaient pas quitté l'hôtel et n'étaient pas définitivement sortis de leur vie.

La semaine se déroula magnifiquement bien, presque sans heurts. Château Bogarde n'avait jamais autant resplendi ; sa splendeur était soulignée par la constante fébrilité qui précipitait les hôtes ravis d'une merveille à l'autre. Krisztina et Ella maintenaient un front calme mais étaient rongées d'angoisse dans les coulisses, osant à peine admettre le succès fou de leur entreprise. Le personnel travaillait avec efficacité et en excellente coordination ; Alex Monselet se surpassait à chaque festin gastronomique.

« Ni le Chah de Perse ni la Reine Élisabeth ne peuvent se vanter d'avoir jamais mangé aussi somptueusement ! » rugissait-il face à ses assistants épuisés.

Sandor arriva un jour en retard ; il se plaignait sans cesse de l'acoustique, des amateurs et de l'absence mystérieuse de son accordeur de piano. Et puis, comme prévu, il donna deux représentations impeccables. Le gala de mode arracha des cris de ravissement élogieux aux spectateurs installés des deux côtés de la passerelle métallique érigée dans la petite salle de bal, et le service de sécurité affecté à la surveillance de la superbe collection Van Cleef se détendit à mesure que le dernier jour approchait.

La matinée était chaude et ensoleillée, mais l'atmosphère était froide et chargée à l'extrême quand les familles et les invités du mariage se rassemblèrent dans la roseraie privée s'étendant devant la villa Bogarde ; c'était le 7 juin, peu avant midi.

La cérémonie se déroula sans accroc ; la jeune mariée était comme une statue dans sa robe de soie immaculée ; son fils ressemblait à un petit page, sa fille et Danielle étaient demoiselles d'honneur ; elles regardèrent avec respect Olivier et Héloïse s'agenouiller pour échanger leurs promesses, puis leurs anneaux, et enfin s'embrasser.

— Merci, Lalla, merci pour tout, dit Olivier plus tard, après le déjeuner.

— Merci, ma chère, reprit Héloise en écho, avec politesse, sans plus.

— Vous êtes tous deux les bienvenus, dit Ella, se reprochant son propre formalisme et souhaitant plutôt en son for intérieur les embrasser sincèrement et avec affection.

— Je ne supporte pas cet homme, Winzler, dit Ella à Krisztina après qu'elles se furent excusées car elles devaient encore veiller à l'organisation de la soirée.

— Je sais ce que tu ressens, concéda Krisztina avec véhémence, mais il n'y a rien à faire.

— En plus de tout le reste, je suis terrifiée à l'idée que la presse découvre le genre de bandits que nous venons d'accueillir dans notre famille.

— Nous ne les avons pas accueillis de notre propre chef. Nous avons été mis devant le fait accompli.

— Je sais, maman, dit Ella sur un ton sinistre, mais j'ai l'impression que cela ne nous avancera guère.

— Viens, ma chérie. Sa mère lui posa un bras autour de ses épaules. Allons voir notre salle de bal.

Ella tourna tous les commutateurs, et la vaste salle scintilla de mille feux sous les lueurs fantastiques des chandeliers qui se réverbéraient contre les trente-quatre miroirs antiques qui ornaient les murs.

— Cette salle me rappelle souvent notre salle au miroir, bien que celle-ci soit plus grande, évidemment, dit Krisztina en souriant. Ce fut la première pièce du château que je fis mienne. C'était très important pour moi à de Trouvère.

Ella marcha vers l'une des tables, elle prit un verre de cristal, le vérifia d'un œil critique, le jugea impeccable et le remit en place.

— C'est étrange, dit-elle. Mon frère vient de se marier pour le meilleur et pour le pire, et à présent, je ne peux penser qu'à ce soir. Une excitation fébrile s'empara subitement d'elle, et elle se tourna vers sa mère. «Penses-tu que ce sera bien?»

Krisztina sourit.

— Je pense que ce sera formidable.

Ella inspecta une dernière fois la salle du regard.

— Il vaudrait mieux!

XXXIX

— Encore du caviar, chéri ?

— Mon Dieu, oui.

Héloïse plongea ses longs doigts aux ongles écarlates dans le plat d'argent, elle déposa une noisette de *Beluga* sur ses bouts de seins dressés et s'allongeant contre les larges oreillers de satin, elle traça langoureusement une ligne fine entre son nombril et la frange de ses poils pubiens. Olivier, déjà fou d'excitation, pencha la tête sur les seins de sa femme, léchant la chair délicieusement huilée, mais Héloïse le repoussa doucement.

— Gourmand ! J'en veux aussi, moi.

Elle plongea de nouveau ses doigts dans le plat et soigneusement, lentement, elle se mit à enduire son pénis.

— Ah zut, Héloise, frémit Olivier. Il faut nous habiller pour le dîner, il est sept heures un quart.

La nouvella baronne de Trouvère le gratifia de son sourire le plus lascif et poussa la tête brune de son mari vers son sein gauche.

— Bon appétit, mon amour, dit-elle.

— Chérie, fais-moi une faveur, fais mon nœud de cravate.

— D'accord, mais en vitesse. Il faut que je retourne là-bas.

Ella fit un nœud parfait et Harry l'embrassa prudemment, sans déranger sa coiffure ni son maquillage.

— Comment me trouves-tu ? demanda-t-il.

Elle l'examina.

— Mieux que tous ceux que j'ai pu voir jusqu'à présent. Épatant. *Tout à fait comme un papa tout neuf, mais cela, tu ne le sais pas.* Et moi ? Elle tourna sur elle-même, les sequins de sa robe noire de Valentino lancèrent des éclats sous la lumière.

Harry prit un air penaud.

— Ce n'est pas à moi qu'il faut demander cela.

— Mais si, tu es l'homme qu'il faut, tu as beaucoup de goût.

— Franchement, je souhaiterais surtout te déshabiller.

— Maniaque sexuel, dit Ella avec un sourire narquois. Elle consulta sa montre pour la énième fois. Sept heures trente-cinq – il faut que je me dépêche. Souhaite-moi bonne chance.

Il tapota la courbe de velours de son dos.

— Confiance, bébé !

— Lin Tsung, vous n'êtes pas encore prêt ?

— Patience, Dani.

— J'ai dit : vous n'êtes pas encore prêt ?

Lin Tsung parut à la porte de la chambre de Danielle.

— Et je vous ai dit de patienter.

— Désolée, je n'ai pas entendu.

— Vous êtes jolie, Dani. Lin Tsung regarda avec admiration les merveilleuses boucles d'or rouge serrées entre deux peignes en saphirs assortis à son ample jupe de satin légèrement brillant. Danielle, à douze ans, était certes encore une gamine avec tout ce que cela comportait d'espièglerie, mais elle avait déjà acquis le sens de l'élégance.

— Et Daisy ? demanda-t-elle. N'est-elle pas superbe ?

La femelle chien-loup irlandais qui était devenue la favorite de Danielle avait été shampouinée, brossée et peignée ; son collier était mêlé d'une chaîne de violettes joliment tressées.

— Je voulais lui faire une chaîne de marguerites, mais j'ai pensé que ce serait trop voyant. Qu'en pensez-vous, Lin Tsung ?

— Et si elle se gratte ?

— Eh bien, elle se grattera. Venez, voulez-vous ? Il est sept heures et demie. Je veux voir tout le monde arriver.

— William, je t'en prie, conduis plus vite !

— Je ne peux pas aller plus vite sur cette route.

— Nous allons être terriblement en retard. Je devrais être déjà là-bas – nous devrions être tous deux avec Ella !

— Tu as été près d'elle presque toute la journée, Kriszti. William la regarda de biais. Chérie, tu es un paquet de nerfs. Calme-toi.

— Nous n'aurions jamais dû aller nous changer chez nous. Je savais que nous serions en retard...

— Ella ne nous en voudra pas pour quelques minutes.

— Quelques minutes ? Au point où nous en sommes, nous devrons nous estimer heureux d'arriver à temps pour le dîner.

Le dîner était prévu pour huit heures trente, précédé d'un champagne d'accueil à huit heures. Un quart d'heure avant l'heure, sur les cent quatre-vingt-dix-huit hôtes de l'hôtel, quarante-quatre étaient en bas, installés dans les deux bars, quatre étaient dans l'antichambre du coffre de dépôt, attendant leurs bijoux, quinze se trouvaient sur le belvédère donnant sur la vallée, admirant le panorama de ce doux début d'été, et cinq autres regardaient une dernière fois les diamants, les saphirs, les rubis et les émeraudes de l'exposition Van Cleef. Les cent trente-deux autres étaient encore dans les étages, dans leurs suites ou leurs chambres, certaines femmes en train de boutonner leurs robes, d'autres hôtes prenant tranquillement un verre, d'autres encore, sans souci de l'heure, prenant un bain ou une douche, ou bien faisant l'amour.

À huit heures moins dix, les quatre ascenseurs étaient en fonctionnement, s'arrêtant à chaque étage pour prendre des invités au festin et les déposer dans le hall. Le grand hall d'entrée grouillait d'activité lorsque ceux qui s'étaient aventurés dans la montagne pour la soirée s'élancèrent par la porte frontale et s'alignèrent devant les vestiaires pour se débarrasser de leurs manteaux.

— As-tu vu maman ou papa ? demanda Ella à Harry comme ils se croisaient dans le salon adjacent à la salle de bal.

— Pas encore.

— Ils sont en retard. Je ne comprends pas, dit Ella en fronçant les sourcils.

— Ne t'inquiète pas pour eux. Tu as d'autres choses à surveiller pour le moment.

Ella toucha le bras de Harry.

— Veux-tu voir Sandor, s'il te plaît ? Il est assis au bar Kaaterskill, il a l'air morose.

— Pourquoi ?

— Il dit qu'il se sent seul et qu'il n'aura personne avec qui danser ce soir puisque les femmes les plus jolies sont mariées. J'ai promis de danser avec lui.

— À condition que tu danses d'abord avec moi. Harry l'examina. « Comment te sens-tu ? »

— Je suis nerveuse comme tout. Elle effleura involontairement son estomac.

— Des papillons ? demanda Harry.

À huit heures dix, plus de cent cinquante hôtes étaient déjà en train de boire le champagne tandis que quatre-vingts autres environ, incluant Olivier, le père et le frère d'Héloïse et leurs amis avaient investi les bars. Sandor Janos jouait de la trompette de jazz, surtout des blues, dans l'un des bars. Héloïse et sa mère étaient encore en haut, assises à leur coiffeuse respective. Danielle, Lin Tsung et Daisy flânaient parmi la foule ; Dani observait minutieusement les gens tout en s'efforçant de protéger Daisy des coups de pied. Harry était dans les toilettes des hommes, épongeant du jus de tomate sur sa jaquette. Ella était dans son bureau, prenant un appel téléphonique venant de l'autre côté de l'Atlantique.

Sur la route entre North Lake et l'hôtel, Krisztina était dans les affres de l'anxiété.

— Pourquoi fallait-il qu'il y ait cet accident précisément ce soir ? Jamais nous n'avions eu quoi que ce soit sur ce trajet !

— Au moins, nous n'y sommes pas impliqués, souligna William posément. Il engagea la Bentley dans le dernier virage. «Regarde, chérie. N'est-ce pas magnifique ?»

Krisztina leva la tête vers le château, toutes lumières allumées, luisant doucement dans le ciel pâle du soir.

Kriszti ? Tu te sens bien ?

Elle éprouvait une étrange raideur dans la poitrine, mais elle hocha la tête.

— Je me sens bien. Mais allons-y immédiatement. Elle le pressa du regard. «Je t'en prie !»

William accéléra.

À huit heures vingt, la plupart des retardataires étaient passés en désordre des bars dans le salon de réception ; le hall d'entrée et le grand hall d'accueil étaient enfin calmes.

Howie Dillman, l'un des jeunes chasseurs, alla chercher une pelle à poussière et brossa les traces de saleté laissées par les chaussures des arrivants. Derrière le bureau du concierge, Louis Dettlinger et son assistant, Clayton Taylor, un ancien employé de l'unité de véhicules amphibies de Poughkeepsie, décidèrent de s'accorder quelques instants de répit.

À huit heures vingt-trois, quatre hommes et trois femmes portant smokings et robes de soirée passèrent avec assurance la porte frontale.

Les deux concierges se levèrent.

— Bonsoir, dit Louis.

Parfaitement accordés, les hommes glissèrent leurs mains à l'intérieur de leurs jaquettes et en tirèrent quatre pistolets mitrailleurs Uzi qu'ils pointèrent sur Dettlinger et Taylor.

— Sapristi de merde ! murmura Howie Dillman, et il lâcha sa pelle et sa brosse.

Dans son bureau, Ella était toujours au téléphone. Un vieux client espagnol tenait à s'assurer que sa suite préférée serait bien à sa disposition lors de son prochain séjour. Ella s'efforçait de le convaincre pour la troisième fois qu'elle était dans l'obligation de raccrocher quand la ligne fut coupée.

— Senor Alvarez ?

Elle posa le récepteur, puis elle s'examina dans le miroir.

La porte s'ouvrit.

— Oui ? Elle se retourna. «Que puis-je faire pour vous ? »

Son sourire s'évanouit quand elle se trouva face au canon noir et sinistre d'un pistolet automatique.

— C'est tout à fait impossible. L'hôtel est bourré de dispositifs d'alarme – la police va être ici dans dix minutes.

— Ils ne pourront pas rentrer, madame Bogarde. Nous sommes vingt-deux hommes, sept femmes et moi-même à l'intérieur du bâtiment. Cheveux noirs, environ trente-cinq ans et portant des lunettes cerclées d'écailles, l'homme parlait un anglais parfait bien qu'accentué. « Château Bogarde est entre nos mains. »

— Entre vos mains ? Le visage d'Ella devint gris, l'intonation de sa voix indiquait l'incrédulité.

Il lui décrivit leur position. Trois hommes à l'entrée principale, une femme au standard téléphonique, deux hommes à chacune des huit autres issues du rez-de-chaussée, un homme et une femme près des ascenseurs de chaque étage, et trois personnes dans les cuisines.

— Nous sommes armés de mitrailleuses Uzi, de fusils Kalachnikov, de pistolets automatiques et de grenades, lui expliqua-t-il d'une voix forte. Et d'ici une demi-heure, toutes les entrées et les issues de chaque étage seront minées.

Ella le darda du regard.

— Que voulez-vous ? Les bijoux de l'exposition ? Le coffre ?

Les yeux noirs de l'homme ne cillèrent pas derrière les lunettes.

— Il ne s'agit pas d'un vol, madame.

Elle n'en fut que plus terrifiée.

— De quoi s'agit-il donc ?

Il avait la mine grave, il ressemblait plus à un médecin portant de mauvaises nouvelles qu'à un chef de gang criminel.

— Qu'il me suffise de vous dire pour le moment que votre hôtel est en fait pris en otage, madameBogarde.

— Pris en otage ?

— J'ai le regret de vous le dire, oui.

Le cerveau d'Ella bouillonnait.

— Où est ma fille ? Ce n'est qu'une enfant, handicapée de plus. Vous devez la laisser partir.

— Danielle ne court aucun risque, madame.

— Comment connaissez-vous son nom ? demanda vivement Ella.

— Elle n'est pas en danger.

— Alors, laissez-moi la rejoindre.

— Bientôt.

— Dites-moi au moins ce que vous pensez faire ?

— Vous le saurez en même temps que tout le monde, à l'intérieur comme à l'extérieur de l'établissement.

— C'est *mon* hôtel, insista-t-elle, à présent plus furieuse qu'effrayée. Tous les gens qui s'y trouvent – les clients comme le personnel – sont sous ma responsabilité. Leur sécurité est entre mes mains.

— Leur sécurité n'est pas en cause, madameBogarde.

Sa courtoisie tranquille alarmait Ella et augmentait encore sa perplexité.

— Comment pouvez-vous dire cela alors que vous avez apporté tout un arsenal dans l'établissement !

— À condition que nous puissions remplir notre mission, je vous donne ma parole que pas un seul innocent, homme, femme ou enfant, ne sera touché.

— Êtes-vous des terroristes ? demanda Ella, le cœur battant.

— Certains diraient que nous en sommes. Mais moi, je peux vous assurer que nous n'en sommes pas.

Ella le regarda dans les yeux.

— Et quelle est donc cette mission que vous avez à remplir ?

L'arme qu'il tenait dans sa main ne vacilla pas une seule fois.

— Nous allons tenir une cour de justice.

— Tu veux dire que tu ne peux pas rentrer ?

William se dirigeait du parking vers l'hôtel, n'ayant trouvé ni le portier ni personne d'autre pour garer sa Bentley, quand Krisztina courut à lui, instable sur ses talons hauts.

— Je te dis que je ne peux pas ! Les portes sont fermées et je ne vois personne à l'intérieur ! Elle était folle d'inquiétude.

— C'est impossible, Kriszti !

— Eh bien, vas-y, toi !

Ils s'élancèrent ensemble vers l'entrée principale. La grande porte frontale qui glissait d'ordinaire automatiquement dès que l'on passait devant l'œil électronique demeura close ; inutile également de la pousser à la main, elle ne bougea pas.

— C'est fou ! dit William.

— J'ai peur. Krisztina avait les traits tendus. « Il est arrivé quel que chose. »

Il secoua la tête.

— Il doit y avoir une explication simple. La sécurité. Peut être n'y avait-il plus personne pour rester à la réception pendant quelques minutes de sorte qu'ils auront préféré fermer les portes.

— C'est ridicule – il y a toujours quelqu'un de service.

William regarda à travers le verre, s'efforçant de voir au-delà du second jeux de vantaux. La réception semblait désertée.

— Il n'y a personne – attends une minute, quelqu'un arrive.

— Le ciel soit loué !

Deux hommes en smoking et une femme en robe de soirée verte avancèrent vers eux. William frappa à la vitre pour attirer leur attention. Le groupe s'arrêta entre les portes et ne fit pas un mouvement.

— Seigneur ! dit William d'une voix étranglée.

— Qu'y a-t-il ? Krisztina lui saisit le bras.

— Ils portent des pistolets mitrailleurs !

La femme qui prit en charge le standard téléphonique et qui ne s'identifia que sous le prénom de Katya téléphona à la police locale de Hunter. Elle demanda à parler à l'officier de police de service et le pria d'écouter attentivement.

— Un procès ? Quel genre de procès ?

Le patrouilleur Martin Levy était consterné, les lignes qui cernaient ses yeux s'accentuèrent.

— Le sergent dit qu'ils lui ont parlé d'un groupe antifasciste qui veut rétablir la justice.

— Alors, qu'est-ce qu'ils fabriquent à prendre en otage une grosse pièce cinq étoiles comme Château Bogarde ?

— Ils prétendent qu'une bande de nazis y loge, et que ceux-là, personne ne les punira jamais pour leurs crimes.

— Des fanatiques ! Le patrouilleur Joe Petrelli se frappa la tête avec sa main. Au beau milieu de ce Greene County où il ne se passe quasiment jamais rien, il faut que nous tombions sur une bande de fanatiques – de fichus terroristes qui prennent notre meilleur hôtel en otage. Il regarda Levy. «Qu'est-ce que cette Katya a dit qu'ils comptaient faire à ces nazis ?»

— Je vous l'ai dit. Ils vont les juger – un jugement public, a dit la femme au sergent. Elle a dit aussi que son groupe comportait trente personnes.

— Trente ! ? Mais, c'est une véritable armée ! Comment ont-ils fait pour entrer dans l'hôtel ? Je croyais qu'ils avaient un service de sécurité sur place.

— Il y en a un, effectivement, mais je suppose qu'ils n'avaient pas prévu une invasion de trentes personnes armées

701

de Kalashnikov, de Uzi et de Luger, sans parler des grenades.

Petrelli siffla.

— Sainte-Marie !

— Ils sont en train d'établir un dispositif sonore ; ils ont déjà des liaisons sur WTEN 10 et WKNY. Ils nous tiendront au courant dès qu'ils auront d'autres informations.

— Très obligeant de leur part, dit sèchement Petrelli. Que faisons-nous ? Demandons-nous quelques secours ?

— Le sergent est déjà en train de parler à Leeds.

Le téléphone du bureau sonna. Levy répondit ; il parla un moment et raccrocha.

— Qu'est-ce que c'est maintenant ?

Il semble qu'un homme et une femme viennent d'arriver pour signaler l'affaire. M. et Mme Hunter – les parents d'Ella Bogarde. Le sergent me demande de leur faire du café.

À dix heures, tous les hôtes et les membres du personnel de l'hôtel avaient été rassemblés dans la salle de bal sous la menace des fusils et tous étaient assis, ainsi qu'on leur en avait donné l'ordre, soit à leurs tables, soit sur le plancher.

Vers le centre, autour de la table familiale dont deux places étaient vides, Ella, Harry et Danielle, Lin Tsung et Sandor Janos étaient assis. À une autre grande table tout près se trouvaient Olivier, Héloïse, sa famille et leurs cinq amis.

L'estrade, où quelques minutes plus tôt l'orchestre de danse s'était installé dans un silence nerveux, était lentement convertie en un tribunal, avec des stalles pour les témoins, les défenseurs et un jury.

Harry donna un coup de coude à Ella.

— Il va parler.

Tous les regards se dirigèrent vers l'homme qui avait déjà parlé à Ella et qui se tenait devant un micro au centre de l'estrade.

— Je m'appelle Tadeusz, commença-t-il de sa voix soigneusement modulée. Vous savez tous maintenant que

702

notre but est ce soir de tenir une cour de justice. Vous saurez bientôt qui doit être jugé, et sous quelles accusations. Toutefois, avant d'en arriver là, et puisque la nuit sera fort longue et déplaisante, nous voudrions que vous jouissiez du dîner qui vous a coûté une somme considérable.

Des murmures confus et des réflexions diverses fusèrent de toutes parts dans la salle. Tadeusz leva la main pour imposer silence.

— Serveurs et serveuses, veuillez prendre les commandes

— Que le Chef Monselet et le personnel retournent aux cuisines et nous servent le repas préparé avec tant de soins.

— Cet homme est fou ! dit Olivier à Héloïse.

Elle hocha la tête, les lèvres serrées.

— Peut-être. Winzler regarda son fils.

— Meistens Juden, dit-il tranquillement.

— J'avais déjà remarqué qu'ils étaient presque tous Juifs, acquiesça-t-il.

— Pas tous, dit Helga Winzler. Regarde celui-là, en face, ce n'est pas un Juif. Et la femme, là-bas, non plus.

— Il y en a bien suffisamment, dit Winzler.

Ils se turent.

Les garçons passèrent parmi les hôtes et, l'estomac brouillé et la voix incertaine, chacun passa sa commande, fut servi et s'efforça de manger.

— Je ne peux pas en supporter davantage, murmura Ella à l'intention de Harry. Elle tremblait de colère et d'appréhension. «Voir tous ces gens – nos hôtes, être traités de la sorte. »

— Tiens bon, dit Harry. Reste calme, ma chérie, pour Dani sinon pour les autres.

Danielle, assise à sa gauche, l'entendit.

— Ça va, papa, dit-elle bravement. Ne t'inquiète pas.

— Je voudrais bien savoir où sont papa et maman, s'inquiéta Ella.

— Pas ici, répondit Harry entre ses dents. Et cela est peut-être une chance.

— Ont-ils réellement posé des bombes à toutes les portes et les fenêtres, Lin Tsung ? demanda Danielle.

— Je ne pense pas, Dani.

— Même s'ils l'ont fait nous sommes tous en sécurité à l'intérieur, ajouta Sandor.

— Je préférerais qu'ils n'aient pas ces pistolets, Sandor.

— Moi aussi, Dani, crois-moi !

Le « procureur », un homme d'une quarantaine d'années à la face lunaire et au crâne dégarni, dont l'accent, selon les Bogarde, était peut-être celui d'un Hollandais, commença à lire la liste des accusations.

Le capitaine SS Franz Winzler était accusé d'avoir donné des coups de pied jusqu'à ce que mort s'ensuive à une Sara Graber en septembre 1943, au camp de concentration de Birkenau et d'avoir ordonné la mort par le fouet de vingt et un hommes, femmes et enfants.

Peter Kalasz était accusé d'avoir ordonné à Budapest, en 1944, que l'on attachât trente-trois hommes par groupes de trois, que l'on fusillât celui qui était au centre de chaque groupe, et que l'on jetât ensuite tous les groupes dans le Danube, les deux victimes vivantes de chaque groupe étant incapables de flotter à cause du poids du cadavre du fusillé.

Gerhard Winzler, Günther von Edrichstein et Olivier de Trouvère étaient accusés de complicité de meurtre sur les personnes d'Helena Freiberg, Jacob Moszkowicz et Lucien Sagan entre juillet 1984 et mars 1985. Danielle éclata en sanglots.

— Dani, ne pleure pas, dit Harry, tentant de la réconforter tout en regardant Ella qui était immobile, les yeux clos. Ella ? ma chérie ?

— Ce n'est pas vrai, murmura-t-elle, puis elle ouvrit les yeux et le regarda, l'air implorant. Harry, il n'a pas pu – il ne pouvait pas faire cela.

— Complicité de meurtre, murmura Harry en tendant son mouchoir à Danielle pour qu'elle s'essuie les yeux. Qu'est-ce que cela veut dire ?

Lin Tsung remarqua l'attitude figée de Sandor et son visage blanc comme craie.

— Vous sentez-vous bien, monsieurJanos ? demanda-t-il doucement.

Sandor ne répondit pas.

Dans la petite salle nue du poste de police, Martin Levy remit à William et Krisztina la liste des accusés et des charges.

— Le sergent demande que vous regardiez cela au cas où l'un d'eux serait important pour vous.

Un moment après, Krisztina poussa un petit gémissement.

— MadameHunter ?

William fit taire le patrouilleur d'un regard. Il prit fermement dans la sienne la main glacée de Krisztina.

— C'est peut-être une erreur, dit-il tout bas.

Elle regardait toujours la feuille de papier.

— Y crois-tu vraiment ? dit-elle tristement.

Ce n'était pas une question.

— Que se passe-t-il maintenant ? demanda William à Levy.

— Ils ont sélectionné un jury – ils suivent la procédure. Ils prennent des clients de l'hôtel à part – du moins le semble-t-il – ils leur posent des questions, comme ils le feraient dans un véritable tribunal. Ce Tadeusz a l'air d'un homme de loi.

— Une espèce d'homme de loi.

Tadeusz et un autre homme portant un Uzi vinrent à la table des Bogarde et s'arrêtèrent près d'Ella.

— Madame Bogarde, voulez-vous nous suivre, s'il vous plaît ?

— Dans quel but ?

705

— J'aimerais vous parler.

— Pourquoi ne pas lui parler ici ? demanda Harry agressivement.

— Je vous assure qu'elle ne risque rien.

Ella toucha le bras de Harry.

— C'est bon. Elle se leva.

À l'extérieur de la salle de bal, Tadeusz dit :

— Madame, vous avez été sélectionnée pour faire partie du jury.

Consternée, elle rejeta la tête en arrière.

— Non !

— Si, madame.

— Vous êtes complètement fou ?

— Je ne le pense pas.

— Je ne veux pas servir votre parodie de justice. La voix tremblait mais était nette.

— Je crains que vous n'ayez pas le choix.

— Est-ce une menace ?

— Pas directement, répondit Tadeusz froidement, mais je vous rappelle que vous avez déclaré vous considérer responsable de la sécurité de votre personnel et de vos hôtes.

Ella le regarda.

— Vous ne voyez donc pas le mal que vous faites à la cause de votre peuple ?

— Entendez-vous par là le peuple juif ?

— Je suppose que oui.

— C'est aussi votre peuple, madame Bogarde.

— Je le sais parfaitement.

Les yeux de l'homme brillaient derrière ses lunettes.

— Sur les vingt-neuf hommes et femmes qui m'accompagnent ce soir, madame, je dois vous dire qu'il y a cinq protestants – dont deux sont allemands, soit dit en passant – trois catholiques et onze juifs. Les autres ont été payés pour se joindre à nous et je n'ai aucune idée de leur religion, je ne sais même pas s'ils en ont une, mais tous sont volontaires pour agir avec nous.

— À un certain prix.

— Tout a un prix. Le prix à payer pour juger cinq hommes qui autrement n'auraient vraisemblablement jamais eu à faire face à la justice sera peut-être ma propre vie et celles de certains de mes plus chers amis.

— Sans parler de celles de vos otages, ajouta Ella amèrement.

— S'ils nous laissent mener nos débats en paix, aucun innocent ne souffrira.

— Comment pouvez-vous appeler jugement cette farce grossière, alors que les accusés n'ont même pas la possibilité de se défendre ?

— Nous avons quatre avocats qualifiés parmi nous, répliqua Tadeusz, ils veilleront à ce que la justice soit rendue en toute probité.

— Des avocats ? Ella eut un rire sardonique. Demain matin, ils seront stigmatisés en tant que vulgaires criminels, comme vous tous.

— Voulez-vous faire partie du jury, madame Bogarde ?

— Je ne comprends même pas comment vous osez suggérer cela alors que vous mettez mon frère en jugement.

— C'est sans doute votre meilleure chance de vous assurer que le procès sera régulier.

— Vous voulez que je juge mon propre frère ?

Vous et neuf autres jurés.

— Si vous connaissez les lois, vous devez savoir que l'on ne me permettrait jamais de siéger dans un jury dans ces conditions-là.

— Ce serait une bonne chose pour vous de faire partie du jury. De plus, nous serions ainsi assurés que les médias s'intéressent à notre tribunal.

Elle se raccrocha opiniâtrement à un brin d'herbe.

— Si j'accepte, vous laisserez sortir ma fille ?

Tadeusz eut un air de regret.

— Impossible.

— Pourquoi ?

— Elle pourrait donner à la police une information qui nous porterait préjudice.

707

Il réfléchit un moment.

— Je pourrais toutefois lui permettre de quitter la salle de bal. Ce serait peut-être moins affligeant pour elle.

— Avec mon mari ?

— Elle pourrait aller au bar Kaaterskill avec Lin tsung.

Ella le dévisagea.

— Depuis combien de temps surveillez-vous ma famille ? Comment se fait-il que vous sachiez tant de choses sur nous ? Que vous avons-nous fait ? Ce ne peut pas être à cause d'Olivier ; il ne vit pas avec nous normalement ?

— Les circonstances, madame.

— Les circonstances ?

— Votre frère, votre beau château – votre renommée, votre succès, vos antécédents familiaux – ces célébrations, ce bal...

— Nous correspondions à ce que vous recherchiez.

— Exactement.

Un colonel de la Police de l'État arriva au poste et parla à William et Krisztina.

— Nous voudrions établir un quartier général près de l'hôtel. Avez-vous une suggestion ?

— La villa de notre fille se trouve sur les terres.

— À quelle distance ?

— Assez loin, dix bonnes minutes à pied en se pressant.

— Rien de plus proche ? Pas trop cependant, afin que Tadeusz et ses amis ne nous voient pas.

— Et la piscine couverte ? proposa Krisztina, heureuse de pouvoir enfin réfléchir dans un sens positif. C'est l'idéal. Vous avez une vue sur le château d'un côté tout en étant protégés par les arbres.

— Semble parfait, dit le colonel. Merci, madame.

William se leva.

— Nous voudrions vous accompagner, Colonel.

L'homme hésita.

— D'ordinaire, dans des situations semblables, nous n'encourageons pas les civils à approcher du théâtre des opérations. mais étant donné les circonstances, ce serait peut-être utile que vous soyez près de nous. Vous connaissez le plan de l'hôtel mieux que tout autre, après tout.

Krisztina se leva vivement.

— Pas vous, madame Hunter, mais nous vous remercions tout de même.

— Je viens, dit-elle résolument.

Le colonel chercha un soutien du côté de William.

— Nous ne tenons pas à exposer votre épouse à un danger qui ne servirait personne, madame Hunter

— Colonel, mon mari ne vient que très rarement à Château Bogarde, dit Krisztina, subitement crispée. Tandis que moi, j'en connais chaque centimètre presque aussi bien que ma fille. Vous avez besoin de moi.

Le colonel sourit.

— En effet, nous pourrions avoir besoin de vous.

Le procès commença sur le coup de deux heures du matin.

Franz Winzler fut appelé le premier à la barre.

La voix de Tadeusz était puissante.

— Monsieur le Procureur, voulez-vous appeler votre premier témoin.

Le procureur se leva et parla dans le micro.

— J'appelle Dora Graber Friedlander à la barre.

Une femme se leva d'une table située au fond de la salle à droite. Cheveux blancs, robe de soie noire élégante, elle marcha vers l'estrade avec calme et dignité.

— Oh, mon Dieu ! Ella, à présent dans le jury, se tenait sur l'estrade. «Elle écarquilla les yeux. »

— Qu'y a-t-il ? demanda l'homme qui était assis à côté d'elle.

— Le témoin.

— Quoi de spécial ?

— Elle a passé toute la semaine ici – elle a pris ses repas ici – elle a assisté aux présentations de mode – elle a regardé le ballet, dormi dans notre lit. De plus en plus blême, Ella serra ses poings sur ses genoux. «Même nos clients sont impliqués là-dedans. »

709

La nuit se poursuivit. Les témoins se succédèrent – un homme qu'Ella connaissait en tant que dentiste dans le Colorado, une cliente de Vienne, le philanthrope de Chicago qui était arrivé depuis la veille seulement. Venant de toutes les tables éclairées aux chandelles dressées autour de la salle, des dîneurs stupéfiaient leurs voisins en se levant pour aller en direction du tribunal sans surprise ni protestation. Prise au piège comme les autres jurés, Ella restait assise, de plus en plus ébranlée par la minutie de l'opération montée par Tadeusz. Elle réalisait maintenant que depuis le moment où elle avait décidé d'inclure le mariage d'Olivier dans les fêtes préparées pour l'anniversaire de l'hôtel, chaque étape du déroulement des festivités avait été scrupuleusement étudiée, les hôtes avaient probablement été noyautés, au point de faire des réservations pour les témoins.

Seigneur, quelle idiote j'ai été ! Ella se maudissait, la moitié seulement de son cerveau se concentrait sur les litanies effrayantes des accusations et des souvenir des crimes répugnants et inconcevables perpétrés contre l'humanité.

Elle levait la tête de temps à autre sur les visages des accusés : Winzler, absent, presque amusé. Kalasz, cramoisi d'étonnement et de peur. Le fils de Winzler, Gerhard et le jeune aristocrate, von Edrichstein, arrogants, de minces sourires sur les lèvres.

Et Olivier...

Ella tenta pour la millième fois de déchiffrer son masque, elle désirait ardemment, dans son désespoir fou, le croire innocent du crime dont ils allaient l'accuser. Mais en même temps, elle se souvenait de son instabilité croissante avec les années... son comportement avec Mischa autrefois, les penchants sadiques d'Olivier... sa fureur contre Gabor, puis leur étrange pacte de sang... ses griefs toujours plus puissants et irrationnels contre Geneviève... et d'autres choses encore... des choses sur lesquelles elle avait toujours évité de réfléchir...

Krisztina et William attendirent dans la piscine où le bar avait été transformé en un centre de communication reliant

710

les postes de police de Hunter et Leeds avec le groupe de coordination qui avait été constitué pour traiter la situation.

— Que se passe-t-il ? demanda William aux deux patrouilleurs locaux qui les avaient conduits par la route de montagne.

Petrelli regarda le sergent responsable des téléphones et de la radio.

— Ils sont en train d'examiner le périmètre autour du château – il semble que le gang entier est à l'intérieur. Nous supposons qu'ils ont truffé les alentours d'explosifs, mais comme nous ne pouvons pas savoir où ils sont, cela ne nous avance pas beaucoup.

— Et à l'intérieur, que se passe-t-il ? demanda Krisztina nerveusement.

— Ils viennent d'appeler Kalasz à la barre, dit le patrouilleur Levy.

Il consulta sa montre

— Il est presque cinq heures. Plus longtemps ça continuera comme cela, mieux ce sera pour nous.

— J'appelle Sandor Miklos Janos à la barre.

— Quoi ? Harry releva brusquement la tête.

Sandor se leva.

— Sandor ? La voix de Harry était dure. Vous étiez au courant ?

Sandor le regarda.

— Seulement depuis qu'ils ont donné lecture des actes d'accusation.

— Monsieur Janos, répéta le procureur.

— Vous connaissez Kalasz ? demanda Harry.

Un nerf se mit à battre violemment sur la tempe de Sandor.

— Non, je ne le connais pas. Mais je pense que c'est sans doute lui qui a assassiné mon père et mon grand-père.

— Ce type, Tadeusz, a tout de même de vrais sentiments humanitaires, commenta l'opérateur radio sur le mode misérieux mi-ironique à l'intention de William, Krisztina et des autres vers six heures du matin. Le chef d'orchestre vient de terminer sa déposition, et Tadeusz a fait apporter des œufs, des toasts et du café pour trois cent cinquante personnes.

— Savez-vous ce que nous faisons de notre côté? demanda Levy.

— Ils pensent que les explosifs sont un coup de bluff.

— Nous allons intervenir alors? Petrelli, qui s'ennuyait fermement, prit un nouvel intérêt à l'affaire.

— Pas encore, c'est trop risqué.

— Mais puisqu'ils bluffent?

— C'est nous qui le pensons. En tout cas, ce dont nous ne pouvons pas douter, c'est qu'ils ont suffisamment de poudre pour disposer de la moitié au moins des otages. Dans ces conditions, vous ne pensez pas que nous ferions mieux d'être prudents?

William et Krisztina se regardèrent, tous deux conscients de ce que pensait l'autre. D'un côté, ils auraient souhaité que le groupe opérationnel intervienne et mette fin à l'épreuve, mais d'un autre côté, ils étaient terrifiés devant les conséquences possibles pour Ella, Harry, Danielle et tous les autres. Et cette dernière considération l'emportait nettement.

Un peu après sept heures, tandis que de nombreux hôtes, surpris de leur propre voracité, terminaient leur petit déjeuner, un homme s'affaissa soudain sur sa tasse de café et saisit son bras gauche, une expression d'angoisse et de terreur sur son visage. L'homme était placé à trois tables de celle qu'occupaient Harry et Sandor.

Sa voisine le saisit et s'accrocha à lui, mais l'homme dont le teint était devenu subitement terreux et gris se rejeta contre le dossier de sa chaise. La femme le regarda fixement une seconde encore, puis elle se leva d'un bond et se mit à crier.

— Il fait une crise cardiaque! Espèce de sauvages! Vous voyez ce que vous avez fait? Dieu nous vienne en aide, mon mari fait une crise cardiaque!

L'homme à la radio écouta attentivement.

— Ils ont sorti quelqu'un.

— Quoi ? Qui ? William et Krisztina eurent un frisson glacé.

— Sais pas.

Il écouta encore.

— Un vieil homme nommé Chapman – vous connaissez ? Il regarda les Hunter qui secouèrent la tête négativement. «Il a dû avoir une espèce de crise cardiaque, et Tadeusz le fait sortir pour qu'il soit soigné.»

— Dans quel état est-il ? Est-ce grave ? demanda William en se penchant sur l'opérateur radio.

— Ils disent qu'il est debout à présent, ce n'est donc peut-être pas trop grave. Ils sont en train de lui parler.

— Pauvre vieux ! dit Levy avec compassion. Il devrait être en route pour le Memorial Hospital au lieu de parler à la Police de l'État.

— Il y a un tas d'autres vies en jeu, Marty, souligna Petrelli avec bon sens.

— En tout cas, dit le sergent qui s'occupait de la liaison radio, cela prouve une chose.

—Laquelle ? demanda Krisztina.

— S'ils sont sortis aussi facilement, nous pouvons entrer !

XL

À dix heures dix, presque quatorze heures après le début du siège de l'hôtel, le procureur se leva de nouveau. S'il éprouvait quelque fatigue, il n'en laissa rien transparaître.

— J'appelle Olivier de Trouvère à la barre.

Depuis le parterre, Harry observa intensément Ella ; comme il aurait voulu être près d'elle, la soutenir, lui donner de la force. Les yeux d'Ella étaient rivés sur Olivier, immenses, sans un battement de paupières ; ses lèvres étaient serrées ; tout son corps était raide.

— Vous êtes Olivier, vingt-septième Baron de Trouvère ?

— Oui.

— Monsieur le Baron, vous êtes accusé de complicité de meurtre sur la personne de Lucien Sagan, en avril 1985. Comment plaidez-vous ?

Olivier regarda le procureur.

— Je n'ai pas assassiné Lucien Sagan, répondit-il d'une voix tendue mais nette.

— Plaidez-vous coupable ou non coupable ?

— Je ne comprends pas cette accusation.

Le ton du procureur se fit sévère.

— Dans ce cas, je vais vous l'expliquer. Lucien Sagan a été renversé boulevard Saint-Marcel à Paris, le 14 avril 1985, par une Peugeot 504. Vous êtes accusé d'avoir réglé la location de ce véhicule et d'avoir procuré un refuge sûr au chauffeur après le meurtre. Il fit une pause. «Plaidez-vous coupable ou non coupable ?»

Olivier releva d'un coup le menton.

— Où est le chauffeur ? Pourquoi n'est-il pas dans le box ?

— Je répète pour la dernière fois, plaidez-vous coupable ou non coupable ?

Pour la première fois, un éclair de peur parut sur les traits d'Olivier bien que sa voix restât ferme.

— Je ne reconnais pas ce tribunal, déclara-t-il avec une emphase dédaigneuse.

Le procureur sourit.

— Que vous le reconnaissiez ou non, Monsieur le Baron, vous n'en serez pas moins jugé pour votre crime contre Lucien Sagan.

Tandis que William et Krisztina examinaient attentivement le plan de l'architecte de l'hôtel et répondaient aux questions du colonel, les deux patrouilleurs et le sergent parlaient à voix bassse.

— Savons-nous pourquoi ils ont assassiné ces gens ? demanda Petrelli.

— On suppose qu'ils font partie d'une bande de néonazis qui se vengeaient de ceux qui se sont portés témoins contre leurs parents, amis ou ceux qu'ils considéraient comme leurs héros, expliqua le sergent.

— Vous voulez parler des témoins lors des procès contre les criminels de guerre ? Petrelli était incrédule. Mais il y a quarante ans de cela !

— La plupart des criminels de guerre ont été jugés à l'époque, rectifia Levy. Quelques autres nazis ont été jugés depuis, et d'autres font encore l'objet d'enquêtes.

— Selon Tadeusz et son prétendu procureur, poursuivit le sergent, les autorités ne veulent pas reconnaître l'existence de cette bande parce que les décès ont été déguisés en accidents. Il consulta les notes qu'il avait prises en écoutant l'énoncé des preuves dans son casque. « Helena Freiberg à Mulhouse et Lucien Sagan à Paris ont été victimes de chauffards ; quant à l'autre homme, Moszkowicz, il semble qu'il se soit jeté sous un train à Vienne. » Il lança un coup d'œil rapide vers les Hunter pour s'assurer qu'ils étaient toujours occupés avec le colonel. « L'accusation dit que le fils Winzler et de Trouvère ont contribué à la mise en scène du meurtre des deux Français, et que von Edrichstein s'est occupé du meurtre perpétré à Vienne. »

— Vous y croyez ? demanda Petrelli.

Le sergent haussa les épaules.

— Je ne fais que mon travail ici.

— Marty ?

— Joe, ce que je crois n'a aucune importance.

— Mais si !

Levy soupira.

— Pourquoi ne serait-ce pas vrai ? Les gens se font plaisir en se persuadant qu'il n'y a plus de néo-nazis. Si ces trois-là sont des néo-nazis, alors je crois qu'il y a de fortes chances pour qu'ils aient fait ce dont les accuse Tadeusz.

La voix de William les fit sursauter.

— Je vous dirai seulement que vous oubliez un point capital dans toute cette affaire, messieurs.

— Lequel, monsieur Hunter ? Levy s'efforçait de détourner les yeux du visage pâle et de plus en plus tendu de Krisztina.

— Cet homme, Tadeusz, a beau parler comme un homme de loi, il n'en est pas moins vrai qu'il se conduit actuellement comme un terroriste.

À onze heures trente, tandis que certains otages somnolaient incommodément à leurs tables et que d'autres écoutaient et observaient toujours, étourdis d'épuisement, les deux « avocats de la défense » commencèrent leur discours final à l'adresse du jury. Comme il fallait s'y attendre, ils furent brefs, sans conviction et ne contenaient aucune preuve solide en faveur des accusés. Quarante minutes après, le procureur prit la parole, tout aussi brièvement, mais avec toute la force qui avait manqué à la défense ; sa passion était sans équivoque bien que volontairement contenue.

Il ne resta plus enfin à Tadeusz qu'à conclure.

— Deux des accusés de l'ancienne brigade ont déjà joui de plus de quarante ans de liberté dans le luxe. S'ils ne sont pas jugés aujourd'hui, ici, on peut présumer sans risque d'erreur qu'ils ne le seront jamais car le temps n'est pas loin où les témoins qui viennent de déposer devant vous auront à jamais disparu.

— Quant aux trois autres accusés – Gerhard Winzler, Günther von Edrichstein et Olivier de Trouvère – ils ne seront probablement pas jugés devant un tribunal régulier de quelque pays que ce soit puisque leurs victimes ne sont même pas reconnues en tant que telles.

Tadeusz regarda le jury.

— C'est votre chance ! poursuivit-il. Déclarer coupable l'un ou l'autre des accusés, c'est l'occasion unique historique d'œuvrer en faveur de millions de victimes – pas seulement en faveur des victimes juives, mais de toutes les victimes du nazisme, car parmi celles dont il a été question dans notre modeste tribunal, ni Lucien Sagan, ni cinq des victimes de Peter Kalasz n'étaient juives.

Il ôta ses lunettes, les essuya avec un grand mouchoir blanc et les remit en place sur l'arête de son nez.

— La chance vous est donnée, répéta-t-il, si les preuves de culpabilité vous semblent évidentes de porter ce qui sera sans doute le dernier coup à des monstres responsables du massacre collectif de cinquante-cinq hommes, femmes et enfants.

Il fit une nouvelle pause.

— Mesdames et Messieurs les jurés, veuillez vous retirer pour délibérer.

Ella, depuis l'estrade, regarda Harry et Sandor.

Harry la regardait dans les yeux.

Il se demande ce que je vais faire, pensa-t-elle.

Elle lui adressa un pâle sourire et reporta son regard sur Olivier qui était assis, raide, le visage blafard.

Mon frère.

Ella frissonna.

Depuis combien de temps sont-ils partis ? demanda Krisztina à William.

— Trois heures. Il regarda l'opérateur radio. Des nouvelles de votre action ?

— Ils se préparent, monsieur.

— Qu'attendent-ils donc ? marmonna Petrelli entre ses dents ; l'atmosphère le rendait plus nerveux que les autres.

— Ils attendent le verdict, répliqua le sergent.

— Pourquoi ? demanda Krisztina avec crainte.

— Parce que quand les verdicts seront prononcés, madame, il y a des chances pour que tout le monde se trouve dans la même salle en même temps.

Tadeusz vint voir le juy dans la bibliothèque.

— Vous mettez trop de temps.

Ella leva la tête avec colère.

— Nous ne savions pas que le temps était limité.

— Il doit y avoir une limite, c'est le bon sens même, madame.

— Comment cela ?

L'homme avait l'air sinistre.

— Veuillez sortir, je vous prie.

— Pourquoi donc ?

— Je souhaite vous parler.

— Vous pouvez me parler ici.

— Dehors. C'était un ordre.

Ella regarda les autres jurés fatigués, tous étaient à bout de force. Elle se leva.

Dans le couloir Tadeusz devint encore plus sévère.

— Madame Bogarde, je compte sur vous pour en finir au plus vite.

— Dans ce cas, vous comptez sur la mauvaise personne !

— Vous oubliez vos responsabilités, madame.

— Pas un seul instant, dit Ella avec amertume.

— Alors vous devez réaliser que plus cela dure, plus la possibilité s'accroît de voir la police ou l'armée perdre patience et investir les lieux.

— Je compte sur cette éventualité.

— S'il en était ainsi, souligna rudement Tadeusz, quelques-uns parmi votre famille, vos amis et vos clients pourraient être blessés.

— Cela vous importe-t-il vraiment ?

— Oui.

— Alors arrêtez tout cela dès maintenant et laissez-les partir.

— Je ne peux pas faire cela.

Ella se radoucit.

— Vous avez prouvé ce que vous vouliez ? N'est-ce pas suffisant ?

— Je l'aurais souhaité.

— Mais vous avez l'intention d'aller jusqu'au bout.

— Je n'ai pas le choix, madame Bogarde.

— Et alors ? s'aventura-t-elle à demander.

— Cela dépend des verdicts.

— Croyez-vous pouvoir tirer des verdicts sincères de gens que vous avez rassemblés ici à coups de matraques ?

Ella tentait de l'amener à la raison.

— Même s'ils étaient volontaires pour coopérer avec vous, ils sont à présent trop fatigués et embrouillés. Ils ne sont plus capables de penser juste.

— Eh bien, aidez-les.

— Comment ?

— En donnant vous-même un verdict honnête. C'est vous qui êtes leur guide dans cette pièce. Ils vous suivront croyez-moi.

Ella commençait à se sentir affaiblie par la tension et le manque de sommeil. Elle se demanda pour la première fois avec inquiétude si le bébé qu'elle portait n'en serait pas affecté. Elle posa une main contre le mur pour reposer ses jambes.

— Madame Bogarde, vous sentez-vous bien ?

Elle ravala la nausée qui lui tenaillait la gorge et brava le regard de l'homme.

— Vous n'obtiendrez jamais un verdict de moi, Tadeusz. Je refuse de juger mon frère et les autres dans votre parodie de tribunal.

Les yeux de Tadeusz se rétrécirent.

— Vous aurez à le faire, tôt ou tard. À votre place, je préférerais le faire maintenant pour des raisons que je vous ai déjà expliquées.

— Mes raisons personnelles sont aussi nettes et claires que les vôtres.

Le visage de Tadeusz se durcit.

— Je préférerais ne pas en venir aux menaces, madame Bogarde.

— Quel genre de menaces ?

— Le genre de menaces que j'ai évitées de brandir depuis le début de cette affaire. Il attendit un instant. «Un verdict en échange d'une vie.»

Ella accusa le choc.

Tadeusz poursuivit.

— Pour chaque jugement que ce jury ne rendra pas, nous exécuterons un otage.

— Je ne vous crois pas, murmura Ella.

Il eut un rictus.

— Si vous m'aviez rencontré avant cette nuit, madame, j'imagine que vous ne m'auriez pas cru capable de prendre un hôtel en otage.

Ella le dévisagea pendant un long moment. Puis elle dit doucement :

— Je vais leur expliquer cela.

— Merci.

— Je vous en prie, s'écria-t-elle avec violence, ne me remerciez pas !

Tadeusz lui ouvrit la porte de la bibliothèque.

— De verdicts majoritaires suffiront, madame Bogarde.

Ella entra dans la pièce.

Harry et Sandor se rendirent sous bonne garde aux toilettes des hommes.

— Je me demande comment elle tient, dit Harry dans un souffle.

— C'est une femme forte, marmonna Sandor.

— Cela dure depuis plus de quatre heures.

Harry était désemparé.

— Je ne pense pas que Tadeusz va attendre encore longtemps. Il sait qu'il doit en finir rapidement maintenant.

— Et comment pensez-vous qu'il s'y prendra ? demanda Sandor. Je ne peux rien dire des autres jurés, mais je suis certain qu'Ella ne cèdera pas.

— À moins qu'il ne lui laisse aucune possibilité de faire autrement.

Ils s'éclaboussèrent le visage d'eau froide. À la porte, leur garde armé se balançait d'un pied sur l'autre.

Sandor regarda Harry.

— Si les verdicts, truqués ou non, penchent du côté de la culpabilité, que feront-ils, selon vous ?

— Fusilleront ces salauds, je suppose.

Sandor hocha la tête.

— Et son frère ?

Harry était impassible.

— Eh bien, ils ne l'enverront sûrement pas en prison.

À cinq heures, une femme portant un Uzi pénétra dans la bibliothèque et poussa dix feuilles de papier sur la table, devant Ella.

— Des bulletins de vote, dit-elle. Vous devez les remplir. Écrivez le nom de chaque accusé et, en face, coupable ou non coupable.

— Il est trop tôt, dit Ella.

— Tadeusz dit que vous avez eu assez de temps. Remplissez-les.

Dix minutes après la collecte des bulletins, Tadeusz en personne revint dans la bibliothèque et fit sortir Ella dans le couloir.

— Le vôtre, je suppose ? Il lui jeta à la tête un bulletin. *Non valide*.

Ella transpirait à présent.

— C'est le mien.

— Vous êtes la seule, madame Bogarde.

— J'ai fait part aux autres de vos menaces, dit-elle avec une bravoure feinte. Vous avez dit que j'étais en quelque sorte la présidente – une présidente est autorisée à choisir sa propre voie.

— Recommencez tout.

— N'avez-vous pas obtenu votre majorité ?

— Recommencez tout !

Ella eut l'impression qu'il allait la gifler. Elle enfonça ses ongles dans la chair de ses paumes.

— Je ne plierai pas devant un tribunal illégal.

— Dans ce cas, nous allons fusiller notre premier otage. Il amorça un demi-tour.

— Non !

Tadeusz se retourna et lui remit dix feuilles blanches.

— Recommencez.

— Lin Tsung, que se passe-t-il ? Danielle sortit d'un sommeil réparateur et se redressa vivement. Ça n'est pas encore fini ? Quand vais-je revoir maman et papa ?

Lin Tsung, les yeux rougis de fatigue et de son effort permanent pour rester calme afin de ne pas effrayer Danielle, secoua la tête.

— Je ne sais pas, Dani. Je crains que nous ne devions attendre encore un peu.

La chienne jappa doucement, et Danielle lui caressa les oreilles.

— Daisy demande à sortir. Elle a horreur de faire ses besoins à l'intérieur.

— Il faut que nous restions ici, Daisy aussi. Essaie de dormir encore un peu.

— Je ne suis pas fatiguée. Elle avait tout de même l'air las. Que vont-ils faire à oncle Olivier ?

— Probablement rien.

— Ils pensent qu'il a tué ces gens.

— Ce sont des criminels, Dani, dit Lin Tsung tranquillement, se souvenant de la sentinelle en faction devant la porte du bar. Et je suis sûr que la police ne va plus tarder à nous délivrer tous, y compris oncle Olivier.

Un sentiment de panique passa dans le regard de la fillette.

— Je crois qu'ils vont le fusiller, dit-elle.

Tadeusz, l'air excédé, aplatit le bulletin de vote d'un coup sec. Non coupable par non-validité du procès.

— Au moins, la rédaction est différente même si le contenu reste le même.

— Que faisons-nous ? demanda le procureur. En fusiller un ?

Tadeusz fourragea dans ses cheveux noirs coupés court.

— Non.

— Quoi, alors ?

— Nous avons un vote majoritaire. J'aurais bien voulu le verdict d'Ella Bogarde, mais nous n'obtiendrons rien d'elle à moins de fusiller des innocents. Tadeusz se leva et s'adressa à la femme qui attendait près de lui. Faites revenir le jury dans la salle de bal.

— Ils retournent dans la salle de bal !

Dans la piscine, les trois policiers se redressèrent, et Krisztina et William cessèrent de faire les cent pas.

— Nous y allons ? demanda Levy.

— Je n'en sais rien, répondit le sergent. Je pense qu'il faut attendre les verdicts.

Krisztina retomba sur sa chaise, incapable de rester encore debout. William s'assit en silence près d'elle et lui prit la main. Tadeusz parla d'une voix forte dans le micro, réveillant tous ceux qui avaient réussi à s'endormir.

724

— Je vais vous donner maintenant lecture des verdicts du jury concernant les cinq accusés.

Harry leva la tête vers Ella, lui signifiant ainsi d'être forte.

— Franz Ludwig Winzler est déclaré coupable.

Héloïse eut un sanglot étouffé, sa mère se mit à pleurer et sur l'estrade, le fils Winzler gémit tout bas sur le banc des accusés.

Tadeusz poursuivit imperturbablement.

— Peter Bodog Kalasz est déclaré coupable.

Kalasz dirigea ses petits yeux brûlants de haine vers Sandor Janos.

— Gerard Winzler...

— ...coupable.

Le sergent, son casque d'écoute sur les oreilles, poursuivait son rapport. Krisztina, glacée de peur, était toujours assise, sa main engourdie enfermée dans celle de William.

— Günther von Edrichstein - coupable. Le sergent se tut, ses traits étaient indéchiffrables.

— Sergent, dit la voix de William surgissant du silence, dites-nous, je vous en prie.

— Olivier de Trouvère – coupable.

Krisztina ne flancha pas. William l'entoura de son bras.

— Ils ont eu ce qu'ils voulaient, dit Levy sur un ton sinistre.

— Vous pensez que c'est tout ce qu'ils désirent ? demanda Petrelli.

— Taisez-vous. Le sergent leva la main. Tadeusz va prononcer la sentence.

— C'est cela qu'ils veulent, dit Petrelli ironiquement.

Le sergent se pencha sur sa radio. Plusieurs secondes s'écoulèrent.

— Alors ? Petrelli avait peine à se contenir.

Le sergent releva la tête, incrédule.

— La mort, dit-il. Par pendaison.

— Je veux parler à mon frère. Ella quitta le box des jurés et se dressa devant Tadeusz, ignorant les gardes.

— Pas le temps.

— Eh bien, faites qu'il y ait le temps. C'est une question de décence humaine.

— Vous n'êtes pas en situation de donner des ordres, madame.

Elle le regarda dans les yeux.

— Je vous en prie, dit-elle plus doucement.

Il fléchit.

— Quelques instants.

Ella regarda vers les fenêtres sans le vouloir.

Tadeusz hocha la tête.

— Ils n'attendront plus longtemps maintenant.

— Vous n'allez pas les pendre, n'est-ce pas ?

Le visage de l'homme était implacable.

— Nous pendrons le SS si c'est la seule chose que nous puissions faire, répliqua-t-il calmement. Et Kalasz aussi, si nous le pouvons.

Ella osait à peine respirer.

— Et mon frère ?

— Si nous en avons le temps.

Elle le dévisagea, subitement consciente d'avoir devant elle un homme persuadé qu'il allait bientôt mourir. Un frisson glacé la parcourut.

— Merci, dit-elle.

— Nous le pendrons si nous pouvons. Car votre frère est coupable, madame.

Elle avait les joues brûlantes, sa belle robe pendait sur elle comme un poids mort, l'attirant à terre.

— Allez le voir, vite, dit Tadeusz.

— Pouvons-nous rester seuls ?

— Désolé.

— Ollie ?

Il était assis, flanqué de ses co-accusés affaissés, engourdis, incrédules.

— Ella.

Elle leva la main vers le banc installé dans la section des cuivres de l'orchestre de danse. Elle prit dans la sienne sa main froide. Elle perçut la terreur silencieuse de son frère.

— Ollie, essaie de ne pas avoir peur, les secours vont arriver.

Il eut un rictus au coin des lèvres.

— Les secours !

— C'est surtout le père d'Héloïse qu'ils veulent, et le Hongrois. Avec un peu de chance, tout sera peut-être fini avant...

— ...que vienne mon tour ?

Elle le regarda et toute trace de condamnation s'évanouit en elle, il ne lui resta plus que la pitié.

— Ils vont me pendre, dit Olivier d'une voix étrange et sans expression. Ils ont tué mon père, et maintenant, ils vont me tuer.

— Ollie, ton père s'est suicidé.

Il secoua la tête.

— Ils l'ont forcé. C'était comme un meurtre.

Il sourit légèrement.

— Le destin des deux derniers barons de Trouvère aura été de terminer leurs jours à la merci des bandits.

Ella se taisait.

— Ella ?

— Oui ?

— Tu ne veux pas savoir si ce dont ils m'accusent est vrai ?

— Seulement si tu souhaites me le dire.

— C'est vrai, dit-il d'une voix sans timbre. Je ne voulais pas le faire mais je leur devais de le faire.

— Oh ! Ollie. Ses yeux étaient pleins de larmes. Je voudrais tant t'aider, mais...

— Mais tu ne peux pas me sauver la vie. Il se tut, puis reprit d'une voix lointaine : «Dames et Chevaliers.»

— Quoi ?

— Nos jeux – Tu te souviens ?

Dans un éclair, elle vit Mischa dans la rivière.

— Je me souviens.

La main d'Olivier, d'abord molle dans celle de sa sœur, s'anima brièvement et l'agrippa.

— J'ai toujours voulu être celui qui te sauverait, Lalla, murmura-t-il dans un souffle qui était presque un sanglot.

Ella tendit péniblement sa main libre et caressa la joue d'Olivier.

— Je le sais, dit-elle.

La salle de bal grouillait d'activité. Des hommes arrivaient par toutes les portes, chargés de grosses cordes dont les nœuds coulants étaient déjà faits. Tous s'affairaient avec une efficacité atroce. On débarrassa deux grandes tables, on les superposa, puis on apporta une échelle prise dans les entrepôts de l'hôtel.

— L'échafaud, murmura Sandor.

La première corde fut nouée au grand lustre central, les tables furent poussées au-dessous.

— La potence, dit tout bas Harry.

Tous ses muscles étaient douloureux. Il tourna la tête vers le lieu où le jury était toujours en place formant un groupe face aux condamnés.

— Où donc est la police ? Le sergent plaqua son poing contre le mur de la piscine.

— Tout va bien !

— Quoi ? dit Levy.

— Quoi ? cria Petrelli.

— On y va !

— Maintenant ? dit William.

— Maintenant.

Krisztina se mit à prier. Dans la salle de bal, trois cent cinquante personnes virent avec incrédulité et horreur comment l'ancien capitaine SS Franz Winzler fut extirpé de son banc et poussé par quatre hommes vers l'échafaud.

— Montez ! ordonna Tadeusz.

Le visage de Winzler était rouge de colère et de terreur.

— *Niemals ! Ihr ottverfluchten erbrecher !* [1]

— Faites-le monter !

— *Nein !* hurla Helga Winzler tandis qu'Héloïse se couvrait le visage en sanglotant.

— Ils vont le faire, souffla Harry. Ils vont réellement le faire !

Winzler était debout sur la table, les mains attachées dans le dos, tremblant violemment.

— *Herrgott, rette mich, rette mich.* [2] Ses lèvres remuaient en une prière silencieuse tandis que l'énorme et lourd nœud coulant lui était passé autour du cou.

Au-dessous de lui, trois hommes attendaient, les mains à plat contre les pieds de la table, prêts à repousser la plate-forme de sous les pieds du condamné sur le signal de Tadeusz.

Tadeusz leva la tête vers le nazi vieillissant, il n'éprouvait aucune pitié. Il leva sa main droite.

— Pour Sara Graber et tous les autres. Sa voix sonore d'orateur résonna à travers la salle.

Puis il abaissa son bras.

Ils giclèrent comme des flèches noires par toutes les portes et fenêtres. Masqués, armés de fusils mitrailleurs, de carabines et de Magnum 357, ils lancèrent un nuage de gaz lacrymogène puis, prenant pour repères d'identification les propres armes de la bande des vengeurs, ils firent feu.

— Lin Tsung ! Que se passe-t-il ?

Au bar Kaaterskill, Danielle, Lin Tsung et Daisy se dressèrent tous ensemble, surpris par l'immense clameur.

— Qu'est-ce que c'est ?

— Ce doit être la police, dit Lin Tsung.

---

1. Jamais ! Assassins maudits !
2. Seigneur, sauve-moi, sauve-moi.

— Oh! mon Dieu, ils sont en train de tuer tout le monde! Danielle porta ses mains à ses oreilles et se mit à sangloter de terreur.

— Non, Dani, je suis certain.

Elle courut à la porte. Leur sentinelle était partie.

— Il n'est plus là! cria-t-elle. Nous pouvons y aller! Elle ouvrit la porte.

— Non, Dani!

Lin Tsung s'élança à sa poursuite, mais la chienne et la fillette étaient trop rapides pour lui, elles étaient déjà sorties du bar et fonçaient dans le hall, en direction de la salle de bal.

— Ella! Pour l'amour de Dieu, où est-elle?

Harry scrutait parmi le tumulte, cherchant sa femme, s'affolant. Autour de lui, des gens se jetaient à terre dans un effort désespéré pour échapper aux balles, aux fragments de bois et aux éclats de verre qui volaient dans tous les sens.

Au centre de la salle, Helga Winzler était restée assise, pétrifiée d'horreur, fascinée par le corps de son mari qui pendait mollement du grand lustre, tandis qu'Héloïse de Trouvère hurlait comme une hystérique afin que quelqu'un coupât la corde.

Les yeux suintants, la gorge brûlante sous l'effet du gaz lacrymogène, Harry donnait des coups d'épaules à droite et à gauche pour se frayer un chemin jusqu'à l'estrade, toujours en quête d'Ella. Mais ce fut Danielle qu'il vit s'encadrer dans la porte, une main passée dans le collier de Daisy, l'autre plaquée contre sa bonne oreille, une expression de confusion et de peur sur le visage; puis il vit Lin Tsung accourir derrière elle.

— Dani! hurla Harry. Va-t-en d'ici!

Dans le feu de l'action, l'un des hommes du groupe d'intervention le bouscula violemment et le fit tomber sur le plancher de la salle. Momentanément déséquilibré, Harry se releva et vit Sandor qui, ayant lui aussi aperçu Danielle, s'élançait vers elle.

Peter Kalasz, libéré du box, vit Janos. Il se retourna, s'empara d'un Luger abandonné par un blessé du gang de Tadeusz et le visage tordu de haine, leva l'arme et visa.

— Non !

Ella qui arrivait derrière lui vit Danielle dans la ligne de tir ; elle se jeta sur le meurtrier de Nyila, luttant vainement pour lui faire lâcher son pistolet. Kalasz se saisit d'elle en hurlant, lui enserra la gorge de son bras gauche, l'étouffant presque.

— Maman !

Le coup partit et Daisy, frappée dans le flanc droit, se renversa sur le sol. Danielle pleura piteusement, le visage enfoui dans la fourrure blanche tachée de sang de l'animal, tandis que Lin Tsung s'efforçait de les protéger tous deux de son corps.

— Salauds !

Enragé, Harry se lança contre Kalasz, lequel lui asséna sur la tempe un coup de crosse, le réduisant ainsi à l'immobilité. Ella, à demi évanouie par le manque d'air, s'amollit dans les bras de Kalasz au moment où il pointait son pistolet sur sa tête.

La police cessa le tir.

Tous les yeux se tournèrent vers la scène dramatique qui se déroulait près de la porte principale.

— Laisse-la partir, dit Sandor tranquillement.

— *Nem.*

— C'est moi que tu veux, Kalasz. C'est moi qui ai fourni les preuves contre toi, pas madame Bogarde.

— Elle a siégé dans le jury et m'a déclaré coupable.

Harry, encore tout étourdi, se remit sur ses pieds en chancelant.

— Ce n'était pas un procès, dit-il d'une voix incertaine. Vous n'avez été déclaré coupable de rien du tout. Laissez-la partir et vous serez aussi libre que vous l'étiez quand vous êtes entré dans cette salle.

Kalasz cracha.

— Ne me prenez pas pour un idiot, Bogarde.

731

Sandor intervint encore.

— Il y a au moins cinquante armes pointées sur toi en ce moment même, Kalasz.

— S'ils m'abattent, elle mourra aussi.

Personne ne bougea.

Danielle gémit sur le plancher.

Kalasz regarda autour de lui sans bouger la tête, et il remit Ella droite contre lui, comme un bouclier humain.

— Je vais partir maintenant, dit-il. Si quelqu'un tente de m'arrêter, – le ton de sa voix se fit menaçant — aussi vrai que Dieu est mon témoin, je la tuerai.

On n'entendit plus dans la salle que des sanglots, des râles étouffés et des murmures angoissés.

Olivier était accroupi derrière une table au milieu de la salle. Il lui sembla être retourné une trentaine d'années en arrière.

Les tables, les chaises, les débris, les hommes du commando et le public avaient disparu. Il se retrouvait à de Trouvère, dans les broussailles qui bordaient la rivière.

L'ennemi tenait sa dame. Le pistolet Uzi était abandonné sur le sol.

Ses yeux brûlants s'étaient rapetissés, son corps avachi de quadragénaire retrouvait la souplesse de la jeunesse. Son cerveau était froid et lucide, son cœur battait. Sa cible se dressait le dos tourné vers lui, pressant sa victime contre lui.

Olivier se raidit.

Je suis un athlète — Je suis un tigre — Je suis le grand Chevalier blanc.

— *Lâche-la !*

Le rugissement transperça l'air comme un cimeterre tandis qu'Olivier se précipitait en avant, saisissait le fusil et visait...

— Non ! Harry se jeta sur Kalasz, saisit Ella, l'arracha enfin et la plaqua à terre...

732

La brève fusillade assourdissante fissura le crâne de Kalasz, traversa son cou et ses épaules, ricocha dans les miroirs et la verrerie, traversa le bras gauche de Harry.

...Et la poitrine de Lin Tsung.

Olivier cessa de tirer.

Il vit le corps transpercé de Kalasz, il vit Ella vivante qui le regardait, ses yeux étonnés, choqués et merveilleux.

Et il sentit plus qu'il ne vit les hommes qui se mettaient en mouvement, l'encerclant, le cernant.

Il leva encore une fois son arme, dirigea le canon vers lui, l'œil monstrueux et noir fixé sur le sien.

Et Olivier manœuvra la gachette.

Et l'œil explosa.

Il pensa qu'il était impossible qu'il fût encore en vie.

Il ne ressentait absolument rien. Toute la douleur se dissipait dans un étrange nuage rouge et tourbillonnant qui enveloppait sa tête et l'étourdissait.

— Ollie...

Il ouvrit les yeux, et Ella fut là, les larmes coulant sur ses joues, sa bouche déformée par le chagrin.

— Ne pleure pas, Lalla, dit-il dans un effort.

Pas pour moi. Il voulait la consoler, arrêter ses pleurs.

— Pour moi, c'est mieux ainsi, Lalla. J'ai fait des choses terribles, j'ai commis des actes atroces dont tu n'as jamais eu connaissance.

Mais il savait qu'Ella ne l'entendait pas. Et il referma les yeux. Il revit alors dans le brouillard les visages anciens de ses cauchemars... Mischa, Geneviève, le pilote...

Puis le nuage rouge s'épaissit, s'assombrit, se ferma sur lui, l'étouffant. Olivier sut alors qu'il était en train de mourir. Peut-être même n'existait-il plus depuis lonngtemps....

Il lui vint encore à l'esprit qu'il était peut-être en route vers l'enfer.

À une heure du matin, cinq heures après la fin de l'assaut, après que les morts et les blessés eurent été emportés vers la morgue ou l'hopital, les patrouilleurs Levy et Petrelli marchèrent lentement à travers la salle de bal en ruines tandis qu'une équipe d'agents de la sûreté s'attachait à démêler l'affaire.

— Je n'étais jamais venu ici auparavant, dit Petrelli. Il paraît que cette salle était somptueuse... il n'en existait pas de semblable même à New York.

— Ce n'est plus vrai, dit Levy.

Petrelli siffla.

— Regardez cela !

Ils examinèrent les restes du grand lustre central qui avait éclaté en mille fragments en s'écrasant sur le sol au moment où la corde du SS avait été coupée.

— Je crois qu'il a mérité son sort, dit Levy.

Petrelli secoua la tête.

— Je me demande encore ce que cherchait ce type, Tadeusz. Il est maintenant étendu à la morgue avec la plupart de ses amis.

— Il savait ce qui arriverait.

— Vous croyez, Marty ?

Levy hocha la tête en silence.

— Je n'en sais rien, dit Petrelli, l'air pensif. Trois nazis morts et une belle brochette de morts ou de blessés, des gens terrifiés qui vont faire des cauchemars jusqu'à la fin de leur vie.

Levy haussa les épaules.

— Justice ?

— Vous croyez ? demanda encore Petrelli.

Levy se fit solennel.

— Je crois.

PINE ORCHARD, NEW YORK

11 juin 1986

Ils vinrent la retrouver. Sa mère, son père, Danielle et Harry, le bras en écharpe.

Toute sa famille, sauf un.

Ella se leva.

— Maman, tu n'aurais pas dû sortir. On t'a dit de te reposer.

Les chiens gambadaient autour d'eux. Krisztina sourit.

— Je vais bien, chérie.

William tenait sa femme par le bras.

— Elle ne se serait pas reposée avant de t'avoir retrouvée, ma chérie.

Harry regarda le grand portail en fer forgé.

— Tu l'as fermé ?

Ella hocha la tête affirmativement.

— Pourquoi ?

— Parce que l'hôtel est fermé, répondit-elle simplement.

— Pour combien de temps ?

— Je n'en sais rien.

— Nous pourrions rester ouverts, répliqua Harry avec calme. Il n'y a guère que la salle de bal qui soit vraiment endommagée.

— Non, dit-elle.

— Non ? Krisztina scruta le visage de sa fille.

Les yeux d'Ella étaient rouges, encore irrités par le gaz et les pleurs.

— C'est un champ de bataille, maman, pas un hôtel.

Danielle, pâle et émue après les pénibles funérailles de Lin Tsung qui avaient eu lieu la veille et encore sous le coup du cauchemar qu'elle n'oublierait jamais, s'approcha d'Ella et lui prit la main.

— Daisy va guérir, maman, dit-elle doucement. La clinique vétérinaire vient de nous appeler. Elle va boîter mais ça va aller.

Ella se pencha et prit sa fille dans ses bras.

— C'est une très bonne nouvelle, Dani.

L'enfant poursuivit de la même voix douce et lasse.

— Papa dit qu'oncle Olivier n'a pas pu faire autrement que tirer sur lui et Lin Tsung. Sa bouche trembla légèrement. « Il dit qu'oncle Olivier est un héros parce qu'il t'a sauvé la vie. »

— C'est vrai ? Ella se mordit les lèvres et leva les yeux vers Harry.

Danielle la tira par les bras.

— Maman, combien de temps l'hôtel va-t il rester fermé ?

— Je n'en sais rien, répéta Ella.

— La salle de bal n'a pas l'air en si mauvais état. Louis et Howie, avec les autres, l'ont nettoyée et presque tous les... Elle se tut subitement, rougissante.

— C'est bon, Dani, dit Harry tendrement.

Tous restèrent silencieux pendant un moment.

— Papa, je retournerai à l'école demain ?

— Non, ma chérie. Après les obsèques de ton oncle.

— Quand ?

— Bientôt.

Il y eut un autre silence.

Lentement, Ella porta sa main droite sur son estomac et l'y laissa. *Vie et mort,* pensa-t-elle. *Une nouvelle vie.*

Elle respira profondément l'air de la montagne et fixa son regard sur le visage de son mari.

— Harry, dit-elle. J'ai quelque chose à te dire.

Une semaine après, Ella et Krisztina marchaient parmi les tombes après que les autres furent partis.

Huit barons de Trouvère sont enterrés ici.

— Il n'y en aura pas un neuvième, dit Ella.

Des rires d'enfants qui jouaient leur parvinrent, venant de l'autre côté du mur de pierre.

— Au moins, l'endroit est toujours vivant, dit Krisztina d'une voix douce remplie de gratitude. C'est gentil de leur part de nous laisser le cimetière.

— Et la chapelle.

Krisztina hocha la tête.

— Tu as la clef, maman ?

— Bien sûr. Elle était lourde dans sa poche.

— Nous y allons ?

— Plus tard, peut-être.

Krisztina s'assit lentement sur le vieux banc de bois près de la tombe de Geneviève.

— Réservons cet après midi pour l'extérieur, à l'air frais.

— Du côté de la vie, dit Ella doucement en s'asseyant près de sa mère.

Elles restèrent un moment silencieuses, enveloppées du bourdonnement des abeilles et du lourd parfum des rosiers grimpants mêlé à celui de la terre fraîchement retournée.

— Que comptes-tu faire ? demanda enfin Krisztina.

— Faire ?

— À propos de Château Bogarde.

Ella était incapable de parler.

Krisztina lui prit la main.

— Château Bogarde a son existence propre, exactement comme de Trouvère.

— De Trouvère a survécu sans nous, maman.

— Oui, mais de Trouvère, c'est le passé, *dragam*. Château Bogarde, c'est l'avenir.

— Je sais, murmura Ella, les yeux brillants.

— Alors, veux-tu le faire revivre de nouveau, pour Dani et le bébé sinon pour toi ?

La brise remua les branches du vieux bouleau argenté qui se dressait dans l'angle du cimetière.

Ella ferma les yeux, respira longuement, doucement, laissant pénétrer l'air profondément dans ses poumons.

— Peut-être, dit-elle. Quand le temps sera venu.